MITOLOGIA GREGA

Volume II

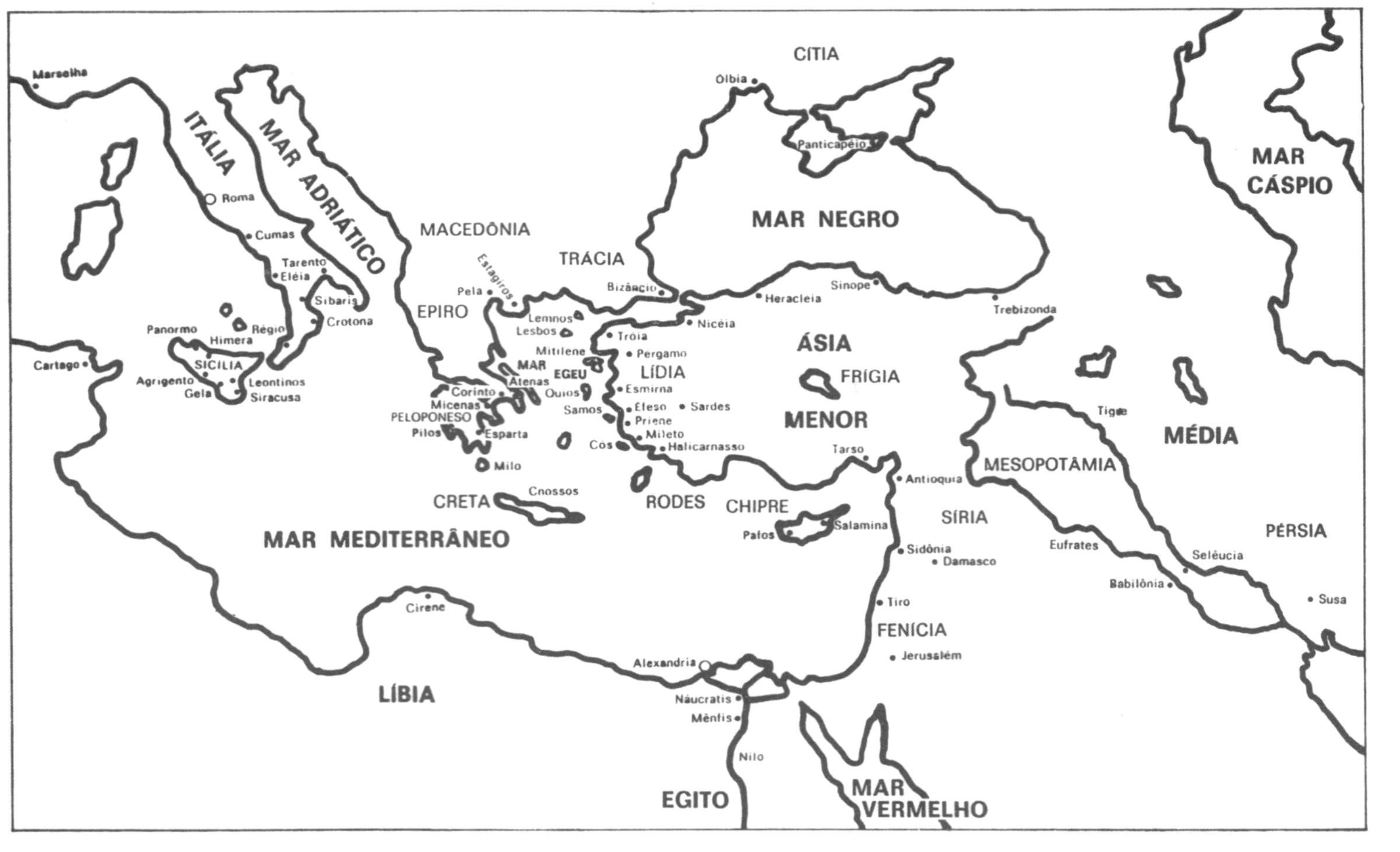

Mapa do Mundo Helênico

Junito de Souza Brandão

MITOLOGIA GREGA
VOLUME II

Petrópolis

Rua Frei Luís, 100
25689-900 Petrópolis, RJ
www.vozes.com.br
Brasil

Diagramação: AG.SR Desenv. Gráfico
Capa: Juliana Teresa Hannickel

ISBN 978-85-326-0071-4 – (Obra completa)
ISBN 978-85-326-0407-1 – Vol. I
ISBN 978-85-326-0072-1 – Vol. II
ISBN 978-85-326-0450-7 – Vol. III

Dados Internacionais de Catalogação na Publicação (CIP)
(Câmara Brasileira do Livro, SP, Brasil)

Brandão, Junito de Souza, 1926-1995.
Mitologia grega, vol. II / Junito de Souza Brandão. – 23. ed. – Petrópolis, RJ : Vozes, 2015.

Bibliografia.

11ª reimpressão, 2024.

1. Mitologia grega – História I. Título.

08-11709 CDD-292.0809

Índices para catálogo sistemático:

1. Mitologia grega : História 292.0809

Este livro foi composto e impresso pela Editora Vozes Ltda.

SUMÁRIO

Nota à 5ª edição, 7

Prefácio, 9

Breve introdução, 13

As famílias divinas, 17

I. Casamentos e uniões de Zeus, 23

II. O mito de Leto: nascimento de Ártemis e Apolo, 59

III. O mito de Apolo: Epidauro e o Oráculo de Delfos, 85

IV. Dioniso ou Baco: o deus do êxtase e do entusiasmo, 117

V. Orfeu, Eurídice e o Orfismo, 147

VI. O mito de Narciso, 181

VII. Hermes Trismegisto, 199

VIII. Eros e Psiqué, 219

Apêndice – deuses olímpicos e arquétipos masculinos, 265

Complementação bibliográfica do Volume I, 279

Índice onomástico, 283

Índice analítico, 303

NOTA À 5ª EDIÇÃO

Como na sétima edição do Vol. I, esta 5ª do Vol. II assinala várias alterações de não menos importância. Não apenas procuramos corrigir os erros tipográficos e emendar alguns verbetes, aprimorando a redação, mas sobretudo se deu grande atenção à parte etimológica. Tomando como ponto de partida nossos Dois Volumes do *Dicionário mítico-etimológico da mitologia grega* (Petrópolis: Vozes, 1991), foi possível melhorar e retocar vários étimos.

A novidade maior, todavia, está no *Apêndice*. Como já o fizéramos no Vol. III de *Mitologia grega*, em que procuramos estudar os arquétipos do sexo feminino, estampamos neste Vol. II as funções arquetípicas dos homens, encaixando-os em um ou mais deuses da Grécia antiga.

Esperamos, assim, que o Volume II de nossa *Mitologia grega*, agora ampliado, possa continuar a merecer a atenção e carinho com que vem sendo acolhido por tantos estudiosos.

Rio de Janeiro, 10 de abril de 1992.

Junito Brandão

Prefácio

Se estudarmos as religiões universais desde os primórdios dos tempos históricos, veremos que todas elas, como o hinduísmo, o judaísmo, o cristianismo, o islamismo, estiveram intimamente relacionadas com os sistemas econômicos em que se inseriram. A conclusão poderia se estender à religião dos gregos. Mas antes de abordar o mito grego, examinemos um dos ângulos do cristianismo.

Quando, na Renascença, Lutero se volta contra Roma, isto acontece na época em que os métodos de produção estavam passando por uma profunda transformação. A divergência teológica entre Lutero e Roma, fundamentalmente, consistia em que a fé bastava, por si só, para a salvação. As obras não importavam. No inconsciente coletivo do mundo anglo-saxão, que estava na vanguarda daquelas transformações, esse mandamento aparece de forma mais explícita: "basta seres eficiente, não importa de que maneira, para te salvares", ou melhor, não importam os meios, basta a eficiência. Esta concepção permeou todo o sistema de produção de riqueza, que se instalou na Europa e que veio a ser adotado pelas grandes democracias do Ocidente.

No caso do hinduísmo, vemos uma religião milenar, um sistema de castas hierarquizadas, no qual, ao homem das castas menos elevadas se acena com a recompensa de renascer em casta superior, se em vida tiver meditado e cumprido os preceitos que lhe são prescritos, até chegar à união com a totalidade, o Brahman.

O caso do islamismo é assemelhado. Numa sociedade em que a poliginia é lei, o casamento consistia em um privilégio. Dispõe o Corão que um homem poderá ter tantas esposas quantas puder sustentar. Daí resulta um grande excedente de homens não poder sustentar mulher alguma; e a lei islâmica lhes promete belas huris na outra vida, se nesta se sacrificarem à Jihad, isto é, à Guerra Santa. E o islamismo se espraiou pelo mundo, num vasto e duradouro império.

Quando nos detemos sobre o mito grego, diversas analogias se tornam evidentes. O mito de início serviu aos eupátridas. A composição do mundo dos deuses é hierarquizada, favorece aos deuses em detrimento das deusas e se apoia em um sistema de valores. Zeus todo-poderoso tem o direito de vida e morte sobre tudo e sobre todos. Sua mulher Hera, reprimida, busca sempre compensar-se pela infindável série de transgressões conjugais que se permitem ao marido cosmocrata e onipotente. A distância entre o homem e os deuses, quando transposta, é punida com severidade. No mito de Prometeu iremos ver o herói condenado a ter o fígado diariamente devorado por um abutre, e diariamente renascido para perpetuação do suplício, por haver ousado favorecer os mortais com seu arrojo. Assim se mantiveram estruturadas, por longo tempo, a religião e a sociedade grega.

Em todas as épocas, porém, houve movimentos contrários aos sistemas estratificados das religiões tradicionais, e a Grécia também assistiu a tais reações. O orfismo e o dionisismo, os Mistérios de Elêusis, constituem bons exemplos. Tais correntes ofereciam a todos, igualitariamente – até aos deserdados – a comunhão com o divino. Mas não nos deteremos em seus lineamentos, tão magnificamente analisados por Junito Brandão nos capítulos que dedica a Orfeu e Dioniso, porque, como aponta o autor, eles acabaram sendo cooptados pela religião oficial. Foi notável o que ocorreu com o culto de Dioniso, que terminou "apolinizado", pois a vivência do êxtase ameaçava a sociedade racional.

Mas os Mistérios de Elêusis não chegaram a ser completamente assimilados. Elêusis distava apenas vinte quilômetros de Atenas, mas Deméter e sua filha Perséfone levaram séculos para chegar até a Pólis, onde imperavam os eupátridas e o legalismo de Apolo. Quando mais não fosse, tratava-se de um culto desestabilizador e suspeito, que exaltava a figura da mulher em contraposição ao domínio do homem. Os Mistérios abriam-se democraticamente a todos, até mesmo aos escravos, desde que falassem grego, pudessem entender e repetir as palavras sagradas e não estivessem condenados por homicídio. O Estado terminou por tolerar as práticas dos Mistérios, pois Deméter e Perséfone, afinal, eram responsáveis pelas sementes, e destas dependiam os frutos e o bem-estar da coletividade.

Não haverá exagero em afirmar-se que os Mistérios de Elêusis foram um reflexo, no campo religioso, da democracia que então ensaiava os seus primeiros passos. E esta, de par com o emergente pensamento filosófico e científico – outra contribuição dos helenos para o aprimoramento do homem – viria a constituir um dos pilares em que se fundamenta a sociedade contemporânea.

Rose Marie Muraro

Breve introdução

Havíamos, inicialmente, planejado *Mitologia grega* em dois volumes. O primeiro, após uma visão, embora sumária, da batalha que o mito travou na Hélade questionadora para sobreviver; de uma tentativa de conceituar *Mito*, *Rito* e *Religião*; de um panorama histórico-social grego (nosso objetivo foi sempre partir deste para o religioso) e de uma abordagem dos poemas homéricos, prosseguiria com a *Teogonia* e *Trabalhos e Dias* de Hesíodo, até a consolidação do poder nas mãos de Zeus.

O segundo se iniciaria com as hierogamias do pai dos deuses e dos homens e se fecharia no mito da *nostalgia*, vale dizer, do retorno de Ulisses aos braços quentes e saudosos de Penélope.

A *meta*, no entanto, parece que não foi bem contornada e os competidores ultrapassaram-na, sem que o auriga pudesse conter sua biga... Desse modo, face sobretudo à "pressão compulsiva" de um grande número de Psiquiatras, Analistas e alunos meus, quer de São Paulo, onde meus cursos foram ampliados, no magnífico Anfiteatro de Convenções da USP para o Instituto de Psiquiatria da UNICAMP, quer do Rio de Janeiro, onde voltei a ministrar aulas em dupla com psiquiatras e analistas junguianos, particularmente com o Dr. Walter Boechat, o *Volume II* acabou por se ampliar demasiadamente. A ultrapassagem do *métron* neste *Volume* se deveu, de modo especial, a uma tentativa de ir além do mito e mostrar-lhe os contornos simbólicos.

O mito, felizmente, ao menos e de modo oficial, desde os fins do século XIX, com Bachofen, Freud, Jung, Kerényi, Neumann, M.L. Von Franz, e isto só para citar alguns dos pioneiros, esqueceu Evêmero e as "carochinhas", para tornar-se algo de muito sério. Remitizado e, de certa forma, ressacralizado, passou a ser analisado como um arquétipo. "O inconsciente coletivo é constituído pela soma dos instintos e dos seus correlatos, os arquétipos. Assim como cada indivíduo possui instintos, possui também um conjunto de imagens primordiais"*. Assim, tem-se o mito como exteriorização de conteúdos do inconsciente coletivo.

Recolocado em suas verdadeiras funções, dele se ocuparam e se ocupam psicólogos, teólogos, filósofos, antropólogos, folcloristas e historiadores das religiões. Para não fazer um catálogo de sábios e estudiosos, que se debruçaram sobre Édipo, Narciso e Hermes, é bastante lembrar alguns nomes que, desvencilhando-se do *mos maiorum*, deram aos mitos o sentido e a importância que *sempre tiveram*. Entre centenas deles, poder-se-ia destacar Hugo Rahner, S.J., C. Moeller, A.J. Festugière, R. Otto, Martin Nilsson, O. Rank, J. Campbell, J.P. Vernant, G. Dumézil, Lévi-Strauss, Marie Delcourt, A. Brelich, Mircea Eliade, Bachelard, H. Jeanmaire, L.C. Cascudo, Alceu Maynard Araújo e tantos e tantos outros... Quando se ouve um filósofo do porte do Dr. Arcângelo Buzzi harmonizar λόγος (lógos) e μῦθος (mythos), ao mostrar que "o discurso linguístico enuncia intensamente esse espetáculo de solidariedade dos opostos, procurando aproximá-los e integrá-los pacífica e conflitualmente, então o discurso, mesmo que use palavras-de-ciência, é mítico e consequentemente literário"**, é que se vê quanto o mito se libertou de tabus e preconceitos e como é importante para os que realmente o compreendem. Tem-se até mesmo um prazer especial em repetir a citação de Arcângelo Buzzi, quando retoma as palavras de Orígenes, que dizia "haver Platão hospedado a filosofia na casa dos mitos"... Mas estamos novamente perdendo a *meta*! O que realmente queríamos é justificar o tratamento mais profundo que se deu a alguns mitologemas, considerados muito significativos. Com isto, tornou-se inviável reunir todo o material, longa e pacientemente pesquisado, no Volume II. Com anuência da Editora Vozes, resolvemos elaborar um terceiro Volume só com o rico e indispensável *Mito dos heróis*. Dessa maneira, o Volume II se compõe de oito extensos capítulos, que têm como ponto

---

* JUNG, C.G. *A natureza da psique*. Petrópolis: Vozes, 1984, p. 73.

** BUZZI, Arcângelo. *Literatura e Mito*. Conferência pronunciada no II Congresso de Literatura da UGF, em outubro de 1985, p. 4.

de partida os *Casamentos e uniões de Zeus* e têm como remate o mito lindíssimo de *Eros e Psiqué*.

Este Volume II deve muito a muita gente. Enumerá-los a todos seria impossível, mas deixar de citar alguns seria ingratidão. Novamente contei com as Professoras Lea Bentes Cardozo, Míriam Suter Medeiros e o Professor Fred Marcos Tallmann na difícil e exaustiva tarefa de, por vezes, adivinhar e datilografar meus terríveis rascunhos! Muito importante também foi a colaboração de Cléa Paula Braga, que organizou o *Índice onomástico* deste Volume II.

A Doutoranda e competente Professora Dina Maria Machado Andréa Martins Ferreira se incumbiu da revisão da parte datilografada e se portou como as formiguinhas laboriosas do Mito de *Eros e Psiqué*, que tinham a ciência de separar os grãos por espécie!

Cooperação preciosa foi, sem dúvida, a de Augusto Ângelo Zanatta, do Departamento Editorial da Editora Vozes. Não apenas sugeriu que se acrescentassem à *Mitologia grega* alguns quadros genealógicos "divinos e heroicos" e a enriquecesse com ilustrações iconográficas, mas ainda, e sobretudo, se encarregou do paciente e penoso trabalho de elaborar o *Índice analítico* deste Volume II. Ao competente Augusto Ângelo Zanatta meus sinceros agradecimentos.

Aos meus incansáveis incentivadores, particularmente psiquiatras, analistas, psicólogos e estudiosos do mito, de São Paulo e do Rio de Janeiro, um especial muito obrigado.

Rio de Janeiro, 27 de novembro de 1986.

Junito de Souza Brandão

As famílias divinas

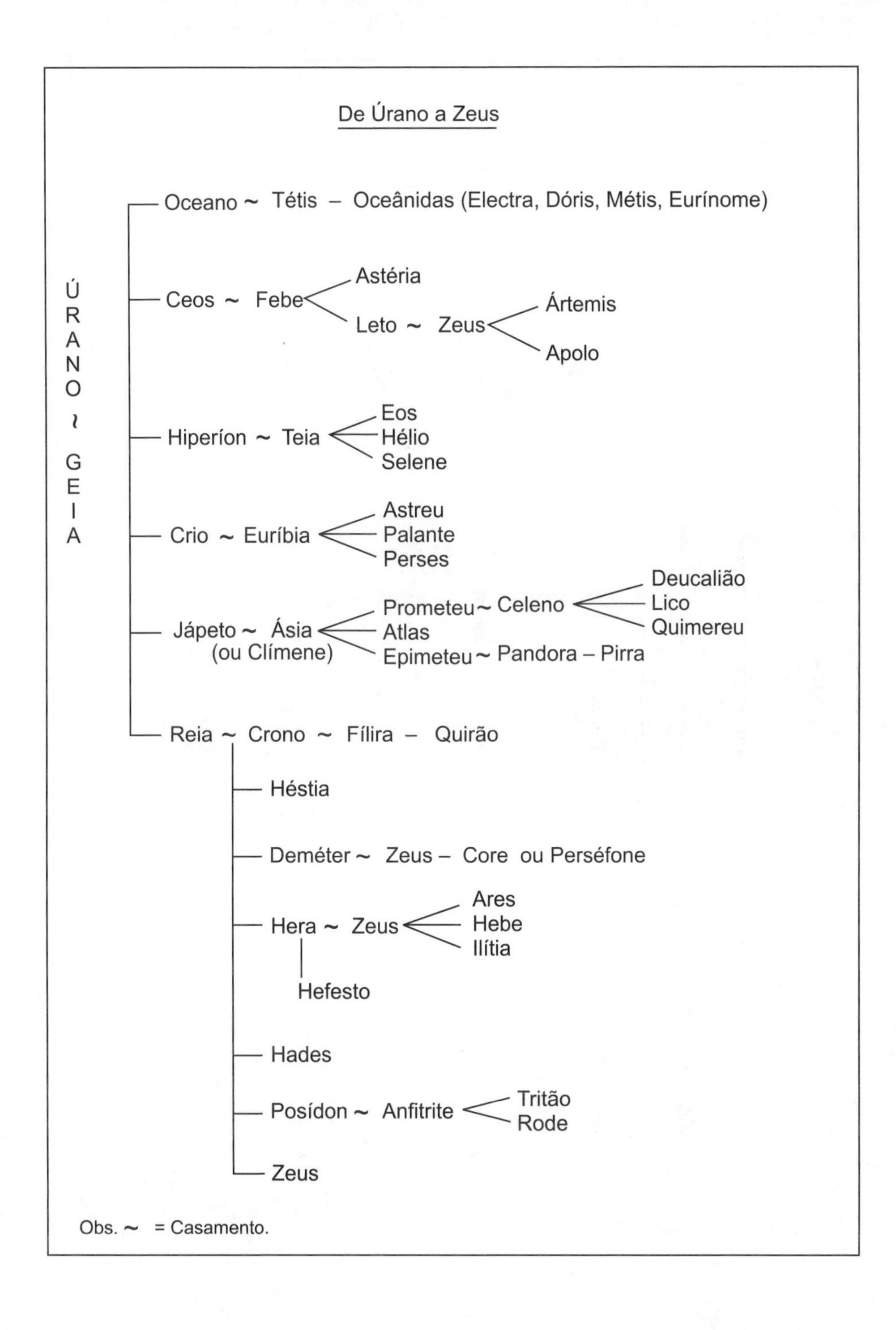
De Úrano a Zeus
ÚRANO ~ GEIA
Oceano ~ Tétis – Oceânidas (Electra, Dóris, Métis, Eurínome)
Ceos ~ Febe
Astéria
Leto ~ Zeus
Ártemis
Apolo
Hiperíon ~ Teia
Eos
Hélio
Selene
Crio ~ Euríbia
Astreu
Palante
Perses
Jápeto ~ Ásia (ou Clímene)
Prometeu ~ Celeno
Deucalião
Lico
Quimereu
Atlas
Epimeteu ~ Pandora – Pirra
Reia ~ Crono ~ Fílira – Quirão
Héstia
Deméter ~ Zeus – Core ou Perséfone
Hera ~ Zeus
Ares
Hebe
Ilítia
Hefesto
Hades
Posídon ~ Anfitrite
Tritão
Rode
Zeus
Obs. ~ = Casamento.

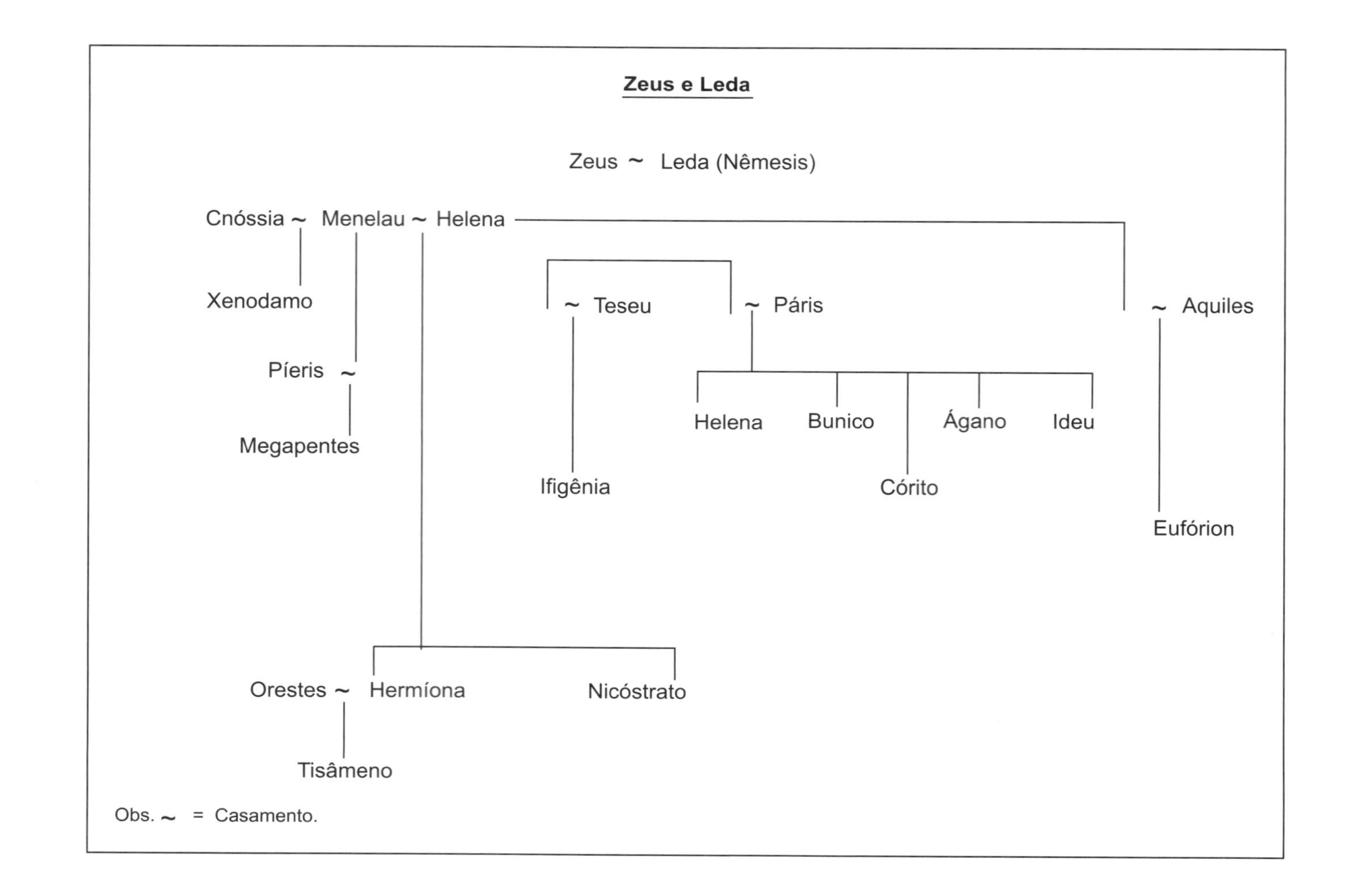
Zeus e Leda
Zeus ~ Leda (Nêmesis)
Cnóssia ~ Menelau ~ Helena
Xenodamo
~ Teseu
~ Páris
~ Aquiles
Píeris ~
Megapentes
Helena
Bunico
Ágano
Ideu
Ifigênia
Córito
Eufórion
Orestes ~ Hermíona
Nicóstrato
Tisâmeno
Obs. ~ = Casamento.

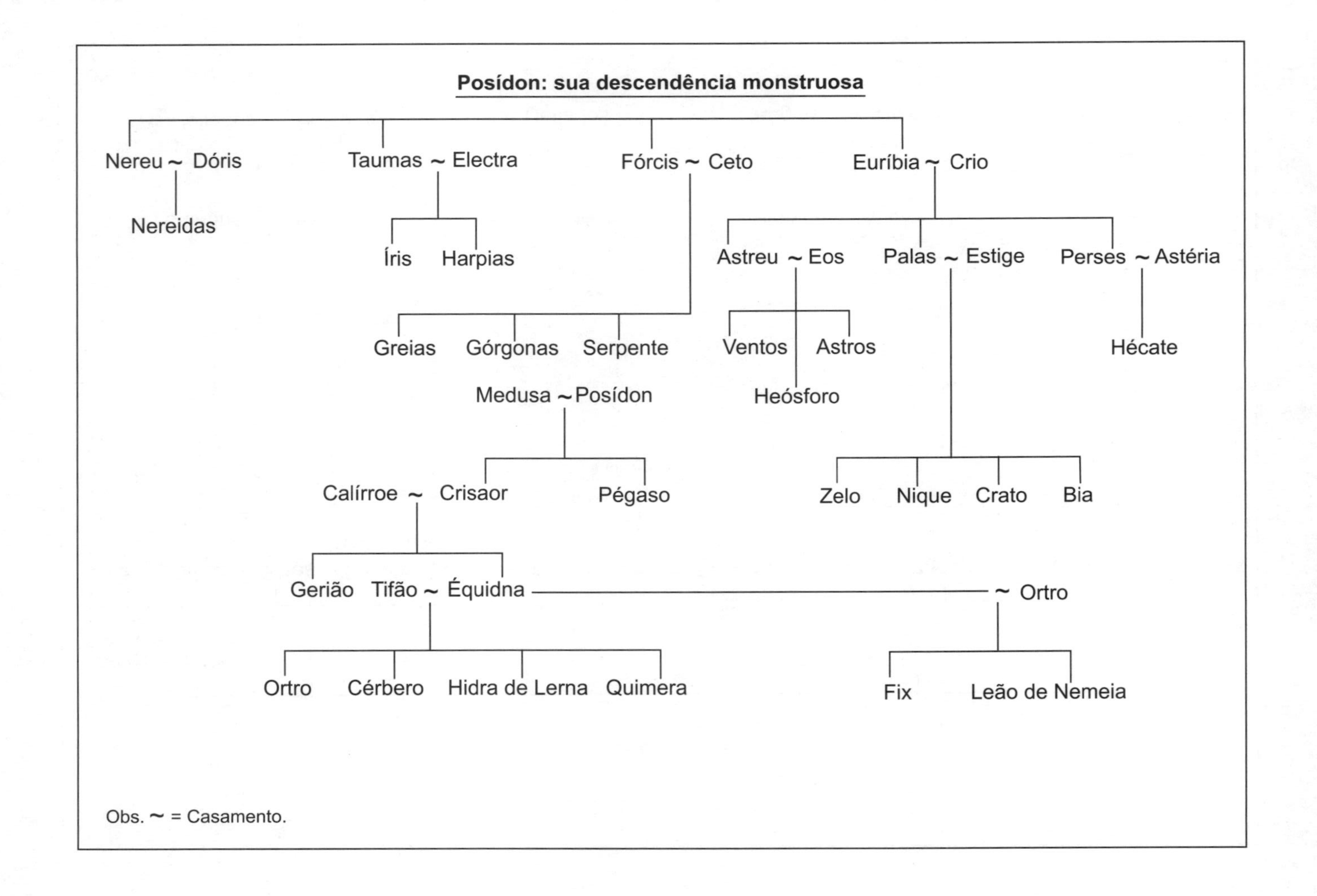
Posídon: sua descendência monstruosa
Nereu ~ Dóris
Nereidas
Taumas ~ Electra
Íris
Harpias
Fórcis ~ Ceto
Greias
Górgonas
Serpente
Medusa ~ Posídon
Calírroe ~
Crisaor
Pégaso
Gerião
Tifão ~ Équidna
~ Ortro
Ortro
Cérbero
Hidra de Lerna
Quimera
Fix
Leão de Nemeia
Euríbia ~ Crio
Astreu ~ Eos
Ventos
Astros
Heósforo
Palas ~ Estige
Zelo
Nique
Crato
Bia
Perses ~ Astéria
Hécate
Obs. ~ = Casamento.

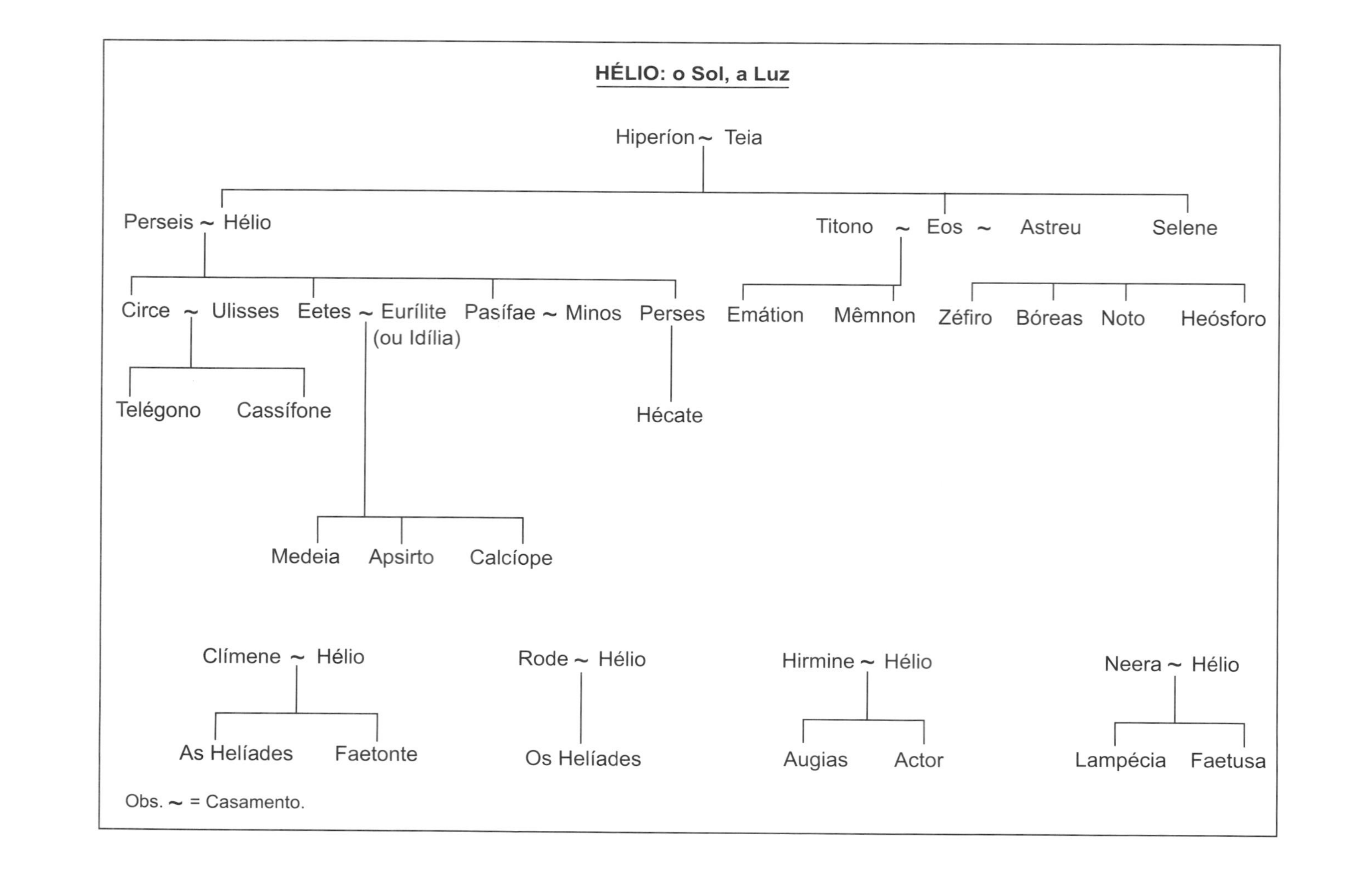
HÉLIO: o Sol, a Luz
Hiperíon ~ Teia
Perseis ~ Hélio
Titono ~ Eos ~ Astreu
Selene
Circe ~ Ulisses
Eetes ~ Eurílite (ou Idília)
Pasífae ~ Minos
Perses
Emátion
Mêmnon
Zéfiro
Bóreas
Noto
Heósforo
Telégono
Cassífone
Hécate
Medeia
Apsirto
Calcíope
Clímene ~ Hélio
Rode ~ Hélio
Hirmine ~ Hélio
Neera ~ Hélio
As Helíades
Faetonte
Os Helíades
Augias
Actor
Lampécia
Faetusa
Obs. ~ = Casamento.

Capítulo I
Casamentos e uniões de Zeus

1

Vamos dedicar alguns capítulos às ligações amorosas de Zeus. No Vol. I de nosso *Mitologia grega*, p. 281, tratou-se, em parte, do casamento de Zeus e Métis, mas ter-se-á que completá-lo, para que se possa discorrer sobre o mito de *Atená*. A união de Zeus com Têmis foi apenas esboçada no Vol. I, p. 211-212. Voltaremos a ela, mas tão somente no que concerne às três filhas do casal divino, porque das funções da deusa das "leis eternas" se falou no capítulo supracitado. Acerca de Zeus e Eurínome já se disse o necessário no Vol. I, p. 281. Tratou-se igualmente da união de Zeus-Cisne com Leda e do nascimento extraordinário de Helena e Pólux e de Clitemnestra e Castor, no Vol. I, p. 90-91. Do mito de Deméter e de seu *hieròs gámos* com Zeus se fez uma longa exposição no Vol. I, p. 300-329. Zeus e Mnemósina foram estudados no Vol. I, p. 213. O mito do rapto de Europa será também abordado, uma vez que só se falou de seus filhos, Minos, Sarpédon e Radamanto, no Vol. I, p. 64. Como também se enfocaram as "justas núpcias", o impropriamente denominado "casamento legítimo" do deus dos raios com sua irmã Hera, mas nada se comentou especificamente a respeito de seus filhos, ter-se-á que fazê-lo agora.

Em síntese, neste capítulo serão estudados os seguintes tópicos: o mito de *Atená*, as *Horas*, o rapto de Europa e os filhos de Zeus com Hera. As demais ligações do pai dos deuses e dos homens serão analisadas nos capítulos subsequentes, ficando tão somente os mitos de Héracles e Perseu para os capítulos especiais sobre os heróis, no Vol. III.

2

Foi a conselho de Úrano e Geia que Zeus engoliu Métis, sua primeira esposa, que dele estava grávida, pois, segundo o primeiro casal primordial, se Métis tivesse uma filha e depois um filho, este arrebataria do pai o supremo poder. Completada a gestação normal de Atená, Zeus começou a ter uma dor de cabeça que por pouco não o enlouquecia. Não sabendo de que se tratava, ordenou a Hefesto, o deus das forjas, que lhe abrisse o crânio com um machado. Executada a operação, saltou da cabeça do deus, vestida e armada com uma lança e a égide, dançando a pírrica (dança de guerra, por excelência), a grande deusa *Atená*.

ATENÁ, em grego ᾿Αθηνᾶ (Athenâ), cuja etimologia ainda é desconhecida, sobretudo por tratar-se de uma divindade "importada" do mundo mediterrâneo ou, mais precisamente, da civilização minoica. Talvez se pudesse, segundo Carnoy, quanto ao primeiro elemento de seu nome, *Ath-*, fazer uma aproximação com o indo-europeu **attâ*, "mãe", epíteto que caberia bem a uma deusa da vegetação da ilha de Creta, a uma Grande Mãe, que recebeu dos próprios gregos o qualificativo de **awaiâ*, "mãe", na forma ᾿Αθηναίη (Athenaíe), depois reduzida a ᾿Αθηνάα (Athenáa), fonte da forma ática ᾿Αθηνᾶ (Athenâ), que já aparece em inscrições do século VI a.C.[1]

O local de nascimento da deusa foi às margens do Lago Tritônio, na Líbia, o que explicaria um dos múltiplos epítetos da filha querida de Zeus: Τριτογένεια (Tritoguéneia) que é interpretado modernamente como *nascida no mar* ou *na água*.

Tão logo saiu da cabeça do pai, soltou um grito de guerra e se engajou ao lado do mesmo na luta contra os Gigantes, matando a Palas e Encélado. O primeiro foi por ela escorchado e da pele do mesmo foi feita uma couraça; quanto ao segundo, a deusa o esmagou, lançando-lhe em cima a ilha de Sicília, como está em *Mitologia grega*, Vol. I, p. 222-223. O epíteto ritual, *Palas* (Atená), não se deve ao nome do Gigante, mas a uma jovem amiga da deusa, sua companheira na juventude e que foi morta acidentalmente pela mesma. Daí por diante, Atená adotou o epíteto de *Palas* e fabricou, consoante uma variante tardia, em nome da

---

1. FRISK, Hjalmar. Op. cit., verbete.

morta, o *Paládio*, cujo mito é deveras complicado, porque se enriqueceu com elementos diversos, desde as *Epopeias Cíclicas* até a época romana. Homero o desconhece. Na *Ilíada* só se faz menção de uma estátua cultual da deusa, honrada em Troia, mas sentada, enquanto o *Paládio* é uma pequena estátua, mas de pé, com a rigidez de um *ksóanon*, isto é, de um ídolo arcaico de madeira. Seja como for, o importante é que se saiba ser o *Paládio* grandemente *apotropaico*, pois tinha a virtude de garantir a integridade da cidade que o possuísse e que lhe prestasse um culto. Desse modo, toda e qualquer *pólis* se vangloriava de possuir um Paládio, sobre cuja origem miraculosa se teciam as mais variadas e incríveis narrativas. O de Troia, conta-se, caíra do céu e era tão poderoso que, durante dez anos, defendeu a cidadela contra as investidas dos gregos. Foi preciso que Ulisses e Diomedes o subtraíssem, com a cumplicidade do silêncio de Helena, que os vira penetrar na fortaleza. Troia, sem sua defesa mágica, foi facilmente vencida e destruída.

O mais famoso e sacrossanto dos Paládios, porém, era o de Atenas, que, noite e dia, lá do alto da Acrópole, o lar de Atená, vigiava Atenas, a cidade querida da "deusa de olhos garços".

Preterida por Páris no célebre concurso de beleza no monte Ida, pôs-se inteira, na Guerra de Troia, ao lado dos aqueus, entre os quais seus favoritos foram Aquiles, Diomedes e Ulisses. Na *Odisseia*, diga-se de passagem, a deusa augusta se transformará na bússola do *nóstos*, do retorno de Ulisses a Ítaca, e, quando o herói finalmente chegou à pátria, Palas Atená esteve a seu lado até o massacre total dos pretendentes e a decretação da paz, por inspiração sua, no seio das famílias da ilha de Ítaca. Sua valentia e coragem comparam-se às de Ares, mas a filha de Zeus detestava a sede de sangue e a volúpia de carnificina de seu irmão, ao qual, aliás, enfrentou vitoriosamente (*Il.*, XXI, 391s.).

Sua bravura, como a de Ulisses, é calma e refletida: Atená é, antes de tudo, a guardiã das Acrópoles das cidades, onde ela reina e cujo espaço físico defende, merecendo ser chamada *Poliás*, a "Protetora", como ilustra o mito do Paládio. É sobretudo por essa proteção que é ainda cognominada *Níke*, a vitoriosa. Uma tabuinha da Linear B, datando de mais ou menos 1500 a.C., faz menção de uma *A-ta-napo-ti-ni-ja*, antecipando-se, assim, de sete séculos à πότνια 'Αθηναίη (pótnia Athenaíe) de Homero e demonstrando que a "Atená Soberana" era realmente a senhora das cidades, em cuja Acrópole figurasse o seu Paládio.

Sem se esquecer de suas antigas funções de Grande Mãe, deixando inteiramente de lado seu denodo bélico, Atená *Apatúria*, além de presidir nas Apatúrias[2] à inscrição das crianças atenienses em sua respectiva *fratria*, favorecia, enquanto Ὑγίεια (Hyguíeia), Higiia, enquanto deusa das "boas condições de saúde", a fertilidade dos campos, em benefício de uma população a princípio sobretudo agrícola. É com esse epíteto que a protetora de Atenas se associava a Deméter e a Core numa festa denominada Προχαριστήρια (Prokharistéria), que se poderia traduzir por "agradecimentos antecipados", porque tais solenidades se celebravam nos fins do inverno, quando recomeçavam a brotar os grãos de trigo. Estava também ligada a Dioniso nas Ὀσχοφόρια (Oskhophória), quando solenemente se levavam a Atená ramos de videira carregados de uvas. Uma longa procissão dirigia-se, cantando, de um antigo santuário do deus do vinho, em Atenas, até Falero (nome de um porto da cidade), onde havia um nicho da deusa.

Dois jovens, com longas vestes femininas, o que trai um rito de passagem, encabeçavam a procissão, transportando um ramo de videira com as melhores uvas da safra.

É bom não esquecer ainda que na disputa com Posídon pelo domínio da Ática e, particularmente, de Atenas, Atená fez brotar da terra a oliveira, sendo, por isso mesmo, considerada como a inventora do "óleo sagrado da azeitona".

Deusa guerreira, na medida em que defende "suas Acrópoles", deusa da fertilidade do solo, enquanto Grande Mãe, Atená é antes do mais a deusa da inteligência, da razão, do equilíbrio apolíneo, do espírito criativo e, como tal, preside

---

2. Ἀπατούρια (Apatúria), neutro plural, talvez signifique "do mesmo pai". As Apatúrias eram uma festa ateniense celebrada anualmente, no mês de outubro, durante três dias. Nos dois primeiros faziam-se sacrifícios e banquetes e no terceiro, os pais de família apresentavam aos membros de sua *phratría* (fratria) seus filhos legítimos, nascidos durante o ano, para que fossem regularmente inscritos na mesma. Compreende-se por *fratria* uma agremiação de cidadãos ligados por sacrifícios e repastos religiosos comuns. Tratava-se de uma divisão política em Atenas. Após Sólon, havia três *fratrias* numa tribo e trinta famílias numa *fratria*. A etimologia de *Apatúria*, "do mesmo pai", talvez se justifique porque após esse "registro religioso e civil" é que a criança passava política e religiosamente a ter um genitor, isto é, "tais e tais crianças eram filhos de um mesmo pai".

às artes, à literatura e à filosofia de modo particular, à música e a toda e qualquer atividade do espírito. Deusa da paz, é a boa conselheira do povo e de seus dirigentes e, como Têmis, é a garante da justiça, tendo-lhe sido mesmo atribuída a instituição do Areópago. Mentora do Estado, ela é também no domínio das atividades práticas a guia das artes e da vida especulativa. E é como deusa dessas atividades, com o título de Ἐργάνη (Ergáne), "Obreira", que ela preside aos trabalhos femininos da fiação, tecelagem e bordado. E foi precisamente a arte da tecelagem e do bordado que pôs a perder uma vaidosa rival de Atená. Filha de Ídmon, um rico tintureiro de Cólofon, *Aracne* era uma bela jovem da Lídia, onde o pai exercia sua profissão. Bordava e tecia com tal perfeição, que até as ninfas dos bosques vizinhos vinham contemplar e admirar-lhe a arte. A perícia de Aracne valeu-lhe a reputação de discípula de Atená, mas entre os dotes da fiandeira não se contava a modéstia, a ponto de desafiar a deusa para uma competição pública. Atená aceitou a provocação, mas apareceu-lhe sob a forma de uma anciã, aconselhando-a a que depusesse sua *hýbris*, sua *démesure*, seu descomedimento, que não ultrapassasse o *métron*, que fosse mais comedida, porque os deuses não admitiam competição por parte dos mortais. A jovem, em resposta, insultou a anciã. Indignada, Atená se manifestou em toda a sua imponência de imortal e declarou aceitar o desafio. Depuseram-se as linhas e deu-se início ao magno concurso. Atená representou em lindos coloridos, sobre uma tapeçaria, os doze deuses do Olimpo em toda a sua majestade. Aracne, maliciosamente, desenhou certas histórias pouco decorosas dos amores dos imortais, principalmente as aventuras de Zeus. Atená examinou atentamente o trabalho da jovem lídia. Nenhum deslize. Nenhuma irregularidade. Estava uma perfeição. Vendo-se vencida ou ao menos igualada em sua arte por uma simples mortal e irritada com as cenas criadas por Aracne, a deusa fez em pedaços o lindíssimo trabalho de sua competidora e ainda a feriu com a naveta. Insultada e humilhada, Aracne tentou enforcar-se, mas Atená não o permitiu, sustentando-a no ar. Em seguida, transformou-a em *aranha*, para que tecesse pelo resto da vida. Esse labor incessante de *Aracne-Aranha*, no entanto, configura uma terrível punição. A *Bíblia* e o *Corão* acentuam a fragilidade da *teia de Aracne*:

> *Construiu sua casa como a da aranha*
> *e, como guarda, fez sua choupana.*

Rico, ele se deita pela última vez;
quando abrir os olhos, nada encontrará.

(Jó 27,18-19)

Mas a habitação da aranha
é a mais frágil das habitações.

(*Corão*, 29,40)

Semelhante fragilidade evoca uma realidade de aparências fictícias e efêmeras. A *aranha* torna-se, nesse enfoque, uma artífice de teias de ilusões.

Ainda como 'Εργάνη (Ergáne), "Obreira", a grande deusa presidia aos trabalhos das mulheres na confecção de sua própria indumentária, pois que ela própria dera o exemplo, tecendo sua *túnica flexível e bordada* (*Il.*, V, 734) . E na festa das Χαλκεῖα (Khalkeîa), festas dos "trabalhodores em metais", duas ou quatro meninas, denominadas Arréforas[3], com auxílio das "Obreiras" de Atená, iniciavam a confecção do *peplo* sagrado, que, nove meses depois, nas Panateneias, deveria cobrir a estátua da deusa, substituindo o do ano anterior.

Associada ainda a Hefesto e Prometeu, no Ceramico de Atenas, ainda por ocasião das Χαλκεῖα (Khalkeîa), era invocada como a protetora dos artesãos. Foi seu espírito inventivo que ideou o carro de guerra e a quadriga, bem como a construção do navio *Argo*, em que velejaram os heróis em busca do *Velocino de Ouro*.

3

A maior e a mais solene das festas de Atená eram as *Panateneias*, em grego Παναθήναια (Panathénaia), solenidade de que participava *Atenas inteira*, e cuja instituição se fazia remontar a um dos três maiores heróis míticos de Atenas: Erictônio, Erecteu ou Teseu, este último realizador mítico do sinecismo. A comemoração era primitivamente anual, mas, a partir de 566-565 a.C., as *Panateneias* tornaram-se um festival pentetérico, a saber, que se realizava de cinco em

---

3. 'Αρρηφόροι (Arrephóroi), *Arréforas*, eram duas ou quatro meninas atenienses, de sete a onze anos, escolhidas pelo Arconte-Rei entre as famílias nobres, para conduzirem procissionalmente a indumentária e os objetos sagrados de Atená.

cinco anos e que congregava a cidade inteira. Um banquete público, que "re-unia" e unia todos os membros da *pólis*, dava início à grande festa. Seguiam-se jogos agonísticos, cujos vencedores recebiam como prêmio ânforas cheias de azeite, proveniente das oliveiras sagradas de Atená. Havia ainda corrida de quadrigas e um grande concurso de *pírricas*, danças guerreiras, cuja introdução em Atenas passava por ter sido da filha querida de Zeus. Precedendo a solenidade maior, realizava-se a Λαμπαδηδρομία (Lampadedromía), "corrida com fachos acesos", uma verdadeira *course aux flambeaux*, quando se transportava o fogo sagrado de Atená, dos jardins de Academo até um altar na Acrópole. As dez tribos atenienses participavam com seus atletas.

O episódio capital das Panateneias, no entanto, era a πομπή (pompé), a gigantesca procissão, imortalizada por Fídias no friso do Partenon. A cidade toda participava dessa solenidade, inclusive homens com suas armas de guerra e, à época de Fídias, a cavalaria, que acabava de ser reorganizada. A monumental procissão saía das ruas centrais da cidade e chegava à Acrópole, onde se faziam múltiplos sacrifícios sobre os vários altares da deusa ali existentes: Atená Higiia, Nique, Poliás...

O rito final era a entrega solene, no interior do santuário, do novo peplo, que representava a vitória dos deuses olímpicos sobre os filhos da Terra. A deusa, durante toda essa solenidade, cercada de uma guarda de honra, figurava sobre seu carro de triunfo, uma vez que fora ela, juntamente com seu pai Zeus, a principal artífice da magna vitória que marcou a instituição de uma ordem definitiva e a supremacia da *pólis* dos homens sobre o Caos primordial.

Atená é a *deusa virgem* de Atenas e é, por isso mesmo, que seu templo gigantesco da Acrópole se denomina até hoje Παρθενών (Parthenón), o *Partenon*, já que, em grego, *virgem* se diz παρθένος (parthénos).

É bem verdade que a deusa chamava a Erictônio, o *filho da Terra*, de *seu* filho, mas a concepção desse "filho da Terra" foi muito estranha. Tendo Atená se dirigido à forja de Hefesto, para lhe encomendar armas, o deus, que havia sido abandonado por Afrodite, se inflamou de desejo pela deusa virgem e tentou prendê-la em seus braços. Esta fugiu, mas, embora coxo, Hefesto a alcançou. A filha de Zeus se defendeu, mas, na luta, o sêmen do deus lhe caiu numa das pernas. Atená retirou-o com um floco de algodão, que foi lançado na terra, que, fecundada, deu à luz um menino que aquela recolheu, chamando-o *Erictônio*, quer dizer, "filho da Terra". Sem que os deuses o soubessem, a deusa fechou-o num cofre e o confiou secretamente às filhas de Cécrops, antigo rei mítico da Ática e fundador de Atenas. Apesar da proibição de Palas, as jovens princesas, Aglauro, Herse e Pândroso, abriram o cofre, mas fugiram apavoradas, porque dentro do mesmo havia uma criança, que, da cintura para baixo, era uma serpente, como normalmente acontece com os seres nascidos da Terra. Uma outra versão relata que ao lado de Erictônio rastejava medonha serpente. Diz-se que, como punição, as três princesas enlouqueceram e precipitaram-se do alto do rochedo da Acrópole. A partir de então, Atená se encarregou de educar *seu* filho no recinto sagrado de seu templo na Acrópole. Quando Erictônio atingiu a maioridade, Cécrops entregou-lhe o poder. Casado com uma ninfa náiade, Praxítea, foi pai de Pandíon, que o sucedeu no poder. Ao rei Erictônio se atribui a introdução na Ática do uso do dinheiro e a organização das Panateneias. Algumas de suas inovações são igualmente atribuídas a seu neto Erecteu.

Além de haver dirigido os trabalhos de seus colegas, Ictino e Calícrates, na construção do Partenon, Fídias (séc. V a.C.), o gênio da escultura ateniense, foi o autor das duas mais célebres estátuas da deusa da inteligência, a *Parthénos* Criselefantina no interior do Partenon e, ao ar livre, o bronze colossal de Atená *Prómakhos*.

A ave predileta da deusa nascida do crânio de Zeus era a *coruja*, símbolo da reflexão que domina as trevas; sua árvore favorita, a *oliveira*.

Alta, de traços calmos, mais solene e majestosa que bela, Atená era a deusa de *olhos garços*...

Palas Atená, Atená *Poliás*, era a defensora e a garante de Atenas. Lá de cima da Acrópole, contemplando sua Cidade, transmitiu-lhe, pelos lábios de Ésquilo, seu discurso de paz, de liberdade, de justiça e de democracia. Era o fecho do julgamento de Orestes, perseguido pelas Erínias. Vencendo-as, Atená, mais uma vez, dessa feita com o escudo da razão, restabeleceu o domínio da ordem sobre o Caos, da luz sobre as trevas, do primado do *ius fori* (do direito do homem) sobre o *ius poli* (o direito das trevas).

Eis a mensagem de Atená a seus *cidadãos*:

> *Ouvi agora o que estabeleço, cidadãos de Atenas,*
> *que julgais a primeira causa de sangue. Doravante*
> *o povo de Egeu conservará este Conselho de Juízes,*
> *sempre renovado, nesta Colina de Ares.*
> *Nem anarquia, nem despotismo, esta é a norma*
> *que a meus cidadãos aconselho observarem com respeito.*
> ....
>
> *Se respeitardes, como convém, esta augusta Instituição,*
> *tereis nela baluarte para o país, salvação para a Cidade.*
> *Incorruptível, venerável, inflexível, tal é o Tribunal,*
> *que aqui instituo para vigiar, sempre acordado,*
> *sobre a Cidade que dorme.*
>
> (*Eum.*, 681-706)

4

O perfil de Atená, como o de Zeus e o de Apolo, evoluiu consideravelmente no mito, de maneira constante e progressiva, no sentido de uma espiritualização.

Dois de seus atributos configuram os termos dessa evolução, a *serpente* e a *ave* (a coruja). Antiga Grande Mãe minoica, proveniente de cultos ctônios, domínios da *serpente*, elevou-se, com o sincretismo creto-micênico, a uma posição dominante nos cultos urânios e olímpicos, domínios da *ave*, como deusa da fecundidade e da sabedoria; virgem, protetora das crianças; guerreira, inspiradora das artes e da paz.

Seu nascimento foi como um jorro de luz sobre o cosmo, aurora de um mundo novo, atmosfera luminosa, semelhante à hierofania de uma divindade emergindo de uma montanha sagrada. Sua aparição marca um transtorno na história do mundo e da humanidade. Uma chuva de *neve de ouro* caiu sobre Atenas, quando de seu nascimento: *neve* e *ouro*, pureza e riqueza, tombando do céu com a dupla função de fecundar, como a chuva, e de iluminar, como o sol. E é, por isso mesmo, que em certas festas de Atená se ofereciam bolos em forma de *serpente* e de *falo*, símbolos da fertilidade e da fecundidade.

Para relembrar o nascimento de Erictônio, o instituidor das Panateneias, e que Atená escondera num cofre em companhia e sob a proteção de uma serpente, se oferecia aos recém-nascidos atenienses um amuleto representando uma pequena serpente, símbolo da sabedoria intuitiva e da vigilância protetora. Como "Palas Atená", ela é defensora, no sentido físico e espiritual, das alturas, das Acrópoles, em que se estabelece. A cabeça de Medusa colocada no centro de seu escudo é como um espelho da *verdade*, para combater seus adversários, petrificando-os de horror, ao contemplarem *sua própria imagem*. Foi graças a tal escudo que Perseu levou de vencida a terrível Górgona, mostrando assim que Atená é a deusa vitoriosa pela sabedoria, pelo engenho e pela verdade. Sua lança é uma arma de luz: separa, corta e fere, como o relâmpago rasga as nuvens. A proteção concedida a heróis como Aquiles, Héracles, Perseu e Ulisses simboliza a injeção do espírito na força bruta, com a consequente transformação da personalidade do herói.

Deusa da fecundidade, deusa da vitória e deusa da sabedoria, Atená simboliza mais que tudo a criação psíquica, a síntese por reflexão, a inteligência socializada.

A *coruja*, em grego γλαύξ (glaúks), etimologicamente, "brilhante, cintilante", porque enxerga nas trevas; em latim *noctua*, "ave da noite", era, como se viu, consagrada a Atená. Ave *noturna*, relacionada, pois, com a *lua*, a coruja não suporta a luz do sol, opondo-se, desse modo, à águia, que a recebe de olhos abertos. Deduz-se, daí, que o mocho, em relação a Atená, é o símbolo do conhecimento racional com a percepção da luz lunar por reflexo, opondo-se, destarte, ao conhecimento intuitivo com a percepção direta da luz solar. Explica-se talvez, assim, o fato de ser a coruja um atributo tradicional dos *mânteis*, dos adivinhos, simbolizando-lhes o dom da clarividência, mas através de *sinais* que os mesmos interpretam. *Noctua*, ave das trevas, ctônia portanto, a coruja é uma excelente conhecedora dos segredos da noite. Enquanto os homens dormem, ela fica de olhos abertos, bebendo os raios da lua, sua inspiradora. Vigiando os cemitérios ou atenta aos cochichos da noite, essa núncia das trevas sabe tudo o que se passa, tendo-se tornado em muitas culturas uma poderosa auxiliar da *manteía*, da mântica, da arte de adivinhar. Daí a tradição segundo a qual quem come carne de coruja participa de seus poderes divinatórios, de seus dons de previsão e presciência. Eis aí por que, no *Antigo Testamento*, Javé, certamente com o fito de banir a superstição, proibia comer carne de mocho: *e (não comais) todo o gênero de corvos, e o avestruz, e a coruja...* (Dt 14,14-15).

No mito grego a coruja é representada por Ascálafo, que, tendo denunciado a Perséfone, foi transformado em mocho[4].

Para os astecas, a coruja configura o deus dos infernos, representada como a guardiã da morada obscura das entranhas da terra. Associada às potências ctônias, é um avatar da chuva, das tempestades e da noite.

No rico material funerário descoberto no Peru, nas tumbas da civilização pré-incaica Chimu, se encontra, com frequência, a representação de um cutelo de sacrifício, em forma de meia-lua, encimado por uma divindade semi-humana e semipássaro, indubitavelmente uma coruja. Este ícone, ligado à ideia de sacrifício e de morte, está adornado com colares de pérolas e de conchas marinhas, o peito colorido de vermelho e cercado, não raro, por dois cães, cuja significação psicopompa é bem conhecida. Até hoje, aliás, o mocho é uma divindade da morte e guardião de cemitérios em numerosas culturas índio-americanas.

Mas já que os mortos governam as sementes, que alimentam os vivos, a coruja é um símbolo digno de uma deusa também da vegetação.

5

Do segundo casamento de Zeus com Têmis, deusa da justiça divina, nasceram as Horas, *Eunômia*, *Irene* e *Dique*, bem como as Moiras personificadas, Cloto, Láquesis e Átropos e a virgem Astreia. Como já se discorreu sobre as *Moiras personificadas*, no Vol. I, p. 242-244, e acerca da virgem *Astreia*, no mesmo Volume, p. 212, resta enfocar as Horas.

---

4. Ascálafo era filho de uma ninfa do rio Estige e de Aqueronte. Estava presente no Jardim do Hades, quando, coagida por Plutão, Perséfone comeu um grão de romã, cortando-lhe toda e qualquer esperança de retorno ao mundo da luz. Como Ascálafo presenciara a quebra de jejum por parte de Perséfone, denunciou-a. Em sua cólera, Deméter o transformou em coruja. Ver o mito de *Deméter e Perséfone*, Vol. I, p. 300-329.

HORAS, em grego ῟Ωραι (Hórai), plural de ὥρα (hóra), "divisão do tempo", período de tempo, *estação*. *Hóra* em grego está por **yô-râ*, variante do indo-europeu **iêrâ*, alemão *Jahr*, "ano".

Como se mostrou, de Zeus e Têmis nasceram as *Horas*, as *estações*. Foi por um abuso de tradução do latim *Horae* que as *estações* se tornaram *horas*. Só muito tardiamente é que as Horas passaram a personificar as *horas* do dia. Eram três as Horas: *Eunômia*, a Disciplina; *Dique*, a Justiça, e *Irene*, a Paz. Os atenienses, não obstante, chamavam-nas respectivamente de *Talo*, a que faz brotar, *Auxo*, a que faz crescer e *Carpo*, a que faz frutificar. No mito, elas se apresentam sob duplo aspecto: como divindades da natureza, presidem ao ciclo da vegetação, como divindades da ordem, asseguram o equilíbrio da vida em sociedade.

No Olimpo, sua função específica é guardar as portas de entrada na mansão dos deuses, além de servirem a Hera e a Apolo. Acompanham frequentemente Afrodite e fazem ainda parte do cortejo de Dioniso. Iconograficamente são representadas como três jovens graciosas, com uma flor ou uma planta nas mãos. Dado seu caráter abstrato, as Horas não desempenham papel importante no mito.

6

EUROPA, em grego Εὐρώπη (Európe), em etimologia popular, porque a verdadeira ainda se desconhece, proviria de εὐρύς (eurýs), largo, amplo e ὤψ (óps), rosto, face, aspecto, donde *Europa* é a que possuiria um "rosto largo", um "aspecto amplo".

Há, pelo menos, quatro heroínas com este nome, sendo a mais célebre a filha de Agenor e Telefassa, que foi raptada por Zeus. O pai dos deuses e dos homens a viu, quando se divertia com suas companheiras perto de Sídon ou de Tiro, onde reinava seu pai. Inflamado pela beleza da jovem princesa, o deus se metamorfoseou num touro de cintilante brancura e de cornos semelhantes ao crescente lunar. Sob essa forma, deitou-se aos pés da jovem fenícia. Foi um susto rápido. Recompondo-se, a filha de Agenor começou a acariciar o touro e sentou-se sobre seu dorso. De imediato, o animal se levantou e se lançou com ela no mar. Apesar do susto e dos gritos aterrorizados de Europa, que mal conseguiu equilibrar-se, segurando-lhe os chifres, o touro penetrou nas ondas e se afastou da terra. Tendo chegado à ilha de Creta, uniram-se junto a uma fonte, em Gortina, sob plátanos, que, em memória desses amores, tiveram o privilégio de jamais perder as folhas.

Europa deu três filhos a Zeus: Minos, Sarpédon e Radamanto. Em "troca", o deus ofereceu a ela três presentes: um cão, que não deixava escapar presa alguma, um venábulo, que jamais errava o alvo, e Talos, "o robô de bronze", o infatigável vigilante e guardião da ilha de Minos. Mais tarde, fez que Europa se casasse com o rei de Creta, Astérion, que, não tendo filhos, adotou os de Zeus.

Após sua morte, Europa recebeu honras divinas e o Touro, em que Zeus se transformou, tornou-se uma constelação e foi colocado entre os signos do Zodíaco.

O rapto de Europa não ficou no esquecimento. Tão logo Agenor[5], que descendia de Zeus através de Io e do filho desta, Épafo, soube do desaparecimento da princesa, enviou os filhos à procura da mesma, com ordem expressa de não retornarem sem ela. Os três jovens partiram, mas quando perceberam que sua tarefa era inútil e como não podiam regressar à pátria, começaram a fundar colônias, onde se estabeleceram: na Cilícia, em Tebas e em Bastos, na Trácia...

Todos esses mitos de fundações fantásticas são tradições locais que relembram colônias fenícias, cuja expansão esses mesmos mitos procuram demarcar.

Uma vez que no Vol. I, p. 113 e 118-120 se discutiu o sentido do *rapto de deusas e de heroínas* e, no mesmo Vol. I, p. 274-278, se discorreu sobre o simbolismo dos *chifres*, mas não se tocou ainda no simbolismo do *touro*, há que se fazê-lo agora.

O *touro* configura o poder e o arrebatamento irresistível. É o macho impetuoso, como o terrível Minotauro, guardião do Labirinto. É o Rudra feroz e mugidor do Rig Veda, cuja semente abundante fertiliza a terra. É o Enlil celeste do mito babilônico. Símbolo da força criadora, o touro representou o deus El, sob a forma de

5. Épafo, filho de Io e de Zeus, tinha uma filha, Líbia (que deu seu nome à região vizinha do Egito), que, unida a Posídon, foi mãe dos gêmeos Agenor e Belo. Este reinou no Egito, e Agenor em Tiro ou Sídon. Tendo-se casado com Telefassa, Agenor teve uma filha, Europa, e três filhos, cujos nomes variam muito, de Eurípides, passando por Heródoto e Pausânias, até Diodoro Sículo. A lista, possivelmente mais canônica, aponta Fênix, Cílix e Cadmo, o ancestral de Édipo.

uma estatueta de bronze, que se fixava na extremidade de um bastão ou de uma haste. Conservam-se protótipos desses emblemas religiosos, que remontam ao terceiro milenário antes de Cristo. O culto de El, praticado pelos patriarcas hebraicos, imigrados na Palestina, foram rigorosamente prescritos por Moisés.

Na tradição grega os touros indomáveis e ferozes, como os que Jasão atrelou, simbolizam o ímpeto desenfreado da violência. Trata-se de animais consagrados a Posídon, deus dos Oceanos e das tempestades, e a Dioniso, deus da virilidade fecunda e inesgotável. São igualmente símbolos dos deuses celestes nas várias religiões indo-europeias, por força de sua fecundidade infatigável e anárquica como a de Úrano.

Na Índia, o touro Indra é a força ardente e opulenta, porque se prende ao complexo simbólico da fertilidade: corno, céu, água, raio, chuva. Emblema de Indra, ele o é também de Çiva. Como tal, é branco, nobre e seu toutiço evoca a montanha nevosa. Configura a energia sexual, mas cavalgar o touro como o faz Çiva é dominar e carregar essa energia com vistas à sua utilização iogue e espiritualizante. O touro de Çiva, Nandî, simboliza a justiça e a força, bem como o *Dharma*, a ordem cósmica.

O touro védico, Vrishabha, é o suporte do mundo manifestado, aquele que, do centro imóvel, movimenta a roda cósmica. Em virtude dessa analogia, o mito búdico reivindicará para seu herói o lugar ocupado pelo touro védico. O touro, conta-se, retira um de seus cascos da terra no fim de cada uma das quatro idades: quando ele retirar os quatro, os suportes do mundo serão destruídos. Entre os povos altaicos e nas tradições islâmicas, o touro, como a tartaruga, está ligado ao ciclo dos símbolos-suportes da criação, símbolos estes chamados *cosmóforos* (que sustêm o cosmo). São os suportes superpostos de baixo para cima: a tartaruga sustém o rochedo, o rochedo ao touro, o touro ao cosmo. No Templo de Salomão (1Rs 7,26), doze touros suportam o "mar de bronze" destinado a conter a água lustral: *E firmava-se sobre doze touros, três dos quais olhavam para o norte, três olhavam para oeste, três olhavam para o sul e três olhavam para leste: o mar se elevava acima deles e todas as partes posteriores dos mesmos estavam voltadas para a parte de dentro.*

Encarnação de forças ctônias, o touro em muitas culturas suporta o peso da terra sobre seu dorso ou sobre seus cornos. O simbolismo do touro está ligado ao da tempestade, da chuva e da lua. O touro e o raio, desde o terceiro milênio a.C., eram o símbolo conjugado de divindades atmosféricas. O mugido do animal era assimilado, nas culturas arcaicas, à borrasca e ao trovão, uma vez que ambos eram a hierofania da força fecundante. O complexo raio-furacão-chuva era considerado entre os esquimós e nas civilizações pré-incaicas, para citar apenas dois exemplos, como uma hierofania da lua. As divindades lunares mediterrâneo-orientais eram representadas sob a forma de touro e investidas de tributos taurinos. O deus da lua em Ur era chamado de "o poderoso, jovem touro do céu de cornos robustos". No Egito, o mesmo deus lunar era o "touro das Estrelas". Osíris, deus lunar, foi representado por um touro. Sin, deus lunar da Mesopotâmia, tinha igualmente forma taurina. Afrodite (Vênus) tem seu domicílio noturno no signo do Touro e a Lua exerce, nessa fase, sua maior influência. No persa antigo a lua era chamada *Gaocithra*, conservadora da semente do touro, porque, consoante um velho mito, o touro primordial depositara seu sêmen no astro da noite. Em hebraico, a primeira letra do alfabeto, *'aleph*, que designa *touro*, é o símbolo da lua em sua primeira semana e, ao mesmo tempo, o nome do signo zodiacal, por onde se inicia a série das casas lunares. Muitas letras, hieróglifos e sinais têm relação simultânea com as fases da lua e com os cornos do touro, não raro, comparados ao crescente lunar.

Um rito de iniciação asiático, introduzido na Itália, lá pelo século II d.C., enriqueceu o culto de Cibele com uma cerimônia até então desconhecida em Roma, o *tauróbolo*, o sacrifício de um touro. Tratava-se de uma iniciação por um batismo de sangue. O neófito descia a uma cova, aberta para essa finalidade, recoberta com um teto cheio de buracos. Sobre o fosso degolava-se um touro e o sangue quente do animal, fluindo pelos orifícios da cobertura, caía sobre o corpo inteiro do iniciado. Aquele que se submetia a essa aspersão sangrenta se tornava *renatus in aeternum*, um renascido para sempre para uma vida nova. É que o sangue do touro comunicava-lhe não apenas o poder biológico do animal, mas sobretudo a aquisição de uma vida espiritual e imortal. O culto de *Mitra*, de origem iraniana, comportava igualmente o sacrifício de um touro, mas num contexto ritual bastante diferente do acima descrito. As tropas romanas difundiram o culto desse grande deus asiático por todo o Império. No dia *25 de dezembro*, após o solstício do inverno, quando os dias recomeçam a crescer, celebrava-se o *renascimento* do Sol, o *Natalis Solis*, quer dizer, o nascimento de Mitra, deus salvador, vencedor invencível, nascido de um rochedo...[6] O ato fundamental da vida de Mitra foi o sacrifício do touro primitivo, o primeiro ser vivo criado por Ahura-Mazda. Após dominá-lo e conduzi-lo para seu antro, Mitra o degolou por ordem do Sol. De seu sangue e de sua medula nasceram os animais e os vegetais, mau grado os esforços da serpente e do escorpião, agentes e enviados de Ahriman, o que simboliza a luta do poder do *bem* contra as forças do *mal*. Nessa batalha deverão empenhar-se também todos os seguidores de Mitra: se assim o fizerem, o *invencível* lhes garantirá o acesso à mansão da luz eterna.

Todas as ambivalências, todas as ambiguidades existem no touro. *Água e fogo*: o touro é lunar, na medida em que se associa aos ritos da fecundidade; solar, pelo "fogo" de seu sangue e irradiação de seu sêmen. Sobre a tumba real de Ur se ergue um touro de cabeça de ouro (sol e fogo), mas com a mandíbula de lápis-lazúli (lua e água). Donde se conclui que ele é urânio e ctônio, mas é através da cor que seu símbolo mais se destaca e se precisa. Assim, o touro cinza configura uma hierofania da terra-fêmea, face ao cavalo branco, que encarna a força celeste macho, na representação da sizígia Terra-Céu.

Consoante a interpretação ético-biológica de Paul Diel, os touros representam com sua força bruta o domínio perverso. Seu sopro é a chama devastadora. O atributo de *bronze* acrescentado ao "símbolo pé", que é uma imagem frequente no mito grego, caracteriza um estado da alma. Aplicados aos touros, os pés de bronze configuram o traço marcante da tendência dominadora, a ferocidade e o endurecimento do espírito. Hefesto forjou dois touros de pés de bronze, ferozes e violentos, aparentemente indomáveis, que lançavam chamas pelas narinas. Uma das provas que o rei Eetes impôs a Jasão, para que ele obtivesse o velocino de ouro, era colocar o jugo nesses animais. Tal condição significava que o herói

---

6. O *Natalis Domini*, o Natal de Cristo, foi colocado no dia 25 de dezembro exatamente para substituir e *vencer* (e o venceu para sempre) o "renascimento" do *invencível* Mitra. Na realidade, Cristo, personagem histórica, nasceu antes da morte de Herodes, o Grande (Mt 2,1; Lc 1,5) que faleceu no ano 4 a.C., donde concluem os exegetas que o Senhor nasceu entre os anos 7-6 antes da era cristã. O mês e o dia hão de se saber na eternidade...

teria primeiro que dominar o ímpeto de suas próprias paixões, antes de tentar a conquista desse símbolo da perfeição espiritual, isto é, Jasão deveria primeiro sublimar seus desejos instintivos e desordenados.

Na simbólica analítica de Jung o sacrifício do touro representa o desejo de uma vida espiritual, que permitiria ao homem triunfar de suas paixões animais primitivas e que, após uma cerimônia de iniciação, lhe daria a paz.

O touro é a força descontrolada sobre a qual uma pessoa evoluída tende a exercer seu domínio. O entusiasmo e a paixão pelas touradas talvez se explicariam pelo desejo secreto de matar a besta interior, mas tudo se passaria como se se fizesse uma substituição: o animal sacrificado publicamente dispensaria o sacrifício interior ou daria a ilusão, pela mediação do toureiro, de uma vitória pessoal do espectador. Há, contudo, os que interpretam as touradas, com a consequente morte do animal, como uma reminiscência do culto mitraico: a vitória de Ormadz, o bem, o "sol", simbolizado pelo toureiro com seu "traje brilhante", contra Ahriman, o mal, "as trevas", o touro negro.

Touro (21 de abril – 20 de maio) é o segundo signo do Zodíaco e símbolo de uma grande capacidade de trabalho e de uma projeção de todos os instintos, sobretudo o instinto de conservação e de sensualidade, bem como de uma propensão exagerada pelos prazeres. Este signo é governado por (Afrodite) "Vênus", a saber, esta parte do céu se encontra em perfeita e íntima harmonia com a natureza desse planeta. Ao signo de Touro está associado a simbólica da matéria-primeira, da substância inicial, assimilada à Terra-elemento, à Mãe-Terra. Se a Áries é destinada a cinética do fogo original, encarnado por um animal seco, hiperviril, dominado por uma massa craniana projetada para o alto e para a frente, ao *Touro* cabe a estática de uma massa portadora de vida, com predominância horizontal e ventral, onde reina o espírito de lentidão, de densidade, de estabilidade, de solidez, de firmeza, de constância... A este signo se vincula o valor de um sentido plenamente terrestre na linha de uma sinfonia de pradaria verde. No concerto zodiacal, a partitura do Touro se assimila a um canto báquico à glória de (Afrodite) Vênus, *Venus Genetrix*, de Vênus Mãe, toda de carne palpitante e de sangue vermelho, carregada e vibrante de emanações telúricas; canto de plenitude lunar na exaltação da mãe-natureza. O Touro proporciona uma natureza animal, de compleição instintiva, particularmente rica em sensibilidade: viver neste mundo, para um taurino, é sentir, sorver, apalpar, ver, compreender, saber... É abandonar-se à sofreguidão dos alimentos terrestres, é entregar-se à embriaguez dos encantamentos dionisíacos. A sede de viver está enraizada num temperamento generoso, de vitalidade sólida e têmpera robusta. Toda essa vitalidade pode, no entanto, estancar-se numa vida de prazeres, dominada pelas paixões tanto quanto submeter-se ao jugo do trabalho para satisfazer aos apetites da ganância.

7

Das núpcias legítimas de Zeus e Hera nasceram Hebe, Ilítia e Ares. O nascimento de Hefesto será tratado à parte, logo após se falar de Ares.

HEBE, em grego Ἥβη (Hébe), personificação da *juventude*. Estava encarregada, no Olimpo, da mansão dos deuses: servia o néctar aos imortais, antes do rapto de Ganimedes, preparava o banho de Ares e ajudava Hera a atrelar seu carro divino. Divertia-se dançando com as Musas e as Horas, ao som da lira de Apolo. Quando da apoteose de Héracles e da sua reconciliação com Hera, Hebe se casou com o herói, simbolizando assim o acesso do filho de Alcmena à juventude eterna.

ILÍTIA, em grego Εἰλείθυια (Eileíthyia), "que corre em socorro das parturientes". Εἰλείθυια é forma dissimilada de Ἐλεύθυια (Eleúthyia), "a que acode, a que intervém". Ilítia é o gênio feminino que preside aos partos. Fiel servidora de sua mãe Hera, de quem é mera hipóstase, cumpria-lhe cegamente as ordens, perseguindo implacavelmente as "amantes" de Zeus, impedindo-as de dar à luz os filhos, como aconteceu com Leto e Alcmena, segundo se verá.

ARES, em grego Ἄρης (Áres), certamente está relacionado com ἀρή (aré), "desgraça, violência, destruição". Veja-se o sânscrito *irasyati*, "ele entra em furor". Desde a época homérica, Ares surge, como o deus da guerra por excelência. Dotado de coragem cega e brutal, é o espírito da batalha, que se rejubila com a carnificina e o sangue. O próprio Zeus, seu pai, como já se mostrou no Vol. I, p. 146, o chama de *o mais odioso de todos os imortais que habitam o Olimpo* (*Il.*, V, 890). O "flagelo dos homens, o bebedor de sangue", como lhe chama Sófocles (*Áj.*, 254), nem mesmo entre seus pares encontra simpatia. Hera se irrita com ele e Atená o odeia e o qualifica de μαινόμενος (mainómenos), "louco", e "encarnação do mal". Na *Ilíada*, V, 35, 830ss, a deusa da inteligência dirigiu contra ele a lança de Diomedes e mais tarde (*Il.*, XXI, 403) ela própria o feriu com uma enorme pedra. Somente Afrodite, *et pour cause* o chama de "bom irmão" (*Il.*, V, 359)...

Na Guerra de Troia, pôs-se ao lado dos troianos, o que não importa muito, uma vez que Ares não está preocupado com a justiça da causa que defende. Seu prazer, seja de que lado combata, é participar da violência e do sangue.

De altura gigantesca, coberto com pesada armadura, com um capacete coruscante, armado de lança e escudo, combatia normalmente a pé, lançando gritos medonhos.

Seus acólitos nos sangrentos campos de batalha eram: *Éris*, a Discórdia, insaciável na sua fúria; *Quere*, com a vestimenta cheia de sangue; os dois filhos, que tivera com Afrodite, cruéis e sanguinários, *Deîmos*, o Terror, e *Phóbos*, o Medo, e a poderosa *Enio*, "a devastadora". Esta última era certamente uma divindade guerreira anterior a Ares e que por ele foi suplantada; a ela deve o *deus das lágrimas*, como lhe chama Ésquilo (*Supl.*, 681), o epíteto de 'Ενυάλιος (Enyálios), "o belicoso", nome que parece estar atestado na Linear B, sob a forma *E-nu-wa-ri-jo*. Mais tarde, todavia, Enio se tornou sua filha. Seus demais filhos foram quase todos violentos ou ímpios devotados a uma sorte funesta, como *Flégias*, que tivera com Dótis. Este Flégias era pai de Ixíon e Corônis, a mãe de Asclépio. Amante de Apolo, Corônis o traiu, embora grávida do deus da medicina. Como Apolo a tivesse matado, Flégias tentou incendiar-lhe o templo de Delfos. O deus o liquidou a flechadas e lançou-lhe a psiqué no Tártaro.

Com Pirene foi pai de três filhos: *Cicno*, *Diomedes Trácio* e *Licáon*. O primeiro, violento e sanguinário, era salteador. Geralmente se postava na estrada que conduzia a Delfos e assaltava os peregrinos que se dirigiam ao Oráculo. Apolo, encolerizado, instigou contra ele Héracles. *Cicno* foi morto e Ares avançou para vingar o filho. Atená desviou a lança e Héracles atingiu-o na coxa, forçando-o a fugir para o Olimpo. *Diomedes Trácio*, que alimentava suas éguas com carne humana, foi também liquidado pelo filho de Alcmena. *Licáon*, rei dos crestônios, povo da Macedônia, quis barrar o caminho a Héracles, quando este se dirigia ao país das Hespérides, aonde ia buscar os *Pomos de Ouro*. Interpelado e depois atacado por Licáon, o herói o matou.

Tereu foi um outro de seus rebentos e seu mito prende-se às filhas de Pandíon, Procne e Filomela. Tendo havido guerra, por questões de fronteira, entre Atenas e Tebas, comandada por Lábdaco, Pandíon solicitou o auxílio do trácio Tereu, graças a cujos préstimos obteve retumbante vitória. O rei ateniense deu a seu aliado a filha Procne em casamento e logo o casal teve um filho, Ítis. Mas o trácio se apaixonou pela cunhada Filomela e a estuprou. Para que ela não pudesse dizer o que lhe acontecera, cortou-lhe a língua. A jovem, todavia, bordando numa tapeçaria o próprio infortúnio, conseguiu transmitir à irmã a violência de que fora vítima. Procne resolveu castigar o marido: matou o próprio filho Ítis e serviu-lhe as carnes ao pai. Em seguida, fugiu com a irmã. Inteirado do crime, Tereu, armado com um machado, saiu em perseguição às duas irmãs, tendo-as alcançado em Dáulis, na Fócida. As jovens imploraram o auxílio dos deuses e estes, apiedados, transformaram Procne em rouxinol e Filomela em andorinha. Tereu foi metamorfoseado em mocho.

Com a filha de Cécrops, Aglauro, o deus da guerra teve *Alcipe*. Tendo Ares assassinado o filho de Posídon, Halirrótio, que lhe tentara violentar a filha, foi arrastado por Posídon a um tribunal formado por doze grandes deuses, que se reuniram numa *colina*, junto à qual o homicídio fora cometido, situada em frente à Acrópole de Atenas. Foi absolvido, mas a *colina*, a partir de então, passou a chamar-se Ἄρειος πάγος (Áreios págos), isto é, *Areópago*, "colina de Ares ou colina do homicídio", uma vez que esse histórico tribunal ateniense tinha a seu encargo julgar crimes de sangue (V. *Oréstia*, de Ésquilo).

Movido por fortes ciúmes, Ares assassinou Adônis, seu rival na preferência de Afrodite. Os Alóadas, quer dizer, os dois gigantescos e temíveis filhos de Posídon, Oto e Efialtes, para vingar Adônis encerraram o deus da guerra num pote de bronze, depois de o terem amarrado. Ali o deixaram durante treze meses, até que o astucioso Hermes conseguiu libertá-lo num estado de extrema fraqueza.

Atribuem-se a Ares muitas aventuras amorosas, dentre as quais a mais séria e célebre foi a que teve com Afrodite, narrada no Vol. I, p. 228-229.

Seu *habitat* preferido era a Trácia, país selvagem, de clima rude, rico em cavalos e percorrido frequentemente por populações violentas e guerreiras. A Trácia era também uma das habitações das terríveis *Amazonas*, que passavam igualmente por filhas do amante de Afrodite.

Seu culto, relativamente pobre em relação aos demais deuses, era sobretudo parcimonioso em Atenas. Além da Beócia, de que se falará mais abaixo, foi no Peloponeso, por força do militarismo espartano, que Ares teve mais simpatizantes. Na Lacônia, os Efebos sacrificavam a Eniálio, havendo em Esparta um templo que lhe era consagrado. Em Atenas, era venerado num pequeno e modesto santuário, ao qual estava associada Afrodite. Possuía templos ainda em Trezena e na ilha de Salamina, consoante Plutarco (*Sól.*, 9).

Na capital da Beócia, Tebas, o "belicoso" possuía realmente um culto particular, uma vez que era tido como ancestral dos descendentes de Cadmo. É que este, filho de Agenor e Teléfassa, como se viu há pouco, à p. 135s., após o rapto da irmã, se estabeleceu na Trácia com a mãe. Morta esta, Cadmo consultou o oráculo, que lhe ordenou abandonasse a procura de Europa e fundasse uma cidade. Para escolher o local, deveria seguir uma vaca até onde ela caísse de cansaço. Cadmo pôs-se a caminho e, tendo atravessado a Fócida, viu uma vaca, que possuía nos flancos um disco branco, sinal da Lua. Seguiu-a por toda a Beócia e, quando o animal se deitou, compreendeu que o oráculo se cumprira. Mandou os companheiros a uma fonte vizinha, consagrada a Ares, em busca de água, mas um Dragão, filho do deus, que guardava a fonte, os matou. Cadmo conseguiu liquidar o monstro e, a conselho de Atená, semeou-lhes os dentes. Logo surgiram da terra homens armados e ameaçadores, a que se deu o nome de Σπαρτοί (Spartoí), "Os Semeados". Cadmo atirou pedras no meio deles e "Os Semeados", ignorando quem os provocara, acusaram-se mutuamente e se mataram. Sobreviveram apenas cinco: Equíon (que se casou com Agave, filha de Cadmo), Udeu, Ctônio, Hiperenor e Peloro. A morte do Dragão teve que ser espiada e, durante oito anos, Cadmo serviu ao deus como escravo. Terminado o "rito iniciático", Zeus lhe deu como esposa Harmonia, filha de Ares e Afrodite. Cadmo reinou longos anos em Tebas. De seu casamento com Harmonia nasceram Ino (Leucoteia), Agave, Sêmele e Polidoro.

Já idosos, Cadmo e a esposa abandonaram Tebas em condições misteriosas. Deixaram o trono ao neto Penteu, filho de Agave e Equíon, e foram para a Ilíria. Conta-se que um oráculo prometera a vitória aos ilírios contra inimigos internos, se fossem comandados por Cadmo. O oráculo cumpriu-se e o antigo rei de Tebas reinou ainda sobre os ilírios e teve com a esposa um último filho, Ilírio. Por fim, Cadmo e Harmonia foram transformados em serpentes e levados para os Campos Elísios.

Três coisas nos chamam a atenção no mito de Ares: o pouquíssimo apreço em que era tido por parte de seus irmãos olímpicos; a pobreza de seu culto na Hélade e, apesar de ser um deus da guerra, suas constantes derrotas para imortais, heróis e até para simples mortais.

Pública e solenemente desprezado pelos próprios pais, era ridicularizado por seus pares e até pelos poetas, que se regozijavam em chamá-lo, entre outros epítetos deprimentes, de *louco*, *impetuoso*, *bebedor de sangue*, *flagelo dos homens*, *deus das lágrimas*... Epítetos, aliás, que não condizem muito com as atitudes bélicas de Ares, deus da guerra: derrotado constantemente por Atená; vencido várias vezes por Héracles; ferido por Diomedes; aprisionado pelos Alóadas... Era, por fim, um deus cujos templos na Grécia eram muito poucos, seu culto muito escasso.

Um deus olímpico, com tais características, convida a uma reflexão. Há os que solucionam o problema de maneira muito simples: os gregos, desde a época homérica, se compraziam em mostrar a força cega e bruta de Ares debelada e burlada pelo vigor mais inteligente de Héracles e sobretudo pela coragem lúcida, viril e refletida de Atená. A vitória da inteligência sobre a força bruta refletiria a essência do pensamento grego, e tudo estaria resolvido.

É verdade que tudo isto está correto, mas não satisfaz inteiramente.

Talvez se pudesse defender a hipótese de que Ares seja não um *deus*, mas um *demônio* popular, que se encaixou na epopeia, mesmo assim, ou por isso mesmo, desprezado pelos outros deuses. Talvez se trate, como querem outros, de um herdeiro pouco afortunado de alguma divindade pré-helênica, como já se pensou de sua companheira inseparável, Enio. Sua afinidade com a Trácia e suas ausências constantes do Olimpo, para atender a seus "trácios fiéis", nos inclinariam a ver no deus da guerra um estranho mal adaptado à religião grega, em cujo seio seu caráter sangrento e funesto lhe valeu um sério descrédito.

Assim como a *Erínia*, a "devastadora", foi qualificada por Ésquilo (*Set.*, 721) de *deusa tão pouco semelhante aos deuses*, igualmente Ares, por força de total ausência, em sua personalidade, de uma característica essencial a um deus, a virtude da beneficência, foi cognominado pelo escoliasta de *Édipo Rei*, 185ss., de θεὸς ἄθεος (theòs átheos), de *um deus que não é um verdadeiro deus.*

Seja como for, Ares jamais se adaptou ao espírito grego, tornando-se um antípoda do equilíbrio apolíneo. Realmente um estranho no ninho.

HEFESTO, em grego Ἥφαιστος (Héphaistos), cuja etimologia é muito discutida. Talvez se pudesse, partindo da forma eólia Ἄφαιστος (Áphaistos), decompor-lhe o nome em **ap* > **aph*, "água" e **aidh* > **aistos*, "acender, pôr fogo em". Coxo, mutilado como o relâmpago, precipitado como ele do céu para a terra ou para a água, Hefesto é o fogo nascido nas águas celestes, como *Agni*, o deus do fogo na Índia, que tem quase o mesmo nome que o deus grego: *apâm napât*, "filho das águas", mas trata-se de mera hipótese.

Filho de Zeus e de Hera, consoante Homero (*Il.*, I, 573ss.; *Odiss.*, VIII, 312) ou vindo ao mundo *sem união de amor*, conforme Hesíodo (*Teog.*, 927), o deus das forjas teve um nascimento bastante complicado. Hera, continua Hesíodo, *por cólera e desafio lançado ao esposo* (*Teog.*, 928), gerou sozinha o filho. A cólera da deusa e o desafio ao esposo se deveram ao nascimento de Atená, que saiu da cabeça de Zeus, sem o concurso de Hera.

Para o defeito físico de Hefesto há duas versões. A primeira está na *Ilíada*, I, 590ss.: Hera discutia violentamente com o marido a propósito de Héracles e Hefesto ousou tomar a defesa da mãe. Zeus, enfurecido, agarrou-o por um dos pés e o lançou para fora do Olimpo. Hefesto rolou pelo espaço o dia todo e somente ao pôr-do-sol caiu na ilha de Lemnos, onde foi recolhido pelos síntios, considerados os primeiros habitantes da ilha. Com o tombo, o deus ficou aleijado e manquitolava de ambas as pernas, o que sempre lhe trouxe muitos problemas de ordem psíquica, segundo se tentou mostrar no Vol. I, p. 131 e 145-146. A segunda versão está ainda na *Ilíada*, XVIII, 394ss. e *Hh. Ap.*, I, 316: Hefesto já teria nascido coxo e deformado. Humilhada com a fealdade e a deformação do filho, Hera o lançou do alto do Olimpo. Após rolar pelo vazio durante um dia inteiro, o infeliz caiu no mar, onde foi recolhido por Tétis e Eurínome, que o "guardaram" durante nove anos numa gruta submarina, o que mostra com clareza o longo período iniciático do deus coxo. Foi nesta gruta que Hefesto fez sua longa aprendizagem: trabalhava o ferro, o bronze e os metais preciosos, tornando-se "o mais engenhoso de todos os filhos do céu". Em sua longa carreira de ferreiro e ourives divino, Hefesto multiplicou suas criações, forjando e confeccionando os mais preciosos, belos e "surpreendentes" objetos de arte que já se viram. Para vingar-se da mãe, fabricou e enviou-lhe um presente magnífico: um trono de ouro, delicado e artisticamente cinzelado. Ao recebê-lo, Hera ficou estupefacta: jamais vira coisa tão rica e tão bela, mas, ao sentar-se nele, ficou presa, sem que nenhum dos deuses pudesse libertá-la, porque só o ourives divino conhecia o segredo do *atar* e *desatar*, segundo se comentará mais abaixo. Foi necessário enviar Dioniso, para levá-lo de volta ao Olimpo. O deus do êxtase e do entusiasmo embriagou Hefesto e, assim, foi possível guiá-lo, montado num burro, até a mansão divina. Para Tétis, a quem era imensamente grato, fabricou joias preciosíssimas e forjou, a pedido desta, novas armas para Aquiles (*Il.*, XVIII, 468ss.). Já se viu no mito de Afrodite, *Mitologia grega*, Vol. I, p. 228, como o engenhoso filho de Hera, tendo envolvido seu próprio leito numa rede invisível, surpreendeu sua esposa Afrodite em flagrante adultério com Ares (*Odiss.*, VIII, 266ss.).

A obra-prima do coxo genial, porém, foi a "criação" da primeira mulher. Por solicitação de Zeus, Hefesto modelou em argila uma mulher ideal, fascinante, a irresistível Pandora. Não a modelou apenas, foi além do artista: animou-a com um sopro divino. Se Pandora, de um lado, patenteia a genialidade e o poder de que estava investido o deus dos *nós*, de outro, demonstra que os gregos tinham noção perfeita de que o *limo da terra*, o *homo-humus* é animado por uma centelha de eternidade, isto é, por uma alma imortal.

Hefesto, fisicamente *an odd number*, um mutilado, só teve por mulheres a grandes belezas. Já na *Ilíada*, XVIII, 382, está unido a Cáris, a Graça por excelência; Hesíodo, *Teog.*, 945s., lhe atribui *Aglaia*, a mais jovem das Cárites; Zeus, por fim, para "compensar tudo", deu-lhe em casamento *a própria beleza*, a deusa do amor, Afrodite. Para alguns intérpretes, essa ânsia de beleza por parte de Hefesto traduziria menos o sentimento de um doloroso contraste físico do que a ideia profunda que o incomparável artista possuía da suprema beleza. É bem possível que essa visão "com olhos da alma" preencha o ângulo estético do problema, mas, ao que parece, há outras causas, que estamparemos no fecho deste capítulo.

A mutilação de Hefesto, todavia, não o impedia de ser valente, destemido e de tomar parte ativa nos combates. Senhor do elemento ígneo na *Gigantomaquia*, luta bravamente com o gigante Clício e o mata, golpeando-o com barras de ferro em brasa. Em Troia toma o partido dos aqueus (*Il.*, XX, 36) e combate agitando labaredas. Quando o rio Escamandro ameaçou submergir Aquiles, o deus coxo, por solicitação de Hera, avançou com suas *chamas* e seu *sopro ígneo* sobre as *águas* do rio e o obrigou a retornar a seu leito. Nessa luta de elementos, maravilhosamente descrita por Homero (*Il.*, XXI, 324ss.), a água é vencida pelo fogo: καίετο δ'ἶς ποταμοῖο (kaíeto d'ìs potamoîo), *a força do rio está em chamas*, diz significativamente o cantor de Aquiles (*Il.*, XXI, 356). Afinal a etimologia proposta para Hefesto, *o que incendeia a água*, parece, ao menos semanticamente, não andar muito longe da verdade. Os antigos já reconheciam no coxear do deus o movimento vacilante da chama ou o ziguezague do raio, pois que o ourives divino personifica o fogo, não o celeste, mas o telúrico, cujo principal centro estava localizado na ilha de Lemnos: trata-se do histórico Vulcão de Lemnos, de que fala Sófocles na tragédia *Filoctetes*, 800, 986, que se manteve muito ativo até a época de Alexandre Magno. Acreditava-se que foi perto desse vulcão que o deus caiu, quando tombou do céu, no sopé do Mosiclo, onde se ergueu, mais tarde, seu templo. Nas profundezas da ilha se localizavam primitivamente suas forjas e bigornas, antes de serem as mesmas transferidas para o monte Etna e para o Olimpo... Na costa norte de Lemnos estava a cidade de Hefestia, epônimo do deus, onde se celebrava em sua honra, exatamente como nas *Hefestias* de Atenas, "a corrida com fachos acesos", a mesma *Lampadedromía*, com que se homenageava também Atená. Diga-se logo que essas "corridas dos fachos" têm sua origem num rito muito antigo da *renovação do fogo*.

A Campânia do sul, mais precisamente as ilhas Lípari, bem como a região do Etna foram outros dois grandes centros de seu culto: ali o deus tinha respectivamente os epítetos de *Liparaîos* e *Aitnaîos*, Lipareu e Etneu. É que no Etna foram localizadas mais tarde suas forjas, onde o deus trabalhava com o auxílio dos Ciclopes, segundo um tema característico da poesia alexandrina. E é bom não esquecer que é sob a massa fumegante do Etna que Tífon, "demônio dos vulcões", expia, no calor insuportável e no barulho infernal das bigornas de Hefesto, sua revolta contra Zeus.

O mito de Erictônio une estreitamente Hefesto a Atená e à Ática, onde *Hefestiás* foi o nome de uma das quatro tribos primitivas.

No *Hino Homérico*, onde é exaltado por sua "engenhosa habilidade", o deus coxo está associado à deusa da inteligência como inspirador de "nobres trabalhos", fonte da civilização e da cultura humana. Seu altar no *Erékhtheion*, Erecteu (templo de Atená Poliás na Acrópole) e a estátua de Atená no templo do deus, na Ágora, demonstram que suas núpcias intelectuais e artísticas eram para sempre.

Platão se aproveitou dessa sizígia e num passo do *Protágoras* (321d-e) coloca o "casal" num mesmo ateliê e, depois, mais especificamente no *Crítias* (109c-d), faz que Atená e Hefesto partilhem o domínio, a suserania de uma Atenas utópica, que seria seu *quinhão comum e único*. O filósofo ateniense insiste na identidade natural das duas divindades e de seu *amor comum pela ciência e pela arte*, pois que ambos conjugam φιλοσοφία (philosophía) e φιλοτεχνία (philotekhnía), um duplo amor que caracteriza igualmente a cidade entregue à sua vigilância e a seu desvelo.

Foi sobretudo sua *philotekhnía*, seu amor à arte, que fez de ambos os protetores incontestes dos artesãos. No bairro de Ceramico, berço principal das Χαλκεῖα (Khalkeîa), "Calquias", da grande festa dos "metalúrgicos", Atená e Hefesto reinavam soberanos.

Nas Ἡφαίστεια (Hephaísteia), "Hefestias", festividades em honra de Hefesto, quando se realiza uma *Lampadedromía*, nos mesmos moldes daquelas das *Panateneias*, a convidada de honra era Atená. Nas Προμήθεια (Prométheia), "Prometias", solenidades em honra de Prometeu, "espécie de deus irmão", em quem Ésquilo vê também um promotor de todas as artes, lá estavam, ladeando o homenageado, Hefesto e Atená. Tem-se a impressão de que a sensibilidade, a cultura e o espírito artístico ateniense se alicerçavam no triângulo Atená-Hefesto-Prometeu.

Um derradeiro encontro com Hefesto se fazia nas *Apatúrias*, sempre com a presença do *fogo*, mas do *fogo* numa acepção menos material. Nessa festa, tão importante para a comunidade ateniense, Hefesto era homenageado com *Atená Fratria* e *Zeus Frátrio*, uma comunhão *fraterna*, em que o deus do fogo era aclamado como protetor da lareira e da família.

A tradição atribui a Hefesto vários filhos: o argonauta Palêmon, o escultor Árdalo, o famoso salteador Perifetes, que foi morto por Teseu, e Erictônio, nascido de um desejo do deus das forjas por Atená.

O sentido simbólico da mutilação, e Hefesto foi o grande mutilado a ponto de tornar-se o mais perito e astuto xamã do Olimpo, já se comentou no Vol. I, p. 355-358. Há, não obstante, uma faceta muito importante do deus que merece algumas ponderações. Trata-se de seu poder de *atar* e *desatar*. É o xamã dos *nós*, o deus-enfaixador. E graças a seus trabalhos artísticos e *mágicos*, como *tronos*, *redes*, *correntes*, é capaz não só de *atar* deuses e deusas e até o Titã Prometeu, como está no *Prometeu Acorrentado* de Ésquilo, mas ainda sabe, quando solicitado, *desatar* com maestria, conforme demonstrou, assistindo Zeus como *parteiro*, por ocasião do nascimento de Atená, e libertando sua mãe do trono e sua esposa e o amante Ares da corrente invisível. "Em parte alguma, aliás, a equivalência da magia e da perfeição tecnológica é mais bem valorizada do que na mitologia de Hefesto [...]. Os nós, as redes, os cordões, as cordas, os barbantes alinham-se entre as expressões ilustradas da força mágico-religiosa indispensável para poder comandar, governar, punir, paralisar, ferir mortalmente; em suma, expressões 'sutis', paradoxalmente delicadas, de um poder terrível, desmedido, sobrenatural"[7], diz Mircea Eliade.

E todo esse poder maravilhoso e terrível, construtivo e destrutivo, Hefesto o deve ao *domínio do fogo*, apanágio dos xamãs e dos mágicos, antes de se tornar um grande segredo dos ferreiros, metalúrgicos e oleiros.

Como demonstrou Dumézil[8], completado e ampliado com mais riqueza de informações por M. Eliade[9], a soberania de um deus está no seu saber e poder *li-*

---

7. ELIADE, Mircea. Op. cit., p. 98s.

8. DUMÉZIL, Georges. Op.cit., p. 21s., 27s.

9. ELIADE, Mircea. *Images et symboles*. Paris: Gallimard, 1952, p. 120ss.

gar e *desligar*, mas todo esse poder lhe é comunicado pela *magia*. É assim que deuses *mágicos* como *Varuna*, *Úrano*, *Zeus*, *Odin*, *Rômulo* (Quirino), *Hefesto*... têm em suas mãos uma arma fatal, a *magia*, cuja manifestação exterior são os *nós*, os *laços*, as *cordas*, as *redes*, os *anéis*, as *cadeias*... sob forma material ou figurada. Um poder assim extraordinário lhes permite governar, administrar e equilibrar o mundo. São normalmente deuses que, antes ou excepcionalmente após a conquista do poder, não mais participaram de guerras ou combates. Manipulando a *magia*, esses imortais soberanos dispõem de outros meios mais eficazes: o dom da ubiquidade ou, quando não, do transporte imediato, a arte e a astúcia de metamorfoses ilimitadas, a capacidade de cegar, ensurdecer, paralisar os adversários e arrebatar toda e qualquer eficácia de suas armas. Daí a oposição entre deuses soberanos e deuses guerreiros: Varuna se opõe ao guerreiro Indra; Zeus, desde as epopeias homéricas, opõe-se a Ares; Júpiter a Marte... A tão comentada passividade dos deuses soberanos do céu corresponde a seu poder mágico: esses entes supremos *agem sem agir*, *fisicamente*, porque operam diretamente com a potência do espírito.

A exteriorização desse poder mágico, segundo se disse, são as cordas, as redes, os anéis, os laços, os nós... Vejamos, na prática, alguns exemplos. *Varuna*, o que liga, é apresentado com uma corda nas mãos; o uso do anel era privativo dos *sacerdotes* e de determinados dignitários, porque somente eles estavam *ligados ao divino* e tinham, por conseguinte, o poder de *ligar* e *desligar*. Quando falece o Papa, quebra-se-lhe o *Anel de Pescador*, porque seu *liame* com o poder, que lhe outorgara Cristo, foi rompido pela morte. Prometeu, libertado por Héracles, com anuência de Zeus, foi obrigado a usar um *anel*, confeccionado com fragmentos das correntes que o prendiam, como símbolo de vassalagem e obediência ao deus soberano. É necessário esclarecer de uma vez que *ligar* e *desligar* agem positiva ou negativamente. Trata-se de algo *phármakon*, como diriam os gregos: uma droga salutar ou venenosa. É assim que Varuna punia, *ligando* pela doença, pela impotência, pela morte os que transgrediam as leis. No domínio do mito germânico, alguns ritos são elucidativos a respeito do poder e do simbolismo dos nós. O severo historiador latino C. Cornélio Tácito (séc. I-II d.C.) em sua obra *Germania*, 39, informa que na festa religiosa anual dos sêmnones, todos os participantes compareciam *atados*: *nemo nisi uinculo ligatus ingreditur*, ninguém entra a não ser atado. O mesmo historiador, no Cap. 31 da obra supracitada, acrescenta que os catos, um outro povo germânico, usavam um anel de ferro, "como se fora uma cadeia", até matarem o primeiro adversário. Tanto o *nó* como o *anel* demonstram que nesses ritos estava impressa a marca da vassalagem, em que o homem se apresenta face ao deus soberano como cativo ou escravo, tendo certamente, no caso dos catos, estabelecido um pacto com o divino até eliminarem o primeiro inimigo. Para um soldado romano, a suprema humilhação era fazê-lo passar sob o jugo[10], *sub iugum mittere*, o que significava um desprezo total pelo soldado ou sua sujeição absoluta ao vencedor.

Eliade classifica a "função" dos *nós* e dos *liames*, em geral, na magia prática, em duas categorias: *laços mágicos* contra os adversários humanos (na guerra, na bruxaria), com a operação inversa do "corte dos nós", e *nós* e *laços benéficos*, como meio poderoso de defesa contra animais selvagens, doenças, sortilégios, a morte e os demônios.

Laços mágicos contra inimigos ou adversários são de uso em todas as culturas: sobre o caminho, por onde deveriam passar as tropas inimigas, jogavam-se cordas com nós; enterrar uma corda perto da casa de um adversário é imobilizá-lo; esconder a corda na embarcação de um opositor é fazê-lo soçobrar. O corte do nó é um meio de defesa preventiva: em determinados períodos críticos (casamento, parto, morte...), todos os nós (se é que existem) devem ser desatados, nas vítimas e nos circunstantes... *Ilítia*, a deusa dos partos (voltaremos a encontrá-la no nascimento de Apolo e Ártemis, bem como no de Héracles), cruzando a perna esquerda sobre a direita, fechava qualquer caminho, e o nascimento era impossível! Aliás, cruzar pernas, cruzar braços, eram considerados em muitas culturas como "atitudes" perigosas, porque tal cruzamento fecha o caminho do "mana" (palavra sobre que se falará no capítulo seguinte): é que a energia universal, não podendo circular livremente, acumula-se na pessoa, pondo-a em pe-

10. *Iugum*, "o jugo", do verbo *iungere*, "atrelar, unir", era formado por três lanças: duas fincadas na terra em posição vertical, encimadas por uma terceira em sentido horizontal. Sob o *jugo*, que simboliza a sujeição ou a escravidão, passavam os vencidos.

rigo. Eis por que os Rosa-Cruzes proíbem que se cruzem os braços, a não ser em oração, porque, neste caso, pode-se e deve-se acumular energia divina, uma vez que a pessoa está protegida pela prece.

Na segunda categoria alinham-se todas as práticas que atribuem aos laços e nós uma função de cura, de defesa contra os demônios ou de conservação da força mágico-vital. *Amarrar* a parte afetada por uma doença, com o fito de curá-la, é prática universalmente conhecida. Mais difundido ainda é o uso de nós, cordões, barbantes, fitas, como defesa mágica contra as doenças e os demônios, daí o hábito de se atarem e enfaixarem os cadáveres e as múmias.

Observe-se, todavia, que esse emprego mágico-religioso de nós, fitas e laços tem caráter ambivalente. Os nós provocam as doenças e igualmente as afastam ou curam o enfermo; os laços, as fitas e os nós embruxam e enfeitiçam, mas também protegem contra a bruxaria; ajudam os partos e os impedem; podem trazer a morte ou repeli-la. Em síntese, o essencial no rito mágico é a orientação que se imprime à energia latente num laço, numa fita, num nó... Essa orientação obviamente pode ser positiva ou negativa, benéfica ou maléfica, pode ser de defesa ou ataque.

É verdade que as crenças e ritos sobre a ação de *ligar* e *desligar* nos remetem ao domínio da mentalidade mágica, mas é preciso que não nos enganemos: o simbolismo geral da ação de *atar* e *desatar* não é uma criação exclusiva dessa mentalidade. Há farta documentação sobre *nós*, *liames*, *cordas*, *redes*, *fitas*... que exprimem não apenas uma autêntica experiência religiosa, mas também uma concepção geral do homem e do mundo, uma concepção verdadeiramente religiosa e não mágica[11].

Como se vai apresentar uma série de exemplos concernentes à ação de *ligar* e *desligar*, uns de cunho tipicamente *religioso*, outros de feição claramente *mágica*, talvez não fosse de todo fora de propósito fazer uma distinção entre *magia* e *religião*. Fica estabelecido, de saída, que, na ação mágica dos *nós*, o poder de atuar positiva ou negativamente está inerente à própria energia do *nó* ou do objeto que se usa, enquanto, do ponto de vista religioso, os *nós* ou os *objetos* não possuem

---

11. ELIADE, Mircea. Op. cit., p. 147ss.

mana ou *energia* alguma, mas atuam como símbolos da manifestação do poder de um deus soberano.

Isto posto, vamos à definição de religião e de magia, definição que, por si só, estabelece a diferença entre ambas.

Repetindo o que já se disse no Vol. I, p. 41-42, *religião* pode ser definida como "o conjunto de atitudes e atos pelos quais o homem manifesta sua dependência em relação a potências invisíveis consideradas sobrenaturais"[12].

Magia, em grego Μαγεία (magueía) que, consoante Van den Born[13], "significa originariamente a atividade ou a arte do mago, depois também a arte ou a atividade ocultas do feiticeiro, geralmente em sentido pejorativo. Por magia (feitiço) entendemos ideias e práticas que se baseiam na crença de que certas pessoas, objetos ou ritos seriam capazes de causar um efeito anormal, fatal, infalível, através de determinados meios que não estão em nenhuma proporção com o fim desejado. Característico da magia é que esses magos, aplicando meios poderosos por eles mesmos inventados, se sentem independentes da soberania divina e da lei moral".

A claríssima Monique Augras faz uma distinção, a nosso ver, muito importante, entre a magia de culturas primitivas e a que hodiernamente conhecemos: "A magia, com efeito, é por assim dizer o animismo[14] utilizado no sentido instrumental. Agindo sobre os símbolos, atua-se sobre o mundo. Devemos distinguir entre a magia dos povos ditos 'primitivos', que é o aspecto de aplicação do sistema animista, e a magia tal como a conhecemos hoje, que se apresenta como um conjunto de práticas. Nesse último caso, não é mais o universo todo que é símbolo do mundo real, mas alguns objetos desse mundo. Há seleção como na religião e, em muitos casos, tudo aquilo que a religião rejeitou passa a alimentar as práticas mágicas [...]. O fundamento da magia é que o homem é homólogo do universo. O microcosmo contém o macrocosmo [...]. Se o mundo maior é ho-

---

12. LAGENEST, J.P. Barruel de. Op. cit., p. 15.

13. VAN DEN BORN, A. et al. *Dicionário Enciclopédico da Bíblia*. Petrópolis: Vozes, 1971, verbete.

14. Compreende-se por *animismo* a doutrina segundo a qual a alma espiritual é o primeiro princípio simultaneamente da vida vegetativa e sensível, bem como do pensamento.

mólogo do mundo menor e vice-versa, a magia pode deter-se em dois tipos principais de ação: prever os acontecimentos terrenos pelo estudo das modificações celestes, e modificar o cosmo pela modificação dos símbolos terrestres"[15].

A adivinhação é a forma mais passiva, mais contemplativa da magia. Como exemplo de magia passiva, com finalidade divinatória, a autora cita as combinações dos naipes do Tarô, "que refletem a posição do universo em torno da pessoa que os distribuiu" e a astrologia, que, baseando-se no estudo dos movimentos das esferas celestes, em relação a determinado indivíduo ou a certo acontecimento, deduz todas as informações possíveis a respeito de seu passado, presente e, de modo particular, de seu futuro. Nesta linha de raciocínio, se distingue, segundo Monique, *magia passiva*, cujo instrumento mais atuante é a mântica, e *magia ativa*, aquela, cujo escopo é recriar o cosmo. Dos exemplos citados por ela a respeito desta última, dois são, a nosso ver, extremamente significativos. O troglodita, que nas paredes de seu *habitat* desenha a caça correndo, em seguida ferida e, por fim, morta, visa a propiciar "sucesso e êxito ao caçador". O curandeiro (embora o curandeirismo e a feitiçaria sejam "aspectos menores da magia") que fabrica uma boneca contendo "substâncias do inimigo" (fragmentos de roupa, de unhas, de cabelos), isto é, que lhe capta uma parte da energia, do mana e a espanca e tortura, deseja que o inimigo sofra tudo quanto se efetua com o símbolo. A vítima terá morte certa, "se o curandeiro apunhalar a boneca".

"Por isso", argumenta Monique, "a magia pode ser considerada pela religião cristã como particularmente demoníaca, pois que o seu propósito é exatamente esse: recriar o mundo. Para a religião não pode haver outro universo possível senão o presente". Diga-se, para encerrar esta digressão, que nem sempre é fácil estabelecer a distinção entre magia passiva e ativa e, por isso, "os mágicos se apoiam no conhecimento do cosmo e do destino".

Inúmeros são os exemplos que se poderiam apontar a respeito da força de *atar* e *desatar*, quer quando tomados como símbolos, quer quando empregados na dinâmica de seu próprio mana, mas vamos restringi-los ao mínimo necessário.

---

15. AUGRAS, Monique. *A dimensão simbólica*. Petrópolis: Vozes, 1980, p. 25ss.

Religião e *magia* surgirão com toda a sua força. Com um pouco de reflexão é possível estabelecer um divisor de águas entre ambas.

Os nós, os fios, os laços, as redes se acotovelam, em sentido simbólico, pelo *Antigo* e *Novo Testamento*: por trás dos mesmos está a força, a providência de Deus:

> *Dores de inferno me cercaram;*
> *surpreenderam-me laços de morte.*
> *Na minha tubulação invoquei o Senhor,*
> *e clamei ao meu Deus.*
>
> (Sl 18(17),6-7b)

O poderoso senhor dos laços no *Antigo Testamento* é Javé em pessoa e os profetas mostram-no com redes nas mãos pronto para punir os culpados:

Mas, depois que tiverem ido, eu estenderei sobre eles a minha rede, e os farei cair como uma ave do céu.

(Os 7,12)

E estenderei sobre ele a minha rede, e ele será tomado na minha nassa, e levá-lo-ei a Babilônia, à terra dos caldeus; e ele não a verá, e lá morrerá.

(Ez 12,13)

Jó, na sua profunda e autêntica experiência religiosa, emprega imagem idêntica para exprimir a onipotência do Senhor:

Sabei ao menos agora que foi Deus quem me afligiu e que estendeu suas redes em torno de mim.

(Jó 19,6)

Para os gregos o fio da vida simboliza o destino humano. Mostramos no Vol. I, p. 148-149 e p. 241-243, que nem o poderoso Aquiles e o solerte Ulisses escaparão dos *fios* que as terríveis Queres lhes teceram, quando suas mães lhes deram a luz.

A iniciação labiríntica em grutas e cavernas nas diversas religiões sempre teve por alvo purificar e libertar o homem dos laços da existência. No mito da caverna platônica, os homens estão presos por *cadeias* que os impedem de se movimentar e até mesmo de voltar a cabeça (*Rep.*, VII a, s.). É que a *psykhé* está "amarrada" ao *sôma*, ao corpo.

Plotino, egípcio de língua grega (séc. III d.C.), o grande neoplatônico, em suas *Enéadas*, IV, 8,4, é muito claro a respeito dos liames que prendem a alma à matéria: "após sua queda, a alma foi *capturada*, ela está *agrilhoada*... Está, como se diz, num túmulo e numa caverna, mas voltando-se para a reflexão, ela se liberta de seus *liames*". Ainda no Canto IV, 8,l, afirma o filósofo: "a marcha para a inteligência é, para a alma, a libertação de seus *nós*".

Já mostramos no Vol. I, p. 41, como Tito Lucrécio Caro, compreendendo bem a etimologia de *religio, -onis*, "religião", possivelmente do verbo *religare*, "prender, atar", se esforça, segundo confessa, por libertar seus contemporâneos dos *nós* das superstições...

No *Novo Testamento*, Cristo, para se fazer compreender, usa a linguagem corrente e as imagens tradicionais. O *atar* e o *desatar* estão presentes. Quando quis dar a Pedro o poder supremo na Igreja, disse o Mestre:

Et ego dico tibi quia tu es Petrus, et super hanc petram aedificabo ecclesiam meam, et portae inferi non praeualebunt aduersus eam. Et tibi dabo claues regni caelorum. Et quodcumque ligaueris super terram, erit ligatum et in caelis, et quodcumque solueris super terram, erit solutum et in caelis.

– E eu te digo que tu és Pedro e sobre esta pedra edificarei a minha Igreja e as portas do inferno não prevalecerão contra ela. E eu te darei as chaves do reino dos céus e tudo o que *ligares* sobre a terra, *será ligado* também nos céus e tudo o que *desatares* sobre a terra, *será desatado* também nos céus (Mt 16,18-19).

No domínio linguístico, as palavras que designam *atar e desatar* normalmente expressam também uma ideia mágica, um encantamento. O verbo grego καταδεῖν (katadeîn), "ligar solidamente", exprime outrossim a ação de *ligar por um sortilégio*, através de um nó. Desse modo, seu derivado κατάδεσμος (katádesmos), "liame, ligação", é também um *laço mágico*, que se faz com um nó. Em latim, *fascinus* ou *fascinum*, "quebranto, sortilégio, malefício", é da mesma família etimológica que *fascia*, "faixa, atadura" e que *fascis*, "feixe, reunião de objetos atados" e é, por isso, que os *lictores*, litores, palavra que os latinos jamais desvincularam de *ligare*, "ligar", acompanhavam os magistrados, tendo ao ombro *fasces*, isto é, feixes de varas fortemente atadas, com uma machadinha no meio, não apenas para simbolizar o poder que tinham esses magistrados de condenar à morte, mas ainda para "protegê-los". A proteção, evidentemente, tinha um caráter mágico e não efetivo.

É claro, além do mais, que o nosso *fascínio*, mau-olhado, quebranto, sortilégio, formado no português à base do verbo *fascinar*, de *fascinare*, "encantar, enfeitiçar", pertence à mesma linhagem do sortilégio dos nós...

É digna de nota, por fim, a palavra *yoga*, ioga, "freio, laço, jugo", cuja etimologia é a mesma que a do grego ζυγόν (dzygón) e do latim *iugum*, pois os três remontam ao indo-europeu *yeug-yug*, "unir, prender", uma vez que a finalidade última da *ioga* é o disciplinamento das *kleças*, quer dizer, das forças instintivas, caóticas e destruidoras da alma que impedem a *dhyâna*, a saber, a *concentração*.

Eis, em linhas gerais, a força extraordinária de Hefesto e de todos os deuses e xamãs que têm o poder de *atar* e *desatar*.

Como símbolo, Hefesto parece traduzir uma personagem descompensada. Coxo, deformado, desprezado pelo pai e pela mãe, desposou Afrodite, a mais bela das deusas, que o traiu com Ares e vários outros deuses e até com mortais. Uniu-se a Cáris, a mais linda das Graças e amou Aglaia, a mais jovem das Cárites. Mestre consumado nas artes do fogo, governou soberano o mundo das forjas e dos ourives. Artista incomparável, modelou e fabricou as armas dos deuses e dos heróis. Para as deusas e as mais belas mulheres, o ourives do Olimpo confeccionou as mais lindas e preciosas joias: broches, braceletes, colares, fechaduras secretas, tripés rolantes, autômatos... Na comunidade divina dos imortais, Hefesto era o senhor e o mestre do elemento ígneo e dos metais. Combatia com chamas, com metais em fusão e com barras incandescentes. Deus da metalurgia, foi o rei dos vulcões, onde se localizavam suas forjas. Três mitos de épocas diversas caracterizam bem o papel atribuído ao maior dos artistas: abriu a cabeça de Zeus, a fim de que nascesse Atená; por ordem do pai dos deuses e dos homens encadeou Prometeu e, por fim, modelou Pandora do limo da terra.

Estes traços talvez permitam demarcar alguns contornos e aspectos no simbolismo do mitologema do filho de Hera.

Consoante Chevalier e Gheerbrant[16], Hefesto, porque era deformado e coxo, revela uma dupla fraqueza espiritual. A perfeição técnica de suas obras lhe basta,

---

16. CHEVALIER, Jean & GHEERBRANT, Alain. Op. cit., p. 496.

deixando-o indiferente o valor e a utilização moral das mesmas: acorrenta Prometeu, ridiculariza Ares e Afrodite e prende a própria mãe num trono de ouro.

De outro lado, suas obras inimitáveis não refletem apenas o belo, mas são impregnadas de um tal poder mágico, que com elas ele domina inteiramente a quem as possui ou usa. Nesse sentido, o artífice abusa de seu poder, para impor sua vontade. Foi exatamente com a magia de sua arte incomparável e perigosa que o deus coxo e deformado foi capaz de dominar as mais belas mortais e imortais. Na realidade, todo o esforço, toda a habilidade e ânsia de perfeição de Hefesto visaram à busca de uma compensação. Se sua mutilação lhe outorgou a capacidade incomparável de sua genialidade artística e o privilégio de atar e desatar, o deus soube se vingar dessa deformidade física com o êxito de sua arte e com suas conquistas amorosas. Se lhe foi possível, na planície de Troia, assegurar a vitória do fogo sobre a água, o grande artista foi, no entanto, incapaz de garantir a harmonia dos elementos.

Trata-se, na feliz expressão dos supracitados Chevalier e Gheerbrant, de um "demiurgo amoral transformado num apóstolo inspirado".

Dissemos linhas acima que o grande malogro amoroso de Hefesto foi exatamente com a deusa do amor e que o coxo divino viveu sempre perseguindo uma compensação. Tal fato poderia talvez ser interpretado como a busca de uma complementariedade. O coxo e deformado tenta completar-se na beleza de Afrodite e esta, vazia por dentro, procura a genialidade do artista. Cada um busca no outro aquilo que lhe falta, o que, em matéria de casamento, pode ser um índice de fracasso.

CAPÍTULO II
O mito de Leto: nascimento de Ártemis e Apolo

1

Neste capítulo se fará apenas um estudo do mito de *Ártemis*, de sua conjugação com a deusa *Lua* e das consequências daí oriundas.

Da união de Zeus com Leto nasceram os gêmeos Ártemis e Apolo. Foi uma gravidez penosa e um parto muito difícil.

LETO, em grego Λητώ (Letó), não possui ainda etimologia segura. Como uma variante do mito da deusa atesta que a mesma não conseguiria dar à luz os filhos onde *brilhasse o Sol*, tem-se aventado a hipótese de que a forma dórica Λατώ (Lató) seria um desdobramento de Λήδα (Léda), personificando como esta a noite, que teria dado nascimento a dois deuses associados com a Lua (Ártemis) e com o Sol (Apolo). Em favor deste étimo tem-se o testemunho de Hesíodo, que apresenta Leto envolta em véus sombrios, indumentária característica de uma deusa da noite. Além do mais, a mãe de Ártemis e Apolo é filha de *Febe*, a "*Lua*" e de *Ceos*, que talvez signifique Céu luminoso, ou seja, o próprio *Sol*. Tais hipóteses têm sido abandonadas em favor de uma outra: sendo Leto provavelmente uma Grande Mãe da Lícia, seu nome proviria de *lada*, que em lício significa "esposa, mãe".

Conta-se que, grávida de Zeus, e sentindo estar próxima a hora do nascimento dos filhos, Leto percorreu o mundo inteiro em busca de um local onde eles pudessem vir à luz. Hera, porém, enciumada com este novo amor de Zeus, proibiu a Terra de acolher a parturiente. Temendo a cólera da rainha dos deuses, nenhuma região ousou recebê-la. Foi então que a estéril e flutuante ilha de Ortígia, por não estar fixada em parte alguma, não pertencia à Terra e, portanto, não tendo o que temer da parte de Hera, abrigou a amante de Zeus. Agradecido e comovido, Apolo mais tarde a fixou no *Centro* do mundo grego, mudando-lhe o nome para *Delos*, a Luminosa, a Brilhante. Foi em Delos que, abraçada a uma palmeira, Leto, contorcendo-se em dores, esperou nove dias e nove noites pelo nascimento dos gêmeos. É que Hera, mordida de ciúmes, retivera no Olimpo a *Ilítia*, a deusa dos partos. Esta, *tendo cruzado a perna esquerda sobre a direita, fechara o caminho* da parturiente. Todas as demais deusas, tendo à frente Atená, puseram-se ao lado de Leto, mas nada podiam fazer, sem o consentimento da esposa de Zeus e a presença de Ilítia. Assim, decidiram enviar Íris, mensageira sobretudo das deusas, ao Olimpo com um presente "irrecusável" para Hera, outros dizem que para Ilítia: um colar de fios de ouro entrelaçados e de âmbar com mais de três metros de comprimento. "Comovida", a rainha dos deuses consentiu que Ilítia descesse até a ilha de Delos. De joelhos, junto à palmeira, Leto deu à luz primeiro a Ártemis e depois, com a ajuda desta, a Apolo. Vendo os sofrimentos por que passara sua mãe, Ártemis jurou jamais casar-se.

Narra-se também que, para escapar à ira da esposa de Zeus, Leto se transformara em *Loba* e refugiou-se no país dos Hiperbóreos, onde habitualmente residia, e lá teriam nascido os gêmeos. Tal fato explicaria um dos epítetos de Apolo, *Licógenes*, "nascido da Loba". Hera, que ainda não perdoara à rival, lançou contra ela a monstruosa serpente Píton. Apertando nos braços os filhos, Leto fugiu para a *Lícia*, igualmente "terra dos lobos" e lá parou junto a um lago ou fonte, para lavar os recém-nascidos. Alguns camponeses, contudo, que lá estavam ocupados em arrancar uns caniços, não o permitiram e expulsaram-na brutalmente. A deusa, possuída de grande cólera, os transformou em rãs.

Leto sempre foi muito querida pelos filhos, que jamais pouparam esforços em defendê-la e vingar-lhe as injúrias sofridas. Foi por ela que mataram os filhos de Níobe, que se vangloriou de ter uma prole muito mais numerosa que Leto, conforme se mostrou no Vol. I, p. 85. Mataram igualmente o gigante Títio, que tentara violentá-la[1]. E foi ainda para vingar a mãe, conforme se verá, que Apolo

---

1. *Títio*, em grego Τιτυός (Tityós), cujo nome é tido como uma reduplicação da raiz **teu*, "ser túmido, gordo, forte", o que não parece provável, era filho de Zeus e Elara. Temendo os ciúmes de Hera, o deus escondeu a amante nas entranhas da terra. Foi lá que nasceu o Gigante Títio. Dele se serviu Hera para perseguir Leto, inspirando no Gigante um violento desejo de possuí-la. Depois de tentar violentá-la, foi fulminado pelo raio de Zeus ou, segundo outras fontes, foi liquidado a flechadas por Apolo e Ártemis. Ao tombar no solo, seu corpo cobriu nove jeiras de terra. Lançado no Tártaro, foi condenado a ter o fígado devorado por duas serpentes ou duas águias, mas o órgão renasce conforme as fases da lua.

matou Píton. Alguns fatos do mito da amante de Zeus merecem um ligeiro esclarecimento. Vimos que Apolo fixou a ilha de Delos no *Centro* do mundo grego. O simbolismo do *centro* é muito rico. Vamos tentar sintetizá-lo.

É pelo *Centro*, local sagrado, que o divino se manifesta, por *hierofania*, isto é, camuflado, disfarçado, metamorfoseado, ou por *epifania*, quer dizer, de forma direta. Esse *Centro* do mundo é, as mais das vezes, figurado por uma elevação: montanha, colina, pilar, pedra, árvore, *omphalós* (umbigo). Observe-se, porém, que se trata de um *centro mítico* e não geográfico; se ele é *único* no céu, é *múltiplo* na terra. Cada nação, cada cidade, cada povo, cada casa, cada família e até mesmo *cada homem* tem o seu centro do mundo, seu "ponto de vista", seu ponto imantado, que é concebido como o ponto de junção entre o desejo coletivo ou individual do homem e o poder sobrenatural de satisfazer a esse desejo, quer se trate de um desejo de saber ou de um desejo de amar e agir. Lá onde se congregam esse desejo e esse poder, lá é o *centro do mundo*. Esta noção de centro está vinculada à ideia de canal de comunicação e é, por isso mesmo, que o centro é marcado por um pilar, uma árvore cósmica, uma pedra... Nas culturas que distinguem três níveis cósmicos, *Céu*, *Terra*, *Inferno*, o *centro* constitui o ponto de interseção desses três níveis. Assim sendo, só pelo *centro* se atinge o *divino*, porque se torna possível uma ruptura de nível e uma consequente comunicação entre as três regiões. O Templo de Jerusalém estava construído sobre o *tehôm*, isto é, sobre as águas primordiais do Caos, antes da criação. Em Roma, o *mundus*, por significar "o limpo, o puro", era o grande centro através do qual era possível comunicar-se com as almas dos mortos no Inferno. Em geral, cidades e locais importantes nas culturas antigas estavam localizados no *centro do mundo*, demarcado, como já se assinalou, por uma pedra, pilar, montanha, árvore... Na Índia, o grande centro era o Monte Meru; entre os germanos, o Hemingbjör e o freixo gigantesco Yggdrasil, cuja copada tocava o Céu e cujas raízes desciam até os Infernos; na Palestina, o Tabor (que talvez signifique *tabbur*, isto é, "umbigo"); o monte Garizim é expressamente chamado "umbigo da terra"; o Gólgota, para os cristãos, é o verdadeiro centro do mundo: lá se focalizaria o Éden, onde Adão foi criado e pecou, e depois redimido pelo sangue de Cristo. E exatamente pelo fato de o território, a cidade, o templo, o palácio real se encontrarem no *Centro do Mundo*, a saber, no píncaro da Montanha Cósmica, que eram considerados como os pontos mais elevados do Cosmo e, por isso, não foram submergidos pelo dilúvio. "A terra de Israel não foi inundada pelo dilúvio", reza um texto rabínico. E, segundo uma tradição islâmica, o local mais elevado da terra é a *Ka'aba*, porque "a estrela polar testemunha que a mesma se encontra voltada para o centro do Céu". O cume da *Montanha Cósmica* não é apenas o local mais elevado do mundo, mas também se notabiliza sobretudo por ser o ὀμφαλὸς τῆς γῆς (omphalòs tês guês), "o umbigo da terra", porque o muito santo criou o cosmo como se fora um embrião, e este cresce a partir do *umbigo* e depois se desenvolve e se espalha. Em determinadas estatuetas africanas a dimensão dada ao umbigo é bem mais importante que a atribuída ao membro viril, porque é do *centro* que provém a vida.

Na Grécia o centro do mundo era marcado pelo *omphalós* de Delfos, como se verá no capítulo seguinte, ao se falar de Apolo.

Mas, já que os deuses, em função das culpas e erros dos homens se retiraram mais e mais para alturas inacessíveis, o único meio de atingi-los é através do *Centro*, e o instrumento mágico que nos conduz até eles é a *escada*, símbolo da ascensão para se chegar ao divino. A escada, vista em sonhos por Jacó, tocava os céus e por ela desciam os Anjos: *e viu em sonhos uma escada posta sobre a terra, e a sua parte mais alta tocava no céu: e viu também os anjos de Deus subindo e descendo por ela. E o Senhor firmado na escada, que lhe dizia: Eu sou o Senhor Deus de Abraão, teu pai, e Deus de Isaac* (Gn 28,12s). Diga-se, de passagem, que a subida pela *escada* até a residência do sagrado fazia parte, possivelmente, de um rito iniciático órfico. De qualquer forma essa ascensão era um dos componentes do rito mitraico. Nos mistérios de Mitra, a escada possuía sete degraus, cada qual confeccionado com metal diferente. O primeiro era de *chumbo* e correspondia "ao céu" do planeta *Saturno*; o segundo, de *estanho*, correspondia a *Vênus*; o terceiro, de *bronze*, era de *Júpiter*; o quarto, de *ferro*, consagrado a *Mercúrio*; o quinto, de uma *liga de metais*, correspondia "ao céu" de *Marte*; o sexto, de *prata*, consagrado à *Lua* e o sétimo de *ouro*, era o do *Sol*. Subindo essa escada cerimonial, o iniciado percorria efetivamente os *sete céus*, elevando-se, desta forma, até o Empíreo sagrado.

A escada é vista, assim, como o caminho para a realidade absoluta, representando um rompimento de nível ontológico.

Nos textos funerários egípcios conservou-se a expressão *asket pet*, em que *asket*, "marcha", indica a escada de que dispõe Ra, uma escada real, que liga a Terra ao Céu. No *Livro dos mortos*, as expressões consagradas "Uma escada me foi instalada para ver os deuses" e "Os deuses lhe dão uma escada, para que, servindo-se dela, ele suba ao Céu", patenteiam o simbolismo da *escada* como ponte entre a terra e o céu; uma figura plástica que marca a ruptura de nível e torna possível a passagem de um modo de ser a outro.

Além do simbolismo do *Centro*, há dois outros, no mito do nascimento de Apolo e Ártemis que merecem atenção. Trata-se da atitude de *Ilítia* em não permitir que Leto desse à luz os gêmeos e do *presente* que dobrou a obstinação de Hera.

A postura de Ilítia, *cruzando a perna esquerda sobre a direita* e impedindo, destarte, o parto de Leto, nos encaminha diretamente à crença tão difundida em todas as culturas do poder do mana. *Mana* é uma palavra melanésia e corresponde mais ou menos ao que os gregos denominavam ἐνέργεια (enérgueia), uma "força em *ação*". Pode-se conceituar *mana* como uma energia, uma força impessoal cósmica circulante e suscetível de ser captada e utilizada pelo homem. Deve-se levar em conta, no entanto, que desse *poder oculto* (é este o significado etimológico do vocábulo) dispõem cada indivíduo e cada objeto. Um ser humano é tanto mais forte e um objeto é tanto mais energético quanto maior for sua carga de *mana*. Monique Augras[2], desejando mostrar que a finalidade básica do canibalismo é "absorver o *mana* do inimigo, com o objetivo de lhe assimilar as forças, os dotes e as virtudes guerreiras", cita uma observação deveras interessante de Montaigne[3] a respeito dos hábitos dos índios do Rio de Janeiro. Diz o autor dos *Ensaios* que esses indígenas "assavam e comiam em comum as carnes do inimigo, enviando pedaços do mesmo aos amigos ausentes". E acrescenta Montaigne que não se tratava, "como se pensa, de alimentação". Ou seja: tratava-se de uma "função mágica e não alimentar do festim canibal". Donde se conclui que, para esses selvagens, devorar os inimigos era apossar-se de seu *mana*, de suas energias.

---

2. AUGRAS, Monique. Op. cit., p. 22.

3. MONTAIGNE, Michel. *Essais*. Paris: NRF, 1953, I, 36, p. 247.

Essa energia, porém, como agudamente observa Monique, não é apenas *física*, mas tem ainda um caráter essencialmente *anímico*. Desse modo, o *mana* se manifesta tanto sob forma *física* quanto sob forma *anímica*, "já que no sistema animista o mundo físico é parte e símbolo do mundo espiritual".

A arquitetura dos templos egípcios é um dos exemplos escolhidos por Monique para patentear o poder e o perigo que oferece o *mana*.

Com efeito, esses templos obedecem a uma disposição arquitetônica tal, que o contato com o ícone do deus, a quem o templo estava consagrado, somente podia ser feito pelos sacerdotes: há primeiro um pátio ou galeria exterior para o povo; segue-se uma espécie de antessala para os dignitários e, por último, uma sequência de salas cada vez mais escuras até que se atinge o santuário, onde ficava a estátua esculpida do deus, encerrada num tabernáculo. O acesso ao santuário, ao santo dos santos, era privativo dos sacerdotes, porque somente eles estavam preparados para o contato direto com a divindade. Quando Medeia, enlouquecida pelo cinismo, ingratidão e infidelidade de Jasão, quis destruir sua rival Glauce ou Creúsa, filha do rei de Corinto, Creonte, enviou-lhe como "presente de núpcias" um manto; outras versões dizem ter sido um véu e uma coroa, impregnados de um "mana tão venenoso", que bastou Creúsa colocá-los sobre o corpo para transformar-se numa tocha humana.

No Antigo Testamento há o relato de um episódio que mostra com muita clareza a força e o perigo do *mana* de determinados objetos, quando consagrados a uma divindade. Por ocasião da transladação da Arca da Aliança, da casa de Abinadab para Jerusalém, os bois, que a conduziam sobre um carro novo, escoiceavam e a fizeram pender. Com receio de que o precioso fardo caísse, Oza, que, era guarda da Arca, tocou-a e a susteve. Por este gesto imprudente, o Senhor o feriu e Oza caiu morto. Eis o texto:

> *Mas, logo que chegaram à eira de Nacon, lançou Oza a mão à arca de Deus e a susteve, porque os bois escoicearam e a tinham feito pender. E o Senhor se indignou grandemente contra Oza e o feriu pela sua temeridade e caiu morto ali mesmo, junto à arca de Deus.*
>
> (2Sm 6,6-7)

Se todos os objetos do mundo físico possuem, em grau maior ou menor, sua parcela de *mana*, certas pessoas privilegiadas e sobretudo algumas divindades o detêm em grau superlativo. Conhecedores da força de seu *mana*, os deuses apareciam aos homens em sonhos ou mais normalmente em *forma hierofânica*, disfarçando-se de todas as maneiras. Sêmele, a mãe de Dioniso, caiu fulminada e pereceu carbonizada, porque fez que seu amante, Zeus, preso por um juramento, se lhe apresentasse em forma epifânica, isto é, em toda sua majestade de deus dos raios e dos trovões.

Os exemplos poderiam multiplicar-se, mas bastam os citados, para mostrar que, fechado o *mana* por Ilítia, o parto de Leto seria impossível...

Para encerrar o mito de Leto e as dificuldades inerentes ao nascimento de Apolo e Ártemis, é preciso dizer uma palavra acerca do "presente" que as deusas enviaram a Hera, com o fito de dobrar-lhe não a ira, porque a perseguição a Leto iria continuar, mas a resistência em liberar Ilítia ou, mais precisamente, o *mana*, para que o parto fosse possível.

Foi enviado à rainha dos deuses, detentora de um *mana* poderoso, um colar de fios de ouro entrelaçados e de *âmbar*... A deusa, tendo aceito e colocado o colar em seu divino pescoço, *ligou-se* a Leto e *liberou* todas as energias represadas: Ilítia descruzou as pernas e *liberou* o parto.

Diógenes Laércio (séc. II-III d.C.) em sua obra *Vidas e doutrinas dos filósofos*, 1,24, afirma, com base em Aristóteles e Hípias, que Tales de Mileto (séc. VII-VI a.C.) "atribuiu alma até aos objetos inanimados, servindo-se da pedra de Magnésia (pedra magnética) e do *âmbar* como indícios desse fato". Tales de Mileto teria, pois, descoberto, já no século VII a.C., as propriedades de atração do âmbar. Diga-se logo que o âmbar amarelo em grego se diz ἤλεκτρον (élektron), donde *eletricidade*. Desse modo, os terços e os amuletos de âmbar eram considerados como excepcionais condensadores de corrente. Pelo fato de se autocarregarem, descarregam de seus próprios excessos aqueles que os usam ou fazem passar suas contas por entre os dedos.

O âmbar simboliza, destarte, o fio psíquico que religa a energia individual à energia cósmica, a alma individual à psiqué universal.

Os heróis e os santos têm, não raro, uma fisionomia de âmbar como símbolo de um reflexo do céu em seu rosto e sua força de atração. Quando de seu exílio, embora temporário no país dos Hiperbóreos, como punição por ter eliminado os Ciclopes, Apolo, conta-se, derramou *lágrimas de âmbar*, ao sair do Olimpo. Essas lágrimas simbolizavam sua nostalgia do Paraíso e o laço sutil que o prendia à mansão dos deuses. O Pseudo-Dionísio Areopagita explica que o âmbar participa das essências celestes, porque, concentrando em si o ouro e a prata, simboliza simultaneamente a pureza incorruptível, inesgotável, imperecível e intangível do ouro, e o esplendor luminoso, brilhante e celestial da prata.

Consoante a crença popular, o uso constante pelo homem de um objeto de âmbar mantém-lhe indefectível a virilidade.

2

Passemos, agora, aos mitos de Ártemis e de seu desdobramento em Selene e Hécate.

ÁRTEMIS, em grego Ἄρτεμις (Ártemis), de etimologia muito controvertida. Uns viram-na como uma "deusa-ursa" e, nesse caso, seu nome proviria do ilírio *artos*, urso, em grego ἄρκτος (árktos). Outros consideram-na como procedente do grego ἄρταμος (ártamos), "a sanguinária", por causa de suas flechas certeiras.

Tais hipóteses são indubitavelmente de cunho popular. Pierre Chantraine, *Dictionnaire étymologique de la langue grecque*, p. 116-117, julga que se trata de um teônimo de procedência ilíria ou lídia, que talvez provenha ou tenha dado origem a ἀρτεμής (artemés), "são e salvo", dada a proteção oferecida pela deusa a seus adeptos. Neste caso, Ártemis significa "a protetora?"

Ártemis, tendo nascido antes do irmão e ajudado a mãe nos trabalhos de parto, ficou tão horrorizada com o que sofreu Leto, que pediu ao pai o privilégio de permanecer para sempre virgem. É representada com vestes curtas, pregueadas, com os joelhos descobertos, à maneira das jovens espartanas. Como seu irmão, a quem está muitas vezes associada no mito e no culto, carrega o arco e a aljava cheia de setas temíveis e certeiras. Como Apolo, sua irmã gêmea aprecia muito o país dos Hiperbóreos, cujas virgens mensageiras, as quais fazem parte de seu séquito, ela conduz até Delos. Ao lado do irmão participou do massacre dos filhos de Níobe e o assistiu na luta e extermínio da serpente Píton, na morte de Títio e da ninfa Corônis. Na Gigantomaquia, lutou bravamente como Apolo, ao lado de Zeus, e matou, com auxílio de Héracles, o gigante Grátion; no cerco de Ílion, combateu em companhia do irmão pelos troianos. Arqueira como o arqueiro Apolo, a "Sagitária de arco de ouro" usa das mesmas armas que ele para competir ou castigar, mas "leoa para com as mulheres" (*Il.*, XXI, 483), causa-lhes mortes súbitas, sem dores e, não raro, rouba-lhes a vida no momento do parto. Mas nem sempre a jovem arqueira conta em suas vinganças com o auxílio de Apolo. Foi sozinha que puniu a negligência de Eneu de Cálidon e a impiedade de Agamêmnon, exigindo-lhe o sacrifício de sua primogênita Ifigênia, episódio já por nós comentado no Vol. I, p. 91-92. Quanto à negligência de Eneu de Cálidon, a vingança da deusa foi terrível. Este rei, pai de Meléagro, Tireu e Dejanira, era casado com Alteia. Relata o mito que, após a boa colheita do ano, Eneu ofereceu um sacrifício a todos os deuses, mas se esqueceu inteiramente de Ártemis. Sentindo-se ultrajada, a deusa enviou contra a região um javali de grande porte e ferocíssimo, que devastou todo o reino. Para liquidá-lo, Meléagro, jovem e destemido príncipe, convocou os melhores caçadores da Etólia, região onde ficava Cálidon, conseguindo matar o monstro. Ártemis, todavia, suscitou uma grave querela entre os caçadores etólios e os Curetes, que haviam também participado da caçada, a respeito da posse *da pele e da cabeça do javali.* Enquanto o príncipe lutou ao lado dos etólios, a vitória lhes sorriu, mas tendo havido uma séria dissensão entre Meléagro e seus tios, irmãos de Alteia, pela posse dos mesmos preciosos despojos, o jovem caçador assassinou os tios. Alteia, inconformada com o fato, com as mais violentas imprecações invocou contra o filho as divindades infernais. Este, então, se retirou do combate e Cálidon foi sitiada e queimada. Atendendo às súplicas dos sacerdotes, dos pais, irmãs e dos amigos mais chegados, o herói pegou em armas outra vez e rapidamente levou os seus à vitória, mas pereceu em combate. O mito do herói de Cálidon, no entanto, se enriqueceu mais tarde com vários incidentes dramáticos, em que a guerra contra os Curetes perdeu quase toda a importância, avultando na imaginação do povo a caça ao javali. Uma dentre as muitas variantes conta que, tão logo nasceu Meléagro, as Moiras predisseram a Alteia que a sorte do menino estava vinculada a um tição, que ardia na lareira. Se este se consumisse inteiramente, a criança morreria. A mãe aflita, de imediato, retirou de entre as brasas o tição já meio consumido, apagou-o e o escondeu num cofre. Após a caçada vitoriosa ao javali de Cálidon, e quando Meléagro matou os tios, que se opunham obstinadamente à sua vontade de ofertar a pele do animal a Atalante, sua namorada e protegida de Ártemis, a mãe indignada, num gesto impensado, atirou ao fogo o tição ciosamente guardado e Meléagro morreu.

Antes de voltarmos à feroz Ártemis, uma palavra sobre o *javali* e seus preciosos despojos, que, afinal, vão custar a vida do extraordinário caçador de Cálidon. O simbolismo do *javali* é de origem antiquíssima e cobre quase todo o mundo indo-europeu, chegando até mesmo a ultrapassá-lo. O mito do javali faz parte da tradição hiperbórea, onde o animal figura como símbolo da autoridade espiritual. É bem possível que tal fato se relacione com o retiro solitário do druida na floresta ou do brâmane ou ainda com o hábito do javali de desenterrar a túbera que os antigos acreditavam ser um misterioso produto do raio e de se alimentar das glandes do carvalho, árvore sagrada. Ao javali opõe-se o urso, emblema do poder temporal. Na Gália e na Grécia, a caça ao javali configura o poder espiritual encurralado pelo temporal ou mais precisamente trata-se de um simbolismo de ordem cíclica, pela substituição de um reino por outro, de um *kalpa* por outro. O caráter hiperbóreo do animal confere-lhe, *ipso facto*, um cunho *primordial*. É assim que ele é o avatar sob que Vishnu reconduziu a terra até a superfície das águas e a organizou. O javali é o próprio Vishnu mergulhando nas entranhas da terra, para atingir a base da "coluna de fogo", que não é outra coisa senão o *linga* de Çiva, enquanto *hamsa-Brahma* busca o topo da coluna no céu. A terra surge, desse modo, como atributo de Vishnu, e, sobre seus braços ou sob sua proteção, ela aparece como a terra santa primitiva.

No que toca aos despojos, a luta contra os Curetes e, depois, internamente, a querela entre Meléagro e seus tios giraram em torno da posse do *couro* e da *cabeça* do javali. O couro de determinados animais, já se sabe, tem um extraordinário poder de proteção, mercê do *mana* que possui. Essa energia é transmitida a quem se cobre com a pele mágica, tornando o portador, não raro, invulnerável. O couro da cabra Amalteia, segundo se viu, cobria o escudo de Zeus. Héracles, cobrindo-se com o couro do Leão de Nemeia, fez de seu corpo uma muralha infrangível.

Quanto à disputa pela *cabeça* do javali, a coisa é ainda mais séria, sobretudo levando-se em conta que este é o símbolo do poder espiritual, mas a respeito do *crânio* e de sua rica simbologia há de se falar no mito de Orfeu.

Tão rebelde quanto Héstia e Atená às leis de Afrodite, Ártemis sempre foi a virgem indomável, que punia à altura os atentados à sua pessoa, como fez com Oríon, segundo se mostrou no Vol. I, p. 284, e com Oto, um dos Alóadas. O imprudente caçador Actéon foi outra de suas vítimas. Viu-a o jovem caçador numa noite de estio, nas encostas do monte Citerão e, tendo-a seguido, surpreendeu-a banhando-se nas águas frescas de uma fonte. A deusa atirou-lhe um punhado de água no rosto e Actéon foi metamorfoseado em veado e despedaçado pelos próprios cães, que não o reconheceram. Castigou com a morte a ninfa Calisto, que não guardava a virgindade, segundo prometera, conforme está no Vol. I, p. 297. Ao contrário, como se há de ver no mito de Teseu, premiou com sua amizade a pureza de Hipólito e de Britomártis-Dictina, que é, aliás, mera hipóstase de uma antiga Ártemis cretense. Sempre distante da vida e das coisas da cidade, Ártemis foi definida como uma "divindade do exterior", que vive a natureza, percorrendo campos e florestas, no meio dos animais que neles habitam. Era tida como protetora das Amazonas, também guerreiras e caçadoras, e independentes do jugo do homem. Era a única dentre os deuses, exceto Dioniso, que sempre foi acompanhada por um cortejo alvoroçado e buliçoso. Com este séquito de ninfas, às quais ela ultrapassa de muito em altura e beleza, percorre bosques e florestas, excitando os cães em busca da presa. A *Ilíada* denomina-a πότνια θηρῶν (pótnia therôn), "senhora das feras", o que lhe atesta o caráter de uma Grande Mãe asiática e sublinha sua afinidade com a natureza e com o mundo animal. Afinidade, aliás, de um duplo aspecto: de um lado, como se mostrou, a *Caçadora* e, de outro, a 'Ελαφηβόλος (Elaphebólos), *a que massacra veados e corças*, daí seu epíteto de *Elafieia* em Élis e Olímpia, bem como o grande festival das *Elafebólias* (caça ao veado), que se celebrava em Atenas no mês *Elafebólion* (março). Embora a corça seja o seu animal predileto e sempre a acompanhe, porque a deusa lhe protege o crescimento e depois as crias, bem como as dos outros animais

(Xen., *Cyn.*, 6,13), isto não impedia que, no culto, os animais, indistintamente, lhe fossem sacrificados. Basta lembrar que, após a vitória de Maratona sobre os persas, em 490 a.C., lhe foram sacrificadas quinhentas cabras, como atesta o mesmo Xenofonte (*An.*, 3,2,12). É que a *Sagitária* era, além de caçadora, uma guerreira ardente e ousada. Em Hiâmpolis, na Fócida, e em Patras, se lhe sacrificavam animais vivos, selvagens e domésticos, que eram lançados sobre um braseiro. Semelhante crueldade trai o "caráter oriental" de uma Grande Mãe, bem como sua inconteste ligação com o rito do *diasparagmós* (o despedaçamento da vítima viva ou ainda palpitante) e da *omophaguía* (a consumação imediata da carne crua e do sangue do animal). Acrescente-se que, sob um simbolismo alusivo, eram meninas de cinco a sete anos, chamadas *ursinhas*, que cercavam e serviam a Ártemis no Santuário de Bráuron, na Ática. Lembremo-nos de que a ninfa Calisto, antes de ser morta pela deusa, foi metamorfoseada em ursa; Actéon o foi em veado, e logo devorado pelos próprios cães; Ifigênia foi exigida como vítima e transformada em corça. Em Esparta, junto ao altar de *Ártemis Órtia*, efebos passavam pela prova de "resistência", a desumana διαμαστίγωσις (diamastígosis), isto é, literalmente, "flagelação prolongada", em que, não raro, morriam, em holocausto a Ártemis... Consoante uma variante do mito de Ifigênia, que Eurípides retrata em duas de suas tragédias (*Ifigênia em Áulis* e *Ifigênia em Táuris*), a desditosa filha de Agamêmnon, no momento de ser imolada em Áulis, foi substituída por uma corça e transportada para Táuris, na Crimeia, onde se tornou sacerdotisa da deusa, com a função de sacrificar todos os estrangeiros que naufragassem junto à costa.

Do que se acabou de expor, pode-se concluir que houve, na realidade, duas *Ártemis*: uma *asiática*, cruel, bárbara, sanguinária, bem dentro dos padrões da mentalidade religiosa de uma Grande Mãe oriental; outra europeia, *cretense*, ocidental, voltada, como se há de ver em seguida, para a fertilidade do solo e da fecundidade humana, o que denuncia uma Grande Mãe creto-micênica, quer dizer, minoica e helênica, por efeito de sincretismo.

A Ártemis ocidental estava, pois, estreitamente vinculada ao mundo vegetal e à fertilidade da terra. Se a deusa lançou contra o reino de Eneu um javali monstruoso e devastador, foi exatamente porque o rei se esqueceu de dedicar-lhe uma oferenda das primícias do ano, de que ela era também responsável, como deusa da vegetação. O piedoso Xenofonte, durante seu exílio em Ciunte, perto de Olímpia, instituiu-lhe um culto tipicamente rural, como ele próprio nos informa em sua *Anábase*, 5,3,7s. Foi, aliás, sobretudo no Peloponeso que Ártemis aparece com todas as suas antigas características de deusa da vegetação. Na Arcádia, denominava-se "Senhora da árvore" e, com a designação de *Kedreâtis*, a "senhora do cedro". Nos confins da Lacônia e da Arcádia, em *Kárias*, a Κα-ρυᾶτις (Karyâtis), a "senhora da nogueira", era celebrada com danças muito animadas pelas Cariátides[4]. O ato bárbaro de flagelação, por que passavam os efebos, em Esparta, junto ao altar de Ártemis Órtia, como se mostrou, é interpretado por alguns não apenas como símbolo de antigos sacrifícios, mas ainda como um rito purificador e de incorporação nos efebos da substância sagrada da árvore. Num dos concursos das festas de Ártemis Órtia, o prêmio conferido ao vencedor era uma foice de bronze, o que mostra ser ela uma deusa da fertilidade e das colheitas. Protetora dos mananciais e dos córregos, denominava-se *Potâmia*. Sua influência estendia-se igualmente sobre o mar: protegia particularmente os pescadores e suas redes, com o nome de *Dictina*, isto é, a "Caçadora com redes". No mês de abril, por ocasião da Lua Cheia, que, segundo Plutarco (*Mor.*, 350a), ajudara os atenienses na Batalha de Salamina (480 a.C.), celebrava-se no Pireu a festa de Ártemis Muníquia.

O caráter virginal da deusa não a impedia de valer também sobre a fecundidade feminina. Deusa dos partos, eram-lhe consagradas, em Bráuron, as vestes das que faleciam ao dar à luz. Com o título de παιδοτρόφος (paidotróphos), "a que alimenta, a que educa a criança", acompanhava particularmente as meninas em sua fase de crescimento. As noivas, à véspera de seu casamento, ofereciam-lhe uma mecha de cabelo e uma peça do enxoval, para implorar-lhe proteção e

---

4. *Cariátides*, aqui, é apenas um epíteto das jovens que dançavam em homenagem a *Ártemis Cariátis*, a "protetora das nogueiras", uma vez que a deusa possuía um templo num bosque de nogueiras, junto à cidade de *Cárias*, no Peloponeso. Segundo Vitrúvio, I, 1,5, o termo de arquitetura *Cariátides*, isto é, *moradoras de Cárias*, teria origem no fato de terem os habitantes desta cidade, por ocasião das guerras greco-pérsicas, abraçado o partido dos persas. Por isso, derrotados os invasores, suas mulheres foram escravizadas, de que é símbolo a finalidade arquitetônica das "cariátides", isto é, servirem de colunas (como castigo) a uma cornija ou arquitrave. V. *Dicionário mítico-etimológico*, verbete.

fertilidade. Por estar ligada ao matrimônio, Ártemis é, por isso mesmo, uma portadora das tochas, atributo duplamente seu, porque a deusa será identificada com Hécate, com o epíteto de *phosphóros*, "a que transporta a luz", tornando-se como aquela uma divindade infernal. Com o título de *selasphóros*, "que leva a luz", será igualmente identificada com Σελήνη (Seléne), a Lua, a Φοιβη (Phoíbe), *Febe*, "a brilhante", como seu irmão Apolo é Φοῖβος (Phoîbos), Febo, "o brilhante".

Ártemis era cultuada em todo o mundo grego, de Atenas a Éfeso. Na Grécia, a deusa da natureza, a senhora dos animais era venerada não só nas cidades, mas também e sobretudo nas regiões selvagens e montanhosas, na Arcádia, em Esparta, na Lacônia, nas montanhas do Taígeto e na Élida. O mais célebre e grandioso de seus santuários era o de Éfeso, onde o culto de Ártemis-Diana se confundia com o de uma antiga deusa asiática da fecundidade. Seus animais prediletos eram a corça, o javali, o urso e o cão e, entre as plantas preferidas, estavam o loureiro, o mirto, o cedro e a oliveira.

Grande Mãe, de caráter mais feroz e cruel na Ásia; *Grande Mãe*, de feição bem mais humana e protetora na civilização minoica, a Ártemis grega resulta, e já se mencionou o fato, de um sincretismo creto-oriental.

Calímaco de Cirene (fins do séc. IV a.C.), gramático, historiador e poeta, em seu *Hino a Ártemis*, 174, congratula-se com a deusa pelo fato de a mesma, pisando solo grego, ter deixado para trás seus hábitos bárbaros e cruéis, o que não parece ser de todo verídico: a prática do templo de Halas Arafênides, vizinho do Santuário de Bráuron, na Ática, onde se picava até o sangue o pescoço de um escravo, talvez seja índice de assassinatos rituais nos mais antigos cultos de Ártemis na Hélade.

3

Ártemis estava estreitamente ligada a Hécate e a Selene, personificação antiga da *Lua*, cujo culto a filha de Leto suplantou inteiramente, tanto quanto Apolo fez esquecer a Hélio, a personificação do *Sol*. Pois bem, desde muito cedo, Ártemis foi identificada com a Lua e, dado o caráter ambivalente de nosso satélite, mercê de suas fases, segundo se verá mais abaixo, a Lua-Ártemis surge na mitologia com um tríplice desdobramento, o que se poderia denominar a *dea triformis*, deusa triforme. De início, ao menos na Grécia, a Lua era representada por Σελήνη (Seléne)[5], "Lua". Mas, dada a índole pouco determinada de Selene e as fases diversas da lua, foi a deusa-Lua desdobrada em Selene, que corresponderia mais ou menos à *Lua Cheia*; Ártemis, ao *Quarto Crescente*; e Hécate[6], ao *Quarto Minguante* e à *Lua Nova*, ou seja, à *Lua Negra*. Cada uma age de acordo com as circunstâncias, favorável ou desfavoravelmente. Assim, a Lua, por seu próprio cunho cambiante, é dispensadora, *à noite*, de fertilidade e de energia vital, mas, ao mesmo tempo, é senhora de poderes terríveis e destruidores. Percorrendo várias fases, manifesta as qualidades próprias de cada uma delas. No Quarto Crescente e Lua Cheia é normalmente boa, dadivosa e propícia; no Quarto Minguante e Lua Nova é cruel, destruidora e malévola. Plutarco nos lembra que a Lua "no Quarto Crescente é cheia de boas intenções, mas no Minguante traz a doença e a morte".

Dada a extensão do assunto, vamos sintetizá-lo, abordando primeiramente a Lua, seus poderes e efeitos, em geral, e depois focalizaremos brevemente a Lua Negra, Hécate.

Os raios da Lua, a qual sempre se identificou com a mulher, via de regra foram tidos como elementos grandemente fertilizantes e fecundantes. Em muitas culturas primitivas, o papel do homem, por isso mesmo, era secundário: quem trabalhava o campo era a mulher, mercê da proteção da Lua sobre ela e as sementes. O homem apenas arroteava, preparava o terreno: plantar, cultivar e colher eram tarefas femininas. Nós sabemos que o gérmen da vida se encontra na semente e que o papel do sol é tão somente fazê-la desenvolver-se. Para os primitivos, todavia, as coisas eram bem diferentes: a semente não passava de massa inerte, absolutamente desprovida do poder de germinar. Esse poder lhe era con-

---

5. *Selene*, em grego Σελήνη, é derivada da mesma raiz que σέλας (sélas), "brilho", **sawélios* > Ἥλιος (Hélios), "sol", do indo-europeu **swel*, "brilhar", sânscrito *svar* – "sol", latim *sol*. Filha de Hiperíon e Teia, Selene era representada como uma jovem lindíssima, que percorria o céu em carro de prata, tirado por dois cavalos. De Zeus teve uma filha, *Pandia*, "a totalmente divina". Foi amante de Pã, que a presenteou com um rebanho de bois brancos. Do belo pastor Endímion ela teve cinquenta filhas.

6. A respeito de *Hécate*, veja-se o Vol. I, p. ....-.....

ferido por uma potência fertilizante, isto é, por uma divindade da fecundação, que era sempre a Lua, como descreve Briffault em sua obra monumental sobre o mito de Selene[7]. Somente as mulheres podiam fazer prosperar as colheitas, porque somente elas estavam sob a proteção direta da Lua, que lhes delegava a faculdade de fazer crescer e amadurecer. Os povos primitivos acreditavam que as mulheres eram dotadas de uma natureza semelhante à da Lua, não apenas porque elas "incham" como esta, mas porque têm um ciclo mensal com a mesma duração que o do astro noturno. O fato de que o ciclo mensal feminino depende da Lua era para os antigos prova evidente de sua semelhança com o corpo celeste. A palavra menstruação e a palavra lua são semelhantes ou, por vezes, estreitamente aparentadas em várias línguas. Em grego, só para citar uma delas, μήν, μηνός (mén, menós) é *mês* e ἔμμηνον (émmenon) é "o que volta todos os meses", cujo plural ἔμμηνα (émmena) significa particularmente menstruação, ao passo que μήνη (méne) e μηνάς (menás) designam a Lua, como astro e como divindade. Ao que ficou dito poder-se-ia acrescentar o grego καταμήνια (kataménia), que, em Hipócrates e Aristóteles, tem o mesmo sentido que possui catamênio em português, isto é, mênstruo. Diga-se, de passagem, que em nossa linguagem popular mênstruo se diz também lua. Os camponeses alemães chamam simplesmente o período menstrual de *der Mond*, "a lua", e, em francês, é comum denominá-lo *le moment de la lune*, "o período da lua".

O sol, fonte constante de calor e luz, brilha enquanto dura o trabalho: é o macho, o homem; a lua, inconstante e mutável, é fonte de umidade e brilha à noite; sua luz é doce e terna; é a fêmea, a mulher. O sol, princípio masculino, reina sobre o *dia*, a luz; a lua, princípio feminino, reina sobre a *noite*, as trevas. O sol é *lógos*, a razão; a lua é *éros*, o amor. E só o amor faz germinar! Não foi em vão que Deus criou duas luzes: a mais forte, para preponderar durante o dia, a mais frágil e terna, para governar a noite:

> *Fez Deus, pois, dois grandes luzeiros, um maior, que presidisse ao dia, outro menor, que presidisse à noite.*
>
> (Gn 1,16)

---

7. BRIFFAULT, Robert. *The Mothers*. 3 vols. New York: Macmillan, 1927.

E mais uma vez ouçamos Plutarco: "A lua, por sua luz úmida e geradora, é favorável à propagação dos animais e das plantas".

No Antigo Testamento, as *lúnulas* (pequenas luas) faziam parte dos enfeites femininos (Is 3,18) ou eram penduradas no pescoço dos animais (Jz 8,21): em ambos os casos configuravam a fertilidade. A lua, aliás, sempre teve um poder especial de umedecer, por isso era chamada a *dispensadora da água*. Tal epíteto honroso não lhe cabe apenas porque ela exerce controle sobre as chuvas, mas ainda porque o nosso satélite "provoca" o orvalho. Este era símbolo da fertilidade e na alta Idade Média prescrevia-se um banho de orvalho como "magia amorosa".

A lua estava de tal modo ligada à mulher, e, portanto, à fertilidade, que, em muitas culturas primitivas, se acreditava piamente que o homem não desempenhava papel algum na reprodução. A função do homem era tão somente romper o hímen, para que os raios da lua pudessem penetrar, uma vez que ela era o único agente fertilizante. Os meninos gerados pela lua estavam, além do mais, destinados a ser reis ou a desempenhar uma função de grande relevância, como convém a um rebento divino. Ora, como os "raios da lua" tinham o poder de fecundar, a própria *Lua*, não raro, era considerada como um "homem", o *homem-lua*, que, por vezes, se encarnava, sobre a terra, num rei muito poderoso. Partindo dessa crença os reis de certas linhagens ou dinastias foram considerados como encarnações desse homem-lua. Muitos desses reis e soberanos antigos tinham uma cabeleira ornamentada com chifres, emblema da *luna comuta* (lua cornuda), no quarto crescente, e, por uma transição natural, o rei portador de semelhante adorno tornava-se não somente a *lua*, mas também o *touro*, uma vez que os animais corníferos, como o *touro* e a *vaca*, estão entre aqueles associados à lua. Em determinadas cerimônias, por isso mesmo, reis celtas, egípcios e assírios usavam cornos, uma vez que seus súditos os tinham na conta de encarnações de uma divindade lunar. Mais tarde se passou a dizer que o rei não era a lua, mas um seu representante ou certamente um ilustre descendente. Gengis-Khan, o poderoso imperador mongol, em pleno século XIII de nossa era, fazia remontar seus ancestrais a um rei, cuja mãe havia sido fecundada por um raio da lua...

Os raios da lua eram tão poderosos, que bastava a mulher se deitar sob os raios da mesma no quarto crescente para ficar grávida. A criança, no tempo devido, seria trazida pelo pássaro-lua. A nossa *cegonha* tem raízes milenares... Ao contrário, aquela que não desejava ser fecundada, era bastante não olhar para a lua e friccionar o ventre com *saliva*, poderoso elemento apotropaico, e certamente o primeiro anticoncepcional que o homem conheceu.

A lua, que está sempre em mutação, assemelha-se ao que se passa na terra com os seres humanos. Desse modo, teve ela também direito a uma antropomorfização. Assim, no quarto crescente e no minguante, a lua se torna, por antropomorfismo, o *homem-lua*, uma espécie de herói que vive na lua e é a própria lua. Esse homem-lua inicia suas atividades no crescente, em luta contra o demônio das trevas, uma espécie de dragão, que devorou *seu pai*, a *lua velha*, isto é, a *lua nova*. O homem-lua vence o dragão na *lua cheia* e reina, triunfante, sobre a terra. Trata-se de um rei sábio e justo. Traz a paz e a ordem para as tribos e organiza a agricultura. Mas o reinado do herói dura pouco: o velho inimigo, terminado o plenilúnio, volta ao combate. Vencido no novilúnio, o homem-lua é tragado pelo dragão. A lua se apaga e julga-se que o herói morreu de maneira estranha: despedaçado, como a lua que veio decrescendo até desaparecer. Esse mesmo tema pode ser observado no mito de Osíris, o deus-lua egípcio, que, como a Lua, pereceu despedaçado, para logo ser recomposto. O homem-lua, que desceu às trevas do inferno, lá permanece durante o novilúnio e depois a luta recomeça... O herói consegue nova vitória e a lua cheia descansa, porque, nessa fase, ela não cresce nem decresce. Parece ter sido essa a origem do *sábado* e sobretudo dos tabus que incidiam sobre o mesmo. É que em culturas primitivas e até "avançadas" como na hindu antiga e na babilônica, para não citar outras, se fazia estreita analogia entre a menstruação e a lua cheia. Na Índia antiga via-se no catamênio uma prova de que a mulher estava particularmente sob a influência da lua e mesmo possuída pela divindade lunar. Diz um texto védico: "O sangue da mulher é uma das formas de *Agni*, portanto não deve ser o mesmo desprezado". Tem-se aí uma relação entre menstruação e fogo, já que *Agni*, deus do fogo, está inteiramente vinculado à luz da lua. Na Babilônia acreditava-se de modo idêntico que *Ištar*, a deusa lua, ficava indisposta durante o plenilúnio, quando então se observava o *sabattu*, ou melhor, *sapattu*, donde o hebraico *šabbat*, que se poderia interpretar, ao menos poeticamente, como "repouso do coração"[8]. Durante a "indisposição" de Ištar, no período da lua cheia, guardava-se, pois o *sábado*, que era, nesse caso, *mensal*, tornando-se depois *semanal*, de acordo com as quatro fases da lua. Esse dia era considerado nefasto, não se podendo executar qualquer trabalho, viajar ou comer alimentos cozidos. Ora, nesses mesmos interditos, incorriam as mulheres menstruadas. No dia da menstruação da lua, todos, homens e mulheres, estavam sujeitos a idênticas restrições, porque o tabu da mulher indisposta pesava sobre todos.

No judaísmo, *šabbat* era normalmente o nome do sétimo dia da semana, embora pudesse ser aplicado a festas que não caíam necessariamente no sétimo dia da mesma, como o dia da expiação (Lv 16,31; 23,32), a festa das trombetas (23,24) e o primeiro e oitavo dias da festa dos tabernáculos (23,39). De qualquer forma, o sábado judaico, que na Bíblia é usado para indicar somente uma obrigação religiosa e social, estava também cercado de tabus, cuja origem talvez remonte à época em que "os semitas ainda eram pastores nômades, cujas andanças eram determinadas pelas fases da lua. Esses dados parecem justificar a conclusão de que o sábado, como modo concreto de satisfazer à necessidade humana de descanso periódico, deve sua origem ao fato de que se começou a dar um valor absoluto ao caráter periódico da celebração das quatro fases da lua, à custa da coincidência do dia da celebração com as fases da mesma. Ao se sedentarizarem, as tribos semitas de nômades estenderam os seus tabus, originariamente ligados à celebração das fases da lua, às suas novas ocupações agrícolas"[9].

---

8. O português *sábado* provém do latim *sabbatu(m)*, que, por sua vez, é um empréstimo ao hebraico *šabbat*, por intermédio do grego σάββατον (sábbaton). Quanto à etimologia, uns fazem o hebraico *šabbat* provir do verbo *šabat* (cessar de); outros o relacionam com *šeba'* (sete), mercê do caráter rigorosamente periódico do sábado, de sete em sete dias. Há ainda os que preferem explicá-lo como uma deformação de *šabi'at* (dia sétimo). Seja como for, há que se levar em consideração o acádico *šapatu*, por sua notável semelhança com o hebraico *šabbat*: talvez este provenha daquele e o sentido primeiro do vocábulo seria *descanso*, *repouso* da Lua.

9. VAN DEN BORN A. et al. Op. cit., verbete *Sábado*, p. 1340ss.

Entre esses tabus "herdados" certamente se devem inserir aqueles que cercam como impura a mulher menstruada (Gn 31,35; 2Sm 11,4; Lv 20,18 e certas determinações em Lv 15,19-24; 25-30)[10].

4

Voltando a Selene, Ártemis e Hécate, ou melhor, à deusa triforme, vamos ver mais de perto o seu androginismo, cifrado nos raios fecundantes da lua e no homem-lua, que é a *própria lua*.

---

10. O fato de o ciclo mensal da mulher estar relacionado com as fases da lua, o argumento de que no sangue está a vida e que, por isso mesmo, "o contato com o sangue e até ver sangue" eram considerados um perigo, não justificam tantos tabus e interditos, alguns profundamente desumanos, que recaíam sobre a mulher menstruada. Considerada impura, na fase do catamênio, era afastada do convívio social e tudo quanto fosse por ela tocado se tornava contaminado ou perdia sua eficácia. Por que isso? Por que a mulher indisposta era considerada pelos primitivos como uma verdadeira causa de infecção e de contaminação, um mal que podia ser transmitido a todos quantos entrassem em contato com ela, a ponto de até sua sombra ser tida como emanação mefítica? Por que grandes legisladores antigos como Zoroastro, Manu e Moisés registraram em seus sistemas interditos concernentes à menstruação? Ouçamos um pequeno trecho de Manu: "a sabedoria, a energia, a força, o poder e a virilidade de um homem que se aproxima de uma mulher coberta com excreções menstruais desaparecem por completo. Se ele a evita, enquanto ela permanece nesse estado, sua sabedoria, sua energia, sua força, seu poder e virilidade tomarão novo impulso" (BUHLER, G. The Laws of Manu, in: *Sacred Books of the East*. Oxford: Clarendon Press, 1879-1910, p. 135).
A Dra. Esther Harding, em sua excelente obra, *Woman's Mysteries*, p. 63ss, que voltaremos a citar mais adiante, e que estamos seguindo de perto neste estudo sobre a deusa-lua, também discorda de que o tabu do catamênio se restrinja apenas ao horror do sangue em si mesmo e tenta explicá-lo de maneira bem diversa. Vamos resumir-lhe a longa exposição sobre o assunto. É verdade que o homem primitivo tinha horror ao sangue, que é a seiva da vida, mas nenhum tabu existe com respeito às pessoas que sangram, quando este sangue provém de uma ferida. Por que, então, o tabu acerca do sangue menstrual? Julga Harding que para o espírito do primitivo a menstruação provém de uma espécie de *infecção*, de *uma possessão do demônio*, que é preciso expulsar através de jejuns, fumigações, mortificações e isolamento da paciente. Era essa, aliás, a terapia aplicada em casos de "*possessão demoníaca*". Uma segunda causa seria ditada pela própria mulher: já que os desejos e apetites intempestivos dos homens se constituíam numa ameaça séria para ela, alguns mitos primitivos fazem supor que, para se defender das exigências excessivas dos homens, as mulheres se impuseram continência durante esse período, embora seu desejo sexual, como entre os animais, seja particularmente forte quer imediatamente antes, quer imediatamente após a menstruação. Nesse sentido, diz o Talmude que se uma mulher passar entre dois homens, no início de suas regras, causará a morte de um; se passar no fim das mesmas, ela provocará simplesmente entre eles uma violenta altercação. Um terceiro motivo para semelhante tabu seria o de tornar possível a evolução dos povos primitivos. Sem essa salvaguarda, tornar-se-ia impossível a homens e mulheres, consoante a Dra. Harding, o desenvolvimento de valores especificamente humanos e a libertação do domínio absoluto do instinto animal.
Talvez se possa ver em todos esses tabus, sobretudo no que tange às restrições alimentares que pesavam sobre a mulher menstruada, gestante ou de resguardo, como focalizamos no Vol. I, p. 327-329, um complexo de castração por parte do homem.

A lua é, portanto, andrógina. Plutarco está novamente conosco: "Chama-se a Lua (Ártemis) a mãe do universo cósmico; ela possui uma natureza andrógina". Na Babilônia, o deus-Lua Sin é andrógino e quando foi substituído por Ištar, esta conservou seu caráter de androginismo. Igualmente no Egito, Ísis é denominada Ísis-Neit, enquanto andrógina.

Pelo fato mesmo de a lua ser andrógina, o homem-lua, cujo representante na terra era o rei ou o chefe tribal, passava a primeira noite de núpcias com a noiva, a fim de provocar a fertilização dela, da tribo e da terra. Tal hábito, como já se assinalou, permaneceu na França até a Idade Média com o nome de *Le Droit de cuissage du Seigneur*.

O fato de todos dependerem dos préstimos da lua para a propagação da espécie, da fertilização dos animais e das plantas, enfim, da boa colheita anual, em todos os sentidos, é que provocou, desde a mais remota antiguidade, um tipo especial de *hieròs gámos*, de casamento sagrado, uma união sagrada, de caráter impessoal. Trata-se das chamadas *hierodulas*, literalmente, "escravas sagradas", porque adjudicadas, em princípio, a um templo, ou ainda denominadas "prostitutas sagradas", mas sem nenhum sentido pejorativo.

Em determinadas épocas do ano, sacerdotisas e mulheres de todas as classes sociais[11] uniam-se sexualmente a reis, sacerdotes ou a estranhos, todos simbolizando o homem-lua, com o único fito de provocar a fertilização das mulheres e da terra, bem como de angariar bens materiais para o templo da deusa (Lua) a que serviam. Tudo isso parece muito estranho para nossa mentalidade ou para nossa ignorância das religiões antigas. Vamos, assim, pela "delicadeza" do assunto, restringi-lo ao mínimo necessário.

Puta, em latim, era uma deusa muito antiga e muito importante. Provém do verbo *putare*, "podar", cortar os ramos de uma árvore, pôr em ordem, "pensar", contar, calcular, julgar, donde *Puta* era a deusa que presidia à podadura. Com o sentido de *cortar*, *calcular*, *julgar*, *ordenar*, *pensar*, *discutir*, muitos são os derivados de *putare* em nossa língua, como *deputado*, *amputar*, *putativo*, *computar*,

---

11. HARDING, Esther. *Woman's Mysteries*. New York: Longmans, Green & C., 1953, p. 32ss.

computador, *reputação*. O sentido pejorativo, ao que parece, surgiu pela primeira vez num texto escrito entre 1180-1230 de nossa era. Não é difícil explicar a deturpação do vocábulo. É que do verbo latino *mereri*, *receber em pagamento*, *merecer uma quantia*, proveio *meretrix*, "a que recebe seu soldo", de cujo acusativo *meretrice* nos veio *meretriz*, que também, a princípio, não tinha sentido erótico. Mas, como *putas* e *meretrizes*, que se tornaram sinônimos, se entregavam não só para obter a fecundação da tribo, da terra, das plantas e dos animais, mas também recebiam dinheiro para o templo, ambas as palavras, muito mais tarde, tomaram o sentido que hoje possuem.

Não eram, todavia, apenas mulheres que "trabalhavam" para a deusa-lua. Homens igualmente, embora fosse mais raro, após se emascularem, entregavam-se ao serviço da deusa. Na Índia, segundo W.H. Keating, os homens de Winnipeck consideram o sol como propício ao homem, mas julgam que a lua lhes é hostil e se alegra quando pode armar ciladas contra o sexo masculino. Desse modo, os homens de Winnipeck, se sonhassem com a lua, sentiam-se no dever de tornar-se *cinaedi*, quer dizer, *homossexuais*. Vestiam-se imediatamente de mulher e colocavam-se ao serviço da lua. Em 2Reis 23,7, Josias mandou derrubar os aposentos dos efeminados, consagrados a *Astarté*.

Cibele era a grande deusa frígia, trazida solenemente para Roma entre 205 e 204 a.C., durante a segunda Guerra Púnica. Identificada com a lua, protetora inconteste da mulher, seus sacerdotes, chamados Coribantes, Curetes ou Galos e muitos de seus adoradores, durante as festas orgiásticas da *Bona Mater*, Boa Mãe, como era chamada em Roma, se emasculavam e cobriam-se com indumentária feminina e passavam a servir à deusa-lua Cibele.

No Egito e na Mesopotâmia as deusas-lua Ísis e Ištar sempre tiveram um grande número de *hierodulas*, que, para obter a fertilidade da terra e dinheiro para os templos, para elas trabalhavam infatigavelmente.

No judaísmo, as *hierodulas* causaram problemas sérios. Para Astarté, deusa-Lua semítica da vegetação e do amor (a Afrodite do Oriente), as *hierodulas*, sobretudo em Canaã, operavam, quer ao longo das estradas (Gn 38,15-21; Jr 3,2), quer nos próprios santuários (Os 4,14) da deusa. O dinheiro arrecadado, a que se dava o nome de "salário de meretriz" ou "de cachorro", era entregue aos santuários. Sob a influência cananeia, o abuso penetrou também no culto israelítico (Nm 25,1-16), embora a Lei se opusesse energicamente a isso e proibisse que o dinheiro fosse aceito pelo Templo (Dt 23,18). Sob Manassés e Amon (séc. VII a.C.), as prostitutas sagradas instalaram-se no próprio Templo de Jerusalém. Foi necessário que Josias mandasse demolir suas habitações. Mais tarde, à época da desordem total, até pagãos as procuravam no Templo da Cidade Santa (2Mc 8).

Na Grécia, à época histórica, em lugar de oferecer seu corpo e sua virgindade em honra da deusa-lua, as mulheres ofereciam sua cabeleira.

5

Ainda uma palavra sobre a Lua, suas servidoras e seus préstimos. Em todas as culturas primitivas eram as mulheres que serviam à Lua, pois tinham a incumbência de assegurar, entre outras coisas, o abastecimento de água à tribo, à cidade e ao campo velando, ao mesmo tempo, sobre a chama sagrada, que representava a luz da Lua e que jamais poderia extinguir-se. Além do mais, essas mulheres, essas sacerdotisas deviam receber em sua própria pessoa a "energia fertilizante" da Lua, em seu e em benefício de todos. Na civilização inca, no Peru, as sacerdotisas de Mana-Quillas e, na Roma antiga, as *Virgens Vestais* não tinham somente o dever de manter acesa a chama sagrada da deusa Lua-Vesta, mas ainda de prover ao abastecimento de água. Nos idos de março, por ocasião da Lua Cheia, realizavam-se sacrifícios *ad pendendam pluuiam*, sendo lançados pelas Vestais no rio Tibre vinte e quatro manequins, substitutos de antigos sacrifícios humanos, *para provocar a chuva.* A deusa-lua Ártemis, divindade dos bosques, onde ficavam muitos de seus santuários, via de regra os tinha junto a uma nascente ou gruta, onde a água brotasse de uma pedra. No Egito, um copo de água era levado em procissão diante de um falo de Osíris. Por magia simpática, em grandes secas, derramava-se água sobre a terra seca para provocar chuva. A deusa Cibele, de que se falou linhas atrás, levada para Roma, entre 205-204 a.C., era apenas uma pedra negra, simulacro da *Bona Dea*, Boa Deusa. Essa pedra era banhada nas águas do Tibre, quando havia estiagem prolongada.

No dia quinze de agosto, em Roma, para homenagear a grande deusa-lua, celebrava-se a Festa das Tochas, que a Igreja substituiu pela Assunção de Maria.

Desmitificando e dessacralizando o mito, a Igreja o sublimou, revestindo-o com nova indumentária. O conselho é do Papa Inocêncio III: "É para a Lua que deve olhar todo aquele que se acha enterrado na sombra do pecado e da iniquidade. Tendo perdido a graça divina, o dia desaparece. Não há mais sol. Que se dirija a Maria: sob sua influência, milhares encontram diariamente seu caminho para Deus". A simbologia é perfeita: Cristo é o *sol*; Maria, a *lua*. É comum, aliás, ver-se a estátua da Mãe de Deus sobre um crescente lunar.

Curioso é que para os antigos gregos o real poder da Lua não estava na Lua Cheia, na Lua Brilhante, no seu aspecto positivo, que para nós surge como o mais importante, mas na Lua Nova, a Lua Negra, isto é, na poderosa deusa-Lua *Hécate*. Aparentada com Ártemis, não tem, conforme se mostrou no Vol. I, p. 288, um mito propriamente dito. Independente dos deuses olímpicos, foi de princípio uma deusa benévola e dadivosa, mas, à medida que se tornou hipóstase da Lua Negra, tornou-se a deusa da magia e dos sortilégios. Com semelhantes atributos, Hécate passou a simbolizar igualmente, com seu cortejo de cães, amigos dos cemitérios, a *cadela*, a mãe perversa, devoradora e fálica, e, através da mesma, o inconsciente devorador.

Essa polaridade de Hécate explica-se pela própria ambivalência da Lua. Deusa da prosperidade e da abundância no mundo exterior, no mundo interior, a Lua, se é dispensadora da magia, da inspiração e da clarividência, o é igualmente do terror e até da loucura. É bom lembrar que desde o século III a.C., como atesta o historiador e poeta didático egípcio de língua grega Mâneton, 4,81 (cerca de 263 a.C.), o verbo σεληνιάζειν (seleniádzein), derivado de Σελήνη (Seléne), Lua, significa "ser epiléptico", donde "ser adivinho ou feiticeiro", uma vez que a *epilepsia* era considerada *morbus sacer*, uma "doença sagrada": é que as convulsões do epiléptico se assemelhavam às agitações e "distúrbios" por que eram tomados os que entravam em *êxtase* e *entusiasmo*, isto é, "na posse do divino", sobretudo nos ritos dionisíacos. No Novo Testamento, Mt 17,15, um pai aflito procurou Jesus, para que lhe curasse o filho. A doença era *lunar*: *Domine, miserere filio meo, quia lunaticus est*. "Senhor, tem compaixão de meu filho, porque é *lunático*."

Para encerrar este capítulo sobre *Ártemis*, a *dea triformis*, cabe relembrar que Apolo e Ártemis eram *gêmeos*. Sobre estes necessário se torna fazer um ligeiro comentário.

Todas as mitologias e culturas primitivas sempre revelaram um interesse muito grande pelo fenômeno dos gêmeos. Pouco importa a forma por que são imaginados: quer se apresentem sob moldes perfeitamente simétricos, quer se manifestem inteiramente diferentes, um escuro, outro luminoso, um voltado para o céu, outro para a terra, um negro, outro branco, um com cabeça de touro, outro com cabeça de escorpião, eles exprimem simultaneamente uma intervenção do além e a dualidade de todo ser ou o dualismo de suas tendências, espirituais e materiais, diurnas e noturnas. Sintetizam, assim, o dia e a noite, os aspectos celeste e terrestre do cosmo e do homem. Quando simbolizam as oposições internas do homem e a luta que o mesmo deverá empreender para superá-las, traduzem uma acepção sacrifical: necessidade de abnegação, de destruição, de submissão e de renúncia de uma parte de si mesmo, com vistas ao triunfo da outra. Cabe às forças espirituais da evolução progressiva assegurar a supremacia sobre as tendências involutivas e regressivas. Acontece, todavia, que os gêmeos podem ser absolutamente iguais, duplas ou cópias um do outro; nesse caso, eles exprimem tão só a unidade de uma dualidade equilibrada. Simbolizam a harmonia interior obtida pela redução do múltiplo ao um. Transposto o dualismo, a duplicidade torna-se apenas um efeito de espelho, o efeito da manifestação.

Os gêmeos configuram, de outro lado, o estado de ambivalência do universo mítico. Para as culturas primitivas, surgem quase sempre carregados de uma força poderosa, protetora ou perigosa. Adorados, mas igualmente temidos, os gêmeos estão sempre carregados de um *valor intenso*: na África ocidental são mágicos, mas entre os bantus eram sacrificados. Em todas as tradições, os gêmeos, deuses ou heróis, lutam entre si, altercam, mas se auxiliam, denunciando, dessa maneira, a ambivalência de sua situação, símbolo da própria contingência de cada ser humano dividido em si mesmo, ou seja, a tensão interna de um estado permanente. O medo e a angústia do primitivo diante do aparecimento de gêmeos configuram o temor da divisão exterior de sua ambivalência, o receio da objetivação das analogias e das diferenças, a apreensão de uma tomada de consciência individuante, o medo da ruptura da indiferenciação coletiva. No fundo, os gêmeos configuram uma *contradição não resolvida*.

A polaridade dos gêmeos é que ela mantém em si mesma "a promessa da descoberta, da compreensão de si mesmo, tanto quanto a ameaça da alienação e da desagregação"[12]. Se para Otto Rank os gêmeos configuram a temática da oposição entre Narciso e o espelho, o ser e o não ser, a vida e a morte, para Bachelard o homem tem igualmente no espelho "a revelação de sua identidade e de sua dualidade-revelação da realidade e da idealidade"[13].

Como reflexo no espelho, o gêmeo reflete o outro idêntico e impossível, que, no entanto, existe.

Os mitos acerca dos gêmeos dividem-se em dois grupos: gêmeos de sexo oposto, que configuram, consoante Jung, o *hermafrodito*, simbolizando a integração e a harmonia, conseguidas no fim do processo de individuação, e gêmeos do mesmo sexo, que representam a luta, o litígio, o conflito, o espelho, a morte de Narciso. Tudo isto, porém, é muito relativo, porquanto os gêmeos, não importa o sexo da dupla, são o símbolo geral da dualidade na semelhança e até mesmo na identidade, porque estampam a imagem de todas as oposições exteriores e interiores, complementares ou contrárias, absolutas ou relativas, que se transformam numa tensão criadora.

Na mitologia indo-europeia os heróis gêmeos são, as mais das vezes, benéficos, como os *Açvins* e os *Dioscuros*, Castor e Pólux: são curandeiros, protegem os homens dos perigos e salvam os navegantes. Os gêmeos védicos, Açvins, tinham a seu encargo, sobretudo, rejuvenescer os velhos e conseguir marido para as jovens... No México, entre os índios Pueblos, os Heróis Gêmeos, deuses da manhã e da tarde, abriram o caminho para a humanidade nos mitos cosmogônicos, quando o homem chegou à terra. Eliminaram os monstros e transformaram em úteis as coisas caducas e imperfeitas, tendo-se tornado os libertadores e os guias dos mortais. Em numerosos outros mitos, porém, os heróis gêmeos se apresentam como antagonistas: um é bom, o outro é perverso. Um constrói, o outro procura destruir-lhes a ação criadora, como se observa entre os iroqueses e os piaroas do Orenoco. Se passarmos ao mundo greco-latino, as coisas ainda são mais claras: Rômulo mata a Remo, e Etéocles e Polinice morrem um às mãos do outro, lutando pela posse de Tebas.

Ainda bem que Apolo e Ártemis não apenas simbolizaram, mas realizaram a integração...

---

12. ZAZZO, René. *Les jumeaux, le couple et la personne.* Paris: PUF, 1960, p. 183.

13. BACHELARD, Gaston. *L'eau et les rêves.* Paris: Gallimard, 1957, p. 34.

Capítulo III
O mito de Apolo: Epidauro e o Oráculo de Delfos

1

APOLO, em grego 'Απόλλων (Apóllon). Muitas têm sido as tentativas de explicar o nome do irmão de Ártemis, mas, até o momento, nada se pode afirmar com certeza. Há os que procuram aproximá-lo do dórico ἄπελλα (ápella) ou mais precisamente de ἀπέλλαι (apéllai), "assembleias do povo", em Esparta, onde Apolo, inspirador por excelência, seria o "guia" do povo, como *Tiaz*, com o nome de *Thingsaz*, dirigia as reuniões dos germanos. Outros preferem recorrer ao indo-europeu **apelo-*, "forte", que traduziria bem um dos ângulos do deus do arco e da flecha, mas tais hipóteses não convencem.

Apolo nasceu no dia *sete* do mês délfico Bísio, que corresponde, no calendário ático, ao mês Elafebólion, ou seja, segunda metade de março e primeira de abril, nos inícios da primavera. Tão logo veio à luz, cisnes, de uma brancura imaculada, deram *sete* voltas em torno da ilha de Delos. Suas festas principais celebravam-se no dia *sete* do mês. As consultas ao Oráculo de Delfos se faziam primitivamente apenas no dia *sete* do mês Bísio, aniversário do deus. Sua lira possuía *sete* cordas. Sua doutrina se resumia em *sete* máximas, atribuídas aos *sete* Sábios. Eis aí o motivo por que o pai da tragédia, Ésquilo, o chamou *augusto deus Sétimo*, o *deus da sétima porta* (*Sept.*, 800). *Sete* é, pois, o número de Apolo, o número sagrado, sobre que se falará depois.

Zeus enviou ao filho uma mitra de ouro, uma lira e um carro, onde se atrelavam alvos cisnes. Ordenou-lhes o pai dos deuses e dos homens que se dirigissem todos para Delfos, mas os cisnes conduziram o filho de Leto para além da Terra do Vento Norte, o país dos Hiperbóreos, que viviam sob um céu puro e eternamente azul e que sempre prestaram ao deus um culto muito intenso. Ali permaneceu ele durante um ano: na realidade, uma longa fase iniciática. Decorrido esse período, retornou à Grécia, e, no verão, chegou a Delfos, entre festas e cantos. Até mesmo a natureza se endomingou para recebê-lo: rouxinóis e cigarras cantaram em sua honra; as nascentes tornaram-se mais frescas e cristalinas. Anualmente, por isso mesmo, se celebrava em Delfos, com hecatombes, a chegada do deus.

O filho de Zeus estava pronto e preparado para iniciar a luta, que, aliás, foi rápida, contra Píton, o monstruoso dragão, filho da Terra, que montava guarda ao Oráculo de Geia no monte Parnaso e que a ira ainda não apaziguada da deusa Hera lançara contra Leto e seus gêmeos.

Este deus que se está apresentando, já em roupas de gala, paramentado e etiquetado, não corresponde ao que foi nos primórdios o senhor de Delfos. Já se mostrou, no Vol. I, p. 143-144, que o Apolo homérico ainda se comporta como uma divindade de santuário, provinciano e sobremodo orientalizado.

O Apolo grego, o Apolo do Oráculo de Delfos, o "exegeta nacional", é, na realidade, resultante de um vasto sincretismo e de uma bem elaborada depuração mítica.

Na *Ilíada*, I, pass., aparentando a noite, o *deus de arco de prata*, Febo Apolo, brilha (e por isso é *Febo*, o brilhante) como a lua.

É necessário levar em conta uma longa evolução da cultura e do espírito grego e mais particularmente da interpretação dos mitos, para se reconhecer nele, bem mais tarde, um *deus solar*, um deus da luz, de sorte que seu arco e suas flechas pudessem ser comparados ao sol e a seus raios. Em suas origens, o filho de Leto estava indubitavelmente ligado à simbólica lunar. No primeiro canto da *Ilíada*, apresenta-se como um deus vingador, de flechas mortíferas: *O Senhor Arqueiro, o toxóforo, o portador do arco de prata, o argirótoxo*. Violento e vingativo, o Apolo pós-homérico vai progressivamente reunindo elementos diversos, de origem nórdica, asiática, egeia e sobretudo helênica e, sob este último aspecto, conseguiu suplantar por completo a Hélio, o "Sol" propriamente dito[1]. Fundindo, numa só pessoa e em seu mitologema, influências e funções tão diversificadas, o deus de Delfos tornou-se uma figura mítica deveras complicada. São tantos os seus atributos, que se tem a impressão de que Apolo é um amálgama de várias divindades, sintetizando num só deus um vasto complexo de oposições. Tal fato possivelmente explica, em terras gregas, como o futuro deus dos Oráculos substituiu e, às vezes, de maneira brutal, divindades locais pré-helênicas: na Beócia, suplantou, por exemplo, a *Ptóos*, que depois se tornou seu filho ou neto; em Tebas, particularmente, sepultou no olvido o culto do deus-rio *Ismênio* e, em Delfos, levou de vencida o dragão Píton. O deus-Sol, todavia, iluminado pelo espírito grego, conseguiu, se não superar, ao menos harmonizar tantas polaridades, canalizando-as para um ideal de cultura e sabedoria.

Realizador do equilíbrio e da harmonia dos desejos, não visava a suprimir as pulsões humanas, mas orientá-las no sentido de uma espiritualização progressiva, mercê do desenvolvimento da consciência, com base no γνῶθι σ'αὐτόν (gnôthi s'autón), "conhece-te a ti mesmo".

Apolo é saudado na literatura com mais de duzentos atributos, que o projetam como Σμινθεύς (Smintheús), um deus-rato, a saber, um deus agrário, não propriamente como propulsor da vegetação, mas como guardião das sementes e

---

1. Hélio, em grego Ἥλιος (Hélios), da raiz indo-europeia **sawélios*, "o que brilha", é a personificação do Sol. Hélio, o Sol, pertencia à geração dos Titãs, portanto um deus anterior aos Olímpicos. Filho de Hiperíon e Teia, tinha por irmãos a Eos (Aurora) e Selene (Lua), como se apontou no Vol. I, p. 165-166 e 283. Casou-se com Perseis, filha de Oceano e Tétis. Foi pai da grande mágica Circe; de Eetes, rei da Cólquida; de Pasífae, mulher do rei Minos, e de Perses, que destronou a Eetes, mas acabou sendo morto pela sobrinha Medeia, quando esta retornou da Grécia. Hélio era representado como um jovem de grande beleza, com a cabeça cercada de raios, como se fora uma cabeleira de ouro. Percorria o céu num carro de fogo tirado por quatro cavalos de extraordinária velocidade: Píroís, Eoo, Éton e Flégon, nomes que traduzem fogo, chama e brilho. Cada manhã, precedido pelo carro da Aurora, o deus avançava impetuosamente por um itinerário que passava pelo meio do céu, chegando, à tarde, ao Oceano (poente), onde banhava seus cavalos fatigados. Repousava num palácio de ouro e, pela manhã, recomeçava seu trajeto diário. O itinerário de Hélio, porém, sob a terra ou sobre o Oceano, que a cercava, foi substituído, com os progressos da astronomia grega, pelo itinerário de Febo Apolo, bem mais longo, através da abóbada celeste, mas bem mais correto. Tendo perdido "o caminho", Hélio tornou-se uma divindade secundária no Panteão helênico e, o mais tardar, a partir de Ésquilo, foi substituído por Febo Apolo. Hélio é considerado no mito grego como o olho do mundo, aquele que tudo vê.

das lavouras contra os murídeos. Como seu filho Aristeu, o filho de Leto zela pelos campos com seus rebanhos e pastores, de que é, aliás, uma divindade tutelar. Com os epítetos de Νόμιος (Nómios), "Nômio", protetor dos pastores, e Καρνεῖος (Karneîos), "Carnio", dos rebanhos e particularmente dos carneiros, Apolo defende os campos e sua grei contra os lobos, daí talvez seu nome de Λύκειος (Lýkeios), "Lício".

Sua ação benéfica, porém, não se estende apenas ao campo: com a designação de 'Αγυιεύς (Aguyieús), "Agieu", representado por um obelisco ou pilar, ele se posta à entrada das casas e guarda-lhes a soleira. Vigia igualmente tanto a Fratria, com o nome de *Phrátrios*, quanto os viajantes nas estradas, como atesta Ésquilo (*Ag.*, 1086), e nas rotas marítimas, sob a forma de *delfim*, predecessor zoomórfico do deus, salva, se necessário, os marinheiros e tripulantes. Sob a denominação de 'Ακέσιος (Akésios), "o que cura", precedeu em Epidauro, como médico, a seu filho Asclépio, de que também se falará neste capítulo. Já na *Ilíada*, I, 473, curara a peste que ele próprio havia lançado contra os aqueus, que lhe apaziguaram a ira com sacrifícios e entoando-lhe um *belo peã*, nome este, que, sob a forma de παιάν (paián), *peã*, após designar Παιήων (Paiéon), "Peéon", médico dos deuses, passou a qualificar outrossim não só Apolo como deus que cura, mas ainda um canto sobretudo de ação de graças.

Médico infalível, o filho de Leto exerce sua arte bem além da integridade física, pois é ele um Καθάρσιος (Kathársios), um purificador da alma, que a libera de suas nódoas. Mestre eficaz das expiações, mormente as relativas ao homicídio e a outros tipos de derramamento de sangue, o próprio deus submeteu-se a uma catarse no vale de Tempe, quando da morte de Píton. Incentivava e defendia pessoalmente aqueles com cujos atos violentos estivesse de acordo, como foi o caso de Orestes, que matou a própria mãe Clitemnestra, conforme nos mostra Ésquilo em sua *Oréstia*. Fiel intérprete da vontade de Zeus, Apolo é Χρηστήριος (Khrestérios), um "deus oracular", mas cujas respostas aos consulentes eram, por vezes, ambíguas, donde o epíteto de Λοξίας (Loksías), Lóxias, "oblíquo, equívoco". Deus da cura por encantamento, da melopeia oracular, chamado, por isso mesmo, pai de Orfeu, que tivera com Calíope, Apolo foi transformado, desde o século VIII a.C., em mestre do canto, da música, da poesia e das Musas, com o título de Μουσηγέτης (Museguétes), "condutor das Musas": as primeiras palavras do deus, ao nascer, diz o Hino homérico (*Hh. Ap.*, I, 131-132) foram no sentido de reclamar "a lira e seu arco recurvado", para revelar a todos os desígnios de Zeus.

Deus da luz, vencedor das forças ctônias, Apolo é o *Brilhante*, o Sol.

2

Alto, bonito e majestoso, o deus da música e da poesia se fazia notar antes do mais por suas mechas negras, com reflexos azulados, "como as pétalas do pensamento". Muitos foram assim seus amores com ninfas e, por vezes, com simples mortais.

Amou a ninfa náiade Dafne, filha do deus-rio Peneu, na Tessália. Esse amor lhe fora instilado por Eros, de quem o deus gracejava. É que Apolo, julgando que o arco e a flecha eram atributos seus, certamente considerava que as flechas do filho de Afrodite não passavam de brincadeira. Acontece que Eros possuía na aljava a flecha que inspira amor e a que provoca aversão. Para se vingar do filho de Zeus, feriu-lhe o coração com a flecha do amor e a Dafne com a da repulsa e indiferença. Foi assim que, apesar da beleza de Apolo, a ninfa não lhe correspondeu aos desejos, mas, ao revés, fugiu para as montanhas. O deus a perseguiu e, quando viu que ia ser alcançada por ele, pediu a seu pai Peneu que a metamorfoseasse. O deus-rio atendeu-lhe as súplicas e transformou-a em *loureiro*, em grego δάφνη (dáphne), a árvore predileta de Apolo.

Com a ninfa Cirene teve o semideus Aristeu, o grande apicultor, personagem do mito de Orfeu.

Também as Musas não escaparam a seus encantos. Com Talia foi pai dos Coribantes, demônios do cortejo de Dioniso; com Urânia gerou o músico Lino e com Calíope teve o músico, poeta e cantor insuperável, Orfeu. Seus amores com a ninfa Corônis, de que nascerá Asclépio, terminaram tragicamente para ambos, como se verá mais adiante: a ninfa será assassinada e o deus do Sol, por ter morto os Ciclopes, cujos raios eliminaram Asclépio, foi exilado em Feres, na corte do rei Admeto, a quem serviu como pastor, durante um ano. Com Marpessa, filha de Eveno e noiva do grande herói Idas, o deus igualmente não foi feliz. Apolo a desejava, mas o noivo a raptou num carro alado, presente de Posídon, levando-a para Messena, sua pátria. Lá, o deus e o mais forte e corajoso dos homens se defrontaram. Zeus interveio, separou os dois contendores e concedeu à filha de Eveno o privilégio de escolher aquele que desejasse. Marpessa, temendo que Apolo, eternamente jovem, a abandonasse na velhice, preferiu o mortal Idas. Com a filha de Príamo, Cassandra, o fracasso ainda foi mais acentuado. Enamorado da jovem troiana, concedeu-lhe o dom da *manteía*, da profecia, desde que a linda jovem se entregasse a ele. Recebido o poder de profetizar, Cassandra se negou a satisfazer-lhe os desejos. Não lhe podendo tirar o dom divinatório, Apolo cuspiu-lhe na boca e tirou-lhe a credibilidade: tudo que Cassandra dizia era verídico, mas ninguém dava crédito às suas palavras.

Em Cólofon, o deus amou a adivinha Manto e fê-la mãe do grande adivinho Mopso, neto de Tirésias. Mopso, quando profeta do Oráculo de Apolo em Claros, competiu com outro grande *mántis*, o profeta Calcas. Saiu vencedor, e Calcas, envergonhado e, por despeito, se matou. Pela bela ateniense Creúsa, filha de Erecteu, teve uma paixão violenta: violou-a numa gruta da Acrópole e tornou-a mãe de *Íon*, ancestral dos *Jônios*. Creúsa colocou o menino num cesto e o abandonou no mesmo local em que fora amada pelo deus. Íon foi levado a Delfos por Hermes e criado no Templo de Apolo. Creúsa, em seguida, desposou Xuto, mas, como não concebesse, visitou Delfos e, tendo reencontrado o filho, foi mãe, um pouco mais tarde, de dois belos rebentos: Diomedes e Aqueu. Com Evadne teve Íamo, ancestral da célebre família sacerdotal dos iâmidas de Olímpia. Castália, filha do rio Aqueloo, também lhe fugiu: perseguida por Apolo junto ao santuário de Delfos, atirou-se na fonte, que depois recebeu seu nome e que foi consagrada ao deus dos Oráculos. As águas de Castália davam inspiração poética e serviam para as purificações no Templo de Delfos. Era dessa água que bebia a Pítia.

Muitas foram as vitórias e os fracassos amorosos do deus Sol e a lista poderia ser ainda grandemente ampliada. Quanto aos amores de Apolo por Jacinto e Ciparisso devem ser interpretados não como um episódio de homossexualismo, mas antes como a substituição de antigas divindades agrárias pré-helênicas, como seus próprios nomes de origem mediterrânea o indicam, por um deus solar.

JACINTO, em grego Ὑάκινθος (Hyákinthos), talvez com base na raiz **weg*, *estar úmido*, configure a primavera mediterrânea, estação úmida e fértil, após a sequidão do estio, símbolo da morte prematura do belo jovem. Filho do rei Amiclas e de Diomedes, era um adolescente de rara beleza, que foi amado por Apolo. Divertia-se este em arremessar discos, quando um deles, desviado pelo ciumento vento Zéfiro, ou Bóreas, segundo outros, foi decepar a cabeça do amigo. O deus, desesperado, transformou-o na flor jacinto, cujas pétalas trazem a marca, que relembra quer o grito de dor do deus (AI), quer a inicial do nome do morto (Y).

Quanto a *Ciparisso*, em grego Κυπάρισσος (Kypárissos), não possui etimologia segura, relacionando-se talvez com o semítico *gofer*, "cipreste", mas a hipótese é controvertida. Este, como todas as árvores de folhas resistentes, era objeto de um respeito especial, como "árvores da vida ou árvores da tristeza". Filho de Télefo, era um dos favoritos de Apolo. Tinha por companheiro inseparável um veado domesticado. Ciparisso, um dia, o matou acidentalmente e, louco de dor, pediu aos deuses que fizessem suas lágrimas correrem eternamente. Foi, por isso, transformado em cipreste.

Das três provas por que passou Apolo com os três consequentes exílios (em Tempe, Feres e Troia), a terceira foi a mais penosa. Tendo tomado parte com Posídon na conspiração urdida contra Zeus por Hera e que fracassou, graças à denúncia de Tétis, o pai dos deuses e dos homens condenou ambos a se porem ao serviço de Laomedonte, rei de Troia. Enquanto Posídon trabalhava na construção das muralhas de Ílion, Apolo apascentava o rebanho real. Findo o ano de exílio e do fatigante trabalho, Laomedonte se recusou a pagar-lhes o salário combinado e ainda ameaçou de lhes mandar cortar as orelhas. Apolo fez grassar sobre toda a região da Tróada uma peste avassaladora e Posídon ordenou que um gigantesco monstro marinho surgisse das águas e matasse os homens no campo.

Não raro, Apolo aparece como pastor, mas por conta própria e por prazer. Certa feita, Hermes, embora ainda envolto em fraldas, lhe furtou o rebanho, o que atesta a precocidade incrível do filho de Maia. Apolo conseguiu reaver seus animais, mas Hermes acabava de inventar a lira e o filho de Leto ficou tão encantado com os sons do novo instrumento, que trocou por ele todo o seu rebanho. Como também tivesse Hermes inventado a flauta, Apolo a obteve imediatamente, dando em troca ao astuto deus psicopompo o caduceu.

Um dia em que o deus tocava sua flauta no monte Tmolo, na Lídia, foi desafiado pelo sátiro Mársias, que, tendo recolhido uma flauta atirada fora por Atená, adquiriu, à força de tocá-la, extrema habilidade e virtuosidade.

Os juízes de tão magna contenda foram as Musas e Midas, rei da Frígia. O deus foi declarado vencedor, mas o rei Midas se pronunciou por Mársias. Apolo o puniu, fazendo que nascessem nele orelhas de burro. No tocante ao vencido, foi o mesmo amarrado a um tronco e escorchado vivo.

3

A mais séria aventura de amor do deus Sol foi com a ninfa Corônis, fato que vai nos conduzir, se bem que de maneira sintética, a um estudo sobre Asclépio e sua "cidade médica" de Epidauro.

Consoante o mito mais seguido, Asclépio (o Esculápio dos latinos), cuja etimologia se desconhece até o momento, era filho do deus Apolo e de uma mortal, Corônis, filha de Flégias, rei dos lápitas. Temendo que o deus, eternamente jovem, por ser imortal, a abandonasse na velhice, uniu-se, embora grávida, a Ísquis, que foi morto por Apolo. Quanto a Corônis, foi liquidada a flechadas por Ártemis, a pedido do irmão. Mas, como acontecera a Dioniso, o rebento, certamente através de uma "cesariana umbilical", foi extraído do seio materno de Corônis e recebeu o nome de Asclépio. Educado pelo Centauro Quirão[2] no aprazível e regenerador monte Pélion, o filho de Apolo fez tais progressos na medicina, que chegou mesmo a ressuscitar vários mortos. Com medo de que a ordem do mundo fosse transtornada, a pedido de Plutão, Zeus fulminou-o, mas como

---

2. *Quirão*, em grego Χείρων (Kheíron), nome que é, possivelmente, uma abreviatura de χειρουργός (kheirurgós), "que trabalha ou age com as mãos", *cirurgião*, pois que esse Centauro foi um *grande médico*, que sabia muito bem compreender seus pacientes, por ser um *médico ferido*. Filho do deus Crono e de Fílira, pertencia à geração divina dos Olímpicos. Pelo fato de Crono ter-se unido a Fílira sob a forma de um cavalo, o Centauro possuía dupla natureza: equina e humana. Vivia numa gruta, no monte Pélion, e era um gênio benfazejo, amigo dos homens. Sábio, ensinava música, arte da guerra e da caça, a moral, mas sobretudo a *medicina*. Foi o grande educador de heróis, entre outros, de Jasão, Peleu, Aquiles e Asclépio. Quando do massacre dos Centauros por Héracles, Quirão, que estava ao lado do herói e era seu amigo, foi acidentalmente ferido por uma flecha envenenada do filho de Alcmena. O Centauro aplicou unguentos sobre o ferimento, mas este era incurável. Recolhido à sua gruta, Quirão desejou morrer, mas nem isso conseguiu, porque era imortal. Por fim, Prometeu, que nascera mortal, cedeu-lhe seu direito à morte e o Centauro então pôde descansar. Conta-se que Quirão subiu ao céu sob a forma da constelação do *Sagitário*, uma vez que a flecha, em latim *sagitta*, a que se assimila o *Sagitário*, estabelece a síntese dinâmica do homem, voando através do conhecimento para sua transformação, de ser animal em ser espiritual. Para a etimologia veja-se ainda o *Dicionário mítico-etimológico*.

Héracles, Asclépio foi divinizado. O rebento de Apolo e Corônis possuía vários filhos, entre os quais os dois médicos Podalírio e Macáon, que aparecem na *Ilíada* e as sempre jovens Panaceia e Higiia. Como se vê, uma constelação em defesa da saúde: dois médicos, uma *panaceia* e uma *higiia*, isto é, a própria *saúde*...

Asclépio é um herói-deus muito antigo e deve ter "vivido" lá pelo século XIII a.C., pois já o encontramos, como médico, na célebre expedição dos Argonautas, em companhia de heróis como Jasão, Peleu, Héracles, os Dioscuros (Castor e Pólux) e tantos outros...

Fixando-se em Epidauro, onde o médico Apolo há muito reinava, Asclépio, "o bom, o simples, o filantropíssimo", como lhe chamavam os gregos, desenvolveu ali uma verdadeira escola de medicina, cujos métodos eram sobretudo mágicos, mas cujo desenvolvimento (em alguns ângulos espantoso para a época) preparou o caminho para uma medicina bem mais científica nas mãos dos chamados asclepíades ou descendentes de Asclépio, cuja figura mais célebre foi o grande *Hipócrates*.

Como herói, que foi deificado, Asclépio participa da natureza humana e da natureza divina, simbolizando a unidade indissolúvel que existe entre ambas, assim como o caminho que conduz de uma para outra.

Mesmo na época histórica, a natureza do deus da medicina permaneceu ambivalente, ambígua, entre herói e deus: assim as oferendas lhe eram outorgadas como deus e os "enaguísmata" (os sacrifícios) lhe eram ofertados como herói.

É precisamente esse culto secreto ao herói Asclépio, que era "escondido" pelo *Thólos* (edifício abobadado, rotunda) de Epidauro, famoso por sua luxuriosa ornamentação e seu misterioso Labirinto. Neste, provavelmente, era "guardada" a *serpente*, réptil detentor para os antigos do dom da adivinhação, por ser ctônia, e que simbolizava a vida que renasce e se renova ininterruptamente, pois, como é sabido, a serpente enrolada num bastão era o atributo do deus da medicina. Assim os dois monumentos mais famosos de Epidauro se encontravam lado a lado: o Templo para o deus e o *Thólos* para o herói. Historicamente, Asclépio "residiu" em Epidauro, dos fins do século VI a.C. até os fins do século V d.C. Onze séculos de glórias e de curas incríveis!

À entrada do recinto sagrado do antigo *hierón* do deus da "nooterapia", isto é, da cura pela mente, sobre a arquitrave de majestosos propileus, que formavam como um arco de triunfo, com duas fileiras de colunas de mármore, estava gravada a mensagem que sintetizava o grande segredo das "curas incríveis" e incrivelmente modernas da medicina de Asclépio:

Puro deve ser aquele que entra no Templo perfumado.
E pureza significa ter pensamentos sadios.

A conclusão é simples: certamente em épocas mais recuadas só havia cura total do corpo em Epidauro, quando primeiro se *curava a mente*. Em outros termos, só existia cura, quando havia *metánoia*, ou seja, transformação de sentimentos. Será que os sacerdotes de Epidauro julgavam que as *hamartíai* (as faltas, os erros, as *démesures*) provocavam problemas que levavam ao "encucamento" e este agente mórbido, esta incubação "detonava" as doenças? De qualquer forma, a missão de cura em Epidauro era uma das missões, porque, basicamente, a cidade do deus-herói-Asclépio era um centro espiritual e cultural. Dado que as causas das doenças eram principalmente mentais, o método terapêutico era essencialmente espiritual, daí a importância atribuída à *nooterapia*, que purifica e reforma psíquica e fisicamente o homem inteiro. Procurava-se, a todo custo, através do *gnôthi s'autón* (conhece-te a ti mesmo) que o homem "acordasse" para sua identidade real.

A julgar pelas *estelas* (espécie de coluna destinada a ter uma inscrição) do Museu de Epidauro, durante todo o grande período de esplendor da história do Santuário de Asclépio, isto é, até fins do século IV a.C., data das supracitadas estelas, as curas não eram efetuadas com medicamentos, mas tão somente com o juízo e a intervenção divina, bem como com a insubstituível *metánoia*. Essas técnicas, os sacerdotes de Asclépio, muito mais pensadores profundos que médicos, as conheciam muito bem, porque haviam feito um grande progresso no que tange à psicossomática e à nooterapia. Ao que parece, partiam eles do princípio de que a *Harmonia* e a *Ordem* divina exercem influência decisiva sobre a saúde psíquica e corporal. Recomendavam sempre aos doentes que "pensassem santamente", por isso estavam convencidos de que, quando nossa consciência se mantém em estado de pureza e harmonia, o físico torna-se, necessariamente, são e equilibrado. Não é outra coisa, aliás, o que prega Platão em seu Banquete (186d) pelos lábios do médico-filósofo Erixímaco. Era, portanto, o equilíbrio biopsíquico o fator básico, o medicamento de uma cura irreversível!

Daí também, para os sacerdotes, a importância dos "sonhos" por parte dos pacientes que dormiam (era a célebre *enkoímesis*, ação de deitar-se, de dormir) no *Ábaton* (Santuário) de Epidauro. Esses sonhos, essas manifestações do divino, essa "hierofania", porque Asclépio vinha visitar os pacientes e *tocava* as partes enfermas do organismo, eram interpretados pelos sacerdotes que, em seguida, "aviavam a receita". Era o que se denomina mântica por incubação.

Com o correr do tempo e a experiência adquirida, as curas, por meio de ervas, e a cirurgia fizeram também seus milagres. Uma coisa, porém, é certa: só existia cura total, quando havia *metánoia*.

Epidauro, já o dissemos, era além do mais um centro cultural e de lazer. Lá encontramos um *Odéon*, pequeno teatro fechado, onde se ouvia música e se ouviam poetas; um *Estádio* para as competições esportivas, que se realizavam de quatro em quatro anos; um *Ginásio* para exercícios físicos; um *Teatro*, o mais bem conservado do mundo grego e que foi construído, no século IV a.C., pelo grande arquiteto Policleto, o Jovem; uma *Biblioteca* e numerosas obras de arte.

Havia, pois, em Epidauro, uma real *metusía*, uma *communio*, um *consortium*, uma comunhão, um elo infrangível entre as cerimônias culturais e cultuais, as doxologias (hinos laudatórios) com que os sacerdotes reforçavam o sentimento religioso dos peregrinos e o ritmo e a harmonia da música, da poesia e da dança, que eram utilizadas por seu valor tranquilizante e seu efeito terapêutico imediato sobre a alma e o corpo.

A tragédia e a comédia bem como a poesia épica e lírica contribuíam para aumentar a espiritualidade e purificar a alma de certas paixões desastrosas. A ginástica e as disputas atléticas disciplinavam os movimentos e o ritmo interior do corpo, multiplicando as possibilidades físicas e psíquicas do ser humano. A contemplação artística e o fruir da beleza de tantas obras de arte, que ornamentavam o Ábaton, tinham por escopo a elevação, a espiritualização e humanização do pensamento. Todo esse conjunto, espiritual e cultural, visava, em última análise, à catarse.

Mesmo à época da dominação romana (séc. II a.C.), quando o emprego de medicamentos se generalizou, assim como a utilização de meios mais modernos de higiene, dietética, cirurgia, hidroterapia, purgantes... Asclépio e sua *nooterapia* jamais desapareceram: *purifica tua mente e teu corpo estará curado.*

O tão citado verso do poeta latino do século I-II d.C., Décimo Júnio Juvenal, não seria um eco da nooterapia asclepiana?

> *Orandum est ut sit mens sana in corpore sano* (*Sat.*, 10,356).
> – O que se deve pedir é que haja uma mente sã num corpo são.

Estava com a razão o escritor norte-americano Henry Miller, não há muito falecido, quando, em seu livro *The Colossus of Maroussi* (1941), agudamente sintetizou o grande ideal nooterápico de Epidauro. "A meu ver, não há mistérios nas curas que se realizaram aqui, neste grande Centro Terapêutico da Antiguidade. Aqui o médico era o primeiro a ser curado, o que constituía o grande progresso de uma arte que não é médica, mas religiosa."

4

A grande aventura de Apolo e que há de fazer dele o senhor do *Oráculo de Delfos* foi a morte do *Dragão Píton*. Miticamente, a partida do deus para Delfos teve como objetivo primeiro matar o monstruoso filho de Geia, com suas *flechas*, disparadas de seu *arco* divino. Seria importante não nos esquecermos do que representam *arco* e *flecha* num plano simbólico: na flecha se *viaja* e o arco configura o domínio da distância, o desapego da "viscosidade" do concreto e do imediato, comunicado pelo transe, que distancia e libera.

Quanto à guardiã do Oráculo de Geia pré-apolíneo, era, ao que parece, a princípio, uma δράκαινα (drákaina), um dragão fêmea, nascida igualmente da Terra, chamada *Delfine*.

Mas, ao menos a partir do século VIII a.C., o vigilante do Oráculo primitivo e o verdadeiro senhor de Delfos era o dragão Píton, que outros atestam tratar-se de uma gigantesca serpente. Seja como for, o dragão, que simboliza a *autoctonia* e "a soberania primordial das potências telúricas" e que, por isso mesmo, protegia o Oráculo de *Geia*, a Terra Primordial, foi morto por Apolo, um deus patrilinear, solar, que levou de vencida uma potência matrilinear, telúrica, ligada às trevas. Morto Píton, Apolo teve primeiramente que purificar-se, permanecendo um ano no vale de Tempe, segundo se mencionou páginas atrás, tornando-se, desse modo, o deus *Kathársios*, "o purificador", por excelência. É que, e já se fez referência ao fato no Vol. I, p. 80-81, todo μίασμα (míasma), toda "mancha" produzida por um crime de morte era como que uma "nódoa maléfica, quase física", que contaminava o *génos* inteiro. Matando e purificando-se, substituindo a morte do homicida pelo exílio ou por julgamentos e longos ritos catárticos, como foi o sucedido com Orestes, assassino de sua própria mãe, Apolo contribuiu muito para humanizar os hábitos antigos concernentes aos homicídios.

As cinzas do dragão foram colocadas num sarcófago e enterradas sob o ὀμφαλός (omphalós), o *umbigo*, o *Centro* de Delfos, aliás o *Centro* do Mundo, porque, segundo o mito, Zeus, tendo soltado duas águias nas duas extremidades da terra, elas se encontraram sobre o *omphalós*. A pele de *Píton* cobria a trípode sobre que se sentava a sacerdotisa de Apolo, denominada, por essa razão, *Pítia* ou *Pitonisa*.

Embora ainda se ignore a etimologia de *Delfos*, os gregos sempre a relacionaram com δελφύς (delphýs), *útero*, a cavidade misteriosa, para onde descia a Pítia, para tocar o *omphalós*, antes de responder às perguntas dos consulentes. Cavidade se diz em grego στόμιον (stómion), que significa tanto *cavidade* quanto *vagina*, daí ser o *omphalós* tão "carregado de sentido genital". A descida ao útero de Delfos, à "cavidade", onde profetizava a Pítia e o fato de a mesma tocar o *omphalós*, ali representado por uma pedra, configuravam, de per si, uma "união física" da sacerdotisa com Apolo. Para perpetuar a memória do triunfo de Apolo sobre *Píton* e para se ter o dragão *in bono animo* (e este é o sentido dos *jogos fúnebres*), celebravam-se lá nas alturas do Parnaso, de quatro em quatro anos, os *Jogos Píticos*.

Do ponto de vista histórico, é possível ter-se ao menos uma ideia aproximada do que foi Delfos arqueológica, religiosa e politicamente.

Múltiplas escavações, realizadas no local do Oráculo, demonstraram que, à época micênica (séc. XIV-XI a.C.), Delfos era um pobre vilarejo, cujos habitantes veneravam uma deusa muito antiga, que lá possuía um Oráculo por "incubação", cujo *omphalós* certamente era da época pré-helênica. Trata-se, como se sabe, de *Geia*, a Mãe-Terra, associada a Píton, que lhe guardava o Oráculo. Foi na Época Geométrica (séc. XI-IX a.C.), que Apolo chegou a seu *habitat* definitivo e, nos fins do século VIII a.C., a "apolonização" de Delfos estava terminada; a *manteía* por "incubação", ligada a potências telúricas e ctônias, cedeu lugar à *manteía* por "inspiração", embora Apolo jamais tenha abandonado, de todo, algumas "práticas como se observa no sacrifício de uma porca feito por Orestes em Delfos, após sua absolvição pelo Areópago. Tal sacrifício em homenagem às Erínias se constitui num rito tipicamente ctônio. A própria descida da Pitonisa ao *ádyton*, ao "impenetrável", localizado, ao que tudo indica, nas entranhas do Templo de Apolo, atesta uma ligação com as potências de baixo.

De qualquer forma, a presença do deus patrilinear no Parnaso, a partir da Época Geométrica, é confirmada pela substituição de estatuetas femininas em terracota por estatuetas masculinas em bronze.

O novo senhor do Oráculo do monte Parnaso trouxe ideias novas, ideias e conceitos que haveriam de exercer, durante séculos, influência marcante sobre a vida religiosa, política e social da Hélade. Mais que em qualquer outra parte, o culto de Apolo testemunha, em Delfos, o caráter pacificador e ético do deus que tudo fez para conciliar as tensões que sempre existiram entre as *póleis* gregas. Outro mérito não menos importante do deus foi contribuir com sua autoridade para erradicar a velha lei do talião, isto é, a vingança de sangue pessoal, substituindo-a pela justiça dos tribunais, como se comentou no Vol. I, p. 95-96.

Buscando "desbarbarizar" velhos hábitos, as máximas do grandioso Templo Délfico pregam a sabedoria, o meio-termo, o equilíbrio, a moderação. O γνῶθι σ'αὐτον (gnôthi s'autón), "conhece-te a ti mesmo", e o μηδὲν ἄγαν (medèn ágan), o "nada em demasia" são um atestado bem nítido da influência ética e moderadora do deus Sol.

E como Heráclito de Éfeso (século V a.C.) já afirmara (fr. 51) que "a harmonia é resultante da tensão entre contrários, como a do arco e da lira, Apolo foi o grande harmonizador dos contrários, por ele assumidos e integrados num aspecto novo. "A sua reconciliação com Dioniso", salienta M. Eliade, "faz parte do mesmo processo de integração que o promovera a padroeiro das purificações depois do assassinato de Píton. Apolo revela aos seres humanos a trilha que conduz da 'visão' divinatória ao pensamento. O elemento demoníaco, implicado em todo conhecimento do oculto, é exorcizado. A lição apolínea por excelência é expressa na famosa fórmula de Delfos: 'Conhece-te a ti mesmo'. A inteligência, a ciência, a sabedoria são consideradas modelos divinos, concedidos pelos deuses, em primeiro lugar por Apolo. A serenidade apolínea torna-se, para o homem grego, o emblema da perfeição espiritual e, portanto, do espírito. Mas é significativo que a descoberta do espírito conclua uma longa série de conflitos seguidos de reconciliação e o domínio das técnicas extáticas e oraculares"[3].

Deus das artes, da música e da poesia, é bom que se repita, as Musas jamais o abandonaram. Note-se, a esse respeito, que os Jogos Píticos, ao contrário dos Olímpicos, cuja tônica eram os concursos atléticos, deviam seu esplendor sobretudo às disputas musicais e poéticas. Em Olímpia imperavam os músculos; em Delfos, as Musas.

Em síntese, temos de um lado *Geia* e o dragão *Píton*; de outro, o *omphalós*, Apolo e sua Pitonisa. Ora, se examinarmos as coisas mais de perto, como já o esboçamos linhas acima, vamos encontrar em Delfos o seguinte fato incontestável: Apolo com seu culto implantou-se no monte Parnaso, porque substituiu a *mântica ctônia*, por incubação, pela *mântica por inspiração*, embora se deva observar que se trata tão somente da substituição de um *interior* por outro *interior*: do interior da Terra pelo interior do homem, através do "*êxtase* e do *entusiasmo*" da Pitonisa, assunto, aliás, controvertido e que se tentará explicar. Ademais disso, convém repetir, os gregos sempre ligaram Delfos a *delphýs*, útero, e a descida da sacerdotisa ao *ádyton* é um símbolo claro de *uma descida ritual às regiões subterrâneas.*

5

Antes de se discutir e apresentar algumas conjecturas sobre o problema do "êxtase e do entusiasmo" que se apossariam da sacerdotisa de Apolo, vamos dizer uma palavra sobre a própria Pítia e sua ação mântica.

---

3. ELIADE, Mircea. Op. cit., p. 107.

Pitonisa ou *Pítia* é o nome da intérprete de Apolo, que, possivelmente, em estado de êxtase e entusiasmo, mas *possuída* de Apolo, respondia às consultas que lhe eram feitas. O nome *Pitonisa* ou *Pítia* provém de Píton, o dragão morto pelo filho de Leto e cuja pele cobria a trípode de bronze em que se sentava a sacerdotisa. De início, havia apenas uma Pítia, normalmente, parece, uma jovem camponesa de Delfos, escolhida pelos sacerdotes de Apolo. Mais tarde, a intérprete do deus deveria ter ao menos cinquenta anos. Quando o Oráculo chegou a seu apogeu, entre os séculos VI e V a.C., havia três sacerdotisas e, à época da decadência do mesmo, século II d.C., voltou a funcionar apenas uma.

Antes de qualquer consulta, segundo algumas fontes autorizadas, ao menos no que concerne ao essencial, havia um ritual tanto para os consulentes como para a sacerdotisa. Aqueles, após pagarem uma taxa, que não era igual para todos, e se purificarem com água da fonte Castália, ofereciam um sacrifício cruento ao deus: em geral imolava-se um bode ou uma cabra.

Originariamente as consultas se faziam uma vez por ano, no dia sete do mês Bísio, aniversário de Apolo. Com o aumento da clientela, aquelas passaram a ser feitas no dia sete de cada mês, exceto nos meses de inverno, em que o deus estava em repouso no país dos Hiperbóreos.

Se o sacrifício oferecido pelos consulentes fosse favorável, quer dizer, se o animal, cabra ou bode, antes de ser imolado, uma vez aspergido com água fria, começasse a tremer, o dia era fasto. Nesse caso, a Pítia, ricamente vestida e após purificar-se com água da mesma fonte Castália, dirigia-se para o Templo de Apolo, seguida de sacerdotes e dos consulentes. Feitas as fumigações de praxe com folhas de loureiro, a árvore sagrada de Apolo, e com farinha de cevada no "fogo eterno do deus Pítio", a profetisa descia para o *ádyton*, "o inacessível, o sacrossanto", isto é, uma pequena sala localizada sob a cela do Templo, enquanto os sacerdotes ou *profetas* ficavam numa saleta ao lado, de onde formulavam em altas vozes as suas perguntas. Estas eram expressas sob forma alternativa: ou seja, "se era preferível fazer isto ou aquilo".

A Pítia, após beber água da fonte Cassótis, que, dizem, corria no *ádyton*, sentava-se na trípode e tocava no *omphalós*, que ficava junto àquela. Em seguida, mastigando folhas de loureiro, respirava as exalações (pneúmata) que proviriam de uma fenda no solo, o que, aliás, diga-se logo, jamais foi detectado em Delfos, entrava em êxtase e entusiasmo; "possuída de Apolo", balbuciava palavras entrecortadas, que eram recolhidas pelos Sacerdotes. Essas palavras "incoerentes" da Pitonisa eram redigidas, a princípio, em verso hexâmetro e mais tarde também em prosa e oferecidas como resposta às consultas formuladas. O sentido, as mais das vezes, equívoco da resposta era, não raro, interpretado por exegetas.

De qualquer forma, "Os Oráculos" traduziam a vontade todo-poderosa de Delfos, porque, para todo o mundo grego, Apolo foi decididamente o árbitro e o garante da ortodoxia.

Os oráculos délficos são conhecidos por textos literários, particularmente do historiador Heródoto (séc. V a.C.) e por inscrições. Algumas respostas de Lóxias, sobretudo as mais antigas, redigidas em hexâmetros datílicos, ficaram célebres por causa de seu sentido obscuro e ambíguo. Sirva de exemplo a resposta do Oráculo ao famoso rei da Lídia, Creso (séc. VI a.C.), que, em guerra contra Ciro, rei da Pérsia, interrogou a Pítia a respeito da "destruição de um grande império". A Pitonisa respondeu com absoluta precisão: *Se Creso cruzar o rio Hális, destruirá um grande império.*

O império destruído não foi o de Ciro, como supunha Creso, mas seu próprio reino. O deus não mentiu, mas a resposta foi terrivelmente ambígua.

A respeito dessa particularidade do Oráculo de Delfos, vale a pena mencionar o fr. 247 de Heráclito: "O deus soberano, cujo oráculo está em Delfos, nem revela, nem oculta coisa alguma, mas manifesta-se por sinais". Ou seja: Apolo não esconde a verdade, apenas faz que se lhe compreenda a vontade.

No que se refere aos propalados *vapores* que embriagavam a Pitonisa no *ádyton* e ao *êxtase* e *entusiasmo* da mesma, é necessário, ao menos, ventilar o assunto, que é complexo sob alguns ângulos, e estabelecer o *status quaestionis.*

As tão comentadas exalações, que, emanando do solo, no Parnaso, inebriavam pastores, cabras e, mais tarde, a Pitonisa, fazendo com que os primeiros, tomados de entusiasmo, começassem a profetizar e os animais entrassem numa grande excitação, nenhum índice geológico até o momento as comprovou. Também a existência do *ádyton* tem sido posta em dúvida, mas com menos intensidade, por isso que a inexistência do mesmo, hodiernamente, se poderia explicar por abalos sísmicos.

Acerca do *êxtase* e do *entusiasmo* da sacerdotisa, os quais seriam de origem dionisíaca, muito se tem discutido. Há os que, simplesmente, os negam. É o caso de Mircea Eliade, que se apoia para tal fato em Plutarco e numa assertiva de Platão. Para Plutarco[4], "O deus contenta-se em colocar na Pítia as visões e a luz que iluminam o futuro: nisso consiste o entusiasmo". Apenas o historiador grego se esqueceu de comentar "como essas visões e essa luz eram colocadas na profetisa". Não poderiam ser pelo êxtase e pelo entusiasmo?

Com respeito a Platão, comenta o autor da *História das crenças e das ideias religiosas*: "Tem-se falado do delírio pítico, mas nada indica os transes histéricos ou possessões do tipo dionisíaco". Platão comparava o delírio (*maneîsa*) da Pítia à inspiração poética devida às Musas e ao arrebatamento amoroso de Afrodite[5]. Esta opinião do filósofo ateniense colidirá, todavia, com outras do mesmo autor. Com efeito, para os antigos gregos, a *manía*, a loucura sagrada, alicerçada no êxtase e no entusiasmo, era inseparável de Dioniso. E Platão, em outras passagens, insiste muito nesse ponto. E bem antes dele Eurípides, nas *Bacantes*, pelos lábios de Tirésias, afirma que *Baco e sua mania fazem prever, com certeza, o futuro.*

A dificuldade maior é explicar a presença de Dioniso em Delfos. Uma presença tão marcante, que, no inverno, quando Apolo se retirava para o país dos Hiperbóreos, o deus do ditirambo reinava soberano no Parnaso, sem, no entanto, se imiscuir pessoalmente no Oráculo. Há os que argumentam que Dioniso deve ter precedido ao filho de Leto em Delfos e, nesse caso, a Pítia seria uma *mênade apolinizada*, o que justificaria o êxtase e o entusiasmo na mesma, uma vez que é impossível se negar o "parentesco" da *manía* com a *mântica*. Tal fato, porém, não implica que o êxtase e o entusiasmo obrigatoriamente desaguem em processo mântico: as Mênades ou Bacantes, embora possuídas da *manía* báquica, não eram profetisas!

---

4. PLUTARCO. *Pítia*, 7,397.

5. ELIADE, Mircea. Op. cit., p. 104s.

Outros opinam que a sizígia de dois deuses antagônicos como Apolo e Dioniso traduziria uma das características básicas do apolinismo: a conciliação e a harmonização dos diversos cultos e ritos helênicos.

De outro lado, Dioniso jamais ameaçou Apolo, que sempre se considerou o único e verdadeiro deus oracular da Hélade; o deus do êxtase e do entusiasmo jamais lhe fez concorrência nesse terreno.

Dos três filhos divinos dos amores de Zeus (Hermes, Dioniso e Apolo), este último se reservou o direito de ser o autêntico e único intérprete do pensamento de seu pai. Sob esse aspecto, talvez se pudesse compreender a Pitonisa como uma espécie de conciliação ctônio-dionisíaco-apolínea. Seja como for, acreditando-se que a Pítia entrasse em êxtase e entusiasmo, a "técnica" seria dionisíaca, mas o "efeito" era apolíneo.

6

Não menos importante foi, a par da religiosa, a influência político-social do Oráculo de Delfos.

Apesar das grandes dissenções internas que sempre grassaram entre os habitantes da Hélade, o Oráculo de Delfos foi durante muitos séculos um oásis nesse deserto de divergências. Como uma espécie de super-Estado neutro, o célebre oráculo foi uma manifestação contínua da unidade espiritual do helenismo: mau grado as lutas fratricidas que sempre enxovalharam a bandeira da unidade política da Grécia, esta procurou manter a qualquer preço a inviolabilidade de Delfos, o que prova que os gregos, a despeito de sua desunião, compreendiam que este centro de poder moral era a coisa mais preciosa que possuíam em comum. E se na Hélade, como todos sabem, jamais existiu união política, uma união muito forte sempre houve: a religiosa. Pois bem, o responsável direto por essa aliança no campo religioso foi o Oráculo de Delfos, que era como um ditador em matéria de crença: legislava, executava e julgava... A par da influência religiosa de Delfos, é incontestável a sua influência política. Não obstante suas tendências aristocráticas, o que vale dizer, suas simpatias por Esparta, bem como as atitudes um pouco equívocas que tomou nas guerras greco-pérsicas, a influência de Delfos foi muito salutar à pátria de Homero. Os sacerdotes apolíneos, homens de vasta cultura e de grande visão política, foram verdadeiros condutores da política interna e externa da Hélade. Graves decisões políticas foram ditadas pelo Oráculo: quer se tratasse da guerra, da paz, da administração interna e sobretudo da expansão sempre crescente do povo grego. Foi graças também a Delfos que a colonização helênica se propagou por todo o Mediterrâneo. Inúmeras colônias se fundaram sob a égide de Apolo, e o mais curioso é que, após o estabelecimento de uma colônia, a influência religiosa e política do Oráculo continuava a manifestar-se em todos os setores da vida interna e externa do novo pedaço da Grécia. Positivamente, não se sabe o que mais admirar: se os conhecimentos geográficos e etnográficos de Delfos, se a prudência e visão com que administravam cidades e colônias, quer do ponto de vista político, quer do ponto de vista religioso.

Platão, ao enunciar em sua *República*, 427b-c, os deveres de um verdadeiro legislador, é a Apolo que aconselha se peçam as leis fundamentais do Estado, porque "esse deus, exegeta nacional, intérprete tradicional da religião, se estabeleceu no centro e no umbigo da Terra, para guiar o gênero humano".

7

Eram muitas as festas e os locais em que se prestava culto a Apolo, sob múltiplos epítetos, consoante a expressão de Calímaco, 2,70: Πάντη δέ τοι οὔνομα πουλύ (pánte dé toi únoma pulý) – por toda parte és invocado com muitos nomes. Vamos nos restringir aos principais. O mais antigo deles na Grécia europeia deve ter sido a ilha de Delos, pois que Leto, antes mesmo do nascimento do filho, prometera que Apolo ergueria na ilha um templo magnífico, onde funcionaria um oráculo para atender a todos os homens (*Hh. Ap.*, I, 79ss.). O "magnífico" Oráculo de Delos, na realidade, foi logo suplantado pelo de Delfos e até mesmo pelos de Claros e Dídimo, ambos na Ásia Menor.

O berço de Apolo, contudo, continuou a ser o ponto de reencontro dos jônios, que para lá afluíam anualmente, nas célebres *Panegírias* (reuniões solenes e festivas) para celebrar Apolo com jogos e coros (*Hh. Ap.*, I, 146ss.). A delegação mais pomposa nas *Panegírias*, era a de Atenas, cujos Θεωροί (Theoroí), "Teoros" (legados, embaixadores), em número quase sempre de três, presidiam, em nome da Cidade de Atená, à Anfictionia da ilha de Apolo. Nessa ocasião, Atenas enviava a Delos um navio, que se dizia ser o mesmo em que Teseu conduzira a Creta as quatorze vítimas do Minotauro e as livrou do monstro. Enquanto duravam as festividades de Apolo Délfico e a viagem da "nau de Teseu", nenhum condenado podia ser executado em Atenas, como aconteceu com Sócrates. Estendendo à ilha sagrada essa ânsia de pureza absoluta, os atenienses, em 426 a.C., proibiram que "se nascesse e se morresse" em Delos e até mesmo os restos mortais de antigos habitantes, que lá descansavam, foram transferidos. Somente não se tocou nos sepulcros das Virgens Hiperbóreas, considerados locais de culto.

Além de Delos, o deus possuía dois santuários em Atenas, o de Apolo Delfínio e o de Apolo Pítio, tendo sido este último inaugurado solenemente por Pisístrato. Igualmente na Beócia eram dois os seus santuários: o de Apolo Ismênio, em Tebas, um dos mais antigos da Hélade e, perto do lago Copaide, o de Apolo Ptóos. Em Argos era cultuado com o nome de Apolo Lício e, em Esparta, com o de Apolo Carnio. Na Ásia Menor ficaram célebres seus templos de Dídimo, perto de Mileto, e particularmente o de Claros, onde o deus foi associado à sua irmã e vizinha, a Ártemis de Éfeso. Na Grécia setentrional, na costa de Epiro, ou mais precisamente, na ilha Leucádia, Apolo era titular de um templo famoso no píncaro do penhasco branco de Lêucade, Λευκὰς πέτρη (Leukàs pétre), "o rochedo de Lêucade", como já o denominava Homero, *Odiss.*, XXIV, 11. Era nesse rochedo fatídico que se praticava em tempos recuados o rito ancestral do καταποντισμός (katapontismós), isto é, "lançamento ao mar", hábito esse que foi amenizado e suavizado na época clássica. A precipitação "histórica" nas ondas do mar, em Lêucade, de uma vítima humana, o conhecido φαρμακός (pharmakós), quer dizer, "o que é imolado pelas faltas dos outros", o *bode expiatório*, era um sacrifício que se fazia em benefício da coletividade. Assegurava-se, destarte, a salvação do todo pela imolação de um só ou de um número muito reduzido de pessoas.

A partir de uma data difícil de se determinar, talvez lá pelo século VIII a.C., o *katapontismós* compulsório foi substituído pelo voluntário. Só se lançavam ao mar, do rochedo de Lêucade, os que desejavam uma purificação ou liberação pessoal, um meio, além do mais, seguro, para se libertar de uma paixão amorosa incontrolável. O exemplo mítico que servia de respaldo foi o salto de Safo, loucamente apaixonada pelo jovem Fáon, como se pode ler nas *Heroides*, XV, de Públio Ovídio Nasão[6]. O salto de Safo para a morte foi interpretado pela exegese pitagórica, possivelmente criadora dessa lenda biográfica, como derradeiro esforço para se vencer um amor profano, transmutando-o em amor sagrado, ao contato catártico da *aura* (ar) de Apolo.

A prática do sacrifício do φαρμακός (pharmakós) pela comunidade, origem certamente do salto do rochedo de Lêucade, aparece bastante mitigado numa das mais populares e frequentadas festas de Apolo, as *Targélias*, celebradas em honra do Καθάρσιος (Kathársios), o "Purificador", não só em Atenas, mas entre todos os jônios. Essas festas solenes realizavam-se nos dias seis e sete do mês Targélion (maio-junho), quando se aguardava a colheita anual. Durante as *Targélias* se conduziam em procissão ramos de oliveira envoltos em pequenas faixas e se as solenidades terminavam com concursos de canto e música, o dia seis era consagrado às purificações da *pólis*, com a expulsão espetacular dos φαρμακοί (pharmakoí). Em Atenas eram dois os "bodes expiatórios" humanos: um trazia ao pescoço um colar de figos brancos e outro de figos negros, o que era interpretado como representação dos dois sexos. As vítimas eram perseguidas sem tréguas pela cidade inteira: batia-se nos *pharmakoí* com ramos de figueira e réstias de cebola, elementos tidos por altamente catárticos. Em seguida se tirava a sorte e uma das vítimas era morta ou expulsa para terras distantes.

O alvo desse rito era sempre o mesmo: provocar a fertilidade do solo com o afastamento de todo e qualquer flagelo e resgate de algum "miasma" oculto e ainda não expiado.

Outra grande comemoração em honra de Apolo eram as *Pianépsias*, no dia sete do mês *Pianépsion* (outubro-novembro), quando se cozinhavam fava, πύα-

---

6. *Epistulae*, Cartas, ou como foram chamadas mais tarde *Heroidum Epistulae*, *Cartas de Heroínas*, ou ainda simplesmente *Heroides*, Heroides, são vinte e uma cartas de amor, dirigidas por heroínas a seus amados e por estes àquelas, em forma de resposta (Cartas XVI, XVIII e XX). Veja-se o Prefácio que fizemos à excelente edição das *Heroides*, do Prof. Walter Vergna. Rio de Janeiro: Granet Lawer, 1975.

νος (pýanos), e outros legumes com farinha de trigo e se oferecia essa *panspermía* ao deus. Ainda em Atenas o filho de Leto fazia jus a uma terceira festa, as *Delfínias*, em homenagem a Apolo *Delfínio*, cujo santuário teria sido obra de Egeu, quando de seu retorno de Delfos, conforme a *Medeia* de Eurípides, o que poderia explicar como Apolo *Delfínio*, protetor dos barcos e dos navegantes, foi parar num templo (Delphínion) de Atenas.

Em Roma, onde, pelo menos desde os inícios do século IV a.C., já se cultuava o filho de Leto, Apolo acabou por tornar-se o protetor pessoal de Augusto, o primeiro imperador romano, que lhe mandou construir um templo no monte Palatino, bem ao lado do palácio imperial. Quando, no ano 17 a.C., se celebravam os *Jogos Seculares*, o hino que se cantou, o *Carmen Saeculare*, Canto Secular, composto por Quinto Horácio Flaco, foi, em grande parte, uma homenagem a Apolo e à sua irmã gêmea Ártemis. A abertura solene do hino não deixa dúvidas a esse respeito:

Phoebe siluarumque potens Diana,
lucidum caeli decus, o colendi
semper et culti, date quae precamur
tempore sacro.

(*Carm. Saec.*, 1-4)

– Febo, e tu, senhora das florestas, Diana,
ornamento luminoso do céu, vós sempre adoráveis
e sempre adorados, concedei-nos o que deprecamos
na data sagrada.

8

Viu-se, no início deste capítulo, que Apolo é o *augusto deus sétimo*. O *sete* é, pois, o número do senhor do Oráculo de Delfos, o que não é mera casualidade, pois que o *sete* se constituía para os antigos numa síntese da sacralidade. Jean Chevalier e Alain Gheerbrant fazem uma longa dissertação acerca do simbolismo do número em pauta. Vamos tentar resumi-la no que ela tem, a nosso ver, de mais importante.

Sete corresponde, de saída, aos sete dias da semana, aos sete planetas, aos sete graus da perfeição, às sete esferas celestes, às sete pétalas da rosa, aos sete ramos da árvore cósmica e sacrifical do xamanismo, mas alguns setenários se ampliam e tornam-se símbolos de outros: a rosa de sete pétalas evoca os sete céus e as sete hierarquias angélicas, todos conjuntos perfeitos. Desse modo, sete designa a totalidade das ordens planetárias e angélicas, a totalidade das mansões celestes, a totalidade da ordem moral, a totalidade das energias, sobretudo na ordem espiritual, constituindo-se assim, para os egípcios no símbolo da vida eterna, uma vez que configura um ciclo completo, uma perfeição dinâmica. Cada período do ciclo lunar dura sete dias e os *quatro* (número também perfeito) períodos do ciclo (4 X 7) fecham o mesmo.

O filósofo judaico Fílon de Alexandria (séc. I d.C.) observa, a esse respeito, que a soma dos sete primeiros números (1 + 2 + 3 + 4 + 5 + 6 + 7) chega ao mesmo resultado: 28.

Sete indica o sentido de uma transformação após um ciclo completo e de uma renovação positiva. Sete não é na Grécia tão somente o número característico de Apolo, pois que surge ainda com frequência em outras denominações: as sete Hespérides, as sete Portas de Tebas, os sete chefes, os sete filhos e sete filhas de Níobe, as sete esferas, as sete cordas da lira...

As circum-ambulações de Meca compreendem sete voltas. O *hexagrama*, como o Selo de Salomão, desde que se lhe acrescente o *centro*, torna-se um *sete* inteiro. A *semana* (< do baixo latim *septimana*, 7 dias) possui seis dias ativos e um dia de repouso, figurado pelo centro. No cômputo antigo, o céu tem seis planetas: o sétimo é o sol, que está no centro. O hexagrama, como a palavra indica, tem seis ângulos, seis lados ou seis pontas de estrelas, figurando o centro como sétimo; as seis direções do espaço possuem um ponto mediano ou central, que forma o número sete, donde se conclui que sete simboliza a totalidade do espaço e a totalidade do tempo. Associando-lhe o número *quatro*, que configura a *terra* com os quatro pontos cardeais e o *três*, que representa o *céu*, *sete* simboliza a totalidade do universo em movimento. O setenário sintetiza igualmente a totalidade da vida moral, acrescentando às *três* virtudes teologais, fé, esperança e caridade, as *quatro* virtudes cardeais, a prudência, a temperança, a justiça e a força. As setes cores do arco-íris e as sete notas da escala diatônica mostram o setenário como regulador das vibrações, as quais traduziam para muitas tradições primitivas a própria essência da matéria. Sete, já se observou, é o fecho de um ciclo e de sua renovação: Deus criou o mundo em seis dias e descansou no sétimo, transformando-o em dia santificado, donde o *sábado* não é, na realidade, um repouso exterior à criação, mas seu coroamento, seu fecho na perfeição. É isto que evoca a semana, duração de um quarto lunar. Para o Ismaelismo o sólido possui *sete* lados, seis faces mais sua totalidade, que corresponde ao sábado. Tudo que existe no mundo é *sete*, porque cada coisa possui sua *ipseidade* e seis lados. Os dons da inteligência, afirmam igualmente os Ismaelitas, são sete, seis mais a *ghaybat*, o conhecimento suprassensível. Desse modo, o arco-íris não possui sete cores, mas seis: a sétima é o branco, síntese das seis outras.

Diz S. Clemente de Alexandria que emanam de Deus as seis durações e as seis fases do tempo e nisto consiste o segredo do número sete: o retorno ao Centro, ao Princípio. No fim do desenvolvimento senário completa-se o setenário. Símbolo universal de uma totalidade em movimento ou de um dinamismo total, *sete* é a chave do *Apocalipse*, onde aparece quarenta vezes: sete igrejas, sete estrelas, sete Espíritos de Deus, sete selos, sete trombetas, sete trovões, sete cabeças, sete pestes, sete reis. Sete é o número dos céus búdicos. O árabe Ibn Sina (Avicena, 980-1036) descreve os *Sete Arcanjos príncipes dos sete céus*, que são os Guardiães de Henoc e correspondem aos sete *Rishi* védicos. Estes habitam as sete estrelas da Grande Ursa com as quais os chineses relacionam as sete aberturas do corpo e as sete aberturas do coração. A lâmpada vermelha das sociedades secretas chinesas tem sete braços como o castiçal dos hebreus. Observe-se que o *Ioga* conhece igualmente sete centros sutis: os seis chakra e o *sahasrârapadma*.

Quarenta e nove (7 X 7) é o número do *Bardo*, o estado intermediário que se segue à morte, entre os tibetanos: tal estado dura quarenta e nove dias, divididos, no início ao menos, em sete períodos de sete dias. Acredita-se que as almas japonesas permanecem quarenta e nove dias sobre o teto das casas, o que vem a dar no mesmo.

O número sete é empregado com muita frequência na Bíblia: só no Antigo Testamento aparece *setenta e sete* vezes, constituindo esta cifra, de per si, um número mágico. Temos, assim, no Antigo Testamento, entre outros exemplos: castiçal de sete braços; sete espíritos que repousam sobre o tronco de Jessé; sete são os céus, onde habitam as ordens angélicas; Salomão construiu o Templo em sete anos (1Rs 6,38). Não apenas o sétimo dia, mas também o sétimo ano era de repouso: todos os sete anos os servidores eram liberados, os devedores perdoados. Pela própria transformação, que inaugura, o número sete passa a ter um poder extraordinário: quando da tomada de Jericó, sete sacerdotes, que levavam sete trombetas, deviam, no sétimo dia, dar sete voltas em torno da cidade; Eliseu espirrou sete vezes e a criança ressuscitou (2Rs 4,35). Um leproso se banhou sete vezes no rio Jordão e saiu curado (2Rs 5,14); o justo cairá sete vezes e tornará a se levantar (Pr 24,16). Sete animais puros de cada espécie serão salvos do dilúvio. José sonhou com sete vacas gordas e sete vacas magras.

Sete, enfim, é o número querido e preferido da aritmética bíblica. Pelo fato de corresponder ao número dos planetas, sete caracteriza sempre a perfeição, o que a gnose denomina πλήρωμα (pléroma), *pleroma*, "o que está completo". A semana tem sete dias em memória do tempo que durou a criação. Se a festa pascal dos pães ázimos cobre sete dias é certamente porque o *Êxodo* é tido como nova criação, a criação salvadora.

Zacarias (3,9) fala dos sete olhos de Deus. Os setenários do *Apocalipse* de João, como as sete lâmpadas que são os sete espíritos de Deus (o que quer dizer o espírito inteiro de Deus), as sete cartas às sete Igrejas (o que corresponde à Igreja inteira), as sete trombetas, anunciam a execução final da vontade de Deus no mundo.

Assim se explica também por que sete é o número de Satã, que tudo faz para imitar e copiar Deus, "o macaco de Deus". Por isso a besta infernal do Apocalipse tem sete cabeças. João, no entanto, reserva, as mais das vezes, aos espíritos do mal a metade de *sete*, *três e meio*, comprovando, dessa maneira, o fracasso total do Maligno, porque, reduzido à metade, suas forças deixam de atuar. O dragão não poderá ameaçar a mulher (a Igreja de Deus) por mais de 1260 dias (Ap 12,6), isto é, *três anos e meio*. Também em Ap 12,14 se fala de *três tempos e meio*, para que a mulher fique fora do alcance da serpente.

Sete configura o remate do mundo e a plenitude dos tempos. Consoante Santo Agostinho, sete mede o tempo da história, o tempo da peregrinação terrestre do homem. Se Deus elegeu este dia para repousar, é porque Ele queria se distinguir da Criação, ser independente dela e permitir-lhe descansar no próprio Deus. De outro lado, o homem, através do número sete, que indica o repouso, a cessação do trabalho, está convidado a voltar-se para Deus e apenas em Deus descansar. Desse modo, para o Santo de Hipona, *seis* designa uma parte, porque o trabalho está na parte; só o repouso (sete) significa o todo, porque traduz a perfeição. Nós sofremos, por conhecermos tão somente a parte, sem a plenitude do reencontro com Deus. O que é parte, um dia, se dissipará e o *sete* há de coroar o seis (*De Ciuitate Dei*, 11,31).

Segundo o Talmude, sete é símbolo da *totalidade humana*, macho e fêmea, simultaneamente, o que se explica pela adição de quatro e de três: é que Adão, nas horas de sua primeira *jornada*, recebeu a alma, que lhe deu a existência por completo, *à hora quarta* e, *à hora sétima*, recebeu sua companheira, permitindo-lhe desdobrar-se em Adão e Eva.

Sem sair da *Bíblia*, e para terminar esta primeira parte do estudo do *sete* com ela, porque os exemplos, citações e símbolos bíblicos do *sete* poderiam ainda se multiplicar por sete vezes sete, vejamos uma quadrinha do folclore nordestino, que é, por sua vez, uma reminiscência de um episódio célebre da Sagrada Escritura (Tb 3,7-15; 7,1–10,13):

Sete vezes fui casada,
Sete homens conheci;
E juro por fé de Cristo,
Inda estou como nasci.

Que mulher se teria casado sete vezes e permanecido virgem? Trata-se, obviamente, da história de Sara, filha de Ragüel, de Ecbátana. Sara, conforme o relato bíblico, se casara sete vezes, sem consumar o matrimônio, porque os sete maridos haviam sido mortos, nas sete noites de núpcias, pelo demônio Asmodeu, que habitava o corpo da linda filha de Ragüel. Exorcizado por Tobias, Asmodeu tentou fugir, mas foi acorrentado pelo anjo do Senhor e levado para os desertos do alto Egito. Após três noites de oração, Sara e Tobias consumaram em paz e no amor seu casamento.

Tudo isto aconteceu *sete* séculos antes de Cristo!

9

Paramos em Tobias e em seu grande amor por Sara. Vejamos, agora, se bem que resumidamente, o símbolo de uma ave que é exatamente a grande integração do amor.

Tão logo nasceu, Apolo foi levado para o país dos Hiperbóreos por *cisnes* de uma brancura imaculada. Da Grécia à Sibéria, da Ásia Menor aos povos eslavos e germânicos, um vasto conjunto de mitologemas celebra o *Cisne*, cuja brancura, vivacidade e graça se constituem numa verdadeira epifania da luz. Mas, assim como existem duas colorações para o cisne, a branca e a negra, de duas maneiras igualmente se nos apresenta a luz: a do dia, solar e masculina, e a da noite, lunar e feminina. Na medida em que encarna uma ou outra, o simbolismo da ave de Febo Apolo inflete numa ou noutra direção. Sintetizando as duas, o que é frequente, o cisne se torna andrógino, carregando-se mais ainda de mistério sagrado. Um conto, de cunho popular e com inúmeras variantes, comum aos povos altaicos, eslavos, escandinavos e iranianos, mostra, com muita clareza, os dois lados do símbolo[7].

Certa feita, um caçador surpreendeu três jovens lindíssimas que se banhavam num lago solitário. Eram três cisnes, que se haviam despido de seu manto de plumas para entrar na água. O astuto caçador escondeu uma das "indumentárias", o que lhe permitiu desposar uma das jovens. Este cisne fêmea, após lhe dar onze filhos e seis filhas, retomou sua plumagem e alçou voo em direção ao céu, dizendo ao caçador as seguintes palavras: "Vocês, seres terrestres, permanecerão na terra; eu, porém, pertenço ao céu e para lá voltarei. Cada ano, na primavera, quando virem os cisnes passar, voando em direção ao norte e, no outono, regressando ao sul, comemorem nossa passagem com cerimônias especiais".

Numa variante, entre os povos altaicos, o cisne fêmea é substituído pela gansa, como o poderia ser pela gaivota ou pomba, tantos são os avatares do cisne. Neste e em outros contos, a ave da luz, de beleza fascinante e imaculada, configura a virgem celeste, que será fecundada pela *água* ou pela *terra* – o lago

---

7. CHEVALIER, Jean & GHEERBRANT, Alain. Op. cit., p. 332ss.

ou o caçador –, para dar origem ao gênero humano, deixando a luz celeste, neste caso, de ser *masculina* e *fecundante*, para tornar-se *feminina* e *fecundada*.

A hierogamia egípcia Terra-Céu é significativa a esse respeito: *Nut*, deusa do Céu, é fecundada por *Geb*, deus da Terra. Trata-se, no caso, da luz lunar, leitosa e doce, de uma virgem mítica.

Mas é sobretudo na luz pura da Hélade que o cisne, companheiro inseparável de Apolo, encarna com mais frequência a luz masculina, solar e fecundante.

Se Apolo é também, como se viu, e em grau superlativo, o deus das Musas e da mântica, o cisne é símbolo da força do poeta e da poesia, o emblema do vate inspirado, a insígnia do sacerdote sagrado, do druida vestido de branco, do bardo nórdico...

O mito de Zeus e Leda, comentado no Vol. I, p. 118-119, à primeira vista, retoma a interpretação masculina e diurna do simbolismo do cisne, mas examinando o mitologema um pouco mais de perto, pode se chegar a uma outra conclusão, o que bem patenteia a complexidade do mito e de seus símbolos...

Zeus, nos diz o mito, só se transformou em *cisne*, para conquistar Leda, depois que esta, para fugir-lhe, se metamorfoseou em *gansa*. A gansa, já se falou, é um avatar do cisne em sua acepção lunar e fêmea.

Os amores de Zeus-cisne e Leda-gansa representam, assim, uma bipolarização do símbolo, o que leva a pensar que os gregos, fundindo as duas acepções diurna e noturna, fizeram do cisne um símbolo hermafrodito, em que Zeus e Leda são a mesma personagem.

Para Bachelard[8], "a imagem do cisne é hermafrodito. O cisne é feminino na contemplação das águas luminosas e é masculino na ação. Para o inconsciente, a ação é um ato". A imagem do cisne torna-se, então, para Bachelard como a do Desejo, que busca a fusão das duas polaridades do mundo, manifestadas em suas duas luminárias, o sol e a lua. Pode-se, destarte, interpretar o canto do cisne como as palavras quentes e eloquentes do amante, antes daquele momento tão fatal à exaltação que é verdadeiramente a morte amorosa. O cisne morre cantan-

---

8. BACHELARD, Gaston. Op. cit., p. 52.

do e canta morrendo, convertendo-se, de fato, no símbolo do desejo primeiro, que é o desejo sexual.

O canto do cisne parece estar latente na cadeia simbólica luz-palavra-sêmen, de acordo com a aproximação que faz Jung do radical *sven*, do sânscrito *svan*, "murmurar", chegando à conclusão de que o canto do cisne (*Schwan*), ave solar, é tão somente a manifestação mítica do isomorfismo etimológico da luz e da palavra.

No Extremo Oriente, o cisne é ainda símbolo de nobreza, de elegância e de coragem. Símbolo também da música e do canto, enquanto a gansa selvagem, cuja desconfiança se conhece bem, o é da prudência. Da gansa se serve o *I Ching* para indicar as etapas de uma progressão circunspecta, uma progressão, claro está, suscetível de uma interpretação espiritual. O cisne e a gansa, porém, não se distinguem com nitidez na iconografia hindu, de tal modo que o cisne (*hamsa*) de Brahma, que lhe serve de montaria, possui o aspecto da gansa. Aliás, o parentesco etimológico de *hamsa*, cisne e do latim *anser*, ganso, parece claro. *Hamsa*, montaria de Varuna, é ave aquática, mas, enquanto montaria de Brahma, é símbolo de elevação do mundo informal para o céu do conhecimento.

O simbolismo do cisne além disso está ligado ao *ovo do mundo*, que ele põe ou choca, como a *gansa do Nilo*, no Egito antigo; a *hamsa* chocando *Brahmanda* nas águas primordiais da tradição hindu e ao ovo de Leda e Zeus, de que nasceram os imortais Pólux e Helena (V. *Helena, o eterno feminino*).

O cisne participa igualmente da simbólica da alquimia, uma vez que a ave de Apolo sempre foi considerada como emblema do *mercúrio*, de que participa pela cor, pela mobilidade e pela volatilidade, configurada em suas asas.

O cisne expressa um centro místico e a união dos opostos (água – fogo), em que se encontra seu valor arquetípico de andrógino.

O *canto do cisne* configura o mercúrio, que, condenado à morte e à decomposição, transmite sua *alma* ao *corpo* interno, proveniente do metal imperfeito, inerte e dissolvido.

Foi numa homenagem diáfana ao canto do cisne, à sizígia indissolúvel do amor, a arte que faz que cada um seja ambos, que o poeta fluminense de Bom Jardim, Júlio Mário Salusse, nos deixou o lindíssimo soneto, *Os Cisnes*:

A vida, manso lago azul algumas
Vezes, algumas vezes mar fremente,
Tem sido para nós constantemente
Um lago azul sem ondas, sem espumas.

Sobre ele, quando, desfazendo as brumas
Matinais, rompe um sol vermelho e quente,
Nós dois vagamos indolentemente,
Como dois cisnes de alvacentas plumas.

Um dia um cisne morrerá, por certo:
Quando chegar esse momento incerto,
No lago, onde talvez a água se tisne,

Que o cisne vivo, cheio de saudade,
Nunca mais cante, nem sozinho nade,
Nem nade nunca ao lado de outro cisne!

CAPÍTULO IV
Dioniso ou Baco: o deus do êxtase e do entusiasmo

1

DIONISO, em grego Διόνυσος (Diónysos), é palavra ainda sem etimologia definida. Talvez o teônimo seja um composto do genitivo Διο(ς) – (Dio(s) – nome do *céu* em trácio e de Νῦσα (Nysa), *filho*, donde Dioniso seria "o filho do céu". Quanto a *Baco*, em grego Βάκχος (Bákkhos) e seus vários derivados, como Βάκχη (Bákkhe), *Bacante* e o verbo βακχεύειν (bakkheúein) "ser tomado de um delírio sagrado", também não possuem um étimo seguro. A tentativa de Carnoy[1] de fazer "eclodir" *Dioniso* de um elemento διο (dio-), "céu" e de *nuzo*, do indo-europeu * *sneudh*, "escorrer", por ser Dioniso "o deus da seiva úmida que circula nas plantas" é francamente voltar à *Volksetymologisch*... V. *Dicionário mítico-etimológico*, verbete.

Trata-se, sem dúvida, de dois nomes importados, provavelmente da Trácia. Quanto a *Baco*, deus grego e não romano (o latim *Bacchus* que, à época da helenização de Roma e do sincretismo religioso greco-latino, suplantou o *Liber* dos latinos, é mera transliteração do grego Bákkhos); quanto a *Baco*, repetimos, que não aparece em Homero, Hesíodo, Píndaro e Ésquilo, somente surgiu na literatura grega no século V a.C., a partir de Heródoto e sobretudo no *Édipo Rei* de Sófocles, v. 211.

Três outros epítetos de Dioniso, *Iaco*, *Brômio* e *Zagreu* merecem igualmente um ligeiro comentário, *Iaco*, em grego Ἴακχος (Íakkhos), é um avatar de Dioni-

---

1. CARNOY, Albert. Op. cit., verbete.

so. Via-se nele o deus que conduzia a procissão dos Iniciados nos Mistérios de Elêusis e que era identificado misticamente com *Baco*. Etimologicamente, *Iaco* provém de ἰακχή (iakkhé), "grande grito". Trata-se, em princípio, de uma exclamação ritual, de que nasceu a ideia da presença, no cortejo dos Iniciados, de um *daímon* (gênio), o místico Iaco (o Iaco dos Mistérios), que projetava, de certa forma, a alma coletiva e a expressão do entusiasmo de que era tomada, como antegozo da iniciação, a multidão dos peregrinos em marcha para Elêusis. *Daímon* de Deméter, Iaco era o *arkheguétes*, o introdutor dos mistérios, como o denomina, com justiça, Estrabão. Na comédia de Aristófanes, *As Rãs*, 316ss., o Coro dos Iniciados continua a invocá-lo na outra vida, como seu guia e corifeu.

BRÔMIO, em grego Βρόμιος (Brómios), é um dos epítetos mais frequentes de Dioniso nos hinos que imitam os cantos litúrgicos, entoados em seu culto. Do ponto de vista etimológico, Βρόμιος (Brómios) se prende a βρόμος (brómos), "estremecimento, frêmito, ruído surdo e prolongado", cuja fonte é o verbo βρέμειν (brémein), "fremir, agitar-se", donde *Brômio* é o "ruidoso, o fremente, o palpitante", significação que se harmoniza perfeitamente com a agitação e o tremor, acompanhados de estertores e surdos rugidos, que assinalavam o estado de transe com a presença do deus que se apossou de seus adoradores.

ZAGREU, em grego Ζαγρεύς (Dzagreús), é um dos nomes pelos quais é chamado o deus do êxtase e do entusiasmo no mundo mediterrâneo e particularmente, ao que parece, na ilha de Creta. Talvez o deus designe uma divindade, que, por força de analogias de seu culto com o de Dioniso, com este se tenha confundido, em época difícil de se precisar. Tendo-se tornado um dos nomes de Dioniso místico e, tendo permanecido religiosamente mais fiel ao Dioniso arcaico do antigo mundo insular, jamais se assimilou de todo ao "segundo Dioniso", que, conforme se verá, era filho de Sêmele.

A etimologia, já familiar aos antigos, do nome de *Zagreu*, como *Grande Caçador*, tão defendida por Wilamowitz, é de cunho popular. O deus, possivelmente, de origem oriental, é chamado Zagreu sobretudo na Ásia Menor e em Creta. E se *Zagreu*, como epíteto, raramente aparece em textos da época clássica, seu nome, todavia, já é atestado desde o século VI a.C. Ésquilo, em fragmentos de algumas de suas peças perdidas, faz de Zagreu o equivalente de Hades ou Plutão, ou mesmo seu filho, mas Eurípides o menciona entre as divindades cultuadas por confrarias religiosas que ele supõe terem existido desde a época de Minos e cujos membros formam o coro de sua tragédia *Os Cretenses*. Esse Grande Caçador é um Caçador noturno: o coro da tragédia citada dá-lhe o epíteto de *nyktipólos*, "noctívago", o mesmo que empregara Heráclito para designar os seguidores de Dioniso. A menção da omofagia, a alusão ao orgiasmo e ao culto da Grande Mãe, a qualificação de boieiro permitem adiantar que Eurípides situava Zagreu numa atmosfera religiosa intencionalmente dionisíaca. Fundindo os dois, os Órficos hão de fazer de Zagreu o primeiro Dioniso.

2

Dioniso é o deus da μεταμόρφωσις (metamórphosis), quer dizer, o deus da transformação. Antes de chegarmos lá, uma ligeira explicação de ordem histórica.

Até a década de 1950, muitos pensavam e escreviam que Dioniso, deus importado, possivelmente da Trácia, havia chegado à Hélade quando muito lá pelo século IX a.C., uma vez que seu primeiro aparecimento teria sido na *Ilíada*, VI, 130-140, no famoso episódio de Licurgo, narrado por Diomedes. Este herói conta como Licurgo, filho de Drias e rei dos edônios, na Trácia, perseguiu a Dioniso e as suas nutrizes sobre o monte Nisa[2]. Estas lançaram por terra seus tirsos e fugiram; o deus, ainda adolescente, mas já possuído da loucura sagrada, da *manía*, apavorado com as ameaças do rei, lançou-se ao mar, onde foi acolhido por Tétis. Os deuses, todavia, se encarregaram da vingança e Zeus cegou ao rei dos edônios.

Diga-se, logo, que a perseguição a Dioniso, sob a perspectiva mítica, faz parte de um rito iniciático e catártico: a purificação pela água. Este é um dos temas bem atestados em quase todas as culturas primitivas. O episódio da perseguição aparece em determinados momentos das festas e cerimônias a que o filho de Sêmele presidia. Plutarco, falando das *Agriônias*, festas "selvagens e cruéis" em honra de

---

2. O texto homérico fala tão somente que Dioniso foi perseguido no *divino* Νυσήιον (Nyséion), o que é identificado com o monte *Nisa*, na Trácia. É conveniente lembrar que *Nisa* faz parte da geografia mítica: os mitógrafos, além de Tebas, Naxos, Trácia ..., localizavam *Nisa* desde o Cáucaso à Arábia, e do Egito à Líbia...

Dioniso, em Orcômeno, na Beócia, informa que, durante as mesmas, uma das Miníades[3] (as primeiras Mênades ou Bacantes da tradição local) era sacrificada (simbolicamente, ao menos na época histórica) pelo sacerdote do deus. Dioniso e seu séquito corriam, perseguidos pelo sacerdote, em direção a um rio. Trata-se, como é óbvio, de uma alusão a alguma prática de banho ritual, como preliminar ou conclusão de uma cerimônia religiosa. Já se viu, no Vol. I, p. 316, como os Iniciados, de modo tumultuoso, se dirigiam ao mar para se purificarem, antes das cerimônias que se realizariam pouco depois em Elêusis. Um mito da cidade tebana de Tanagra, conservado por Pausânias, atesta que as mulheres tinham por hábito purificar-se no mar, antes de se entregarem às orgias báquicas.

A perseguição de Dioniso por Licurgo insere-se e sintetiza, de outro lado, a perseguição à vítima sacrifical, rito em que o deus se apresenta, por vezes, em forma de touro ou de bode. Foi assim que Penteu, vítima da μανία (manía), da loucura sagrada, como se há de assinalar, desejando acorrentar o deus, o vê sob a forma de touro, que não é outra coisa senão o próprio Dioniso dissimulado pela máscara:

> *Tu, que me guias, parece que tens um aspecto de touro.*
> *Creio que nasceram cornos em tua cabeça.*
> *Eras, anteriormente, um animal feroz?*
> *Eis que te transformaste em touro!*
> (Eur. *Bacantes*, 920-922)

---

3. *Miníades* eram as três filhas do rei Mínias, de Orcômeno. Chamavam-se Leucipe, Arsipe e Alcítoe. Seu mito é de ordem didática: tem por escopo mostrar como Dioniso castiga os que lhe desprezam o culto. Conta-se que, durante uma festa em honra do deus, enquanto todas as mulheres de Orcômeno percorriam as montanhas, no rito denominado ὀρειβάσια (oreibásia), de ὄρος (óros), "montanha" e βαίνειν (baínein), "percorrer", procissão nas montanhas, *oribásia*, dançando freneticamente, as três irmãs permaneceram em casa, fiando e bordando. Subitamente, porém, uma parreira começou a crescer em torno dos tamboretes em que elas se sentavam e do teto corriam leite e mel. Clarões misterioros surgiram por toda a casa e feras invisíveis rugiam, ao mesmo tempo em que se ouviam sons agudos de flautas e a cadência surda dos tambores. Transtornadas, as Miníades foram atacadas de loucura e tendo agarrado o pequeno Hípaso, filho de Leucipe, o despedaçaram, tendo-o tomado por um veadinho. Em seguida, coroando-se de hera, juntaram-se às outras mulheres nas montanhas. Em outras versões foram metamorfoseadas em morcegos, símbolo da evolução espiritual obstruída.

As perseguições a Dioniso pelos piratas etruscos ou por Perseu, que, com seus soldados, precipitou o deus e suas "mulheres-do-mar" no fundo do pântano de Lerna, se inscrevem na mesma linha de raciocínio.

Se, porém, se analisar a perseguição de Licurgo e de Penteu sob um ângulo *mais político*, poder-se-á ver em ambas, e a esse respeito se falará um pouco mais adiante, uma séria e longa oposição à penetração do culto de Dioniso na *pólis* aristocrática da Grécia antiga.

Viu-se que o deus do êxtase e do entusiasmo, até mais ou menos a década dos anos 1950, era considerado como uma divindade que chegara tardiamente à Hélade. Pois bem, a partir de 1952, as coisas se modificaram: é que a decifração de uma parte dos hieróglifos cretomicênicos por Michael Ventris, segundo se mostrou no Vol. I, p. 54, ou mais precisamente, a decifração da Linear B, consoante a classificação de Arthur Evans, demonstrou que o deus já estava presente na Hélade, pelo menos desde o século XIV ou XIII a.C., conforme atesta a tableta X de Pilos. Há de se perguntar por que um deus tão importante, já documentado no século XIV, só se manifesta e de forma aparentemente grotesca, no século IX, e só a partir dos fins do século VII a.C. tem sua entrada solene na mitologia e na literatura? É quase certo que o adiado aparecimento de Dioniso e sua tardia explosão no mito e na literatura se deveram sobretudo a causas políticas. Por agora, porque se voltará ao assunto, apenas a epígrafe: Dioniso é um deus humilde, um deus da vegetação, um deus dos campônios. Com seu *êxtase* e *entusiasmo* o filho de Sémele era uma séria ameaça à *pólis* aristocrática, à *pólis* dos Eupátridas, ao *status quo* vigente, cujo suporte religioso eram os aristocratas deuses olímpicos.

3

Um deus importado não penetra na Grécia sem um batismo de ordem mítica. Consoante o sincretismo órfico-dionisíaco, dos amores de Zeus e Perséfone nasceu o primeiro Dioniso, chamado mais comumente Zagreu. Preferido do pai dos deuses e dos homens, estava destinado a sucedê-lo no governo do mundo, mas o destino decidiu o contrário. Para proteger o filho dos ciúmes de sua esposa Hera, Zeus confiou-o aos cuidados de Apolo e dos Curetes, que o esconderam nas florestas do Parnaso. Hera, mesmo assim, descobriu o paradeiro do jovem deus e encarregou os Titãs de raptá-lo e matá-lo. Com *o rosto polvilhado de gesso*, a fim de não se darem a conhecer, os Titãs atraíram o pequenino Zagreu com *brinquedos místicos*: ossinhos, pião, carrapeta, "crepundia" e espelho. De posse do filho de Zeus, os enviados de Hera *fizeram-no em pedaços*; *cozinharam-lhe as carnes num caldeirão* e as devoraram. Zeus fulminou os Titãs e de suas cinzas nasceram os homens, o que explica no ser humano os dois lados: o bem e o mal. A nossa parte titânica é a matriz do mal, mas, como os Titãs haviam devorado a Dioniso, a este se deve o que existe de bom em cada um de nós. Na "atração, morte e cozimento" de Zagreu há vários indícios de ritos iniciáticos. Diga-se, logo, que, sendo um deus, Dioniso propriamente não morre, pois que o mesmo renasce do próprio coração. A morte, desse modo, não afeta a imortalidade do filho de Zeus, donde provém, certamente, sua identificação com Osíris o "morto imortal" (Heród., 2,42; Plut., *Ísis e Osíris*, 35,364 F) e com o imortal deus da morte, Plutão (Heráclito, frag. 15). Destarte, a "morte" de Dioniso nada mais é que uma *catábase* seguida, de imediato, de uma *anábase*.

De saída, cobrir o rosto com pó de gesso ou com cinzas é um rito arcaico de iniciação: os neófitos, como assinala Mircea Eliade[4], cobriam as faces com pó de gesso ou cinza para se assemelharem aos *eídola*, aos fantasmas, o que traduz a morte ritual. Em Atenas, durante os mistérios de Sabázio, "este outro Dioniso", um dos ritos iniciáticos consistia em aspergir os neófitos com pó ou com gesso. Demóstenes (384-322 a.C.), o maior orador da Hélade, em seu universalmente famoso discurso, *A Oração da Coroa*, 259, desdenha de seu adversário Ésquines, afirmando que o mesmo, para ajudar a mãe, que se ocupava de magia, ungia os iniciados com argila e farelo. Diga-se, aliás, de passagem, que, por etimologia popular, se associou τίτανος (títanos), "gesso", com Τιτᾶνες (Titânes), "Titãs", o que de qualquer forma patenteia o complexo místico-ritual.

Quanto aos brinquedos, que são verdadeiros símbolos de iniciação, demarcando a idade infantil, por oposição aos sofrimentos da adolescência, que àquela se seguem, são atestados em muitas culturas. As *crepundia*, quer dizer, argolas

4. ELIADE, Mircea. Op. cit., p. 214.

de marfim ou pequenos chocalhos, que se colocavam no pescoço das crianças, os *ossinhos* e o *pião* tinham um sentido preciso: não existe *teleté*, isto é, cerimônia de iniciação, sem "determinados ruídos". Um deus se atraía e se atrai com flauta e tambores... Acrescente-se também que *crepundia* e *ossinhos* possuíam um decisivo poder apotropaico, pois repeliam influências malignas e demoníacas. Lúcio Apuleio, nascido por volta de 125 d.C., que foi um verdadeiro colecionador de iniciações no segundo século de nossa era e que se vangloriava de ser iniciado nos mistérios de Dioniso, fala de objetos misteriosos, usados por iniciados: a esses objetos o escritor dá o nome de *crepundia*. O espelho, a partir do qual, *especulando*, vemos o que somos e o que não somos, objeto muito comum em ritos iniciáticos, tem, entre muitas finalidades que se lhe atribuem, a de captar com a imagem, que nele se reflete, a alma do refletido. Olhando-se no espelho, Zagreu tornou-se presa fácil dos Titãs...

O dado central do mito foram o desmembramento do menino divino e seu cozimento num caldeirão. Trata-se de um assunto mítico com muitas versões e inúmeras variantes, mas, ao menos na Grécia, todas convergem para um tema comum. Jeanmaire, em sua obra monumental[5], lembra que a cocção, sobretudo num caldeirão, ou a passagem pelas chamas constitui uma operação mágica, um rito iniciático, que visam a conferir um rejuvenescimento; especialmente, em se tratando de uma criança, o rito tem por objetivo outorgar virtudes diversas, a começar pela imortalidade. Viu-se, a esse respeito, no Vol. I, p. 308-310, a tentativa de Deméter de imortalizar Demofonte. Tétis submeteu Aquiles a idêntica cerimônia. As filhas de Pélias, a conselho da mágica Medeia, cortam o pai em pedaços e põem-no a cozer num caldeirão, com o fito de rejuvenescê-lo.

Acentua Mircea Eliade que "os dois ritos – desmembramento e cocção ou passagem pelo fogo – caracterizam as iniciações xamânicas. De fato, os Titãs comportam-se como Mestres de iniciação, no sentido de que matam o neófito, a fim de fazê-lo "renascer" numa forma superior de existência".[6] Plutarco (*De Iside et Osiride* – Acerca de Ísis e Osíris, 35), falando do caráter iniciático dos ritos

---

5. JEANMAIRE, H. *Dionysos, Histoire du Culte de Bacchus*. Paris: Payothèque, 1978, p. 386ss.

6. ELIADE, Mircea. Op. cit., p. 215.

dionisíacos em Delfos, quando as mulheres celebravam o renascimento do filho de Sêmele, afirma que o cesto délfico "continha um Dioniso desmembrado e prestes a renascer, um Zagreu" e esse Dioniso "que renascia como Zagreu era ao mesmo tempo o Dioniso tebano, filho de Zeus e de Sêmele".

É que, de fato, Zagreu voltou à vida. Atená, outros dizem que Deméter, salvou-lhe o coração que ainda palpitava. Engolindo-o, a princesa tebana Sêmele tornou-se grávida do segundo Dioniso. O mito possui muitas variantes, principalmente aquela segundo a qual fora Zeus quem engolira o coração do filho, antes de fecundar Sêmele. A respeito de Sêmele diga-se logo que se trata de uma avatar de uma Grande Mãe, que, *decaída*, porque substituída em função de grandes sincretismos operados no seio da religião grega, se tornou uma simples princesa tebana, irmã de Agave, Ino e Autônoe, todas filhas do legendário herói do ciclo tebano, Cadmo, e de Harmonia.

A etimologia de Σεμέλη (Seméle) e de *Semelo*, frígio ζεμελῶ (dzemelô), postulada por P. Kretschmer, como oriunda do traco-frígio, com o significado de "terra", é hoje normalmente aceita.

Tendo, pois, engolido o coração de Zagreu ou fecundada por Zeus, Sêmele ficou grávida do segundo Dioniso. Hera, no entanto, estava vigilante. Ao ter conhecimento das relações amorosas de Sêmele com o esposo, resolveu eliminá-la. Transformando-se na ama da princesa tebana, aconselhou-a a pedir ao amante que se lhe apresentasse em todo o seu esplendor. O deus advertiu a Sêmele de que semelhante pedido lhe seria funesto, uma vez que um mortal, revestido da matéria, não tem estrutura para suportar a *epifania* de um deus imortal. Mas, como havia jurado pelas águas do rio Estige jamais contrariar-lhe os desejos, Zeus apresentou-se-lhe com seus raios e trovões. O palácio da princesa se incendiou e esta morreu carbonizada. O feto, o futuro Dioniso, foi salvo por gesto dramático do pai dos deuses e dos homens: Zeus recolheu apressadamente do ventre da amante o fruto inacabado de seus amores e colocou-o em sua coxa, até que se completasse a gestação normal. Tão logo nasceu o filho de Zeus, Hermes, o recolheu e levou-o, às escondidas, para a corte de Átamas, rei beócio de Queroneia, casado com a irmã de Sêmele, Ino, a quem o menino foi entregue. Irritada com a acolhida ao filho adulterino do esposo, Hera enlouqueceu o casal. Ino lançou seu filho caçula, Melicertes, num caldeirão de água fervendo, enquanto Átamas, com um venábulo, matava o mais velho, Learco, tendo-o confundido com um veado. Ino, em seguida, atirou-se ao mar com o cadáver de Melicertes e Átamas foi banido da Beócia. Temendo novo estratagema de Hera, Zeus transformou o filho em *bode* e mandou que Hermes o levasse, dessa feita, para o monte Nisa, onde foi confiado aos cuidados das Ninfas e dos Sátiros, que lá habitavam numa gruta profunda.

Dois fatos aqui expostos chamam logo a nossa atenção. O primeiro deles é a tenaz perseguição da ciumenta Hera contra o filho de Sêmele e o segundo, a morte de Sêmele pelo fogo e a coxa de Zeus como segundo ventre de Dioniso. Quanto ao primeiro, é suficiente lembrar que a inimizade entre o deus do êxtase e do entusiasmo e a rainha dos deuses era um fato consumado no mito grego. Através de um fragmento de Plutarco, concernente às antigas festas beócias das Δαίδαλα (Daídala), "Dédalas", em honra de Hera, ficamos sabendo que, em Atenas, e possivelmente na Beócia, se evitava cuidadosamente todo e qualquer contato entre os objetos que pertenciam ao culto de Hera e aqueles pertencentes ao de Dioniso. Até mesmo as sacerdotisas das duas divindades não se cumprimentavam. A verdadeira muralha que separava os dois cultos era certamente consequência das características muito diferentes desse par antitético: de um lado, Hera, a *teleia*, a saber, a protetora dos casamentos, de outro, Dioniso, o deus das *orgias*, dos "desregramentos". O mais sério é que tanto as orgias báquicas como as práticas coletivas das mulheres de Plateias, em homenagem a Hera Teleia, tinham por cenário o monte Citerão, o que inevitavelmente contribuía para açular os ânimos dos adeptos de uma e de outra divindade e aumentar a tradicional rivalidade entre os dois imortais do Olimpo. O segundo fato é a morte trágica de Sêmele e o nascimento de Dioniso, da *coxa* de Zeus. Até mesmo à época tardia, Dioniso ainda era chamado *Pyriguenés*, *Pyrísporos*, quer dizer, "nascido ou concebido do fogo", a saber, do *raio*. O próprio nome do deus parece estar ligado a uma filiação com o deus celeste indo-europeu Ζεύς (Dzeús), Zeus, genitivo Διός (Diós), que apareceria no primeiro elemento do composto *Dioniso*. Reunindo estas simples indicações, pode-se tentar reconstruir um mito naturalista elementar: a Terra-Mãe (Sêmele) fecundada pelo *raio celeste* do deus do *Céu* (Zeus), gerou uma divindade, cuja essência se confunde com a vida que brota das entranhas da terra. Acontece, no entanto, que, no mito tradicional, Sêmele não é mais uma Grande Mãe, e sim uma princesa tebana, uma simples mortal. O raio de Zeus, que fulminou a mãe de Dioniso, embora possa ser interpretado como sinal de um *hieròs gámos*, que liga duas entidades míticas, o deus Céu e a deusa Terra, no caso em pauta perde todo o seu conteúdo, porque se trata da união, clandestina por sinal, do deus supremo com uma virgem mortal. O mito, por isso mesmo, foi inteiramente refundido: enganada pela astúcia da ciumenta Hera e desejosa de responder, à altura, aos gracejos de suas irmãs, que não acreditavam estivesse ela grávida de um deus, Sêmele concebeu o projeto louco de pedir a Zeus que se lhe apresentasse em todo o esplendor de sua majestade divina. A vaidosa princesa tebana sucumbiu fulminada e fez que o filho nascesse precocemente. Esse nascimento prematuro da criança teve por finalidade conferir a Dioniso uma *divindade* que a simples ascendência paterna não lhe poderia outorgar. No mito grego é de regra que a união de deuses e de mulheres mortais gere normalmente um varão, dotado de qualidades extraordinárias, de *areté* e *timé*, mas partícipe da natureza humana, donde um mero ser mortal. Salvo por Zeus e completada a gestação na *coxa divina*, Dioniso será uma emanação direta do pai, donde um *imortal*, figurando a *coxa* do deus como o segundo ventre de Dioniso, tal qual o foi a cabeça do mesmo Zeus em relação a Atená.

Esse tipo de nascimento talvez se reporte ao simbolismo de adoção paterna, à reminiscência de um rito de "choco" ou à persistência de lembrança de algum mito fundamentado num ancestral andrógino.

No tocante ao simbolismo geral da *coxa*, é bastante lembrar que, por sua função no corpo como suporte móvel, ela traduz igualmente a força, que a Cabala compara com a firmeza de uma coluna. A *coxa* de Zeus, em cujo interior Dioniso operou uma segunda gestação, tem um significado evidentemente sexual e matrilinear. Consoante o esquema clássico dos ritos iniciáticos, o mito quer significar que o detentor de um dos mais célebres cultos da Antiguidade grega recebeu sua educação iniciática ou "segunda gestação" na coxa de um deus supremo, que pode, no caso em pauta, ser considerado como um andrógino inicial. *Coxa*, no duplo nascimento de Dioniso, seria um mero eufemismo para designar o ventre materno.

De qualquer forma, esse deus nascido *duas vezes* foi uma divindade muito poderosa, talvez porque compartilhasse do *úmido* e do *ígneo*. Com efeito, participante, por natureza, do elemento úmido, o filho de Zeus sempre manteve íntima convivência com o elemento ígneo. Sófocles, em *Édipo Rei*, 209-215, pede-lhe que venha com suas tochas ardentes pôr cobro à peste lançada por Ares contra Tebas:

Invoco ainda o deus da tiara de ouro,
epônimo deste país,
Baco dos evoés, de rosto tinto de vinhaço,
para que, sem seu cortejo das Mênades,
avance em nosso socorro, com sua tocha ardente,
contra o deus que entre os deuses ninguém adora.

Nas *Bacantes*, 145-150, Eurípides, através do Coro, o invoca como deus das tochas de chama ardente. Na realidade, é ao clarão das tochas que se celebram suas orgias noturnas e só quando se via o tremeluzir dos fachos sobre as montanhas é que se acreditava na presença de Dioniso à frente de seu tíaso. Já na *Ilíada* e *Odisseia* se diz que o corisco possuía um odor *sulfuroso* e a palavra pela qual se designa *enxofre*, θεῖον (theîon), é a mesma que expressa o *divino*, isto é, θεῖον (theîon), em sua essência mais geral. O local, onde caía um raio, era posse do divino.

Nascido da *coxa* de Zeus, Dioniso se tornou tão poderoso, que desceu até o fundo do Hades para de lá arrancar sua mãe Sêmele, conferir-lhe a imortalidade (o que mostra ter sido Sêmele um dos avatares da deusa terra), mudar-lhe o nome para Θυώνη (Thyóne), Tione, e com ela escalar o Olimpo.

Viu-se que o filho de Zeus foi levado para o monte Nisa e entregue aos cuidados das Ninfas e dos Sátiros. Pois bem, lá, em sombria gruta, cercada de frondosa vegetação e em cujas paredes se entrelaçavam galhos de viçosas vides, donde pendiam maduros cachos de uva, vivia feliz o jovem deus. Certa vez, ele, ainda adolescente, colheu alguns desses cachos, espremeu-lhes as frutinhas em taças de ouro e bebeu o suco em companhia de sua corte. Todos ficaram então conhecendo o novo néctar: o vinho acabava de nascer. Bebendo-o repetidas vezes, Sátiros, Ninfas e o próprio filho de Sêmele começaram a dançar vertiginosamente ao som dos címbalos, tendo a Dioniso por centro. Embriagados do delírio báquico, todos caíram por terra semidesfalecidos.

Historicamente, por ocasião da vindima, celebrava-se, a cada ano, em Atenas e por toda Ática, a festa do vinho novo, em que os participantes, como outrora os companheiros de Baco, se embriagavam e começavam a cantar e a dançar freneticamente, à luz dos archotes e ao som dos címbalos, até caírem desfalecidos. Esse desfalecimento se devia não só ao novo néctar, mas ao fato de os "devotos do vinho" e do deus se embriagarem de *êxtase* e de *entusiasmo*, cujo sentido bem como as consequências se explicitarão mais adiante.

4

Deixemos, por agora, o mito e voltemos ao deus da vegetação, ao deus dos campônios.

Dioniso somente fez seu aparecimento solene e "oficial" na *pólis*, de Atenas, assim como na literatura grega e, por conseguinte, na mitologia, a partir do século VI a.C. Por que tão tardiamente, se, como se disse, o filho de Zeus e Sêmele já aparece "atestado" lá pelo século XIV a.C.? A explicação não parece difícil. Dioniso é um deus essencialmente agrário, deus da vegetação, deus das potências geradoras e, por isso mesmo, permaneceu por longos séculos confinado no campo[7]. É que Atenas, até os fins do século VII a.C., foi dominada pelos Eupátridas, os bem-nascidos, os nobres, que, sendo os únicos que se podiam armar, eram igualmente os únicos que podiam defender a *pólis*, tornando-se esta *propriedade* dos mesmos. Assim, o governo, as terras, o sa-

---

7. Dioniso era um deus da *árvore* em geral. Como outros deuses da vegetação (Adônis, Osíris...) pereceu de morte violenta, mas retornou à vida. Sua morte, sofrimentos e renascimento eram representados em seus ritos. Assim, como toda e qualquer divindade da vegetação, que passa, como a "semente", uma parte do ano sob a terra, o deus do êxtase e do entusiasmo é também uma divindade crônica, que morre, renasce, frutifica, torna a morrer e retorna ciclicamente. O fato de Dioniso ser concebido sob forma animal, como *touro* ou *bode*, representa apenas o *espírito da vegetação*, o *espírito do grão*, que, no momento da colheita, se encarna num animal, em cujo corpo encontra guarida. O animal sacrificado nos ritos dionisíacos é um animal desse tipo, quer dizer, o próprio deus. Ora, o sacrifício, consoante as práticas antigas de caráter agrário, se consuma por desmembramento e omofagia. O desmembramento tem por objetivo converter em talismãs, em amuletos de fertilidade as partes do corpo do animal em que está concentrado o espírito da vegetação e a omofagia expressa o desejo de assimilar as forças mágicas existentes nesse mesmo corpo. Desse modo, os dados fundamentais (desmembramento, morte e retorno à vida) do mito de Dioniso explicam-se através de ritos agrários.

cerdócio, a justiça sob forma *temística* (expressa pela "vontade divina") somente a eles, aos Eupátridas, pertenciam de direito e de fato. Senhores de tudo, eram também senhores da religião. Seus deuses olímpicos e patriarcais (Zeus, Apolo, Posídon, Ares, Atená...), projeção de seu regime político, em troca de hecatombes e de renovados sacrifícios, mantinham-lhes a *pólis* e o *status quo*. A *pólis* e seus Eupátridas eram *politicamente* guardados pelos imortais do Olimpo.

Somente no século VI a.C., com o enfraquecimento militar e, por conseguinte, político dos Eupátridas, balançados pela criação do sistema monetário (a terra até então era a forma principal de riqueza), pelo vertiginoso desenvolvimento do comércio, pelo descontentamento popular – a revolução era iminente, segundo expressa o grande Sólon em seus *Iambos* e *Elegias* – e sobretudo pela constituição do mesmo legislador, com sua famosa σεισάκθεια (seisákhtheia), conforme já se comentou, inclusive acerca da reforma solonina, no Vol. I, p. 156-161, quando se lançaram em Atenas as primeiras sementes da democracia, é que o povo começou a ter certos direitos na *pólis*. As sementes da democracia frutificaram-se rapidamente, como é sabido, e de Sólon, passando por Pisístrato e depois por Clístenes, Efialtes e Péricles, a árvore cresceu e o povo teve, afinal, uma vasta sombra onde refugiar-se. Sua voz soberana se fez ouvir: era a *ekklesía*, a assembleia do povo. Com o povo e a democracia, Dioniso, de tirso em punho, seguido de suas Mênades ou Bacantes, suas sacerdotisas e acólitas, fez sua entrada triunfal na *pólis* de Atenas.

Além do mais, é conveniente acentuar que a "demora" de Dioniso deve-se ainda ao próprio caráter do deus: o filho de Sêmele é o menos "político" dos deuses gregos. Enquanto os outros imortais disputavam a proteção, a posse e a eponímia das cidades helênicas, não se conhece cidade alguma que se tenha colocado sob sua proteção. Na realidade, Dioniso permaneceu estranho à religião da família bem como à da *pólis* e, conforme acentua Jeanmaire, existe latente no dionisismo, ao menos sob forma elementar, um conflito entre a vocação religiosa e o conformismo social, embora sancionado pela religião[8]. Ao contrário de Apolo, jamais houve um Dioniso nacional e nem tampouco um Dioniso sacerdotal.

---

8. JEANMAIRE, H. Op. cit., p. 8.

Deus imortal, talvez o filho de Sêmele tenha sido mais humano que o próprio homem grego.

E se se esperou tanto por Dioniso, é ainda e sobretudo porque "sua religião" colidia frontalmente com a religião "política" dos Eupátridas, apoiados nos deuses olímpicos tradicionais e despóticos.

Expliquemo-nos. Na Grécia, as correntes religiosas místicas (Mistérios, Orfismo, Pitagorismo, Dionisismo...) confluem para uma bacia comum: sede de conhecimento contemplativo (*gnôsis*); purificação da vontade para receber o divino (*kátharsis*); e libertação desta vida, que se estiola em nascimentos e mortes, para uma vida de imortalidade (*athanasía*). Mas essa mesma sede de imortalidade, preconizada por mitos naturalistas de divindades da vegetação, que morrem e ressuscitam (Dioniso sobretudo), essencialmente populares, chocava-se violentamente, e ver-se-á por quê, com a religião oficial e aristocrática da *pólis*: os deuses olímpicos sentiam-se ameaçados e o Estado também. Assim, a imortalidade na Grécia tornou-se uma espécie de competição. Justificam-se, desse modo, na Hélade, sob a tutela religiosa do Oráculo de Delfos, tantos apelos à *sophrosýne*, à moderação: "*gnôthi śautón*", conhece-te a ti mesmo; *medèn ágan*, nada em demasia...

A respeito dessa oposição feita à penetração do culto de Dioniso na Grécia escreveu Mircea Eliade: "Qualquer que seja a história da penetração do culto dionisíaco na Grécia, os mitos e os fragmentos mitológicos que aludem à oposição encontrada têm uma significação mais profunda: eles nos informam ao mesmo tempo da experiência religiosa dionisíaca e da estrutura específica do deus. Dioniso devia provocar resistência e perseguição, pois a experiência religiosa, que suscitava, punha em risco todo um estilo de vida e um universo de valores. Tratava-se, sem dúvida, da supremacia ameaçada da religião olímpica e de suas instituições. Mas a oposição denunciava ainda um drama mais íntimo, e que aliás está abundantemente atestado na história das religiões: a resistência contra toda experiência religiosa *absoluta*, que só pode efetuar-se, negando-se o *resto* (seja qual for o nome que se lhe dê: equilíbrio, personalidade, consciência, razão, etc.)"[9].

---

9. ELIADE, Mircea. Op. cit., p. 201.

5

Poderia parecer estranho que um deus tão perseguido e tão distante dos demais deuses olímpicos tenha sido tão festejado na Hélade e sobretudo em Atenas, a *pólis* que sempre buscou o equilíbrio apolíneo. Talvez se possa explicar o fenômeno, levando-se em consideração dois fatos incontestáveis: a política de Pisístrato e, de modo particular, o esvaziamento e a transformação do conteúdo dionisíaco de algumas das festas que celebravam o deus do êxtase e do entusiasmo.

Na realidade, a política de Pisístrato (605-527 a.C.), que tanto fez por Atenas e por seu povo, buscou com afinco o nivelamento das classes sociais e a conciliação dos diversos cultos, tentando realizar uma verdadeira confraternização entre os deuses. Pois bem, foi a partir principalmente desse tirano que em Atenas se celebravam quatro grandes festas em honra do deus do vinho: *Dionísias Rurais*, *Leneias*, *Dionísias Urbanas* ou *Grandes Dionísias* e *Antestérias*.

As *Dionísias Rurais* celebravam-se no mês Posídeon, o que corresponde, mais ou menos, à segunda metade de dezembro. São as mais antigas das festas áticas de Dioniso, mas pouco se sabe, até o momento, a respeito das mesmas. Realizavam-se apenas nos "demos", isto é, nos burgos da Ática, dependendo o brilho de tais festejos dos recursos de cada um dos cem demos que constituíam a terra de Platão. A cerimônia central consistia num *kômos*, quer dizer, aqui no caso, numa alegre e barulhenta procissão com danças e cantos, em que se escoltava um enorme *falo*. Os participantes dessa ruidosa *falofória* cobriam o rosto com máscaras ou disfarçavam-se em animais, o que mostra tratar-se de um sortilégio para provocar a fertilidade dos campos e dos lares. Aristófanes, em sua comédia engraçadíssima, Os *Acarneus*, 237ss., nos deixou uma caricatura memorável dessas comemorações. Claro que tanto a *falofória* quanto os demais ritos das *Dionísias Rurais* precederam ao filho de Sêmele, mas este os incorporou integralmente, fazendo que se lhes esquecesse a idade milenar.

A partir do século V a.C., no entanto, as *Dionísias Rurais* foram enriquecidas com concursos de tragédias e comédias[10]. Inscrições recentes provam que em

---

10. BRANDÃO, Junito de Souza. *Teatro grego: Origem e evolução*. Rio de Janeiro: T.A.B., 1980, p. 97ss.

muitos demos havia bons teatros, sobretudo no Pireu, Salamina, Elêusis, Flia, Muníquia e Tórico.

As *Leneias* eram celebradas em pleno inverno, no mês Gamélion, correspondente aos fins de janeiro e inícios de fevereiro, mas pouco se conhece também acerca dessa festa muito antiga do deus do vinho. O nome *Leneias*, em grego Λήναια (Lénaia), é uma abreviatura já comum em Atenas, pois que a designação oficial da festa era *Dioniso do Lénaion*, isto é, cerimônias religiosas dionisíacas que se realizavam no *Lénaion*, local onde se erguia o mais antigo templo do deus e, mais tarde também, um teatro. Segundo os arqueólogos que se têm ocupado da topografia da Atenas antiga, esse espaço consagrado ao deus do êxtase e do entusiasmo talvez se localizasse ou nas vizinhanças da antiga Ágora e da rampa que levava à Acrópole ou, ao contrário, na outra extremidade da rocha, que sustem a Acrópole, isto é, aos pés de sua fachada oeste. Se ainda se discute acerca da localização do *Lénaion*, nada de muito concreto existe a respeito de sua etimologia. A fonte tradicional de Λήναιον (Lénaion) é ληνός (lenós), "lagar", quer dizer, "tanque ou instalação, onde se espremiam as uvas para fabrico do vinho novo", mas a aproximação é de cunho popular.

Acerca das *Leneias*, as festas que se celebravam no Lénaion, são pouquíssimas as informações. Sabe-se tão somente que Dioniso era invocado com o auxílio do *daduco*, "o condutor de tochas", e, consoante uma glosa de um verso de Aristófanes, o sacerdote eleusino, "trazendo na mão uma tocha", exclamava: "Invocai o deus!" Os participantes do festival gritavam em resposta: "Ó Iaco, filho de Sêmele, distribuidor de riquezas!" Trata-se, como é claro, de uma invocação para provocar fertilidade e a hierofania de Dioniso, que deveria presidir às solenidades das Leneias. Estas, ao que tudo indica, se iniciavam por uma procissão de caráter orgiástico, uma indubitável reminiscência do *Kômos* antigo, a que se seguia um duplo concurso de comédia e tragédia.

As *Dionísias Urbanas* celebravam-se na primavera, no mês *Elafebólion*, fins de março, e a elas acorriam todo o mundo grego e embaixadores estrangeiros. Duravam seis dias. O primeiro era consagrado a uma majestosa procissão, de que a cidade inteira participava. Nessa procissão transportava-se a estátua do deus do Teatro, de seu templo, no sopé da Acrópole, até um templo arcaico de Baco, perto da Academia, de onde o ícone era solenemente levado e colocado, por fim, na Orquestra do Teatro, que, até hoje, tem o nome do deus e que fica ao lado do santuário, de onde a estátua fora retirada. Nos dois dias seguintes realizavam-se os concursos de dez Coros Ditirâmbicos[11], que, com seus cinquenta executantes cada um, dançavam em torno do altar de Dioniso, na Orquestra. Os concursos dramáticos ocupavam os três últimos dias. Sendo três os poetas trágicos admitidos em concurso, representava-se cada manhã a obra inteira de cada um deles, a saber, via de regra, no século V a.C., uma *tetralogia*: três tragédias (de assunto correlato ou não), seguidas de um *drama satírico*.

Embora ainda se discuta a origem da tragédia, até o momento não se conseguiu explicá-la, sem fazê-la passar pelo *elemento satírico*, quer dizer, a *tragédia* seria uma evolução do *ditirambo* através do *drama satírico*. Aristóteles[12] nos informa que a tragédia, cuja etimologia tradicional[13] já nos recorda um elemento básico de Dioniso, teve origem nos "solistas" do *ditirambo* e que surgiu mediante um processo de transformação de peças satíricas, em cujo transcurso passou de assuntos menores, de fábulas curtas, para assuntos mais elevados, abandonando, com isso, o tom jocoso da linguagem. O *Drama Satírico* é, pois, anterior à tragédia. Apesar do nome, o *Satírico*, aqui em questão, nada tem a ver nem literária nem etimologicamente com *sátira*[14], não pretendendo criticar os defeitos de uma pessoa ou de

---

11. *Ditirambo*, em grego διθύραμβος (dithýrambos), é uma canção coral cujo objetivo era, quando do sacrifício de uma vítima, gerar o êxtase coletivo com a ajuda de movimentos rítmicos, aclamações e vociferações rituais. Quando, a partir dos séculos VII-VI a.C., se desenvolveu no mundo grego o Lirismo Coral, o ditirambo se tornou um gênero literário, dado o acréscimo de partes cantadas pelo ἐξάρχων (eksárkhon), isto é, pelo "regente" do hino sacro. Essas partes cantadas pelo "regente" eram trechos líricos em temas adaptados às circunstâncias e à pessoa de Dioniso.

12. Aristóteles. *Poétique*, 1449a, 19-21. Texte établi et traduit par J. Hardy: Paris, "Les Belles Lettres", 1932.

13. O vocábulo tragédia provém de τραγαδία (tragoidía) e esta possivelmente de τράγος (trágos), bode, ᾠδή (oidé), canto, e o sufixo ία (ía), donde o latim *tragoedia* e o nosso *tragédia*.

14. *Satura* ou *sátira*, esta na época imperial, é palavra latina. Trata-se do feminino do adjetivo *satur, -a, -um*, "farto, sortido". *Satura lanx* é um prato, uma travessa "farta", "sortida", isto é, um prato com as primícias de frutas e legumes que se ofereciam à deusa Geres, por ocasião da colheita. Depois substantivada, *Satura* (*Sátira*) passou a designar "mistura de prosa e verso de assuntos e metros vários". Em literatura, *Satura* (*Sátira*) é a crítica às instituições e pessoas; a censura dos males da sociedade e indivíduos. Nada tem a ver com *Sátiro*, Σάτυρος (Sátyros), que é palavra grega e que talvez signifique em etimologia popular "de pênis em ereção". Os Sátiros eram semideuses rústicos e maliciosos, com o nariz arrebitado e chato, com o corpo peludo, cabelos eriçados, dois pequenos cornos e com pernas e patas de bode. A confusão se deve ao fato de *satírico* ser um adjetivo que tanto pode provir de *sátira* quanto de *Sátiro*, graças à simplificação ortográfica. V. *Dicionário mítico-etimológico*, verbete.

uma época. Seu nome se prende ao fato de as personagens que lhe compunham o *coro* se disfarçarem em Sátiros, os eternos companheiros de Dioniso. De outro lado, é necessário acentuar que nenhuma contradição parece existir em Aristóteles pelo fato de o mesmo afirmar que a tragédia teve sua gênese nos *solistas do ditirambo* e que surgiu mediante um processo de transformação de *peças satíricas*: se o *ditirambo* é um coro em honra de Baco, com seus componentes certamente disfarçados em Sátiros, o *Drama Satírico* há de ser uma fase mais evoluída daquele, isto é, uma peça e um coro regular e literariamente estruturados.

Em suas origens, o *Drama Satírico* devia consistir em danças mímicas e rituais em honra de Dioniso. Desenvolvendo-se, estas deram origem a representações rústicas, executadas por um coro de homens disfarçados em Sátiros, cujo corifeu reproduzia alguma aventura de Dioniso. Com o passar dos anos, no entanto, uniram-se ao Drama Satírico cerimônias de caráter fúnebre e regionais e a alegria das primitivas representações deve ter desaparecido e outras divindades ocuparam o posto antes exclusivo de Baco. No princípio deve ter havido uma coexistência pacífica entre ditirambo, drama satírico e tragédia, mas, à medida que esta, pelo seu tom sério e majestoso, se desvinculou dos Sátiros e quase levou à morte o drama satírico, houve, cerca de 490 a.C., a famosa reforma de Prátinas. Este poeta é o verdadeiro introdutor do gênero em Atenas: devolveu a Dioniso os coros, fixando por escrito os vários cânticos e partes do drama satírico, dando-lhe, por isso mesmo, uma forma literária. Destarte, Prátinas não apenas salvou o drama satírico, mas também *satisfez o povo*, que, certamente sem compreender *o pouco que restava de Dioniso na tragédia*, que passara de assuntos menores, satíricos, para temas "mais elevados", reclamou da ausência do deus do êxtase e do entusiasmo com uma expressão que se tornou proverbial: οὐδὲν πρὸς τὸν Διόνυσον (udèn pròs tòn Diónyson), isto é, (a tragédia) "nada tem a ver com Dioniso"!

A influência de Prátimas foi tão grande, que, a partir de sua "reforma", tornou-se obrigatória nas representações dramáticas a *tetralogia*, ou seja, três tragédias e um drama satírico.

Em síntese: afastando-se consideravelmente de Baco e buscando seus temas no ciclo dos mitos heroicos, a tragédia perdeu muito de seu antigo caráter dionisíaco. E se é verdade que encontramos em Dioniso uma das forças vivas que impulsionaram o desenvolvimento do drama trágico como obra de arte, não se pode igualmente esquecer que a tragédia, quanto ao conteúdo, foi configurada por um outro campo da cultura grega, pelo mito dos heróis. O drama satírico procurou manter as características dionisíacas, ao menos em parte, pois conservou intactos alguns elementos primitivos. Se Dioniso não é mais seu herói, a lembrança do deus está assegurada pela presença dos Sátiros que lhe formam obrigatoriamente o coro, ao menos no que nos chegou do Drama Satírico: O *Ciclope*, de Eurípides e uma parte de *Os Cães de Busca*, de Sófocles.

Dioniso, já o dissemos, é o deus da *metamórphosis*, o deus da transformação. Um dos mais profundos conhecedores da tragédia grega, A. Lesky[15], é taxativo a esse respeito: "O elemento básico da religião dionisíaca é a transformação. O homem arrebatado pelo deus, transportado para seu reino por meio do êxtase, é diferente do que era no mundo quotidiano".

Assim, se essa "transformação" operada no *homo dionysiacus* pelo êxtase e pelo entusiasmo, como se há de ver mais adiante, nas *Antestérias*, levava inexoravelmente a romper com todos os interditos de ordem política, social e "religiosa", ela, *ipso facto*, ia de encontro aos postulados da *pólis*, mesmo "democrática" e dos deuses olímpicos, que lhe serviam de respaldo. Ora, se a tragédia é uma liturgia e um verdadeiro apêndice da religião grega, como admiti-la, se o deus do Teatro, na ótica da *pólis*, é exatamente o "contestador religioso" da religião política dessa mesma *pólis?*

Desde Píndaro, o poeta dos príncipes e o príncipe dos poetas líricos da Hélade, passando pelos trágicos Ésquilo e Sófocles, aquele mais explicitamente que este, a poesia, em geral, e a tragédia, em particular, visavam também a um propósito educativo.

Píndaro e Ésquilo, para não nos alongarmos em citações, fizeram das Musas as porta-vozes de seu programa *apolineamente* educativo.

Na obra poética do condor de Tebas, a moderação, o reconhecimento por parte do homem de que ele é tão somente o "sonho de uma sombra" se consti-

---

15. LESKY, Albin. *A tragédia grega*. São Paulo: Perspectiva, 1971, p. 61.

tuem numa verdadeira mensagem ético-educativa. Na *Pítica*, 3,59-62, o poeta deixa bem claro o discurso do comedimento:

Não se deve pedir aos deuses senão o que convém
a corações mortais. É preciso ter o olhar fixo
nos próprios pés, para nunca esquecer sua condição.
Não aspires, minha alma, a uma vida imortal;
pelo contrário, exaure o campo do possível.

Na mesma obra (*Pítica*, 8,76-78), mostrando ao herói campeão, em Delfos, que a vitória é uma outorga do divino, repete-lhe a mensagem da moderação:

A vitória não depende dos homens.
Somente a divindade outorga sucessos.
Ora eleva este ao céu, ora sua mão rebaixa aquele.
Saibas encontrar o teu caminho, observando a moderação.

O homem pindárico é realmente limitado, "metrado" por suas próprias misérias e somente pode erguer-se de sua aflita limitação, quando sobre ele descansa o calor salutar do olhar divino, como está ainda no mesmo poema, *Pítica*, 8,95-97:

Seres efêmeros! Que é cada um de nós?
Que não é cada um de nós?
O homem é o sonho de uma sombra!
Mas, quando os deuses pousam
sobre ele um raio de sua luz,
então vivo fulgor o envolve
e adoça-lhe a existência.

Ésquilo é ainda mais rigoroso no tocante à ética trágica e à missão educativa do *poeta*. Na comédia de Aristófanes, *As Rãs*, 1.045-1.056, de que vamos transcrever apenas uma ponta do diálogo, quando Eurípides censura a Ésquilo por não ter em suas tragédias uma só parcela de amor, o autor de *Prometeu Acorrentado* traça a suprema missão do poeta:

Eurípides – Sim, por Zeus, não tens uma única parcela de Afrodite.

Ésquilo – Oxalá eu jamais a tenha. Sobre ti e sobre os teus ela pesava tanto, que chegou mesmo a lançar-te por terra.

Eurípides – Sim ou não: é fictícia a história de Fedra que eu compus?[16]

Ésquilo – Não, por Zeus, é verídica. O dever do poeta, no entanto, é ocultar o vício, não propagá-lo e trazê-lo à cena. Com efeito, se para as crianças o educador modelo é o professor, para os jovens o são os poetas. Temos o dever imperioso de dizer somente coisas honestas.

Moderação, comedimento, ética rigorosa, eis aí como a doutrina apolínea do μηδὲν ἄγαν (medèn ágan), do "nada em demasia", e do γνῶθι σ'αὐτόν (gnôthi s'autón), do "conhece-te a ti mesmo", acabou por se apossar da tragédia e da poesia em geral.

Até mesmo o *esquema trágico*, o caminhar do *ánthropos*, do "simples mortal", ultrapassando o *métron*, a sua medida, e tornando-se, por isso mesmo, *anér*, "herói", que, em consequência, acabará, fatalmente, nos braços da *Moîra*, do destino cego, é tipicamente uma lição apolínea: "todas as coisas têm a sua medida..." Vejamos, mais de perto, como Apolo, com seu comedimento, com seu *gnôthi s' autón*, se apossou da tragédia e fez do *homo dionysiacus* uma presa fácil da *Moîra*, valendo o esquema trágico para o *ánthropos*, como se fora um aviso prévio: não te "dionizes", não ultrapasses a medida da miséria mortal, porque, se o fizeres, encontrarás os braços de bronze da fatalidade cega...

Os devotos de Dioniso, após a dança vertiginosa de que se falou, caíam semidesfalecidos. Nesse estado acreditavam *sair de si* pelo processo do ἔκστασις (ékstasis), "êxtase". O *sair de si* implicava um *mergulho de Dioniso em seu adorador* através do ἐνθουσιασμός (enthusiasmós), "entusiasmo". O *homem*, simples mortal, ἄνθρωπος (ánthropos), em *êxtase* e *entusiasmo*, comungando com a imortalidade, tornava-se ἀνήρ (anér), isto é, *herói*, um varão que ultrapassou o μέτρον (métron), a medida de cada um. Tendo ultrapassado sua medida mortal, o *anér*, o herói, transforma-se em ὑποκριτής (hypokritès), *aquele que responde em êxtase e entusiasmo*, a saber, o *ator*.

---

16. Fedra, esposa de Teseu, na ausência deste, apaixonou-se perdidamente pelo enteado Hipólito. Repelida pelo filho do primeiro matrimônio de Teseu, Fedra matou-se, mas deixou uma mensagem mentirosa ao marido, acusando-lhe o filho de tentar violentá-la, o que irá provocar a morte do inocente Hipólito. Sobre este tema Eurípides compôs a lindíssima tragédia *Hipólito Porta-Coroa*.

Essa ultrapassagem do *métron* pelo *hypokritès* se configura como ὕβρις (hýbris), um descomedimento, uma "démesure", uma *violência*, feita a si próprio e aos deuses imortais, o que desencadeia a νέμεσις (némesis), a punição pela injustiça praticada, o *ciúme* divino; o *hypokritès*, o *anér* torna-se êmulo dos deuses, o que vai provocar a ἄτη (áte), a *cegueira da razão*; tudo quanto o *hypokritès* fizer, daqui para diante e terá que fazê-lo, realizá-lo-á contra si mesmo. Mais um passo e fechar-se-ão sobre ele as garras da Μοῖρα (Moîra), o *destino cego*.

No fundo, a tragédia grega, como encenação religiosa, é o suplício do leito de Procrusto contra todas as "démesures".

Esquematizando:

Métron (medida de cada um)

Ánthropos (simples mortal) ... ultrapassagem (êxtase e entusiasmo) ... Anér
=
ATOR

↓

hýbris (descomedimento, violência)

↓

némesis (castigo pela injustiça praticada, ciúme divino)

↓

áte (cegueira da razão)

↓

Moîra (destino cego, punição)

Foi assim que a tragédia de Dioniso, esse deus cuja experiência religiosa punha em risco todo um "estilo de vida e um universo de valores", exatamente porque, entranhado no homem pelo êxtase e entusiasmo, abolia a distância entre o mortal e os imortais, pôde ser aceita na *pólis* dos deuses olímpicos. "Desdionizada" em seu conteúdo, "punida" em sua essência e exorcizada por Apolo, a tragédia se tornou mais apolínea que dionisíaca. Despindo-se de Dioniso e revestindo-se da indumentária solar e patriarcal de Apolo, pôde ser tranquilamente agasalhada como liturgia.

A quarta grande festa dionisíaca e a mais antiga delas, consoante o historiador Tucídides (460-395 a.C. aproximadamente), eram as 'Ανθεστήρια (Anthestéria), isto é, a "festa das flores", que se celebravam nos dias 11, 12 e 13 do mês Antestérion, fins de fevereiro, inícios de março. Trata-se, como o próprio nome expressa, de uma festa primaveril, em que se aguardava, portanto, a nova brotação, o rejuvenescimento da natureza.

Embora nessas festas Dioniso imperasse inteiro, havendo, por conseguinte, a quebra de todos os interditos, o Estado sempre os tolerou, uma vez que toda ruptura com tabus de ordem política, social e sexual visava não apenas à imprescindível fecundidade e à fertilidade, mas era algo que atingia tão somente o mundo da sensibilidade, sem chegar à reflexão, como na tragédia.

O primeiro dia das *Antestérias* denominava-se Πιθοιγία (Pithoiguía), vocábulo proveniente de *píthos*, "tonel", e *oignýnai*, "abrir": abriam-se os tonéis de terracota, em que se guardava o vinho da colheita do outono, e transportavam-nos até um Santuário de Dioniso no Lénaion, que só se abria por ocasião dessas festas da primavera. Dessacralizava-se o vinho novo, quer dizer, levantava-se o tabu que ainda pesava sobre a colheita anterior[17] e, após uma libação a Dioniso pela boa safra, dava-se início à bebedeira sagrada. Possivelmente, como nas Dionísias Rurais e nas Leneias, também os escravos participavam dessa confraternização, porque uma das características fundamentais de Dioniso, "deus do povo", é sua universalidade social.

O segundo dia chamava-se Χόες (Khóes), de Χόος (Khóos), cântaro, cuja fonte é o verbo χέειν (khéein), "derramar". Era o dia consagrado ao concurso dos beberrões. Vencedor era aquele que esvaziasse o cântaro (três litros e um quarto) mais rapidamente. O prêmio era uma coroa de folhagens e um odre de vinho. Nesse mesmo dia, em que se celebravam as *Khóes*, organizava-se uma so-

---

17. Toda colheita era considerada um presente dos deuses. Assim, enquanto não se fizesse uma consumação ritual e uma oferta das primícias aos imortais, para afastar quaisquer influências maléficas, a safra estava interditada, era tabu.

lene e ruidosa procissão para comemorar a chegada do deus à *pólis*. Mas, como Dioniso está ligado, já se comentou, ao elemento úmido, por ser uma divindade da vegetação, supunha-se que ele houvesse chegado a Atenas, vindo do mar. É, por esse motivo, que integrava o cortejo uma embarcação, que deslizava sobre quatro rodas de uma carroça, puxada por dois Sátiros. Na embarcação via-se o deus do êxtase, empunhando uma videira, ladeado por dois Sátiros nus, tocando flauta. Um touro, destinado ao sacrifício, acompanhava o barulhento cortejo, cujos componentes, provavelmente disfarçados em Sátiros e usando máscaras, cantavam e dançavam ao som da flauta. Quando a procissão chegava ao santuário do deus, no Lénaion, havia cerimônias várias, de que participavam a Βασίλιννα (Basílinna), isto é, a esposa do Arconte Rei e catorze damas de honra. A partir desse momento, a *Basílinna*, a Rainha, herdeira da antiga rainha dos primeiros tempos da cidade, era considerada *esposa de Dioniso*, certamente representado por um sacerdote com máscara[18]. Subia para junto dele na embarcação e novo cortejo, agora de caráter nupcial, conduzia o casal para o Βουκολεῖον (Bukoleîon), etimologicamente, "estábulo de bois", mas, na realidade, uma antiga residência real na parte baixa da cidade. Ali se consumava o *hieròs gámos*, o casamento sagrado entre o "deus" e a rainha, conforme atesta Aristóteles, *Constituição de Atenas*, L3, c5. Observe-se que o local escolhido, o *Bucolíon*, atesta que a *hierofania taurina* de Dioniso era ainda um fato comum. De outro lado, sendo a união consumada na *residência real* e apresentando-se Dioniso como *rei*, o deus estava exatamente exercendo a função sagrada da fecundação. Essa hierogamia era, na realidade, o símbolo do casamento, da união do deus com a *pólis* inteira, com todas as consequências que daí poderiam advir.

O terceiro dia intitulava-se χύτροι (khýtroi), "vasos de terracota, marmitas", cuja fonte é ainda o verbo χέειν (khéein), "derramar".

Os *khýtroi* são consagrados *aos mortos* e às Κῆρες (Kêres) : configuravam, portanto, um dia nefasto, uma vez que as *Queres* (Aleto, Tisífone e Megera), "deu-

---

18. Usar *máscara* é encarnar o deus que ela representa. Transformando o *exterior*, a *máscara* transfigura o *interior*, permitindo a quem a usa o desempenho de funções próprias de um ser divino ou demoníaco. Claro está que toda máscara cobre muito pouco do *exterior*, mas desnuda o *interior*...

sas dos mortos", são portadoras de influências maléficas do mundo ctônio. Por isso mesmo, logo pela manhã, se colhiam ramos com espinhos, cujo valor apotropaico é bem conhecido, e com eles todos se enfeitavam; as portas das casas eram pintadas com uma resina preta e todos os templos, exceto o Santuário do Lénaion, eram fechados. Orava-se pelos mortos, que, juntamente com as *Queres*, vagavam pela cidade, e à tarde oferecia-se a Hermes, deus psicopompo, uma πανσπερμία (panspermía), palavra composta de πᾶν (pân), "todo total" e σπέρμα (spérma), "semente", quer dizer, um tipo de sopa com mistura de todas as espécies de sementes. Da *panspermia* a pólis inteira participava em homenagem a seus mortos.

Chegada a noite, todos gritavam: "Retirai-vos, Queres, as Antestérias terminaram".

Soa estranho que, em meio ao regozijo da festa do vinho novo, surjam os mortos e as Queres, veículos de terríveis miasmas. É bom, todavia, não nos esquecermos de que Dioniso, sendo um deus da vegetação, como Deméter e Perséfone, dele depende também a próxima colheita. O *hieròs gámos* com a *Basílinna*, no dia anterior, e a panspermia têm toda uma conotação de fertilidade. Além do mais, os mortos (já que as sementes são sepultadas no seio da terra) e as forças ctônias governam a fertilidade e as riquezas, de que, aliás, são os distribuidores. Não é por metáfora que o senhor do reino dos mortos se chamava *Plutão*, o rico por excelência, o qual, como se mostrou, é uma deformação de *Pluto*, a "própria riqueza". Num tratado, atribuído ao grande médico Hipócrates, lê-se: "É dos mortos que nos vêm os alimentos, os crescimentos e os germes". Os mortos sobem a este mundo em busca dos agradecimentos e dos sacrifícios (frutos, cereais, animais...) daquilo que eles mesmos proporcionaram aos vivos.

Para uma boa safra futura, um *hieròs gámos*, em que a semente (spérma) de Dioniso é colocada no seio da *Basílinna*, hipóstase da *Terra-Mãe* e, logo a seguir, uma *panspermia* pesavam muito no mundo dos vivos e dos mortos.

De qualquer forma, as *Antestérias* eram a festa sagrada do vinho, quando, então, os participantes dos festejos, sagradamente embriagados, começavam a cantar e a dançar freneticamente, não raro à noite, à luz dos archotes, ao som das flautas e dos címbalos, até cair semidesfalecidos. É, nesse estado, que algo de sério e grave acontecia, porque a embriaguez e a euforia, pondo-os em comunhão com o deus, antecipavam uma vida do *além* muito diversa daquela que, desde Homero até os grandes e patrilineares deuses olímpicos, lhes era oferecida. É que, através desse estado de semi-inconsciência, os adeptos de Dioniso acreditavam *sair de si* pelo processo do *ékstasis*, o êxtase. Esse *sair de si* significava uma superação da condição humana, uma ultrapassagem do *métron*, a descoberta de uma liberação total, a conquista de uma liberdade e de uma espontaneidade que os demais seres humanos não podiam experimentar. Evidentemente, essa superação da condição humana e essa liberdade, adquiridas através do *ékstasis*, constituíam, *ipso facto*, uma libertação de interditos, de tabus, de regulamentos e de convenções de ordem ética, política e social, o que explica, consoante Mircea Eliade, a adesão maciça das mulheres às festas de Dioniso. E, em Atenas, as coisas eram claras: nada mais reprimido e humilhado que a mulher. Dioniso e suas *Antestérias* simbolizam a sua libertação. Não era em vão que, unindo-se à *Basílinna*, ele contraía núpcias com todas as mulheres da *pólis* de Atenas.

O *ékstasis*, todavia, era apenas a primeira parte da grande integração com o deus: o *sair de si* implicava num mergulho em Dioniso e deste no seu adorador pelo processo do ἐνθουσιασμός (enthusiasmós), de ἔνθεος (éntheos), isto é, "animado de um transporte divino", de ἐν (en), "dentro, no âmago" e θεός (theós), "deus", quer dizer, o *entusiasmo* é ter um deus dentro de si, identificar-se com ele, co-participando da divindade. E se das *Mênades* ou *Bacantes*, e ambos os termos significam a mesma coisa, *as possuídas*, quer dizer, em *êxtase* e *entusiasmo*, delas, como dos adoradores de Dioniso, se apossavam a μανία (manía), " a loucura sagrada, a possessão divina" e as ὄργια (órguia), "posse do divino na celebração dos mistérios, orgia, agitação incontrolável", estava concretizada a comunhão com o deus.

A *mania* e a *orgia* provocavam uma como que explosão de liberdade e, seguramente, uma transformação, uma liberação, uma distensão, uma identificação, uma *kátharsis*, uma purificação.

É necessário, no entanto, não confundir essa explosão das Mênades dionisíacas ou humanas (como acontece na gigantesca tragédia euripidiana, *As Bacantes*) com "crises psicopáticas", porque a *mania*, loucura sagrada e a *orgia*, agitação incontrolável, inflação anímica, possuíam indubitavelmente o valor de uma experiência religiosa.

Viu-se que, no segundo dia das Antestérias, as *Khóes*, um *touro*, que acompanhava o alegre cortejo, era destinado ao sacrifício. Ao que tudo indica, esse sacrifício se realizava por *diasparagmós* e *omofagia*, ou seja, por desmembramento violento do animal vivo e consumação de seu sangue ainda quente e de suas carnes cruas e palpitantes.

Diasparagmós, em grego διασπαραγμός verbo διασπαράσσειν (diasparássein), "despedaçar", era, pois, em termos de religião, o rito do dilaceramento da vítima sacrificial (touro, bode, corça, enho...) viva ou ainda palpitante e a consumação imediata do sangue e da carne crua da mesma, isto é, a *omofagia*, ὠμοφαγία (omofaguía), de ὠμός (omós), "cru" e o verbo φαγεῖν (phagueîn), "comer".

Dioniso, como observa o erudito Ateneu, *Dipnosofistas*, 11,51,476a, é frequentemente qualificado de *touro* pelos poetas, donde seus epítetos de *Taurófago*, "devorador de touros", que se encontra num fragmento de Sófocles e num gracejo de Aristófanes (*As Rãs*, 357), bem como de *Omádio* e *Omeste*, quer dizer, "o que come carne crua". O despedaçamento do *touro*, símbolo da força e da fecundidade, se de um lado representava os sofrimentos de Dioniso, dilacerado pelos Titãs, de outro, o fato de os e as Bacantes lhe beberem o sangue e lhe comerem as carnes, pelo rito da *omofagia*, inseparável do transe orgiástico, configurava a integração total e a comunhão com o deus. É que os animais, que se devoravam, eram a hierofania, a encarnação do próprio Dioniso. De outro lado, despedaçando animais e devorando-os, os devotos de Dioniso integram-se nele e o recompõem simbolicamente, o que, consoante Jung, configura a conscientização de conteúdos divididos.

Uma divindade assim tão próxima e integrada no próprio homem, um deus tão libertário e "politicamente" independente, não poderia mesmo ser aceito pela *pólis* de homens e de deuses tão apolineamente patrilineares e tão religiosamente repressivos.

Eis aí por que o deus do êxtase e do entusiasmo e suas Mênades levaram tantos séculos para penetrar e ser "tolerados" por Atenas. Mas, no dia em que transpuseram as muralhas da *pólis*, orientados pela bússola da democracia, o grande deus acendeu na *tímele*, seu altar bem no meio do Teatro de "Dioniso", dois archotes: um ele o consagrou ao *êxtase*, o outro, ao *entusiasmo*. Era a distensão. Ao menos uma vez por ano...

6

Sintetizando algumas das ideias expostas na obra célebre de Walter Otto, *Dionysos*, Mircea Eliade mostrou que o filho de Sêmele é realmente o deus da *metamórphosis* interna e externamente: bem mais que todos os imortais do Olimpo, "Dioniso assombra pela multiplicidade e pela novidade de suas transformações. Ele está sempre em movimento; penetra em todos os lugares, em todas as terras, em todos os povos, em todos os meios religiosos, pronto para associar-se a divindades diversas, até antagônicas [...] Dioniso é certamente o único deus grego que, revelando-se sob diferentes aspectos, deslumbra e atrai tanto os camponeses quanto as elites intelectuais, políticos e contemplativos, ascetas e os que se entregam a orgias. A embriaguez, o erotismo, a fertilidade universal, mas também as experiências inesquecíveis provocadas pela chegada periódica dos mortos, ou pela *manía*, pela imersão no inconsciente animal ou pelo êxtase do *enthusiasmós* – todos esses terrores e revelações surgem de uma única fonte: *a presença do deus*. O seu modo de ser exprime a unidade paradoxal da vida e da morte. É por essa razão que Dioniso constitui um tipo de divindade radicalmente diversa dos Olímpicos"[19]. Walter Otto mostrou bem como o deus do Teatro é capaz de múltiplas hierofanias: surge de repente e desaparece misteriosamente. Nas *Agriônias*, as festas solenes que se celebravam em sua honra na cidade beócia de Queroneia, de que já se falou, as mulheres, num dado momento, procurando-o por toda parte, voltavam com a notícia de que o deus havia regressado para junto das Musas. Mergulhava no lago de Lema ou no mar e reaparecia, como no segundo dia das Antestérias, sobre uma embarcação. Todos esses desaparecimentos periódicos e hierofanias tinham por escopo mostrar que Dioniso é um deus da vegetação e, com efeito, suas festas mais populares se realizavam em função do calendário agrícola. Como a semente, o deus morre para dar novos frutos. Todas essas ocultações e retornos, aparecimentos e ausências súbitas traduzem o surgimento e o desaparecimento da vida, o ciclo da vida e da morte e, por fim, sua unidade.

Foi exatamente como deus da vegetação, da vida e da morte, que Dioniso celebrou um solene *hieròs gámos* com Ariadne, em torno de cuja união com o

---

19. ELIADE, Mircea. Op. cit., p. 216.

deus, na ilha de Naxos, se teceram narrativas romanescas. Uma delas se relaciona com o retorno de Teseu a Atenas, após eliminar o Minotauro. Tendo ajudado o herói ático a escapar do Labirinto de Cnossos, Ariadne, apaixonada pelo filho de Egeu, fugiu com ele. Quando o navio ateniense fez escala na ilha de Naxos, Teseu a abandonou, adormecida na praia, por amor a outra mulher. Diz-se ainda que foi em obediência a uma ordem dos deuses, que não lhe permitiram desposá-la. Embora em prantos, quando viu o navio de velas desfraldadas já fora da barra, logo se consolou com a chegada intempestiva de Dioniso e seu cortejo de Sátiros e Mênades. Fascinado pela beleza da jovem cretense, desposou-a e levou-a consigo para o Olimpo. Como presente de núpcias, deu-lhe um diadema de ouro, cinzelado por Hefesto. Quando o casal chegou à mansão dos imortais, o diadema foi transformado em constelação.

A realidade dos fatos é bem outra. Ariadne é uma antiga deusa egeia da vegetação, que foi suplantada, em Naxos e demais ilhas do Mediterrâneo, por Dioniso. O *hieròs gámos* do deus com a filha de Minos, isto, é a união de duas divindades protetoras da vegetação pertence a um velho fundo de costumes religiosos, além de possibilitar que uma antiga deusa "decaída", suplantada em suas funções e transformada em princesa, tivesse direito à apoteose.

Finalmente, no que diz respeito à existência concreta de tíasos[20] secretos dionisíacos, mais claramente, de ritos secretos e iniciáticos do deus, o assunto é ainda muito discutido. Autoridades de peso como Nilsson e Festugière negam a existência de um Mistério Dionisíaco, por não existirem "referências precisas à esperança escatológica", ao menos na época clássica.

Jeanmaire[21], embora sem muita objetividade, defende um rito secreto dionisíaco, apontando a Trácia como berço desses Mistérios, que se teriam difundido por uma série de ilhas gregas.

---

20. *Tíaso*, em grego θίασος (thíasos), significa "um grupo de pessoas ou uma confraria que celebra um sacrifício em honra de um deus", sobretudo de Dioniso, percorrendo barulhentamente as ruas, cantando, dançando e gritando.

21. JEANMAIRE, H. Op. cit., p. 431ss.

Eliade[22], sem citar os locais onde se realizavam tais Mistérios, argumenta que os desaparecimentos, as hierofanias de Dioniso, suas catábases ao Hades (semelhantes à morte, seguida de ressurreição) e sobretudo o culto de Dioniso-menino com ritos, que celebravam seu "despertar", seriam indícios de um desejo e de uma esperança de renovação espiritual.

De qualquer forma, as coisas, até o momento, ainda não estão muito claras. Dioniso, todavia, continua e continuará a ser, independentemente de um "Mistério Dionisíaco", o deus da *metamorphósis*. O que já é muito!

Antes de Dioniso, costuma-se dizer, havia dois mundos: o mundo dos homens e o inacessível mundo dos deuses. A *metamórphosis* foi exatamente a escada que permitiu ao homem penetrar no mundo dos deuses. Os mortais, através do êxtase e do entusiasmo, aceitaram de bom grado "alienar-se" na esperança de uma transfiguração.

De um ponto de vista simbólico, o deus da *mania* e da *orgia* configura a ruptura das inibições, das repressões e dos recalques. Na feliz expressão de Defradas, Dioniso "simboliza as forças obscuras que emergem do inconsciente, pois que se trata de uma divindade que preside à liberação provocada pela embriaguez, por todas as formas de embriaguez, a que se apossa dos que bebem, a que se apodera das multidões arrastadas pelo fascínio da dança e da música e até mesmo a embriaguez da loucura com que o deus pune aqueles que lhe desprezam o culto"[23]. Desse modo, Dioniso retrataria as forças de dissolução da personalidade: a regressão às forças caóticas e primordiais da vida, provocadas pela *orgia* e a submersão da consciência no magma do inconsciente.

---

22. ELIADE, Mircea. Op. cit., p. 21ss.

23. CHEVALIER, Jean & GHEERBRANT, Alain. Op. cit., p. 358.

Capítulo V
Orfeu, Eurídice e o Orfismo

1

Orfeu, em grego Ὀρφεύς (Orpheús). Por ter descido às trevas do Hades, alguns relacionam o nome do citaredo trácio, ao menos por etimologia popular, com ὀρφνός (orphnós), "obscuro", ὄρφπνη (órphne), "obscuridade", mas não se conhece, realmente, a etimologia do herói.

Trata-se de uma personagem mítica, possivelmente de origem trácia. Era filho de Calíope, a mais importante das nove Musas e do rei Eagro. Este, por motivos político-religiosos, como se verá depois, é frequentemente substituído por Apolo. De qualquer forma, Orfeu sempre esteve vinculado ao mundo da música e da poesia: poeta, músico e cantor célebre, foi o verdadeiro criador da "teologia" paga. Tangia a lira e a cítara, sendo que passava por ser o inventor desta última ou, ao menos, quem lhe aumentou o número de cordas, de sete para nove, numa homenagem às Nove Musas. Sua maestria na cítara e a suavidade de sua voz eram tais, que os animais selvagens o seguiam, as árvores inclinavam suas copadas para ouvi-lo e os homens mais coléricos sentiam-se penetrados de ternura e de bondade.

O que importa é que Orfeu é um herói muito antigo, pois já o encontramos na expedição dos Argonautas. Sua existência era tão real para o povo, que, em Anfissa, na Lócrida, se lhe venerava a cabeça como verdadeira relíquia. Educador da humanidade, conduziu os trácios da selvageria para a civilização. Iniciado nos "mistérios", completou sua formação religiosa e filosófica viajando pelo mundo. De retorno do Egito, divulgou na Hélade a ideia da *expiação das faltas e dos crimes*, bem como os cultos de Dioniso e os mistérios órficos, prometendo, desde logo, a imortalidade a quem neles se iniciasse.

Ao regressar da expedição dos Argonautas, casou-se com a ninfa Eurídice, a quem amava profundamente, considerando-a como *dimidium animae eius*, como se ela fora a *metade de sua alma*. Acontece que um dia (o poeta latino do século I a.C., Públio Vergílio Marão nos dá, no canto 4,453-527, de seu maravilhoso poema *As Geórgicas*, a versão mais rica e mais bela do mitologema) o apicultor Aristeu tentou violar a esposa do cantor da Trácia. Eurídice, ao fugir de seu perseguidor, pisou numa serpente, que a picou, causando-lhe a morte. Inconformado com a perda da esposa, o grande vate resolveu descer às trevas do Hades, para trazê-la de volta.

Orfeu, com sua cítara e sua voz divina, encantou de tal forma o mundo ctônio, que até mesmo a roda de Exíon parou de girar, o rochedo de Sísifo deixou de oscilar, Tântalo esqueceu a fome e a sede e as Danaides descansaram de sua faina eterna de encher tonéis sem fundo. Comovidos com tamanha prova de amor, Plutão e Perséfone concordaram em devolver-lhe a esposa. Impuseram-lhe, todavia, uma condição extremamente difícil: ele seguiria à frente e ela lhe acompanharia os passos, mas, enquanto caminhassem pelas trevas infernais, ouvisse o que ouvisse, pensasse o que pensasse, Orfeu não poderia *olhar para trás*, enquanto o casal não transpusesse os limites do império das sombras. O poeta aceitou a imposição e estava quase alcançando *a luz*, quando uma terrível dúvida lhe assaltou o espírito: e se não estivesse atrás dele a sua amada? E se os deuses do Hades o tivessem enganado? Mordido pela impaciência, pela incerteza, pela saudade, pela "carência" e por invencível *póthos*, pelo desejo grande da presença de uma ausência, o cantor olhou *para trás*, transgredindo a ordem dos soberanos das trevas. Ao voltar-se, viu Eurídice, que se esvaiu para sempre numa sombra, "morrendo pela segunda vez..." Ainda tentou regressar, mas o barqueiro Caronte não mais o permitiu.

Inconsolável e sem poder esquecer a esposa, fiel a seu amor, Orfeu passou a repelir todas as mulheres da Trácia. As *Mênades*, ultrajadas por sua fidelidade à memória da esposa, fizeram-no em pedaços. Há muitas variantes acerca da morte violenta do filho de Eagro. Vamos destacar duas delas. Conta-se que Orfeu, ao retornar do Hades, instituiu mistérios inteiramente vedados às mulheres. Os homens se reuniam com ele em uma casa fechada, deixando suas armas à porta.

Uma noite, as mulheres enfurecidas, apoderaram-se dessas armas e mataram Orfeu e seus seguidores. Outra variante nos informa que, tendo servido de árbitro na querela entre Afrodite e Perséfone na disputa por Adônis, Calíope teria decidido que o lindíssimo filho de Mirra permaneceria uma parte do ano com uma e uma parte com outra. Magoada e irritada com a decisão, Afrodite, não podendo vingar-se de Calíope, vingou-se no filho. Inspirou às mulheres trácias uma paixão tão violenta e incontrolável que cada uma queria o inexcedível cantor só para si, o que as levou a esquartejá-lo e lançar-lhe os restos e a cabeça no rio Hebro. Ao rolar da cabeça pelo rio abaixo, seus lábios chamavam por Eurídice e o nome da amada era repetido pelo eco nas duas margens do rio.

Punindo esse crime abominável das mulheres trácias, os deuses devastaram-lhe o país com uma grande peste. Consultado o oráculo sobre como acalmar a ira divina, foi dito que o flagelo só se extinguiria quando se encontrasse a cabeça do vate e lhe fossem prestadas as devidas honras fúnebres. Após longas buscas, um pescador finalmente a encontrou na embocadura do rio Meles, na Jônia, em perfeito estado de conservação e ali mesmo foi erguido um templo em honra de Orfeu, cuja entrada era proibida às mulheres. A cabeça sagrada do cantor passou a servir de oráculo. Se a *lira* do poeta, a qual após longos incidentes, foi parar na ilha de Lesbos, berço principal da poesia *lírica* da Hélade, a Psiqué do cantor foi elevada aos Campos Elísios, aqui no caso sinônimo de Ilha dos Bem-Aventurados ou do próprio Olimpo, onde, revestido de longas vestes brancas, Orfeu canta para os imortais.

2

Exposto resumidamente o mitologema, pois as variantes são inúmeras, vamos tentar fazer-lhe alguns comentários, abordando os aspectos que nos parecem mais importantes, deixando para a terceira e última parte uma visão sobre o *Orfismo*.

Orfeu *desceu* à mansão do Hades e poderia ter trazido a esposa de volta, se não tivesse olhado *para trás*. A catábase de Orfeu é a do tipo tradicional, xamânico: o iniciado morre aparentemente e na contemplação do além, "encontrando-se", torna-se detentor do saber e dos mistérios, nos quais procurará orientar seus seguidores, para que, preparando-se adequadamente nesta vida, "se encontrem" na outra[1].

Na realidade, o grande desencontro de Orfeu no Hades foi o de ter olhado *para trás*, de ter voltado ao passado, de ter-se apegado à matéria, simbolizada por Eurídice. Um órfico autêntico, segundo se verá mais adiante, jamais "retorna". Desapega-se, por completo, do viscoso do concreto e parte para não mais regressar. Certamente o citaredo da Trácia ainda não estava preparado para a junção harmônica e definitiva com sua *anima*[2] Eurídice. Seu despedaçamento pelas Mênades, supremo rito iniciático, o comprova. Como Héracles, que, apesar de tantos ritos iniciáticos e até mesmo uma catábase ao mundo das sombras, somente escalou o luminoso Olimpo após uma morte violenta numa fogueira no monte Eta. Orfeu olhou *para trás*, transgredindo o tabu das *direções*. Estas, bem como os lados e os pontos cardeias, possuíam, nas culturas antigas, um simbolismo muito rico.

A matrilinhagem sempre deu nítida preferência à *esquerda*: esta pertence à feminilidade passiva; a *direita*, à atividade masculina, já que a força está normalmente na mão direita e foi, através da força, da opressão, que a *direita*, o homem, execrou a *esquerda*, a mulher. O tabu dos canhotos sempre foi um fato consumado. Diga-se, aliás, de passagem, que um dos muitos epítetos do Diabo é *Canhoto*. A superioridade da esquerda estava, por isso mesmo, ligada à matrilinhagem, entre outros motivos porque é a *noite* (oeste) que dá nascimento ao *dia*, lançando o sol de seu bojo, parindo-o diariamente. Daí, a cronologia entre os primitivos ser regulada pela noite, pela *Lua*; daí também o hábito, desde tempos imemoriais, da escolha da noite para travar batalha, para fazer reuniões, para proce-

---

1. A mordaz alusão de Platão, em *O Banquete*, 179d, à covardia de Orfeu, que "não soubera morrer por amor a seu amor", é apenas um meio de servir a seu objetivo, isto é, de mostrar que o verdadeiro amor consiste na morte do amante pelo amado ou vice-versa. Para isso o filósofo ateniense introduziu certas modificações na urdidura do mito.

2. Quando se fala de *anima* e *animus*, "feminino e masculino", não se quer fazer referência a determinações sexuais, mas a princípios, uma vez que *anima* e *animus* são arquétipos que servem de elo entre o inconsciente profundo e o Eu, tanto na mulher quanto no homem.

der a julgamentos, para realizar determinados cultos, como os *Mistérios de Elêusis* e o solene autojulgamento dos reis da Atlântida...

Observe-se que entre Grécia e Roma a designação de *esquerda* diverge profundamente. Em latim, direita é *dextera* ou *dextra*, que talvez, ao menos do ponto de vista da etimologia popular, pode se aproximar de *decet*, "o que é conveniente", e esquerda é *sinistra*, de mau presságio, funesto, "sinistro"; em grego, direita é δεξιά (deksiá) que, como se observa, tem a mesma raiz que o latim *dextra* e significa "de bom augúrio, favorável" e esquerda é ἀριστερά (aristerá), etimologicamente a "excelente, a ótima", uma vez que *aristerá* se prende ao superlativo ἄριστος (áristos), "o melhor, o mais nobre, o ótimo". Trata-se evidentemente de um eufemismo que a inteligência grega engendrou para amortecer o impacto da esquerda, da *sinistra*. Os pontos cardeais atestam igualmente não apenas a dicotomia matrilinhagem-patrilinhagem, mas também o azar e a sorte, o perigo e a segurança. Talvez, partindo-se do inglês, as coisas fiquem mais claras: *West*, "oeste", cf. *Wespero*, é a tarde, a boca da noite, como em grego ἑσπέρα (hespéra), "tarde", em latim *uespera*, "tarde" e em português véspera, vespertino... *Oeste* é onde "morre" o sol e começa a noite, donde em latim *occidens*, o que morre, "ocidente": é o lado nobre da matrilinhagem, e nefasto para a patrilinhagem, porque é a *esquerda*. *North*, "norte", cf. *ner*, debaixo", isto é, à esquerda do nas - cimento do sol. É também um dos lados propícios à matrilinhagem. Daí *Ner-eu*, *Ner-eidas*, divindades da água, vinculadas ao feminino. *Easte*, "leste", cf. *awes*, ideia de "brilhar", em grego ἠώς (eós), "aurora"; em latim existe o adjetivo, já da época da decadência, *ostrus*, *-a*, *-um*, "vermelho", que está ligado a *oriens*, "o que nasce", o sol nascente. Aliás, púrpura em latim se diz *ostrum*. Leste, à direita, é o lado nobre da patrilinhagem. *South*, "sul", cf. *sawel*, *swen*, "à direita do nascimento do sol", é igualmente um dos lados do masculino.

É assim que olhar para a *frente* é desvendar o futuro e possibilitar a revelação; para a *direita* é descobrir o bem, o progresso; para a *esquerda* é o encontro do mal, do caos, das trevas; *para trás* é o regresso ao passado, às *hamartíai*, às faltas, aos erros, é a renúncia ao espírito e à verdade.

Em *Gênesis* 19,17-26, uma das recomendações que os dois anjos de Javé, enviados para destruir Sodoma e Gomorra, fizeram a Ló foi que, abandonando Sodoma com a família, não olhasse *para trás*: *salua animam tuam, noli respicere post tergum* – "salva tua vida, não olhes *para trás*", mas a mulher do patriarca olhou *para trás* e foi transformada numa coluna de sal. Acerca desse episódio do Antigo Testamento há uma excelente interpretação estruturalista do Dr. D. Alan Aycok[3], que, *lato sensu*, chega à mesma conclusão que aventamos para a desobediência de Orfeu. A mulher de Ló foi transformada em estátua de *sal* (símbolo, entre outros, de *purificação*, *esterilidade* e *contrato social*, e os três significados poderiam ser aplicados a Ló e sua família), por seu apego a uma cidade condenada à ruína, por causa de seus pecados; quer dizer, a esposa de Ló, olhando para trás, "voltou ao passado" e sofreu, com isso, as consequências de sua desobediência a Javé.

Na *Odisseia*, X, 528, Ulisses, seguindo o conselho da feiticeira Circe, dirigiu-se ao país dos mortos para consultar Tirésias. Segundo a recomendação da temível maga, o esposo de Penélope deveria fazer um sacrifício aos habitantes do Hades, ficando de costas para o mesmo e, portanto, sem olhar para trás, já que o mundo dos mortos se localizava no oeste, no ocidente.

No *Édipo em Colono* de Sófocles, 490, o Corifeu, após ensinar ao alquebrado Édipo como fazer um sacrifício às Eumênides, acrescenta: ἔπειτ' ἀφέρπειν ἄστροφος (épeit' aphérpein ástrophos), "retira-te, em seguida, sem olhar para trás".

Nas *Coéforas*, 91-99, segunda tragédia da trilogia *Oréstia*, de Ésquilo, Electra pergunta ao coro como deverá fazer libações sobre o túmulo de seu pai Agamêmnon, assassinado pela esposa Clitemnestra:

Electra (dirigindo-se ao Coro)

> *Não sei o que dizer, ao derramar esta oferenda no túmulo de meu pai. Será que devo empregar a fórmula ritual: "que recompense os que lhe enviam esta homenagem"! retribuindo-a com dádiva digna de seus crimes? Ou silenciosa, de modo ultrajoso – pois foi assim que morreu meu pai – espalharei estas libações no solo que as beberá e ir-me-ei, depois de atirar este vaso, sem olhar para trás, como quem arroja um objeto lustral depois do uso?...*

---

3. LEACH, Edmund & AYCOCK, D. Alan. *Structuralist Interpretations of Biblical Myth*. London: Cambridge, 1983, p. 113ss.

Igualmente, na *Écloga* 8,101-103, Vergílio emprega, numa fórmula de encantamento, o mesmo processo. A pastora Amarílis lançará cinzas em água corrente, para trazer de volta ao campo seu amado pastor Dáfnis:

> *Fer cineres, Amarylli, foras, riuoque fluenti transque caput iace, nec respexeris. His ego Daphnim adgrediar; nihil ille deos, nil carmina curat.*
>
> – Traze para fora as cinzas, Amarílis, e lança-as por cima da cabeça, em água corrente, mas *não olhes para trás*. Com isso pretendo atrair Dáfnis, que não mais se preocupa nem com os deuses, nem com os encantamentos.

Na magia imitativa por contágio são inúmeros os métodos empregados para a transferência de males e doenças. Essa permuta, nas culturas primitivas (e até hoje), pode ser feita através de pedras, troncos de árvores, frutos, ramos, flocos de algodão, peças do vestuário. Basta friccionar a parte de que se sofre num desses objetos e levá-lo inteiro ou fragmentado, em "determinadas horas" do dia ou da noite (meio-dia, crepúsculo, meia-noite) para junto de uma árvore, reentrância de pedra, encruzilhada, e aí abandoná-lo: a transferência está feita, desde que, em se retirando, *não se olhe para trás*.

A Orfeu, buscando Eurídice, à mulher de Ló, fugindo da cidade maldita, ou a nossos feiticeiros, fazendo seus despachos, a recomendação é sempre a mesma: *não olhar para trás*. A exigência feita a Orfeu pelo soberano dos mortos é parte integrante de outros interditos que, nas culturas primitivas, pesavam sobre vários tipos de atividade. O trabalhador, ao traçar o primeiro sulco na terra, para depositar a semente, deveria permanecer em absoluto silêncio, como as mulheres que dispunham o fio da teia para fazer o tecido, como os encarregados de abrir uma sepultura e como aqueles que acompanhavam um cortejo fúnebre. Iniciado o trabalho, não se podia interrompê-lo e tampouco olhar para trás. Forças invisíveis estavam presentes e podiam agastar-se com uma palavra dita irrefletidamente ou mesmo irritar-se perigosamente por terem sido vistas às escondidas.

Orfeu foi o homem que violou o interdito e ousou olhar o invisível. Olhando para trás e, por causa disso, perdendo Eurídice, o citaredo, ao regressar, não mais pôde tanger sua lira e sua voz divina não mais se ouviu. Perdendo Eurídice, o poeta da Trácia perdeu-se também como indivíduo, como músico e como cantor. É que a *harmonia* se partiu. Atente-se para a etimologia deste vocábulo: em grego ἁρμονία (harmonía) significa precisamente "junção das partes". Orfeu des-completou-se, des-individuou-se. A segunda parte do *symbolon* se fora. O encaixe, a harmonia agora somente será possível, se houver um "retorno perfeito".

3

Ao regressar do Hades, como já se viu, Orfeu foi despedaçado pelas Mênades e sua cabeça lançada no rio Hebro, tendo sido, mais tarde, encontrada por um pescador.

A cerimônia do despedaçamento simbólico do neófito ou mesmo iniciado, sempre relembrado no *diasparagmós* grego, quando se fazia em pedaços um animal, para recordar o "renascimento" de Dioniso, como se viu mais atrás, à p. 143, é um rito bem atestado em muitas culturas e sua finalidade última, já o frisamos, é fazer o neófito ou o iniciado renascer numa forma superior de existência. Assim o foi, entre outros, com Osíris, Dioniso e Orfeu.

Quanto à *cabeça* ou *crânio*, é bom deixar bem claro que essa parte nobre do corpo possuía em quase todas as culturas uma importância extraordinária. A cabeça de um inimigo morto, mormente se fosse um rei, um chefe, um general ou mesmo um simples combatente que se tivesse destacado pela coragem, era oferecida como presa de honra ao chefe tribal, ao rei ou ao guerreiro que houvesse praticado a façanha de eliminar o inimigo.

Sede do pensamento e, por conseguinte, do comando supremo, o crânio é o mais importante dos quatro centros (os outros três estão situados na base do esterno, no umbigo e no sexo) em que, consoante Chevalier e Gheerbrant[4], os Bambara sintetizam sua representação macrocósmica do homem. Homólogo, em muitas culturas, da abóbada celeste, o Rig-Veda considera esta última como formada pelo crânio do ser primordial. O culto do crânio, no entanto, acrescentam os supracitados autores, não se restringe a cabeças humanas. Entre os grandes caçadores de épocas primitivas, troféus animais desempenhavam um papel

---

4. Ibid., p. 307ss.

ritual relevante, porque estavam relacionados simultaneamente com a afirmação da superioridade humana, atestada em suas aldeias pela presença do crânio de um grande javali, e com a preocupação pela conservação da vida, uma vez que, como vértice do esqueleto, o crânio se constitui no que há de imperecível no corpo humano, isto é, a *alma*. Quem se apropria de um crânio, apodera-se igualmente de sua energia vital, de seu mana.

O historiador latino Tito Lívio (59 a.C.-17 d.C.), em sua *História Romana*, 23, 24, conta que, em 216 a.C., tendo os gauleses cisalpinos destruído o exército do cônsul romano Postúmio levaram em triunfo os despojos e a cabeça do magistrado: *Seu crânio, diz* o historiador, *ornamentado com um círculo de ouro, servia-lhes de vaso sagrado na oferenda de libações, por ocasião das festas. Os pontífices e os sacerdotes do templo usavam-no como taça e, aos olhos dos gauleses, a presa foi tão importante quanto a vitória.*

Ponto culminante do esqueleto, com sua forma de cúpula e sua função de centro espiritual, o crânio é muitas vezes denominado o céu do corpo humano. Considerado como sede da força vital, do mana do corpo e do espírito, quanto maior o número de crânios reunidos, maior a energia que dos mesmos se desprende, o que explica os montes de crânios encontrados nas escavações.

Símbolo da morte física, o crânio é análogo à putrefação alquímica, como o túmulo o é do atanor: o homem novo sai do crisol, onde o homem velho se destrói, para transformar-se.

Jung nos dá uma síntese admirável da eficácia da cabeça: "O culto do crânio é um procedimento espalhado por toda parte. Na Melanésia e na Polinésia são principalmente os crânios dos ancestrais que estabelecem a relação com os espíritos ou servem de paládios, como acontece, por exemplo, com a cabeça de Osíris, no Egito. O crânio desempenha também papel considerável entre as relíquias dos santos. [...] A cabeça, e partes dela (como o cérebro), são usadas como alimento de eficácia mágica ou como meio de aumentar a fertilidade dos campos.

É de particular importância para a tradição alquímica o fato de que na Grécia também se conhecia a cabeça oracular. Eliano[5], por exemplo, nos relata que

---

5. *Varia Historia*, XII, 8.

Cleômenes de Esparta guardava a cabeça de seu amigo Arcônidas numa panela contendo mel e a consultava como oráculo. O mesmo se dizia da cabeça de Orfeu. Onians nos lembra muito acertadamente que a ψυχή (psykhé), cuja sede era a cabeça, corresponde ao "inconsciente" moderno, e isto naquele estágio em que a consciência era localizada com o θυμός e o φρένες, dentro do peito ou na região do coração. Por isso é que a expressão de Píndaro, designando a alma como αἰῶνος εἴδωλον (imagem do éon), é sumamente significativa, pois o inconsciente não produz apenas oráculos, como também sempre representa o microcosmo"[6].

Eis aí por que os deuses somente suspenderam o terrível flagelo que devastava a Trácia, depois que foi encontrada a cabeça de Orfeu e se lhe prestaram as devidas honras fúnebres. Dotado de mana inesgotável, o crânio do vate e cantor tornou-se paládio poderoso e oráculo indiscutível.

4

Tem razão Mircea Eliade, ao afirmar que "parece impossível escrever sobre Orfeu e o Orfismo sem irritar certa categoria de estudiosos: quer os céticos e os 'racionalistas', que minimizam a importância do orfismo na história da espiritualidade grega, quer os admiradores e os 'entusiastas', que nele veem um movimento de enorme alcance"[7]. Falar de *Orfismo* é, no fundo, descontentar a gregos e troianos. Apesar dos pesares, vamos nós também entrar na guerra...

Na realidade, o *Orfismo* é um movimento religioso complexo, em cujo bojo, ao menos a partir dos séculos VI-V a.C., se pode detectar uma série de influências (dionisíacas principalmente, pitagóricas, apolíneas e certamente orientais), mas que, ao mesmo tempo, sob múltiplos aspectos, se coloca numa postura francamente hostil a muitos postulados dos movimentos também religiosos supracitados. Embora de maneira sintética, porque voltaremos obrigatoriamente ao as-

---

6. JUNG, Carl Gustav. *Psicologia da religião ocidental e oriental*. Petrópolis: Vozes, 1980, p. 247s. [Tradução de Dom Mateus Ramalho Rocha, OSB.]

7. Ibid., p. 199.

sunto mais abaixo, vamos esquematizar as linhas básicas de oposição entre Orfeu e os princípios religiosos preconizados por Dioniso, Apolo e Pitágoras. Se bem que o profeta da Trácia se considere um sacerdote de Dioniso e uma espécie de propagador de suas ideias básicas, de modo particular no que se refere ao aspecto orgiástico, bem como ao êxtase e ao entusiasmo, quer dizer, à posse do divino, o Orfismo se opõe ao Dionisismo, não apenas pela rejeição total do *diasparagmós* e da *omofagia*, porquanto os órficos eram vegetarianos, mas sobretudo pela concepção "nova" da outra vida, pois, como se mostrou mais atrás, à p. 144, ainda que a religião dionisíaca tente expressar a unidade paradoxal da vida e da morte, não existem na mesma referências precisas à esperança escatológica, *enquanto a essência do Orfismo é exatamente a soteriologia.* Acrescente-se a tudo isto que, enquanto o êxtase dionisíaco se manifestava de modo *coletivo*, o órfico era, por princípio, *individual*.

Curioso é que Orfeu era conhecido como "o fiel por excelência de Apolo" e até mesmo, numa variante do mito, passava por filho de Apolo e de Calíope. Sua lira teria sido um presente paterno e a grande importância que os órficos atribuíam à *kátharsis*, à purificação, se devia ao deus de Delfos, uma vez que esta é uma técnica especificamente apolínea. A bem da verdade, somente a última afirmação é exata: os órficos realmente se apossaram da *kátharsis* apolínea, ampliando-a, no entanto, aperfeiçoando-a e sobretudo "purificando-a" de suas conotações políticas. No tocante "à fidelidade e à filiação" de Orfeu, ambas expressam a investida dos sacerdotes de Delfos de se "apossarem" também de Orfeu, como, em grande parte, já o haviam feito com Dioniso, "apolinizando-o" e levando-o para o Olimpo. A catequese apolínea, todavia, não surtiu efeito com o filho de Calíope, porque nada mais antagônico que Orfeu e Apolo. Este, "exegeta nacional", comandou a religião estatal com mão de ferro, freando qualquer inovação com base no *métron* traduzido no *conhece-te a ti mesmo* e no *nada em demasia!* Uma quase liturgia sem fé, a religião da *pólis* se resumia, em última análise, num festival sócio-político-religioso. Que prometia Apolo para o *post mortem?* Quais as exigências éticas e morais da religião oficial? Que se celebrassem condigna e solenemente as festas religiosas... E depois? Talvez a resposta tenha sido dada bem mais tarde por Quinto Horácio Flaco: *puluis et umbra sumus*, somos pó e sombra! *Pó e sombra*, nada além da triste escatologia homérica, que a religião estatal, opressora e despótica teimava em manter sob a égide de Apolo.

E até mesmo a *kátharsis* apolínea visava primariamente à purificação do homicídio, ao passo que os órficos purificavam-se nesta e na outra vida com vistas a libertar-se do ciclo das existências. A religião apolínea era o bem viver; a órfica, o bem morrer. Fundamentando-se numa singular antropologia, numa inovadora teogonia e em novíssima escatologia, o Orfismo aprendeu a reservar as lágrimas para os que nasciam e o sorriso para os que morriam...

Entre o *Pitagoricismo* e o *Orfismo*, do ponto de vista religioso, há, efetivamente, semelhanças muito grandes: o dualismo corpo-alma; a crença na imortalidade da mesma e na metempsicose; punição no Hades e glorificação final da Psiqué no Elísion; vegetarismo, ascetismo e a importância das purificações. Todas essas semelhanças levaram muitos a considerar erradamente o Orfismo como mero apêndice do Pitagoricismo, mas tantas analogias não provam, como acentua Mircea Eliade, "a inexistência do Orfismo como movimento autônomo". É muito possível, isto sim, que certos escritos religiosos órficos sejam de cunho, inspiração ou até mesmo obra de pitagóricos, mas não teria sentido pensar ou defender que a antropologia, a teogonia, a escatologia e os rituais órficos procedam de Pitágoras ou de seus discípulos. Os dois movimentos certamente se desenvolveram paralela e independentemente.

Mas, se existem tantas semelhanças entre ambos, as diferenças são também acentuadas, sobretudo no que tange ao social, à política, ao *modus uiuendi* e ao aspecto cultural. Os pitagóricos organizavam-se em seitas fechadas, de tipo esotérico. Movimento religioso de elite, talvez não fosse impertinente lembrar a obrigatoriedade pitagórica do *silêncio* e da abdicação, por parte de seus seguidores, da própria razão em favor da autoridade do mestre. Consideravam a sentença de seu fundador como a última palavra, uma espécie "de aresto inapelável e expressão indiscutível da verdade". Depois do αὐτὸς ἔφη (autòs éphe), *ipse dixit*, "ele falou", não havia mais o que discutir.

De outro lado, os pitagóricos eram homens cultos e dedicavam-se a um sistema de "educação completa": complementavam suas normas éticas, morais e ascéticas com o estudo em profundidade da música, da matemática e da astronomia, embora todas essas disciplinas e normas visassem, em última análise, a uma ordem mística.

Mircea Eliade sintetiza essa ciência pitagórica de finalidade religiosa: "Entretanto, o grande mérito de Pitágoras foi ter assentado as bases de uma 'ciência total', de estrutura holística, na qual o conhecimento científico estava integrado num conjunto de princípios éticos, metafísicos e religiosos, acompanhado de diversas 'técnicas do corpo'. Em suma, o conhecimento tinha uma função ao mesmo tempo gnosiológica, existencial e soteriológica. É a 'ciência total', do tipo tradicional, que se pode reconhecer tanto no pensamento de Platão como entre os humanistas do Renascimento italiano, em Paracelso ou nos alquimistas do século XVI"[8].

O Pitagoricismo estava, ademais disso, voltado para a política. É sabido que "sábios pitagóricos" detiveram o poder, durante algum tempo, em várias cidades do sul da Itália, a *Magna Graecia*.

O Orfismo, ao contrário do Pitagoricismo, era um movimento religioso aberto, de cunho democrático, ao menos na época clássica, e, embora contasse em seu grêmio com elementos da elite, jamais se imiscuiu em política e tampouco se fechou em conventículos de tipo esotérico. Se bem que o *Papiro Derveni*, datado do século IV a.C. e descoberto em 1962, perto da cidade de Derveni, na Tessalônica, dê a entender que, em época remota, já que o papiro é um comentário de um texto órfico arcaico, os seguidores de Orfeu se reuniam ou se fechavam em verdadeiras comunidades, não se pode, no período histórico, afirmar a existência de seitas órficas, no sentido de "conventos" em que se trancassem. Talvez o Orfismo fosse mais uma "escola", uma comunidade, com seus mestres, que explicavam as doutrinas e orientavam os discípulos e iniciados na leitura da vasta literatura religiosa que o movimento possuía. Claro está que, com exceção do *Papiro Derveni* e das *lamelas*, de que se falará mais abaixo, os textos órficos de caráter "literário" que chegaram até nós são poucos e alguns de época bem recente, mas é necessário distinguir "a data da redação de um documento com a

---

8. Ibid., p. 214s.

idade de seu conteúdo" e alguns dos escritos órficos pertencem inegavelmente a épocas bem tardias: uns pela data da redação, outros pelo conteúdo.

Feito esse ligeiro balanço das convergências e divergências entre dionisismo, apolinismo, orfismo e pitagoricismo, vamos, agora, dar uma ideia das datas de Orfeu, da antiguidade do Orfismo e de algumas possíveis influências sobre ele exercidas pelo Oriente.

Se Orfeu é uma figura integralmente lendária, o Orfismo é rigorosamente histórico. Enquanto Homero e Hesíodo iam dando forma poética às concepções religiosas do povo, havia na Hélade, desde o século VI a.C. ao menos, uma escola de poetas místicos que se autodenominavam *órficos*, e à doutrina que professavam davam-lhe o nome de *Orfismo*. Seu patrono e mestre era Orfeu. Organizavam-se, ao que tudo indica, em comunidades, para ouvir a "doutrina", efetuar as iniciações e celebrar seu grande deus, o primeiro Dioniso, denominado Zagreu. Abstendo-se de comer *carne* e *ovos* (princípios da vida), praticando a *ascese* (devoção, meditação, mortificação) e uma *catarse* rigorosa (purificação do corpo e sobretudo da vontade, por meio de cantos, hinos, litanias), defendendo a *metempsicose* (a transmigração das almas) e negando os *postulados básicos* da religião estatal, o Orfismo provocou sérias dúvidas e até transformações no espírito da religião oficial e popular da Grécia. Quando se disse, no início deste capítulo, que Orfeu era um herói muito antigo, não se estava exagerando. Se bem que o nome do poeta e cantor surja pela vez primeira no século VI a.C., mencionado pelo poeta Íbico, de Régio, Frg. 10A, Bergk: 'Ονομακλυτὸς 'Ορφήν (Onomaklytòs Orphén), "Orfeu de nome ilustre", e ainda no mesmo século, o citaredo tenha seu nome, sob a forma 'Ορφας (Orphas), gravado numa métopa do Tesouro dos Siciônios em Delfos, seus adeptos o consideravam anterior a Homero. Pouco importa que o profeta de Zagreu tenha "vivido" antes ou depois do poeta da *Ilíada*. Se seus seguidores assim o proclamavam, é porque acreditavam no fato ou porque desejavam enfatizar e também aumentar-lhe a autoridade, fazendo-o ancestral do próprio símbolo da religião oficial, e salientar a importância de sua mensagem religiosa, cujo conteúdo contrasta radicalmente com a religião olímpica. Uma coisa, porém, é inegável: certos traços da "biografia" de Orfeu e o conteúdo de sua mensagem possuem inegavelmente um caráter arcaizante e o que se conhece de uns e de outro bastaria para localizar o esposo de Eurídice bem antes de Homero.

Como os xamãs, Orfeu é curandeiro, músico e profeta; tem poderes de encantar e dominar os animais selvagens; através de uma catábase do tipo xamânico desce ao Hades à procura de Eurídice; é despedaçado pelas Mênades e sua cabeça se conserva intacta, passando a servir de oráculo; e, mais que tudo, é sempre apresentado como fundador de iniciações e de mistérios. Mais ainda: embora se conheçam apenas "os atos preliminares" dos mistérios e das iniciações tidas como fundadas por Orfeu, como o vegetarismo, a ascese, a catarse, os ἱεροὶ λόγοι (hieroì lógoi), ou seja, "os livros sagrados" que continham a instrução religiosa e particularmente as posições teológicas cifradas na antropogonia, na teogonia, na escatologia e na metempsicose, duas conclusões se impõem: primeiro, se bem que se desconheçam a origem e a pré-história de Orfeu e do Orfismo, ambos estão muito longe da tradição homérica e da herança mediterrânea; segundo, as características xamânticas de sua biografia e o conteúdo de sua mensagem, que se contrapõem por inteiro à mentalidade grega do século VI a.C. e à religião olímpica de Apolo, postulam para Orfeu e para o Orfismo uma época bem arcaica.

R. Pettazzoni defende, se não a origem, pelo menos uma influência marcante da trácia sobre o Orfismo: "Quaisquer que sejam suas mais remotas origens, um fato não se discute: o Orfismo se alimentou, desde cedo, de uma seiva religiosa proveniente da Trácia, e esta, por ter mantido o orgiasmo em sua espontaneidade natural, continuará a nutri-lo, graças às relações mais estreitas que, a partir do século VI a.C., Atenas começou a manter com o mundo bárbaro do Norte"[9].

Não há dúvida de que não se podem negar certas influências traco-dionisíacas e, sobretudo, orientais sobre todo o Orfismo, mas alguns de seus ângulos, de modo especial a escatologia, parecem remontar a "uma herança comum imemorial, resultado de especulações milenares sobre os êxtases, as visões e os arrebatamentos, as aventuras oníricas e as viagens imaginárias, herança, por certo, diferentemente valorizada pelas diversas tradições". No fundo, um arquétipo.

9. Ibid., p. 120.

Na Grécia, o mais notável representante do Orfismo e da poesia órfica foi o hábil versificador e imitador medíocre de Homero e Hesíodo, o célebre Onomácrito (século VI a.C.), sobre quem dizia Aristóteles, Frg. 7 Rose, que "a doutrina era de Orfeu, mas a expressão métrica pertencia a Onomácrito".

Antes de passarmos aos três pontos altos da doutrina órfica, vamos estampar, a título de conclusão de quanto se disse até agora, a admirável síntese do sábio e seguro professor sueco, Martin P. Nilsson, acerca do Orfismo e de sua significação religiosa: "O Orfismo é o compêndio e, ao mesmo tempo, o coroamento dos agitados e complexos movimentos religiosos da época arcaica. A constituição de uma cosmogonia em sentido especulativo, com o encaixe de uma antropogonia que, antes do mais, pretende explicar a dupla natureza do homem, composta de bem e de mal; o ritualismo nas cerimônias e na vida; o misticismo na doutrina e no culto; a elaboração de ideias acerca de uma vida no além, plástica e concreta, bem como a transformação do inferno em um lugar de castigo por influxo da exigência de reparação, segundo a ideia antiga de que a vida no outro mundo é uma repetição da existência sobre a terra. Tudo isto se pode constatar em outras partes, ao menos em esboço, mas a grandeza do Orfismo reside em ter combinado o todo numa estrutura harmônica. Sua realização genial foi situar o indivíduo e sua relação com a culpa e com a reparação da mesma no próprio âmago da religião. Desde o início, o Orfismo se apresentou como uma religião de minorias seletas e, por isso mesmo, muitos se sentiram repelidos por seus ritos primitivos e pela grotesca e fantástica indumentária mitológica de suas ideias. A evolução seguiu depois outro caminho: o ar claro e fresco do grande auge nacional, que se seguiu à vitória sobre os persas, dissipou as trevas e fez que se tornasse vitoriosa a tendência do espírito grego para a claridade e beleza sensível. O Orfismo mergulhou, então, como seita desprezada, nos estratos inferiores da população, onde continuou a vicejar até que os tempos novamente se transformassem e viesse abaixo a supremacia do espírito grego após meio milênio. Foi, então, que, mais uma vez, saiu à tona e contribuiu para a derradeira crise religiosa da antiguidade"[10].

---

10. Ibid., p. 40s.

5

Os três pontos altos do Orfismo e sua mais séria contribuição para a religiosidade grega foram a *cosmogonia*, a *antropogonia* e a *escatologia*. Três inovações que hão de abalar os nervos da intocável religião olímpica.

A *cosmogonia* órfica que, sob alguns aspectos, segue o modelo da de Hesíodo, já por nós exaustivamente exposta nos capítulos IX, X, XI, XII e XIII, do Vol. I, introduz novo motivo, aliás de caráter arcaico, já que se repete em várias culturas: *o cosmo* surgiu de um *ovo*. Mas não existe apenas este paradigma, pois são três as tradições cosmogônicas transmitidas pelo Orfismo. A primeira delas está nas chamadas *Rapsódias Órficas*[11]: *Crono*, o Tempo, gera no *Éter*, por ele criado juntamente com o *Caos*, o *Ovo* primordial, onde tem origem o primeiro dos deuses, *Eros*, também chamado *Fanes*[12], deus-criador, andrógino. Daí por diante a sequência é a mencionada por Hesíodo, ao menos até Zeus. Fanes (Eros) é, pois, o princípio da criação, que gerou os outros deuses. Zeus, no entanto, engoliu a Fanes e toda a geração anterior, criando um novo mundo. Observe-se que o tema da absorção é um fato comum em várias culturas. Crono devorara os filhos e o próprio Zeus engoliu sua esposa Métis, antes do nascimento de Atená. O gesto de Zeus, no caso em pauta, é significativo na cosmogonia órfica: de um lado, patenteia a tentativa de fazer de um deus *cosmocrata*, isto é, de uma divindade, que conquistou o governo do mundo pela força, um *deus-criador*; de outro, reflete uma séria indagação filosófica do século VI a.C., pois, como é sabido, o

---

11. São muitos os escritos atribuídos a "Orfeu". Aliás, os órficos davam grande importância aos Ἱεροὶ Λόγοι (Hieroì Lógoi), aos "textos sagrados", aos Livros. Platão (*República*, 364e, *Crátilo*, 402b, *Filebo*, 66c) fala de uma multiplicidade de livros compostos por Orfeu e Museu, "seu filho ou discípulo"; Eurípides (*Hipólito Porta-Coroa*, 954) menciona as escrituras órficas e Aristóteles (*Da Alma*, 410b28) conhecia as teorias da alma existentes nos "pretensos versos órficos". Uma grande quantidade de obras atribuídas a Orfeu é ainda catalogada pela *Suda*. No tocante particularmente às denominadas *Rapsódias Órficas*, de que subsistem muitos fragmentos (Kern, Frgs. 59-235), sobretudo através de citações em obras neoplatônicas, é bom lembrar que se trata de uma compilação tardia em hexâmetros, cuja data de composição é variável. É bem possível que crenças genuinamente arcaicas tenham sido engastadas em alguns versos dessa *Ilíada Órfica*, apesar de sua composição e compilação tardias.

12. Fanes, em grego Φάνης (Phánes), do verbo φαίνειν (phaínein), "brilhar, fazer-se visível, aparecer" é o "Brilhante, a Luz que brilha". Alado, andrógino e autógamo, brilhante e etéreo, dá à luz as primeiras gerações divinas e é o criador supremo do cosmo.

pensamento filosófico e religioso desta época preocupou-se muito com o problema do *Um* e do *Múltiplo*. Guthrie sintetiza bem essa indagação. Os espíritos religiosos do século VI a.C. se perguntavam com certa ansiedade: "Qual a relação existente entre cada indivíduo e o deus a que se sente aparentado? Como se pode realizar a unidade potencial implícita tanto no homem quanto no deus"? Por outra: "Qual a relação existente entre a realidade múltipla do mundo em que vivemos e a substância única e original de onde tudo procede?"[13] O ato prepotente de Zeus, por conseguinte, engolindo a Fanes e a todos os seres, simboliza a tentativa de explicar a criação de um universo múltiplo a partir da Unidade.

O mito de Fanes, apesar dos retoques, tem uma estrutura arcaica e reflete certas analogias com a cosmogonia oriental, principalmente com a egípcio-fenícia. Como esta versão teogônica órfica é a mais conhecida e, talvez, a mais importante na história do Orfismo, vamos esquematizá-la:

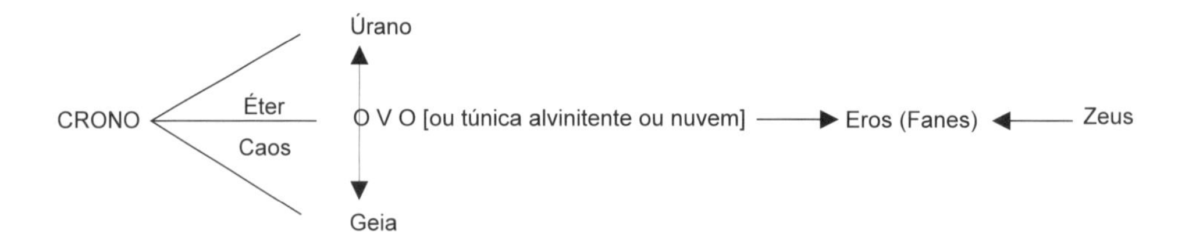

A segunda tradição cosmogônica órfica é difusa e admite várias alternativas. Em resumo, reduz-se ao seguinte: *Nix* (Noite) gerou *Úrano* (Céu) e *Geia* (Terra), o primeiro casal primordial, donde procede, como em Hesíodo, o restante da criação; ou *Oceano*, de que emergiu *Crono* (Tempo), que, mais tarde, gerou *Éter e Caos*; ou ainda *Monás* (UM) que gerou *Éris* (Discórdia), que, por sua vez, separou *Geia* de *Oceano* (Águas) e de *Úrano* (Céu).

A terceira e última tentativa órfica de explicar a origem do mundo foi recentemente revelada pelo já citado Papiro Derveni, em que tudo está centrado em Zeus. Um verso de "Orfeu" (col. 13,12) afirma categoricamente que "Zeus é o começo, o meio e o fim de todas as coisas".

---

13. GUTHRIE, W.K.C. *The Greeks and their Gods*. London: Cambridge, 1950, p. 319.

Para Orfeu, Moîra (Destino) é o próprio *pensamento* de Zeus (col. 15,5-7): "Quando os homens dizem: *Moîra* teceu, entendem que o pensamento de Zeus estipulou o que é o que será, bem como o que deixará de ser". *Oceano* (col. 18, 7-11) não é mais que uma hipóstase de Zeus, tanto quanto *Geia* (Deméter), *Reia* e *Hera* não passam de nomes diferentes de uma única deusa, quer dizer, de uma *Grande Mãe*.

Para explicar o ato criador do pai dos deuses e dos homens, o texto afirma, sem mencionar a parceira, que Zeus fez amor "no ar", literalmente, "no alto, por cima", nascendo então o mundo. A unidade da existência (col. 15,1-3) é igualmente proclamada: "o *lógos* do mundo é idêntico ao *lógos* de Zeus", donde se pode concluir com Heráclito (Frg. B 32) que o nome que designa o "mundo" é "Zeus".

Como se pode observar, a cosmogonia órfica, particularmente a revelada pelo *Papiro Derveni*, caminhou a passos largos para uma tendência monista.

Em conclusão: tomada em conjunto, a teogonia órfica possui elementos provenientes da *Teogonia* de Hesíodo, que influenciou quase todo o pensamento mitológico posterior respeitante ao assunto. É assim que a *Noite* e o *Caos* tiveram importância considerável nos contextos órficos. Estes elementos circularam por meio de variantes arcaicas e tardias e acabaram sendo engastadas num complexo mitológico órfico e individual. Outras facetas da cosmogonia órfica, como o *Tempo* (Khrónos) e o *Ovo* dão mostras de que se conheciam pormenores do culto e da iconografia orientais. O *Tempo*, particularmente, trai sua proveniência oriental nos relatos órficos pela forma concreta com que se apresenta: uma serpente alada e policéfala. Tais monstros multidivididos são orientalizantes nas suas características, principalmente de origem semítica, e começam a surgir na arte grega por volta do século VIII a.C.

A *antropologia*, ou melhor, a *antropogonia* órfica, tem como consequência o crime dos Titãs contra Zagreu, o primeiro Dioniso. Segundo se mostrou mais atrás, às p. 121-122, após raptarem Zagreu, por ordem de Hera, os Titãs fizeram-no em pedaços, cozinharam-lhe as carnes num caldeirão e as devoraram. Zeus, irritado, fulminou-os, transformando-os em cinzas e destas nasceram os homens, o que explica que o ser humano participa simultaneamente da natureza titânica (o *mal*) e da natureza divina (o *bem*), já que as cinzas dos Titãs, por terem devorado a Dioniso-Zagreu, continham igualmente o corpo do menino Dioniso.

O mito do nascimento do homem, a *antropogonia*, é muito mais importante no Orfismo do que a Cosmogonia. Platão (*Leis*, 3,701B) refere-se à antropogonia órfica, ao dizer que todos aqueles que não querem obedecer à autoridade constituída, aos pais e aos deuses, patenteiam *sua natureza titânica*, herança do mal. Mas cada ser humano, diz o filósofo ateniense, carrega dentro de si uma *faísca de eternidade*, uma *chispa do divino*, uma parcela de Dioniso, ou seja, uma *alma imortal*, sinônimo do bem. Em outra passagem (*Crátilo*, 400C), alude à doutrina, segundo a qual o corpo é uma sepultura da alma durante a vida e acrescenta que os órficos chamam assim ao corpo, porque a alma está encerrada nele como num cárcere, até que pague as penas pelas culpas cometidas. A *Psiqué* é a parte divina do homem; o corpo, sua prisão.

Apagava-se, destarte, no mapa religioso órfico, a tradicional concepção homérica que considerava o corpo como o *homem mesmo* e a alma como uma sombra pálida e abúlica, segundo se mostrou no Vol. I, p. 153-154. Uma passagem importante de Píndaro (Frg. 131 Bergk) permite-nos compreender melhor como foi possível essa mutação completa de valores. O corpo, diz o poeta tebano, segue a poderosa morte; a alma, porém, que procede apenas dos deuses, permanece. A alma, acrescenta, dorme, enquanto nossos membros estão em movimento, mas aquele, que a faz dormir, mostra-lhe em sonhos o futuro. Desse modo, se os sonhos são enviados pelos deuses e a alma é divina, é preciso libertá-la do cárcere do corpo, para que possa participar do divino, dos sonhos.

O homem, pois, tendo saído das cinzas dos Titãs, carrega, desde suas origens, um elemento do *mal*, ao mesmo tempo que um elemento divino, do *bem*. Em suma, uma natureza divina original e uma falta original e, a um só tempo, um dualismo e um conflito interior radical. Nos intervalos do êxtase e do entusiasmo, o dualismo parece desaparecer, o divino predomina e libera o homem de suas angústias. Essa bem-aventurança, todavia, passada a embriaguez do êxtase e do entusiasmo, se evapora na triste realidade do dia a dia. É bem verdade que a morte põe termo às tribulações, mas, pela doutrina órfica da *metempsicose*, de que se falará logo a seguir, o elemento divino terá obrigatoriamente que se "re-unir" a seu antagonista titânico, para recomeçar nova existência sob uma outra forma, que pode ser até mesmo a de um animal. Assim, em um ciclo, cujo término se ignora, cada existência é uma morte, cada corpo é um túmulo. Tem-se aí a célebre doutrina do σῶμα-σῆμα (sôma-sêma), do corpo (sôma) como cárcere (sêma) da alma. Assim, em punição de um crime primordial, a alma é encerrada no corpo tal como no túmulo. A existência, aqui neste mundo, assemelha-se antes à morte e a morte *pode* se constituir no começo de uma verdadeira vida. Esta verdadeira vida, que é a *libertação final da alma* do cárcere do corpo, quer dizer, a posse do "paraíso", sobre cuja localização se falará também, não é automática, uma vez que, "numa só existência e numa só morte", dificilmente se conseguem quitar a falta original e as cometidas aqui e lá. Talvez, e assim mesmo o fato é passível de discussão, só os "grandes iniciados órficos" conseguiriam desvincular-se da "estranha túnica da carne", para usar da expressão do órfico, filósofo e poeta Empédocles (Frg. B 155 e 126), após uma só existência. A alma é julgada e, consoante suas faltas e méritos, depois de uma permanência no além, retorna ao cárcere de novo corpo humano, animal ou, até mesmo, pode mergulhar num vegetal.

Sendo o Orfismo, no entanto, uma doutrina essencialmente soteriológica, oferece a seus seguidores meios eficazes para que essa liberação se faça de um modo mais rápido possível, com os menores sofrimentos possíveis, porquanto as maiores dores neste vale de lágrimas são tão somente um pálido reflexo dos tormentos no além...

Para um sério preparo com vistas a libertar-se do ciclo das existências, o Orfismo, além da parte iniciática, mística e ritualística, que nos escapa, dava uma ênfase particular à instrução religiosa, através dos "hieroì lógoi", "dos livros sagrados", bem como obrigava seus adeptos à prática do ascetismo, do vegetarianismo e de rigorosa catarse.

Mortificações austeras, como jejuns, abstenção de carne e de ovos, ou, por vezes, de qualquer alimento, castidade no casamento ou até mesmo castidade absoluta, como a do jovem vegetariano Hipólito na tragédia euripidiana que tem o nome do herói consagrado à deusa virgem Ártemis, meditação, cânticos, austeridade no vestir e no falar são alguns dos tópicos que compõem o verdadeiro catálogo do ascetismo órfico. Vegetarianos, os órficos não apenas se abstinham de carne, mas também eram proibidos de sacrificar qualquer animal, o que, sem dúvida, suscitava escândalo e indignação, por isso que o sacrifício animal e o banquete sacrifical eram precisamente os ritos mais característicos da religião grega. O fundamento de tal proibição há de ser buscado primeiramente na doutrina da metempsicose[14], uma vez que todo animal podia ser a encarnação de uma alma, de um elemento dionisíaco e divino e, por isso, virtualmente sagrado. Além do mais, poderia estar animado pela psiqué de um parente, até muito próximo... De outro lado, abstendo-se de carne e dos sacrifícios cruentos, obrigatórios no culto oficial, os seguidores do profeta da Trácia estavam, sem dúvida, contestando a religião oficial do Estado e proclamando sua renúncia às coisas deste mundo, onde se consideravam estrangeiros e hóspedes temporários.

Com o sacrifício cruento em Mecone, assunto de que se tratou no Vol. I, p. 175, Prometeu, tendo abatido um boi e reservado astutamente para os deuses os ossos cobertos de gordura e para os homens as carnes, desencadeou a cólera de Zeus. Profundamente irritado com o logro do primeiro sacrifício que os mortais faziam aos deuses por meio de Prometeu, o senhor do Olimpo privou aqueles do fogo e pôs termo ao estado paradisíaco, quando os homens viviam em perfeita harmonia com os imortais. Ora, com sua recusa em comer carne, decisão de não participar de sacrifícios cruentos e prática do vegetarianismo, os órficos visavam também, de algum modo, a purgar a falta ancestral e recuperar a felicidade perdida.

Não bastam, no entanto, ascetismo e vegetarianismo para libertar a alma do cárcere da matéria. Se a salvação era obtida sobretudo através da iniciação, quer dizer, de revelações de cunho cósmico e teosófico, a *catarse*, a purificação desempenhava um papel decisivo em todo o processo soteriológico do Orfismo. É bem verdade que nas ὄργια (órguia), nos orgiasmos dionisíacos, provocados pelo êxtase e entusiasmo, se realizava uma comunhão entre o divino e o humano, mas essa união, segundo se mostrou, era efêmera e "obtida pelo aviltamento da consciência". Os órficos aceitaram o processo dionisíaco e dele não só arrancaram uma conclusão óbvia, a *imortalidade*, donde a *divindade* da alma, mas ainda o enrique-

---

14. Existe, *stricto sensu*, uma diferença sensível entre *reencarnação* e *metempsicose*. A primeira diz-se em grego ἐνσωμάτωσις (ensomátosis), "ensomatose", é a reassunção pela alma de um novo corpo humano; a segunda, μετεμψύχωσις (metempsýkhosis), "metempsicose", é a transmigração da alma para um outro corpo, humano, animal ou até para um vegetal.

ceram com κάθαρσις (kátharsis), a *catarse*, que, embora de origem apolínea, foi empregada em outro sentido pelos seguidores de Orfeu. Ainda que se desconheça a técnica purificatória órfica, além do vegetarianismo, abluções, banhos, jejuns, purificação da vontade por meio de exame de consciência, de cantos, hinos, litanias e, sobretudo, a participação nos ritos iniciáticos, pode-se ter uma ideia do esforço que faziam os órficos no seu afã catártico, através de uma citação cáustica de Platão, que logo se transcreverá. Observe-se, todavia, que nem todos esses vergastados pelo filósofo são adeptos de Orfeu. Ao lado de homens sérios, verdadeiros purificadores órficos, ascetas e adivinhos, aos quais o filósofo Teofrasto (cerca de 372-287 a.C.) dá o nome de Ὀρφεοτελεσταί (Orpheotelestaí), "iniciadores nos mistérios órficos", pululavam, desde o século VI a.C., os embusteiros, charlatães, vulgares taumaturgos e curandeiros. Usando o nome de Orfeu, conseguiam, as mais das vezes, embair a ignorância e a boa-fé de suas vítimas. Fenômeno, seja dito de passagem, que se repete em todas as épocas, sobretudo nas chamadas religiões populares. Foi exatamente contra esses impostores que o autor do *Fédon* deixou em sua *República*, 364b-365a, uma página mordaz, que, de certa forma, nos ajuda a compreender um pouco mais a técnica purificatória do Orfismo: "...sacrificantes mendigos, adivinhos, que assediam as portas dos ricos, persuadem-nos de que obtiveram dos deuses, por meio de sacrifícios e encantamentos, o poder de perdoar-lhes as injustiças que puderam cometer, ou que foram cometidas pelos seus antepassados [...]. Para justificar os ritos, produzem uma multidão de livros, compostos por Museu e por Orfeu, filhos da Lua e das Musas. Com base nessas autoridades, persuadem não só indivíduos, mas também Estados, de que há para os vivos e os mortos absolvições e purificações [...]; e essas iniciações, pois é assim que lhes chamam, nos livram dos tormentos dos infernos"[15].

O terceiro e último ato do drama gigantesco da existência e da morte é precisamente a sorte que aguardava a alma no além e o caminho perigoso que a conduzia até lá e a trazia de volta ao mundo dos vivos, para recomeçar uma nova tragédia. Estamos nos domínios da *Escatologia*[16].

---

15. ELIADE, Mircea. Op. cit., p. 205, n. 14.

16. Escatologia, do grego ἔσχατος (éskhatos), "extremo, último" e λόγος "tratado, doutrina", é o tratado sobre os novíssimos, isto é, acerca do fim último do homem e da humanidade.

Entre algumas obras apócrifas atribuídas a Hesíodo há uma *Catábase de Teseu e Pirítoo* ao Hades. O Ulisses homérico já descera igualmente até a periferia da outra vida. Pois bem, a catábase homérica e hesiódica se enriqueceu com uma terceira, órfica, dessa feita, a Κατάβασις εἰς Ἅιδου (Katábasis eis Haídu), "a Descida ao Hades". Pouco interessa a autoria desse poema, o que importa é salientar que a *escatologia* é o ponto capital do Orfismo. Com a mântica, a escatologia representa um segundo elemento decisivo nas novas tendências religiosas do século VI a.C. Como Orfeu foi um dos raros mortais a descer em vida à região das trevas, é muito natural que seus seguidores construíssem, dentro dos novos padrões religiosos órficos, uma nova escatologia, reestruturando inclusive toda a topografia do além.

Se em Homero o Hades é um imenso abismo, onde, após a morte, todas as almas são lançadas, sem prêmio nem castigo, e para todo o sempre, segundo comentamos no Vol. I, p. 147-154, e se em Hesíodo, conforme está no Vol. I, p. 188, já existe uma nítida mudança escatológica, se não na topografia infernal, mas no destino de algumas almas privilegiadas, o Orfismo fixará normas topográficas definidas e reestruturará tudo quanto diz respeito ao destino último das almas.

No tocante à topografia, o Hades foi dividido, orficamente, em três regiões distintas: a parte mais profunda, abissal e trevosa, denomina-se *Tártaro*; a medial, *Érebo*, e a mais alta e nobre, *Elísion* ou Ἠλύσια πεδία (Elýsia pedía), os *Campos Elísios*. Ao que tudo indica, os dois primeiros eram destinados aos tormentos que se infligiam às almas, que lá embaixo purgavam suas penas, havendo, parece, uma clara gradação nos suplícios aplicados: os do Tártaro eram muito mais violentos e cruéis que os do Érebo. Os Campos Elísios seriam destinados aos que, havendo passado pelos horrores dos dois outros compartimentos, aguardavam o retorno. Isto significa que a estada no Hades era impermanente para todos. Duas observações se impõem: será que também os órficos desciam ao Hades e estavam sujeitos aos castigos e à metempsicose ou à ensomatose e, em segundo lugar, depois de quitadas todas as penas, onde estaria localizado o "paraíso"? Quanto às almas dos órficos, houve sempre uma certa hesitação a respeito de também elas passarem pelo processo da transmigração ou reencarnação. Talvez, pelo próprio exame das fontes órficas que se possuem, se possa afirmar que o problema estaria na dependência de ser ou não um iniciado perfeito (o que seria muito difícil) nos Mistérios de Orfeu... No que diz respeito à localização do "paraíso", existem, igualmente, algumas hesitações e contradições, mas, depois dos ensinamentos de Pitágoras, de algumas descobertas astronômicas e das especulações cosmológicas dos filósofos Leucipo e Demócrito, respectivamente dos fins do século VI e fins do V a.C., se chegou à conclusão de que a Terra era uma esfera e, em consequência, o Hades subterrâneo e a localização da Ilha dos Bem-Aventurados no extremo Ocidente deixaram "cientificamente" de ter sentido. O próprio Pitágoras, numa sentença, afirma que a "Ilha dos Bem-Aventurados eram o Sol e a Lua", ainda que a própria catábase do grande místico e matemático, porque também ele teria visitado o reino dos mortos, pressupunha um Hades localizado nas entranhas da Terra. A ideia de se colocar o "céu" lá no alto, na Lua, no Éter, no Sol ou nas Estrelas, tinha sua lógica, uma vez que, ao menos desde o século V a.C., se considerava que a substância da alma era aparentada com o Éter ou com a substância das estrelas. A localização homérica do Hades nas entranhas da Terra, entretanto, era tradicional e forte demais para que o povo lhe alterasse a geografia...

Feita esta ligeira introdução ao velho e novo Hades, vamos finalmente acompanhar "um órfico" até lá embaixo e observar o que lhe acontece. Nossa primeira fonte será Platão, que, desprezando a tradição mitológica clássica e "estatal", fundamentada em Homero e Hesíodo, organizou uma mitologia da alma, com base na doutrina órfico-pitagórica e em certas fontes orientais.

A segunda serão as importantíssimas *lamelas*[17], pequenas lâminas ou placas de ouro, descobertas na Itália meridional e na ilha de Creta.

---

17. Alguns sábios e pesquisadores, como G. Zuntz, *Persephone. Three Essays on Religion and Thought in Magna Graecia*. London: Oxford, 1971, p. 275-393, acham que as lamelas são de origem pitagórica, mas a *communis opinio* se inclina por julgá-las *órficas* com influência *pitagórica*. Enfim, *lamelas órfico-pitagóricas*... Todas elas são marcadas com o sinal secreto *Y*, até hoje um mistério. Delgadas e elegantes, enroladas sobre si mesmas, eram depositadas em pequenas placas hexagonais. Estas, presas em correntes de ouro, eram colocadas no pescoço dos iniciados, como talismãs, à maneira de passaportes para a eternidade.

Essas lamelas foram encontradas em túmulos órficos[18], nas cidades de Túrio e Petélia, na Magna Graecia, e datam dos séculos IV e III a.C., bem como em Eleuterna, na ilha de Creta, séculos II-I a.C., e possivelmente em Roma, século II d.C.

Apesar das diferenças de época e de procedência, as fórmulas nelas gravadas têm, com diferenças mínimas, conteúdo idêntico. É quase certo que procedem de um mesmo texto poético, que deveria ser familiar a todos os órficos, como uma espécie de norma de sua dogmática escatológica, o que os distinguia do comum dos homens e traduzia sua fé na salvação final, a salvação da alma. A obsessão dos iniciados órficos pela salvação os teria levado a depositar nos túmulos de seus mortos não o texto inteiro, mas ao menos fragmentos escolhidos, certas mensagens e preceitos que lhes pareciam mais importantes do cânon escatológico. Tais fórmulas serviam-lhes certamente de bússola, de "guia para sair à luz", como o impropriamente chamado *Livro dos Mortos* dos antigos egípcios, como o *Bardo Thödol* tibetano e o *Livro Maia dos Mortos*.

Voltemos, porém, à "viagem" órfica.

O ritual "separatista" se iniciava pelo sepultamento: um órfico não se podia inumar com indumentária de lã, porque não se deviam sacrificar os animais. Realizada a cerimônia fúnebre, com simplicidade e alegria, afinal "as lágrimas se reservavam no Orfismo para os nascimentos", a alma iniciava seu longo e perigoso itinerário em busca do "seio de Perséfone". No *Fédon* (108a) e no *Górgias* (524a) de Platão se diz que o caminho não é um só nem simples, porque vários são os desvios e muitos os obstáculos: "A mim, todavia, quer me parecer que ele

---

18. Os Órficos sepultavam seus mortos em "cemitérios comunitários", separados da sorte e do mundo dos restantes mortais. Uma inscrição do século V a.C., descoberta na cidade grega de Cumas (Sul da Itália), proibia que se enterrasse em determinado lugar quem não se tivesse tornado *bákkhos* (que se explicará mais abaixo), isto é, quem não fosse iniciado. Tal disposição testemunha a solidariedade firme e estreita dos adeptos de uma fé exclusiva e esotérica, na qual as realidades da morte possuíam importância considerável e, em função delas, o local e as condições da sepultura. Até na morte, os iniciados órficos desejavam ficar à margem dos demais seres humanos. A colocação das lamelas na tumba confirma, de outro lado, ideias e hábitos particulares, concernentes à sepultura: as lamelas, contrariamente ao uso comum, não trazem o nome do morto. Nenhuma lápide faz que os vivos se lembrem do nome e da descendência do falecido. O morto desejava que se esquecesse por completo o invólucro em que, se em vida se sentia estranho e exilado, quanto mais na morte! As palavras gravadas no metal incorruptível, secretas aos profanos e compreendidas apenas por ele, eram o viático que o conduzia à outra vida, "puro numa companhia de puros".

não é simples, nem um só, pois, se houvesse uma só rota para se ir ao Hades, não era necessária a existência de guias, já que ninguém poderia errar a direção. Mas é evidente que esse caminho contém muitas encruzilhadas e voltas: a prova disso são os cultos e costumes religiosos que temos" (*Fédon*, 108a). A *República* (614b) deixa claro que os justos tomam a entrada da direita, enquanto os maus são enviados para a esquerda. As *lamelas* contêm indicações análogas[19]: "Sejas bem-vindo, tu que caminhas pela estrada da direita em direção às campinas sagradas e ao bosque de Perséfone"[20]. A alma é bem orientada em seu trajeto: "À esquerda da mansão do Hades, depararás com uma fonte a cujo lado se ergue um cipreste branco. Não te aproximes muito dessa fonte. Encontrarás, a seguir, outra fonte: a água fresca jorra da fonte da Memória e lá existem guardas de sentinela. Dize-lhes: 'Sou filho de Geia e de Úrano estrelado, bem o sabeis. Estou, todavia, sedento e sinto que vou morrer. Dai-me, rapidamente, da água fresca que jorra da fonte da Memória'. Os guardas prontamente te darão água da fonte sagrada e, em seguida, reinarás entre os outros heróis". As almas que se dirigiam ao Hades bebiam das águas do rio Lete, a fim de esquecer suas existências terrenas. Os órficos, todavia, na esperança de escapar da reencarnação, evitavam o Lete e buscavam a fonte da Memória. Uma das *lamelas* deixa claro esse fato: "Saltei do ciclo dos pesados sofrimentos e das dores e lancei-me com pé ligeiro em direção à coroa almejada. Encontrei refúgio no seio da Senhora, a rainha do Hades". Perséfone responde-lhe: "Ó feliz e bem-aventurado! Eras homem e te tornaste deus". No início da lamela há uma passagem significativa. Dirigindo-se aos deuses ctônios, diz o iniciado: "Venho de uma comunidade de puros, ó pura senhora do Hades, Eucles, Eubuleu[21] e vós outros, deuses ctônios. Orgulho-me de pertencer à vossa raça bem-aventurada".

A *sede* da alma, comum a tantas culturas, configura não apenas *refrigério*, pelo longo caminhar da mesma em direção à outra vida, mas sobretudo simboliza a ressurreição, no sentido da passagem definitiva para um mundo melhor.

---

19. GUTHIE, W.K.C. *Orpheus and the Greek Religion*. London: Cambridge, p. 171ss.

20. *Perséfone*, a esposa de Plutão e rainha do Hades, conforme o Vol. I, p. 307-309, simboliza nas *lamelas* o termo final do ciclo reencarnatório, "o paraíso".

21. *Eucles e Eubuleu*, segundo parece, são grandes iniciados, ligados aos Mistérios de Elêusis.

Nós conhecemos bem esta sede de água fresca, da água viva, através dos escritos neotestamentários de países de cultura grega (Jo 7,37; Ap 22,17). Evitando beber das águas do rio Lete, o rio do esquecimento, penhor de reencarnações, a alma estava apressando e forçando sua entrada definitiva no "seio de Perséfone". Mas, se a alma tiver que regressar a novo corpo, terá forçosamente que tomar das águas do rio Lete, para apagar as lembranças do além. Se para os gregos "os mortos são aqueles que perderam a memória", o esquecimento para os órficos não mais configura a morte, mas o retorno à vida. Desse modo, na doutrina de Orfeu, o rio Lete teve parte de suas funções prejudicadas. Bebendo na fonte da Memória, a alma órfica desejava apenas lembrar-se da bem-aventurança. O encontro de uma árvore, no caso o *cipreste branco*, símbolo da luz e da pureza, junto a uma fonte, a fonte da Memória, é uma imagem comum do *Paraíso*, em muitas culturas primitivas. Na Mesopotâmia, o rei, representante dos deuses na Terra, vivera junto aos imortais, num jardim fabuloso, onde se localizava a Árvore da Vida e a Água da Vida. Seria conveniente não nos esquecermos de que em grego, παράδεισος (parádeisos), fonte primeira de *paraíso*, significava também *jardim*. E ao que consta, o *Jardim do Éden* estava cheio de árvores e de fontes... Esse Jardim do Éden (Gn 13,10; Jl 2,3), simbolizando o máximo de felicidade e sendo equiparado ao *Jardim de Deus* (Is 51,3; Ez 31,8-9). Semelhante jardim concretiza os ideais da futura restauração (Ez 36,35), da felicidade escatológica, que era considerada como um retorno à bem-aventurança perdida dos tempos primordiais. Passemos, agora, a acompanhar outra alma, que talvez tenha tomado a entrada da esquerda ou tenha vindo muito "carregada" do mundo dos vivos. Os sofrimentos que pesavam sobre aqueles que haviam partido desta vida com muitas faltas são vivamente desenhados por Platão, por uma passagem de Aristófanes, pelo neoplatônico Plotino e até mesmo pela arte figurada. "Mergulhados no lodaçal imundo, ser-lhes-á infligido um suplício apropriado à sua poluição moral" (*República*, I, 363d; *Fédon*, 69c); "esvair-se-ão em inúteis esforços para encher um barril sem fundo ou para carregar água numa peneira"[22]

---

22. Essa imagem concernente a encher um tonel sem fundo ou carregar água numa peneira, configurada no suplício das Danaides, é interpretada por Platão como uma entrega insaciável a paixões eternamente insatisfeitas. No Orfismo, talvez simbolize a punição dos que, não tendo praticado as abluções catárticas, devem transportar por todo o sempre, mas em vão, a água do banho purificador.

(*Górgias*, 493b; *República*, 363e); "como porcos agrada-lhes chafurdar na imundície" (*Enéadas*, 1,6,6). Aristófanes, num passo da comédia *As Rãs*, 145ss., descreve, pelos lábios de Héracles, o que aguarda certos criminosos na outra vida: "Verás, depois, um lodaçal imundo e submersos nele todos os que faltaram ao dever da hospitalidade [...]; os que espancaram a própria mãe; os que esbofetearam o próprio pai ou proferiram um falso juramento". Um exemplo famoso dos tormentos aplicados no Hades é a pintura do inferno com que o grande artista do século V a.C., Polignoto, decorou a Λέσχη (Léskhe), "galeria, pórtico", de Delfos: nela se via, entre outras coisas, um parricida estrangulado pelo próprio pai; um ladrão sacrílego sendo obrigado a beber veneno e Eurínomo (uma espécie de "demônio", segundo Pausânias, metade negro e metade azul, como um moscardo) está sentado num abutre, mostrando seus dentes enormes em sarcástica gargalhada e roendo "as carnes dos ossos" dos mortos.

Todos esses criminosos e sacrílegos estavam condenados a passar por penosas metempsicoses. Diga-se, logo, que é, até o momento, muito difícil detectar a origem e a fonte de tal crença. Na Grécia, o primeiro a sustentá-la e, possivelmente, a defendê-la foi o mitógrafo e teogonista Ferecides de Siros (séc. VI a.C.), que não deve ser confundido com seus homônimos, o genealogista Ferecides de Atenas (séc. V a.C.) e Ferecides de Leros, posterior e muito menos famoso que os dois anteriores. Apoiando-se em crenças orientais, o mitógrafo de Siros afirmava que a alma era imortal e que retornava sucessivamente à Terra para reencarnar-se. No século de Ferecides, somente na Índia a crença na metempsicose estava claramente definida. É bem verdade que os egípcios consideravam, desde tempos imemoriais, a alma imortal e suscetível de assumir formas várias de animais vários, mas não se encontra na terra dos faraós uma teoria geral da metempsicose. Caso contrário, por que e para que a mumificação? De qualquer forma, as teorias de Ferecides não surtiram muito efeito no mundo grego. Os verdadeiros defensores, divulgadores e sistematizadores da "ensomatose" e da metempsicose foram o Orfismo, Pitágoras e seus discípulos, e o filósofo Empédocles. A alma, pois, não quite com suas culpas, regressava para reencarnar-se. O homem comum percorria o ciclo reencarnatário *dez vezes* e o intervalo entre um e outro renascimento era de *mil anos*, cifras que, no caso em pauta, são meros símbolos, que expressam não *quantidades*, mas sim *ideias* e *qualidades*, o que, aliás, se constitui na essência do número.

Finda a breve ou longa jornada, a alma podia finalmente dizer, como está gravado em uma das lamelas: "Sofri o castigo que mereciam minhas ações injustas [...]. Venho, agora, como suplicante, para junto da resplandecente Perséfone, para que, em sua complacência, me envie para a mansão dos bem-aventurados". A deusa acolhe o suplicante justificado com benevolência: "Bem-vindo sejas, ó tu que sofreste o que nunca havias sofrido anteriormente [...]. Bem-vindo, bem-vindo sejas tu! Segue pela estrada da direita, em direção às campinas sagradas e aos bosques de Perséfone".

Um fragmento da tragédia euripidiana (sempre Eurípides!), *Os Cretenses* (Frg. 472), atesta a presença na ilha de Minos, terra das iniciações, da religião de Zagreu e, portanto, do Orfismo. O poeta nos apresenta um coro de adeptos de Zagreu, numa palavra, de iniciados órficos, que "erra na noite" e se alegra "por haver abandonado os repastos cruentos": "Absolutamente puro em minha indumentária branca, fugi da geração dos mortais; evito os sepulcros e me abstenho de alimentos animais; santificado, recebi o nome da *bákkhos*". Este nome, que é, ao mesmo tempo, o nome do deus, exprime a comunhão mística com a divindade, isto é, o núcleo e a essência da fé órfica. *Bákkhos*, Baco, é, como se sabe, um dos nomes de Dioniso, que era, exatamente, sob seu aspecto orgiástico, a divindade mais importante dos órficos. Nome esotérico e sagrado, *bákkhos*, "baco", servirá para distinguir o verdadeiro místico, o verdadeiro órfico, o órfico que conseguiu libertar-se de uma vez dos liames do cárcere do corpo.

O Orfismo tudo fez para impor-se ao espírito grego. De saída, tentou romper com um princípio básico da religião estatal, a secular maldição familiar, segundo a qual, como já se comentou no Vol. I, p. 80-86, cada membro do *génos* era corresponsável e herdeiro das *hamartíai*, das faltas cometidas por qualquer um de seus membros. Os órficos solucionaram o problema de modo original: a culpa é sempre de responsabilidade individual e por ela (e foi a primeira vez que a ideia surgiu na Grécia) se paga aqui; quem não conseguir purgar-se nesta vida, pagará por suas faltas no além e nas outras reencarnações, até a catarse final. Mas, diante do citaredo trácio erguia-se a *pólis* com sua religião tradicional, com suas criações artísticas de beleza inexcedível e, mais que tudo, com seu sacerdote e poeta divino, Homero. É bem verdade que, desde o início, o Orfismo pediu socorro às Musas e Orfeu tentou modelar-se sobre a personagem do criador da epopeia, tornando-se também, em suas *rapsódias* e *hinos*, poeta e cantor, mas a distância entre Homero e Orfeu é aquela mesma estabelecida por Hesíodo entre o Olimpo e o Tártaro... E mais uma vez a Ásia curvou-se diante da Hélade! Foi, não há dúvida, mais uma vitória da cultura que da religião, mas, com isso, o Orfismo jamais passaria, na Grécia, de uma "seita", de uma confraria. Foi uma pena!

Na expressão feliz de Joseph Holzner[23], é difícil precisar em seus pormenores em que consiste a missão da Grécia na história da salvação e qual foi a influência providencial dos Mistérios. Talvez essa missão se encontre menos em minúcias precisas do que no todo da *mentalidade helênica*. K. Prümm não se equivocou ao afirmar que "a história do desenvolvimento espiritual da humanidade, apesar de seus saltos e tropeços, apesar de sua descontinuidade, segue um plano estabelecido por Deus". No fundo deste plano existe um projeto de salvação. O Cardeal Newman, na história do desenvolvimento da doutrina cristã, insiste no papel providencial dos Mistérios: "As transformações na história são, as mais das vezes, preparadas e facilitadas por uma disposição providencial, pela presença de certas correntes do pensamento e sentimentos humanos, que apontam o rumo da futura transformação [...]. Foi isto exatamente o que aconteceu com o cristianismo, como exigia sua alta transcendência. O cristianismo chegou, anunciado, acompanhado e preparado por uma multidão de sombras, impotentes e monstruosas, como são todas as sombras...". Os que acreditam seriamente na vontade salvífica universal de Deus devem admitir que o Senhor não podia permanecer indiferente aos inúmeros esforços, muitas vezes sinceros, desses gregos que foram educados nos Mistérios. Os gregos, realmente, não tiveram os deuses que mereciam. Esse povo extraordinário teve sede de amor e submeteu-se, por isso mesmo, às exigências arbitrárias de seus deuses. Foi, no entanto, enganado e traído por eles. Desse modo, do ponto de vista religioso, a era helênica terminou profundamente decepcionada. A antiguidade, já em seu declínio, retratou sua própria alma no mito gracioso e profundo de *Eros e Psiqué*.

---

23. HOLZNER, Joseph. Ibid., p. 115.

A *Psiqué* grega, que buscou por todos os caminhos, no céu, na terra e nos infernos, o único alimento que podia satisfazer sua fome de amor, o amor divino.

Mais um pouco, e as sombras, de que fala o Cardeal Newman, haveriam de dissipar-se com os raios do Novo Sol, que brilharia intensamente também no céu azul da Hélade. No Olimpo, Psiqué celebrará suas núpcias com Eros.

Repetindo, mais uma vez, o pensamento lúcido de Jean Daniélou, S.J., segundo quem uma coisa é a revelação e outra o modo como esta revelação foi transmitida pelos escritores sacros, haurida, em grande parte, nas civilizações antigas (e particularmente na grega, acrescentaríamos) é que se pode avaliar bem os significantes com que o Orfismo contribuiu para a formação do cristianismo nascente.

O mito grego ornamentou simbolicamente Orfeu com o nimbo da santidade. Nas pinturas das catacumbas romanas ele aparece sob a figura de citaredo e de cantor do amor divino. Nos mosaicos do mausoléu de Gala Placídia, em Ravena, é representado como Bom-Pastor. Uma antiga cena de crucificação chega mesmo a chamar Cristo de "Orfeu báquico".

A alma grega, realmente, não podia suportar a ruptura entre o mundo dos homens e o mundo dos deuses, um mundo que entrega o homem à morte e proclama a imortalidade dos deuses. Eis por que tanto se lutou na Grécia órfico-pitagórico-platônica pela imortalidade da alma. É que, existindo no homem aquele elemento divino, aquela faísca de eternidade, de que tanto se falou, é preciso libertá-la, constituindo-se essa liberação no tema central dos mistérios gregos. Não há dúvida de que a gnose é filha bastarda da antiguidade helênica: a alma, como diz Berdiaev deve forçosamente retornar à sua pátria eterna.

Além da óbvia influência sobre Píndaro e sobretudo, juntamente com o Pitagoricismo, sobre a gigantesca síntese platônica da nova "mitologia da alma", o Orfismo chegou até os primeiros séculos da era cristã, ainda com muita vitalidade. Em seguida, foi-se apagando lentamente, mas Orfeu, mesmo independente do Orfismo, teve sua figura reinterpretada "pelos teólogos judaicos e cristãos, pelos hermetistas, pelos filósofos do Renascimento, pelos poetas, desde Poliziano até Pope, e desde Novalis até Rilke e Pierre Emmanuel". Também nós, de língua portuguesa, tivemos a nossa reinterpretação do mito de Orfeu e Eurídice: trata-se da tragédia de Vinícius de Moraes, *Orfeu da Conceição*.

Em homenagem ao poeta carioca, vamos transcrever, do *Segundo Ato*, um suspiro do violão de Orfeu em busca de sua bem-amada.

Enlouquecido com a morte de Eurídice, Orfeu desce o morro e chega à *Cidade*, quer dizer, ao *Inferno*: era dia de *Carnaval*. "Plutão", possivelmente diretor do clube "Os Maiorais do Inferno", expulsa-o, para que o poeta e cantor não perturbe a folia.

Vejamos uma fala da personagem principal de Vinícius, que bem lhe caracteriza a catábase, do morro para a cidade:

Orfeu:

"Não sou daqui, sou do morro. Sou o músico do morro. No morro sou conhecido – sou a vida do morro. Eurídice morreu. Desci à cidade para buscar Eurídice, a mulher do meu coração. Há muitos dias busco Eurídice. Todo o mundo canta, todo o mundo bebe: ninguém sabe onde Eurídice está. Eu quero Eurídice, a minha noiva morta, a que morreu por amor de mim. Sem Eurídice não posso viver. Sem Eurídice não há Orfeu, não há música, não há nada. O morro parou, tudo se esqueceu. O que resta da vida é a esperança de Orfeu ver Eurídice nem que seja pela última vez!"

Capítulo VI
O mito de Narciso

1

Narciso, em grego Νάρκισσος (Nárkissos). Comecemos pela etimologia. *Nárkissos*, o nosso Narciso, não é uma palavra grega. Talvez se trate de um empréstimo mediterrâneo, quem sabe da ilha de Creta. De qualquer forma, uma aproximação com o elemento νάρκη (nárke), que, em grego, significa "entorpecimento, torpor", cuja base talvez seja o indo-europeu **snerq*, "encarquilhar, estiolar, morrer", é de cunho popular. Com o sentido de *torpor*, *nárke* já é empregado por Aristófanes, *Vespas*, 713. Relacionando-se, depois, com a flor *narciso*, que era tida por estupefaciente, *nárke* será a base etimológica de nossa palavra *narcótico* e toda uma vasta família com o elemento *narc-*.

Sob este enfoque, como demonstrou Murray Stein[1], várias associações se poderiam fazer com a flor narciso: ela é "bonita e inútil"; fenece, após uma vida muito breve; é "estéril"; tem um "perfume soporífero" e é venenosa, tal qual o jovem Narciso, que, carentes de virtudes masculinas, é estéril, inútil e venenoso.

De outro lado, *nárke*, como fonte de narcose (sono produzido por meio de narcótico), ajuda a compreender a relação da flor narciso com as divindades ctônias e com as cerimônias de iniciação, sobretudo as atinentes ao culto de Deméter e Perséfone. Narcisos plantados sobre os túmulos, o que era um hábito, simbolizavam o sorvedouro da morte, mas de uma morte que era apenas um sono. Às Erínias, consideradas como entorpecedoras dos réprobos, ofereciam-se guirlandas de narcisos. Uma vez que o narciso floresce na primavera, em lugares

1. STEIN, Murray. Narcissus. In: *Rev. Spring*. New York: 32-53, 1976, p. 34.

úmidos, ele se prende à simbólica das águas e do ritmo das estações e, por conseguinte, da fecundidade, o que caracteriza sua ambivalência morte (sono)-renascimento. Na Ásia é símbolo da felicidade e expressa os cumprimentos do Ano Novo, isto é, de um *ano* que sucede ao sono do ano velho. Os ritos antigos, com que se acordava o cansaço do ano *velho*, fazendo-o *novo*, são hodiernamente substituídos, entre outros "ruídos", por estrepitosos foguetórios, cuja finalidade, possivelmente, é despertar e retemperar as forças do laborioso e exausto ano velho... No fundo, não existe *ano velho* e *ano novo*, e sim mais um *anniuersarius* (de *annus*, "ano" e *uersare*, "voltar constantemente"), quer dizer, um retorno anual, um *aniversário* do tempo cíclico.

2

Quanto ao mito, Narciso era filho do rio Cefiso, em grego Κήφισος (Képhisos), "o que banha, o que inunda", desde que proceda do indo-europeu *g^w^*âp*, *g^w^*âph*, "banhar, irrigar", e da Ninfa Liríope, que talvez signifique de *voz* macia como um *lírio*, isto é, λείριον (leírion), "lírio", e ὄψ (óps), "voz", mas trata-se de mera hipótese.

Como se vê, voltamos à simbólica das águas. E, segundo se comentou no Vol. I, p. 279-280, um dos símbolos do rio, do "escoamento" das águas, é a fertilidade. Acrescentemos, de passagem, que determinados "seres" primordiais, como rios e montes, entre outros, talvez por não se terem antropomorfizado, eram detentores de uma grande energia sexual, como se demonstrou no Vol. I, p. 274-275, em que o rio Aqueloo lutou bravamente com Héracles pela posse de Dejanira. O fato é que são inúmeros os filhos de oceanos, rios e montes... Ora, se as ninfas, conforme se viu no Vol, I, p. 223-224, são divindades também ligadas à água, vamos ter em *Narciso* e *narciso* dois enamorados das águas.

Pois bem, Liríope foi vítima da insaciável energia sexual de Cefiso, em cujas margens tranquilas ninfa alguma poderia passear incólume. Um dia, foi a vez de Liríope. Uma gravidez penosa e indesejável, mas um parto jubiloso e, ao mesmo tempo, de apreensão. Não era concebível um menino tão belo! Na cultura grega, de modo particular, beleza fora do comum sempre assustava. É que esta facilmente arrastava o mortal para a *hýbris*, o descomedimento, fazendo-o, muitas vezes, ultrapassar o *métron*. Competir com os deuses em beleza era uma afronta inexoravelmente punida. Bastaria o mito de *Eros e Psiqué* para testemunhá-lo! E Narciso era mais belo do que os Imortais, que carregavam o peso da eveternidade, embriagados de néctar e fartos de ambrosia...

É que também a beleza era uma outorga do divino: constituía, portanto, uma "démesure", a ultrapassagem do *métron*, ufanando-se alguém de um dom que não lhe pertencia. *Némesis*, a justiça distributiva e, por isso mesmo, a vingadora da injustiça praticada, estava sempre atenta e pronta para punir os culpados.

Não importa: Narciso seria desejado pelas deusas, pelas ninfas e pelos jovens da Grécia inteira! Mas uma beleza assim nunca vista realmente conturbava o espírito de Liríope. Quantos anos viveria o mais belo dos mortais? O temor levou a mãe preocupada a consultar o velho cego Tirésias, o célebre Τειρεσίας (Teiresías), que é um derivado do neutro τέρας (téras), *sinal enviado pelos deuses*, donde "adivinho, profeta".

Tirésias, porque era cego, possuía o dom da *manteía*, da adivinhação. Era um *uates*, um profeta, dotado de *uaticinium*, do poder da predição. Um parêntese para explicar algo importante: a cegueira e a *manteía* de Tirésias eram consequência de um castigo e de uma compensação. Ao atingir a época de sua *dokimasía*, a saber, das "provas" de caráter iniciático por que passava todo jovem, ao ingressar na *efebia* e, em seguida, participar da vida da *pólis*, Tirésias escalou o monte Citerão e viu duas serpentes que se acoplavam num ato de amor. O jovem Tirésias as separou, ou, consoante outras fontes, matou a serpente fêmea. O resultado dessa intervenção foi desastroso: o jovem se tornou mulher. Sete anos mais tarde, subiu o mesmo Citerão e, encontrando cena idêntica, repetiu a intervenção anterior, matando a serpente macho, e recuperou seu sexo masculino. Tirésias era, portanto, alguém que tinha experiência dos dois sexos. Sua desventura o tornou célebre: um dia em que lá no Olimpo, Zeus, que terminara a consolidação do poder e se tornara *deus otiosus*, discutia acaloradamente com sua esposa Hera. O objeto da polêmica era deveras sério e complicado. Girava em torno do amor: "quem teria maior prazer num ato de amor, o homem ou a mulher?" Para dirimir dúvidas, foi chamado aquele que tinha experiência de ambos os sexos. Tirésias respondeu, sem hesitar, que, se um ato de amor pudesse ser fracionado em dez parcelas, a mulher teria nove e o homem apenas uma. Hera, furiosa, o cegou, porque havia revelado o grande segredo feminino e sobretudo porque, no fundo, Tirésias estava decretando a superioridade do homem, causa eficiente dos nove décimos do prazer feminino. Hera compreendeu perfeitamente a resposta patrilinear do adivinho tebano: ao dar-lhe a "vitória", *nove décimos de prazer*, estava, na realidade, traçando um perfil da superioridade masculina, da potência de Zeus, simbolizando todos os homens, únicos capazes de proporcionar tanto prazer à mulher.

Para compensar-lhe a cegueira e por "gratidão", Zeus concedeu-lhe o dom da *manteía*, da profecia e o privilégio de viver sete gerações humanas.

Foi ao grande profeta grego, ao mais célebre *mántis*, que Liríope consultou: Narciso viveria muitos anos? A resposta do adivinho foi lacônica e direta: *si non se uiderit*, "se ele não se vir"... como narra Ovídio (*Met.*, 3,339ss.). Apenas isto. Narciso viveria longos anos, desde que não se visse. Eis aí o seu drama, o problema da "visão", aquela mesma "visão" que Tirésias traz dissociada. A visão de *Tirésias*, etimologicamente, "o adivinho, o profeta", é a visão de dentro para fora, por isso é *mántis*. Diga-se, de passagem, que, de maneira muito constante, a mântica está relacionada com a *serpente*, réptil ctônio por excelência e, por isso mesmo, em comunicação com o mundo de baixo, depositário muito antigo da adivinhação. No culto decisivamente ctônio, subterrâneo e ínfero de Trofônio, o consulente oferecia bolos de mel às serpentes que habitavam no Oráculo e até mesmo se acreditava que a outorga da resposta se devesse a esse réptil, segundo nos informam a *Suda*, verbete Τροφόνιος (Trophónios), e o Escoliasta de Aristófanes, *Nuvens*, 508. No próprio *Oráculo de Delfos*, a mântica pré-apolínea, como se mostrou mais atrás, às p. 97-98, tinha por guardiã e inspiradora a serpente Píton. Alguns heróis devem sua própria faculdade divinatória à serpente, tais como Heleno, Cassandra e Melampo, conforme nos conta Apolodoro, 1,96. Como Tirésias, um outro "vidente", mítico, Poliido, matou também uma serpente, mas as consequências foram bem diferentes: uma outra serpente acorre e ressuscita a companheira, mediante uma erva miraculosa, de cujo segredo se apossa Poliido para ressuscitar a Glauco, informa o mesmo Apolodoro, 3,19.

Existem adivinhos, como *Ofioneu*, em grego serpente se diz ὄφις (óphis), cujo nome possui estreita relação etimológica com "serpente", observou Pausânias, 4,10,5.

Acrescente-se, por fim, que a cegueira atribuída a numerosos "videntes", de Tirésias a Ofioneu, passando por Polimnestor (Eurípides, *Hécuba*, 1265), Eveno (Heródoto, 9,93s.), Fórmio (Pausânias, 7,5,7), está acoplada à esfera da mântica ctônia, trevosa. Vê-se, adivinha-se de dentro para fora, das trevas para a luz...

Voltemos, porém, a Narciso.

E as grandes paixões pelo filho do rio Cefiso começaram... Jovens da Grécia inteira e ninfas, como sonhara Liríope, estavam irremediavelmente presas à beleza de Narciso, que, no entanto, permanecia insensível. Entre as grandes apaixonadas do jovem da Beócia estava a ninfa Eco, que, após um grave acontecimento, acabara de regressar do Olimpo. É que a deusa Hera, desconfiada, como sempre, e com razão, das constantes "viagens" do esposo ao mundo dos mortais, resolveu prendê-lo lá em cima. Desesperado, Zeus lembrou-se de Eco, ninfa de uma tagarelice invencível. A esposa seria distraída pela ninfa e ele, Zeus, poderia dar seus passeios, quase sempre de caráter amoroso, pelo *habitat* das encantadoras mortais...

A princípio, tudo correu bem, mas a ciumenta Hera, "a defensora dos amores legítimos", por fim, desconfiou, e sabedora do porquê da loquacidade de Eco, condenou-a a não mais falar: repetiria tão somente os últimos sons das palavras que ouvisse.

Mas Eco estava apaixonada pelo mais belo dos jovens! Era verão, e Narciso partira para uma caçada, com alguns companheiros. Eco o seguia, sem se deixar ver. Acontece que, tendo-se afastado em demasia dos amigos, o jovem começou a gritar por eles...

Antônio Feliciano de Castilho nos deu, com sua tradução do latim em português castiço, o tom, primeiro das esperanças e, depois, do desespero de Eco:

> Dos sócios seus na caça extraviado
> Narciso brada: *Olá! Ninguém me escuta?*
> *Escuta*, lhe responde a amante Ninfa.

Ele pasma: em redor estira os olhos;
E, não vendo ninguém: *Vem cá*, lhe grita;
Convite igual ao seu parte dela.
Volta-se, nada vê: *Por que me foges?*
Clama; *Por que me foges*, lhe respondem.
Da mútua voz deluso, insiste ainda:
Juntemo-nos aqui. Frase mais doce,
Nem lha espera, nem quer; delira, e logo,
Juntemo-nos aqui, vozeia em ânsias
De o pôr por obra; da espessura rompe,
Vem de braços abertos, anelando,
Tão suspirado objeto, alfim colhê-lo.
Ele foge; fugindo, ilude o abraço,
E *Antes*, diz, *morrerei, que amor nos una.*
Ela, imóvel, co'a vista o vai seguindo,
E, ao que ouviu, só responde: *Amor nos una*[2].

Tão friamente repelida, mas ardendo em paixão por Narciso, Eco se isolou e se fechou numa imensa solidão. Por fim, deixou de se alimentar e definhou, transformando-se num rochedo, capaz apenas de repetir os derradeiros sons do que se diz. As demais ninfas, irritadas com a insensibilidade e frieza do filho de Liríope, pediram vingança a *Nêmesis*, que, prontamente, condenou Narciso a amar um amor impossível.

Antes de seguirmos a derradeira etapa do breve e trágico itinerário da beleza de Narciso, duas ou três pequenas observações se fazem necessárias. A primeira delas é a respeito da relação Narciso-Eco, sobre que falou o psiquiatra e analista junguiano, Dr. Carlos Byington, em memorável conferência proferida em 1982, na Faculdade Cândido Mendes, no Rio de Janeiro.

"Se Narciso, argumentou Byington, vai ser um símbolo central de permanência em si mesmo, Eco, ao revés, traduz a problemática da vivência de seu oposto. Para se compreender o mito, é preciso frisar que Narciso e Eco estão em

---

2. NASÃO, Públio Ovídio (43 a.C–17 d.C.). *Metamorfoses*, 3,368-384. Rio de Janeiro: Organização Simões, 1959 [Tradução de Antônio Feliciano de Castilho].

relação dialética de opostos complementares, não só de masculino e feminino, mas sobretudo de sujeito e objeto, de algo que permanece em si mesmo e de algo que permanece no outro. Além do mais, a história de Eco está ligada à dissociação conjugal de Zeus e Hera, porque Eco é castigada exatamente por dar cobertura aos adultérios de Zeus. Tal castigo, no entanto, não deve ser tomado sob uma relação de causa e efeito, o que representa um mero discurso racional, para se compreender o mito, mas como imagem de uma dissociação real entre o pai e a mãe dos deuses e dos homens.

Narciso e Eco são dois caminhos provenientes de uma raiz comum, do sofrimento cultural, e que buscam, através de suas peripécias, se encontrar e se resolver. Acontece que, como se encontram e não se resolvem, e mais ainda, se separam, nos fica desse encontro-desencontro a marca de uma discórdia e de uma tragédia, que muito nos elucida sobre a realidade do homem e da mulher, a realidade da relação conjugal e, mais que tudo, a realidade do desenvolvimento psicológico da personalidade individual e da cultura."

Saindo um pouco da análise psicológica, desejaríamos lembrar que, na cultura maia, Eco é um dos atributos do grande deus ctônio Jaguar, enquanto associado às montanhas, aos animais selvagens, particularmente ao tapir, e ao *tambor*, que pode ser considerado em todas as culturas como uma *catrofania*, quer dizer, a "manifestação do poder urânico ou ctônio", relacionado, destarte, com o simbolismo da caverna, da gruta, da matriz. Em síntese, o tambor é o "eco" sonoro da existência.

De outro lado, tem-se no mito um caso de *imobilização*: como se viu, Eco foi transformada em *pedra*, como o herói Asdiwal[3]; e a mulher de Ló, por ter olhado para trás, o foi em estátua de sal. Se a interpretação da metamorfose da mulher de Ló talvez deva ser analisada sob um ângulo um tanto diferente, como, de resto, o fez Aycock[4], a hermenêutica concernente à imobilização da jovem ninfa

---

3. LÉVI-STRAUSS, Claude. *Antropologia estrutural dois*. Rio de Janeiro: Tempo Brasileiro, 1973, p. 152ss. [Tradução e coordenação de Maria do Carmo Pandolfo].

4. LEACH, Edmund & AYCOCK, D. Alan. *Structuralist Interpretations of Biblical Myth*. London: Cambridge University Press, 1983, p. 113ss.

grega e do herói dos índios Tsimshian pode ser concentrada no símbolo da regressão e da passividade, que não representam necessariamente um estado permanente, mas algo de passageiro, precursor de uma transformação. Eco e Asdiwal evocariam, assim, a noção de *duplo*, de *sombra*, de *Golem*[5]. Acrescente-se, por fim, que a impermanência da transformação em pedra baseia-se no fato de que a *pedra* e o *homem* exprimem um duplo movimento de subida e de descida. O homem nasce de Deus e a ele retorna. A pedra bruta desce do céu e, transmutada, a ele regressa.

É hora de se voltar à desdita do filho de Liríope. Estava-se novamente no verão. O jovem Narciso, sedento, aproximou-se da límpida fonte de Téspias para mitigar a sede. Como as flores que Hipólito colhera para ofertar a Ártemis jamais haviam sido tocadas nem mesmo pelas asas de ouro das abelhas da primavera, assim as águas da fonte de Téspias eram tão puras, que nem sequer delas se haviam aproximado os lábios ressequidos dos pegureiros. Ainda na tradução poética de Antônio Feliciano de Castilho, sintamos a atmosfera de pureza, de bucolismo, languidez e indolência que cercava o jovem caçador Narciso (*Met.*, 3,407-413):

> Sem limos, toda esplêndida, manava,
> Fonte argêntea, onde nunca os pegureiros,
> Nunca do monte as cabras repastadas,
> Nem outra qualquer grei, jamais desceram;
> Ave alguma o cristal lhe não turbara,
> Nem fera, nem caduca arbórea rama.
> Com seu frescor em torno se lhe alastra
> Mole tapete ervoso, e a cingem bosques,
> Do lago contra os sóis perene escudo.
> Da beleza do sítio, e do saudoso
> Murmúrio cativado, aqui chegava,
> Da calma, e do caçar opresso, o jovem.

Debruçou-se sobre o espelho imaculado das águas e *viu-se*. *Viu* a própria *imago* (imagem), a própria *umbra* (sombra) refletida no espelho da fonte de Téspias.

---

5. *Golem* é uma espécie de homem-robô na lenda judaico-cabalística. Criado por meios artificiais, em concorrência com a criação de Adão por Deus, *Golem* é mudo, porque os homens não conseguiram dar-lhe o dom da palavra.

Si non se uiderit, "se ele não se vir", profetizara Tirésias. *Viu-se* e não mais pôde sair dali: apaixonara-se pela própria imagem. Nêmesis cumprira a maldição.

No mito de Narciso, narrado pelo mitógrafo grego Cônon (cerca de 30 a.C.), o jovem é descrito como "extremamente belo, mas orgulhoso para com Eros e em relação àqueles que o amavam". Eis aí a grande "hamartía" de Narciso que, como Hipólito, ultrapassou o *métron* (o que Liríope temia) e, encastelado em sua beleza, comete uma *hýbris*, uma violência contra Eros, contra o amor-objeto e contra o envolvimento erótico com o outro.

Ovídio, mais uma vez, em suas *Metamorfoses*, 3,414-428 nos relata a grande tragédia.

Deitou-se e tentando matar a sede,
Outra mais forte achou. Enquanto bebia,
Viu-se na água e ficou embevecido com a própria imagem.
Julga corpo, o que é sombra, e a sombra adora.
Extasiado diante de si mesmo, sem mover-se do lugar,
O rosto fixo, Narciso parece uma estátua de mármore de Paros.
Deitado, contempla dois astros: seus olhos e seus cabelos,
Dignos de Baco, dignos também de Apolo;
Suas faces ainda imberbes, seu pescoço de marfim,
A boca encantadora, o leve rubor que lhe colore a nívea pele.
Admira tudo quanto admiram nele.
Em sua ingenuidade deseja a si mesmo.
A si próprio exalta e louva. Inspira ele mesmo os ardores que sente.
É uma chama que a si própria alimenta.
Quantos beijos lançados às ondas enganadoras!
Para sustentar o pescoço ali refletido, quantas vezes
Mergulhou inutilmente suas mãos nas águas.
O mesmo erro que lhe engana os olhos, acende-lhe a paixão.
Crédulo menino, por que buscas, em vão, uma imagem fugitiva?
O que procuras não existe. Não olhes e desaparecerá
o objeto de teu amor.
A sombra que vês é um reflexo de tua imagem.
Nada é em si mesma: contigo veio e contigo permanece.
Tua partida a dissiparia, se pudesses partir...
Inútil: sustento, sono, tudo esqueceu.

Estirado na relva opaca, não se cansa de olhar seu falso enlevo,
E por seus próprios olhos morre de amor.

Procuram-lhe o corpo: havia apenas uma delicada flor amarela, cujo centro era circundado de pétalas brancas. Era o *narciso*.

Por *Narciso* se perdeu Eco e por *narciso* se arruinou Perséfone.

É que esta, como se comentou no Vol. I, p. 307, tinha o hábito de colher flores no campo. Desejando-a, o rei do Hades, Plutão, contou com a conivência de Zeus. Este colocou um *narciso* às bordas de um precipício e, ao aproximar-se para pegá-lo, a filha de Deméter caiu no abismo. Lá embaixo, já a aguardava a carruagem de Plutão, que a fez sua mulher.

Na realidade, foi o perfume estupefaciente do *narciso* que embriagou Perséfone e arrastou-a para as trevas.

O *Hino Homérico a Deméter* (10-18) nos descreve a flor e seus efeitos sobre Core:

A flor brilhava intensa e maravilhosamente, e provocava admiração
De quantos, então, a viram: deuses imortais e homens mortais.
De sua raiz brotou um caule de cem cabeças,
E das múltiplas carolas exalava um perfume que fazia sorrir
Todo o vasto Céu, a terra e a áspera tumefação das ondas do mar!
Maravilhada, a jovem estendeu, de uma só vez, ambas as mãos,
A fim de colher o lindo presente, mas a terra de vastos caminhos
Se abriu na planície de Nisa, e surgiu com seus cavalos imortais
O Senhor, rico em hóspedes, o filho de Crono, invocado sob tantos nomes.

Acerca da "paixão" e morte de Narciso, o historiador e mitógrafo grego Pausânias (séc. II d.C.) nos deixou uma versão diferente. Narciso tinha uma irmã gêmea, parecidíssima com ele e a quem muito amava. Com a morte prematura da mesma, o jovem ficou inconsolável e refugiou-se na solidão. *Vendo-se* na fonte de Téspias, acreditou ele *estar vendo* a irmã e não mais conseguiu afastar-se dali.

De qualquer modo, Narciso ainda tenta, no Hades, *ver-se* nas águas *escuras* do rio Estige!

3

Muitas têm sido as interpretações do mito de Narciso. Desde os mais antigos, passando depois pelos neoplatônicos, teólogos cristãos, críticos literários, até desembocar (e felizmente!) em Freud, Jung e seus discípulos, o mitologema do mais belo dos mortais vem sendo submetido à análise, à exegese e a variados tipos de hermenêutica, sem que se tenha, até o momento, uma interpretação definitiva, e é pouco provável que se venha a tê-la. Como muito bem faz ver Murray Stein, "o escape ao intelecto é uma das características dos mitos e uma de suas forças, e é precisamente esta qualidade que nos leva a reflexões psicológicas mais profundas, que, de outro modo, não seriam prováveis"[6].

Vamos tentar fazer algumas reflexões sobre o mitologema de Narciso, reflexões, evidentemente, já "pensadas" pelos antigos, como *Cônon*, *Filóstrato*, *Pausânias*, *neoplatônicos*, *S. Clemente de Alexandria*... e modernamente "traduzidas" (aqui tradução se reveste da conotação etimológica que lhe empresta Martin Heidegger em *Holzwege*) para um outro universo de cultura.

Nossos guias serão Jung, o supracitado Murray Stein, o seguríssimo J.O. de Meira Penna, James George Frazer, este com as "devidas cautelas", Norman O. Brown e as magníficas interpretações do Dr. Carlos Byington, nos três seminários que juntos fizemos sobre Narciso.

Claro está que, tratando-se de "terreno alheio", vamos ser sumamente cauteloso e sobretudo conciso, entre outros motivos, para seguir o conselho do grande poeta latino Q. Horácio Flaco, *esto breuis*, "sê breve"...

Se o mito de Narciso deve ser enquadrado nos de Eros, o elemento básico que separa o mitologema do filho de Liríope daqueles, como a lindíssima narrativa de Eros e Psiqué, é a "natureza do amor de Narciso", que se apaixona, sem o saber, pela própria imagem refletida na fonte de Téspias. Ou seja: o engano fatal do jovem tebano foi a escolha errada do objeto do amor. Tratar-se-ia, no caso, de uma espécie de advertência à violação dos impulsos do amor, que deve ser dirigido a *outro*. Nesse caso, a *libido* deixa de se dirigir ao objeto, ao "outro", e retroage a uma atividade endopsíquica: assim, Narciso teria cometido um como que

6. Op. cit., p. 32.

incesto intrapsíquico. Do ponto de vista subjetivo de Narciso, seu amor é realmente orientado para um objeto, pois que ele descobriu uma face humana de uma beleza arrebatadora e por ela se apaixonou. O desenlace trágico, todavia, no relato de Ovídio, acima transcrito, é a conscientização de Narciso de que está perdidamente apaixonado por sua própria imagem; de que sua paixão é um autoamor, um amor do *self* e não um amor pelo *outro*. Tal descoberta leva-o ao desespero e à morte, por uma reflexão "patológica". *Reflectere*, de *re-*, "novamente" e *flectere*, "curvar-se", significa etimologicamente, "voltar para trás", donde *reflexus*, "reflexo", retorno, e *reflexio*, *-onis*, "inclinação para trás". Jung acentuou bem o que ele compreende por reflexão: "O termo reflexão não deve ser entendido como simples ato de pensar, mas como uma *atitude*. A reflexão é uma atitude de prudência da liberdade humana, face às necessidades das leis da natureza. Como bem o indica a palavra 'reflexio', isto é, 'inclinação para trás', a reflexão é um ato espiritual de sentido contrário ao desenvolvimento natural; isto é, um deter-se, procurar lembrar-se do que foi visto, colocar-se em relação a um confronto com aquilo que acaba de ser presenciado. A reflexão, por conseguinte, deve ser entendida como uma tomada de consciência"[7].

Mas a *reflexão*, como a de Narciso, pode representar sério perigo. Valendo-nos, mais uma vez, da clareza de Murray Stein, vejamos mais de perto o problema.

"Se o mitologema de Narciso é baseado num tabu contra a vaidade (o excessivo autoamor) e no horror do solipsismo (o *eu* como única realidade), sua 'advertência' também fala de um tipo de reflexão patológica. Mais precisamente, o mito fala de um desenvolvimento patológico, exatamente isto que Jung chamou de instinto de reflexão. 'Reflexio' significa 'voltar atrás'. A libido cessa de mover-se em direção ao objeto, sofrendo uma 'psiquização' e é desviada para uma atividade endopsíquica.

Jung atribui a esse instinto a possibilidade da riqueza e da complexidade psicológica. Trata-se de um instinto estritamente humano e, sem ele, a cultura e a interioridade psíquica seriam inconcebíveis. Mas, como Jung frisa, cada instinto (ele enumera cinco) tem um potencial de expressão patológica. A patologia é indicada, geralmente, quando um dos cinco instintos começa a dominar o

---

7. Ibid., p. 158, n. 9.

resto e a restringir sua progressão para a satisfação. Narciso indicaria este desenvolvimento patológico no instinto de reflexão: a atividade da reflexão (voltar-se para si mesmo) domina e exclui a necessidade de alimentação, de sexualidade comum, da atividade da entrada de qualquer pensamento ou impulso novos.

O que o jovem beócio ama é sua 'reflexão' que, como já foi visto anteriormente, é sua 'umbra', sua alma-sombra. Ele está apaixonado por sua alma. Esta relação entre autoimagem (*imagem do self*) e alma é primitiva e atravessa as idades, e é este o aspecto que Frazer enfatiza em sua interpretação do mito. Sob a influência da 'anima', ama-se o que se autorreflete e reflete-se o que se ama. No caso de Narciso, ele ama o próprio reflexo e, por isso, não pode jamais abandonar as águas paradas da fonte, onde esta ação é possível"[8].

O perigo que oferece o aprofundar-se em demasia na linha narcísica de alma e amor-reflexão está não somente na autocontenção, no solipsismo, no incesto intrapsíquico, mas também no suicídio. De modo explícito, ao recusar comer, Narciso se suicidou. Esse suicídio anoréxico foi motivado pela desilusão: a imagem querida e amada, que surge no reflexo, não possui equivalência no mundo real e objetivo.

Narciso se perdeu no momento em que se encontrou, se viu: *si non se uiderit*. Sob esse aspecto, o mito do mais belo dos homens assemelha-se ao de Édipo.

Ambos se arruinam, no momento em que a ἀναγνώρισις (anagnórisis), o "conhecimento", os conscientizou acerca do objeto de seu amor: Narciso está apaixonado por sua própria *imago*, imagem, *umbra*, sombra, e Édipo descobre que sua amada é sua própria mãe. Desse modo, a tragédia de Sófocles *Édipo Rei* é alicerçada no horror do solipsismo, além de evocar o tabu da vaidade.

A interpretação de James George Frazer[9] relaciona o mito com o *reflexo*, mas de modo diferente, seguindo a primitiva superstição de que nas fontes, lagos e rios esconde-se o *espírito das águas*, preparado para roubar a alma, a *imagem do self*, que neles, porventura, se refletisse. Para o autor de *The Golden Bough* não se deve olhar o próprio reflexo na água, para que os espíritos da mesma não ve-

---

8. Ibid., p. 40.

9. Ibid., p. 233ss.

nham a arrastar esse reflexo, que é a própria alma, para debaixo das águas e privar o homem de sua psiqué. A história, em seus primórdios, consoante Frazer, era de um jovem que contemplou sua própria imagem num lago, com tanta fascinação, que a perdeu para um espírito oculto, vindo, por isso mesmo, a morrer. É conveniente, para a interpretação do autor de *The Golden Bough*, não esquecer que Narciso era filho do *rio* Cefiso e de uma *náiade* (do verbo grego *naíein*, "habitar"), donde *náiade* era uma ninfa que habitava *rios e riachos*, como Liríope e, por isso mesmo, Narciso estava inteiramente agregado à *água*: aliás, ele nasce e morre junto à *água*, "perdido numa reflexão passional, fitando introvertidamente as profundidades. Seu itinerário leva ao ctônio, à desilusão e à morte".

Nesse caso, o espírito das águas de que fala Frazer poderia estar associado à mãe de Narciso, o qual teria perdido sua vida para uma mãe-anima possessiva. Ovídio, em seus lindíssimos versos supracitados, diz que Narciso vê na fonte de Téspias sua imagem (*imago*) e sua sombra (*umbra*). Ora, as palavras que, em grego, designam "sombra e reflexo", respectivamente σκιά (skiá) e εἴδωλον (eídolon) e, em latim, *imago* e *umbra*, têm relação também com a *morte*. O morto, na Hélade, tornava-se *eídolon*, um reflexo inteiro do finado. O poeta latino Horácio, já citado, escreveu melancolicamente numa *Ode* (4,7,16): *puluis et umbra sumus*, somos pó e sombra, isto é, morte. E, como se viu, Narciso procura ainda desesperadamente no Hades ver-se nas *águas escuras* do rio Estige. Sob este enfoque, a morte de Narciso é como se fora um retorno às águas primevas.

Igualmente os neoplatônicos, sobretudo Plotino, deram sua contribuição para um dos ângulos possíveis da hermenêutica do mitologema em pauta.

Se narcisismo pode ser compreendido como uma repulsa, uma rejeição do mundo-objeto e da relação sujeito-objeto, os neoplatônicos viram em Narciso um símbolo do oposto: uma espécie de fascinação sem esperança, como se fora um elo preso ao mundo da matéria e das aparências.

Deixando de lado o jovem frio, indiferente ao amor e autossuficiente, apresentam-no como vítima de uma ilusão de que a *imago*, a imagem, a *umbra*, a sombra, são a única realidade. Mais precisamente: o esquema neoplatônico vê o mitologema como o mito equivalente à queda da alma na matéria. É, precisamente, nessa visão neoplatônica que o símbolo do *espelho* é tão importante.

Mas que é o espelho? O Prof. Manuel Antônio de Castro nos dá, em excelente artigo sobre conceito de literatura infantil, um enfoque realmente "neoplatônico" de espelho: "Peguemos um espelho, olhando-o, captamos dele a nossa imagem. Atentemos à imagem: podemos achar que corresponde, mas a imagem não é o que somos: ela é, sendo outra que não nós. [...] O que é espelho? É o lugar a *partir do qual*, especuland[illegible]mos o que *somos* e *não* somos"[10].

Pois bem, a identificação, ou melhor, a relação do espelho com a matéria é muito frequente: a alma, olhando de cima, de seu estado puro, vislumbra um reflexo dela mesma na matéria e enamora-se de si mesma. Descendo, para alcançar o objeto de seu amor, mergulha na matéria e torna-se prisioneira do cárcere do corpo. Plotino (*En.*, 4,2,12) fazendo um paralelo do mito de Narciso com o *espelho* de Dioniso, de que já se fez menção, mais atrás, à p. ....., afirma: "As almas dos homens, vendo suas imagens no espelho de Dioniso, como se fossem elas próprias, entraram neste domínio, dando um salto para baixo do Supremo".

Assim, o desejo das almas de entrar na vida material é consequência de se terem elas olhado num espelho, "o mesmo espelho no qual Dioniso se contemplara, antes de voltar-se para a criação das coisas individuais". O espelho funciona, dessa maneira, para estimular na alma um desejo pelo corpo, pelo distinguível, pela particularidade. Para os neoplatônicos este movimento simboliza igualmente uma queda da unidade na multiplicidade, do Uno no muito, do pleuroma na criatura.

4

Uma palavra ainda acerca da *sombra* e do *tabu do reflexo* em Platão, no Novo Testamento e no folclore.

A *umbra*, a sombra, tem função ambivalente, já que possui qualidades comuns à luz e às trevas. Na verdade, não pode existir sombra sem luz, e estas estão de tal modo relacionadas, que, ao cair da noite, ambas são devoradas pelas trevas. Assim, relacionando-se com a luz e com as trevas e aflorando o problema

---

10. CASTRO, Manuel Antônio de. Conceito de Literatura Infantil. In: *Legenda*. Rio de Janeiro, 7: 49-58, 1983.

do bem e do mal, a essência da sombra pode manifestar-se através de funções ambivalentes.

No plano filosófico e religioso é que se pode ver bem a dimensão ambivalente da *umbra*. No início do sétimo livro da *República* de Platão, os "prisioneiros" estão de costas para a saída da caverna, onde se encontram encerrados. Ao longe, arde uma fogueira. Entre a caverna e a fogueira transitam homens, transportando objetos vários. Suas sombras projetam-se na parede da gruta, sendo as mesmas observadas e discutidas pelos que estão de costas para a saída. Tais sombras, tais reflexos constituem para Platão *as imagens das ideias verdadeiras*, para nós ainda invisíveis. Buscando essas sombras, estamos à procura da luz.

A prosperidade, a felicidade e a força de *fertilidade* da sombra, associada à luz geradora da vida, estão patentes na Anunciação de Maria, quando lhe disse o Anjo Gabriel: *Spiritus Sanctus superueniet in te, et uirtus Altissimi obumbrabit tibi* (Lc 1,35). – O Espírito Santo virá sobre ti e o poder do Altíssimo te cobrirá com a sua *sombra*.

A *força curativa* da *umbra* também é muito exaltada em várias culturas. Nos *Atos dos Apóstolos* há uma passagem deveras interessante a esse respeito: o povo colocava seus doentes ao longo das ruas pelas quais deveria passar Pedro, para que a *sombra* do apóstolo lhes curasse os males. Eis o texto: *Magis autem augebatur credentium in Domino multitudo uirorum ac mulierum: ita ut in plateas eicerent infirmos, et ponerent in lectulis et grabatis, ut, ueniente Petro, saltem umbra illius obumbraret quemquam eorum* (At 5,14-15). – Cada vez aumentava mais o número de homens e mulheres que acreditavam no Senhor, de maneira que traziam os doentes para as ruas, e punham-nos em leitos e enxergões, a fim de que, ao passar Pedro, cobrisse ao menos sua *sombra* algum deles.

Também a *umbra* e o reflexo têm muito em comum, pois surgem ambos como "reproduções incorpóreas de um original e se acham imbuídos de mistério e de sobrenaturalidade". A estreita relação entre sombra e reflexo é ilustrada por um episódio ocorrido na velha Constantinopla. Um jovem apaixonado viu, de seus aposentos, sua amada chegar à janela fronteiriça. De imediato, tomando um espelho, captou-lhe a imagem e beijou-a ternamente. Denunciado, o rapaz foi condenado a quarenta vergastas, e *na sombra*!

A par da força terapêutica e da fertilidade, porém, a *umbra* tem seu lado negativo: assim, quando se volta para o lado das trevas, seus efeitos benéficos desaparecem com ela. Surgem, então, as tendências fantasmagóricas e demoníacas. Os mortos perdem a sombra, ou, por outra, transformam-se eles próprios em sombras, *imago*, *umbra*, *eídolon* e podem assustar os vivos: são as *assombrações*.

O nosso folclorista maior, Luís da Câmara Cascudo, seguindo em muitos passos, em *Anúbis e outros ensaios*, cap. XIV, a obra de James George Frazer, *The Golden Bough*, já por nós citada, colheu por lá e em pesquisas pessoais vários exemplos que atestam os perigos da sombra e o tabu dos reflexos, "que ainda permanecem vivos no espírito popular do Brasil".

A imagem reproduzida na água ou na superfície dos espelhos tem uma impressão de sobrenaturalidade e de mistério. A alma pode ficar inteira e real no reflexo exterior. Em quase todas as partes do mundo havia proibição de contemplar-se em água parada: a imagem na água é *alma* disponível às forças do mal e do demônio.

Faz mal, registrava Gonçalves Fernandes, olhar o rosto refletido na água do fundo de uma cacimba: o diabo pode levar a alma da pessoa para as profundezas do inferno.

Criança que olha no espelho custa a falar. Espelho quebrado é sinal de morte: quebrou-se o *reflexo*, a *imago*, a alma. Olhar-se no espelho, à noite, é perigoso: pode-se ver o diabo. Em casa onde há mortos cobrem-se os espelhos durante três dias. Moça que deseja conhecer o futuro noivo espera pela festa de Santa Luzia (13 de dezembro), reza uma *Salve-Rainha* até o "nos mostrai" (*ad nos conuerte*) e, com uma vela acesa na mão, vai olhar-se no espelho: o futuro esposo *fatalmente* aparecerá... A sombra do corpo é parte integrante do mesmo e suscetível de todas as suas virtudes, poderes e perigos. Quem brinca com *sombra*, *assombra-se*. Pisar na sombra de alguém é uma agressão séria: é apossar-se da pessoa.

Em culturas primitivas não se podiam e em algumas ainda não se podem tirar fotografias: a alma fica presa na imagem imóvel, à disposição do fotógrafo. Se a alma (a *imago*) pode ficar prisioneira e perder-se nas águas e no reflexo de um espelho, quando estamos conscientes, imagine-se quando estamos adormecidos: a alma sem ação, abandonada ao desconhecido, está à mercê dos inimigos. Assim, não se deve acordar repentinamente uma pessoa adormecida: a alma, que aproveitou uns momentos de liberdade para peregrinar pelo mundo, pode não ter tempo de regressar e o despertado morre. Não se deve dormir com sede: a alma irá fatalmente beber água e poderá afogar-se num poço ou cacimba. Não se deve pintar nem caricaturar a quem dorme: a alma, ao regressar de suas viagens, pode não reconhecer seu *habitat* e passar adiante... Não se deve dormir com os braços cruzados sobre o peito: a alma deixa de voltar ao corpo, uma vez que não pode atravessar o sinal da cruz.

Parte escondida e inconsciente da personalidade consciente ou parcela do inconsciente coletivo, no dizer de Jung, a *umbra*, a *imago* perdida de Narciso continua viva entre nós.

Consciente ou inconscientemente, o místico e nostálgico poeta mineiro Alphonsus de Guimaraens nos deixou um belíssimo poema sobre a morte provocada pelo espírito-ladrão das águas:

ISMÁLIA

Quando Ismália enlouqueceu,
Pôs-se na torre a sonhar...
Viu uma lua no céu,
Viu outra lua no mar.

No sonho em que se perdeu,
Banhou-se toda em luar...
Queria subir ao céu,
Queria descer ao mar...

E, no desvario seu,
Na torre pôs-se a cantar...
Estava perto do céu,
Estava longe do mar...

E como um anjo pendeu
As asas para voar...
Queria a lua do céu,
Queria a lua do mar...

As asas que Deus lhe deu
Ruflaram de par em par...
Sua alma subiu ao céu.
Seu corpo desceu ao mar...

Capítulo VII
Hermes Trismegisto

1

Hermes, em grego Ἑρμῆς (Hermês) e também "herma, cipo, pilastra, estela com cabeça de Hermes", não possui etimologia confiável. Derivar o nome do deus de ἕρμα (hérma), "cipo, pilar" que o representa ou dos "montes de pedras" que o configuram, não é correto, pois que o nome do deus é anterior à "herma que o simboliza".

Filho de Zeus e de Maia, a mais jovem das Plêiades[1], Hermes nasceu num dia quatro (número que lhe era consagrado), numa caverna do monte Cilene, ao sul da Arcádia. Apesar de enfaixado e colocado no *vão de um salgueiro*, árvore sagrada, símbolo da fecundidade e da imortalidade, o que traduz, de saída, um rito iniciático, o menino revelou-se de uma precocidade extraordinária. No mesmo dia em que veio à luz, *desligou-se* das faixas, demonstração clara de seu poder de ligar e desligar, viajou até a Tessália, onde furtou uma parte do rebanho de Admeto, guardado por Apolo, que cumpria grave punição, de que se falou mais atrás, à p. 89. Percorreu com os animais quase toda a Hélade, tendo amarrado folhudos ramos na cauda dos mesmos, para que, enquanto andassem, fossem apagando os próprios rastros. Numa gruta de Pilos sacrificou duas novilhas aos deuses, dividindo-as em doze porções, embora os imortais fossem apenas onze: é

1. *Plêiades* eram as filhas de Atlas e Plêione. Eram sete irmãs: Taígeta, Electra, Alcíone, Astérope, Celene, Mérope e Maia. Exceto Mérope, que desposou Sísifo, todas se uniram a deuses. A elas são atribuídas as instituições dos coros de dança e das festas noturnas. Foram transformadas na constelação dita das Plêiades, por Zeus, que as livrou assim da implacável perseguição do temível caçador Oríon, que se apaixonara por uma delas.

que o menino-prodígio acabava de promover-se a décimo segundo. Após esconder o grosso do rebanho, regressou a Cilene. Tendo encontrado uma tartaruga à entrada da caverna, matou-a, arrancando-lhe a carapaça e, com as tripas das novilhas sacrificadas, fabricou a primeira lira.

Apolo, o deus mântico por excelência, descobriu o paradeiro do ladrão e o acusou formalmente perante Maia, que negou pudesse o menino, nascido há poucos dias e completamente enfaixado, ter praticado semelhante roubo. Vendo o couro dos animais sacrificados, Apolo não teve mais dúvidas e apelou para Zeus. Este interrogou habilmente ao filho, que persistiu na negativa. Convencido de mentira pelo pai e obrigado a prometer que nunca mais faltaria com a verdade, Hermes concordou, acrescentando, porém, que não estaria obrigado a dizer a verdade por inteiro[2]. Encantado com os sons que o menino arrancava da lira, o deus de Delfos trocou o rebanho furtado pelo novo instrumento de som divino. Um pouco mais tarde, enquanto pastoreava seu gado, inventou a σῦριγξ (syrinks), a "flauta de Pã". Apolo desejou também a flauta e ofereceu em troca o cajado de ouro de que se servia para guardar o armento do rei Admeto. Hermes aceitou o negócio, mas pediu ainda lições de adivinhação. Apolo assentiu e, desse modo, o *caduceu* de ouro passou a figurar entre os atributos principais de Hermes, que, de resto, ainda aperfeiçoou a arte divinatória, auxiliando a leitura do futuro por meio de pequenos seixos.

2

Divindade complexa, com múltiplos atributos e funções, Hermes parece ter sido, de início, um deus agrário, protetor dos pastores nômades indo-europeus e dos rebanhos, daí seu epíteto de *Crióforo*, por ser muitas vezes representado com um carneiro sobre os ombros. Pausânias (2,3,4) deixa bem claro essa atribuição primária do filho de Maia: "Não existe outro deus que demonstre tanta solicitude para com os rebanhos e seu crescimento".

---

2. A propósito da busca de Apolo (no que foi ajudado pelos *Sátiros*) a seu rebanho furtado por Hermes, Sófocles compôs o drama satírico *Os cães de busca*, que, infelizmente, não chegou completo até nós.

Os gregos, no entanto, ampliaram-lhe grandemente as funções, e Hermes, por ter furtado o rebanho de Apolo, se tornou o símbolo de tudo quanto implica astúcia, ardil e trapaça: é um verdadeiro *trickster*, um trapaceiro, um velhaco, companheiro amigo e protetor dos comerciantes e dos ladrões... Na tragédia *Reso*, 216s., erradamente atribuída a Eurípides, o deus é chamado "Senhor dos que realizam seus negócios durante a noite".

Ampliando-lhe o mito, os escritores e poetas igualmente lhe dignificaram as prerrogativas. Na *Ilíada*, XXIV, 334s., vendo o alquebrado Príamo ser conduzido pelo filho de Maia através do acampamento aqueu, Zeus exclama comovido:

Hermes, tua mais agradável tarefa é ser
o companheiro do homem; ouves a quem estimas.

Nesse sentido, como está na *Odisseia*, VIII, 335. Hermes, mensageiro, filho de Zeus, é o dispensador de bens.

Além do mais, se qualquer oportunidade é uma dádiva do deus, é porque ele gosta de misturar-se aos homens, tornando-se, destarte, juntamente com Dioniso, o menos olímpico dos imortais.

Protetor dos viajantes, é o deus das estradas. Guardião dos caminhos, cada transeunte lançava uma pedra, formando um ἕρμαιον (hérmaion), isto é, literalmente, "lucro inesperado, descoberta feliz" proporcionados por Hermes: assim, para se agradecerem ou para se obterem bons lucros, formavam-se, em honra do deus, verdadeiros montes de pedra à beira da estrada. Diga-se logo que uma pedra lançada sobre um monte de outras pedras simboliza a união do crente com o deus ao qual as mesmas são consagradas, pois que na pedra está a força, a perpetuidade e a presença do divino. Também entre os judeus, para não citar outras culturas, um acontecimento feliz se comemorava com um monte de pedras, não raro um sinal de aliança entre Israel e Javé, como em Js 4,6-7: *Para que seja sinal entre vós e, quando amanhã vos perguntarem vossos filhos, dizendo: "que significam estas pedras?", vós lhes respondereis: as águas do Jordão desapareceram diante da arca da aliança do Senhor, quando passava por ele, e por isso, se puseram estas pedras, para servirem aos filhos de Israel de um eterno monumento.*

Para os gregos, todavia, Hermes regia as estradas, porque andava com incrível velocidade, pelo fato de usar sandálias de ouro, e, se não se perdia na noite, era porque, "dominando as trevas", conhecia perfeitamente o roteiro. Com a rapidez que lhe emprestavam suas sandálias divinas e com o domínio dos três níveis, tornou-se o mensageiro predileto dos deuses, sobretudo de seu pai Zeus e do casal ctônio, Hades e Perséfone. De outro lado, conhecedor dos caminhos e de suas encruzilhadas, não se perdendo nas trevas e sobretudo podendo circular livremente nos três níveis, o filho de Maia acabou por ser um *deus psicopompo*, quer dizer, um condutor de almas, tanto do nível telúrico para o ctônio quanto deste para aquele: numa variante do mito, foi ele quem trouxe do Hades para a luz a Perséfone e Eurídice; na tragédia de Ésquilo, *Os Persas*, 629, guiou, para curtos instantes na terra, o êidolon do rei Dario.

Para Mircea Eliade são as faculdades "espirituais" do deus psicopompo que lhe explicam as relações com as almas: "Pois a sua astúcia e a sua inteligência prática, a sua inventividade [...], o seu poder de tornar-se invisível e de viajar por toda parte em um piscar de olhos, já anunciam os prestígios da sabedoria, principalmente o domínio das ciências ocultas, que se tornarão mais tarde, na época helenística, as qualidades específicas desse deus"[3].

Está com a razão o sábio romeno, pois aquele que domina as trevas e os três níveis, guiando as almas dos mortos, não opera apenas com a astúcia e a inteligência, mas antes com a gnose e a magia.

Embora, como frisa Walter Otto, "o mundo de Hermes não seja um mundo heroico", a esse deus psicopompo não apenas os deuses mas igualmente os homens ficaram devendo algumas ações memoráveis, levadas a efeito mais com a solércia e a magia do que com a força.

Na Gigantomaquia, usando o capacete de Hades, que tornava invisível o seu portador, lutou ao lado dos deuses, matando o gigante Hipólito. Recompôs fisicamente a seu pai Zeus, roubando os tendões, que lhe arrancara o monstruoso Tifão. Libertou a seu irmão Ares, que os Alóadas haviam encerrado num pote de bronze, segundo se comentou bem antes, à p. 42. Salvou a Ulisses e a seus companheiros, estes já transformados em animais semelhantes a porcos, oferecendo-lhe

---

3. ELIADE, Mircea. Op. cit., p. 109.

como defesa uma planta fabulosa, de caráter apotropaico, denominada *móli*[4], cujos efeitos neutralizaram por completo a beberagem peçonhenta que lhe preparara a feiticeira Circe, conforme nos conta Homero na *Odisseia*, X, 281-329.

A grande tarefa de Hermes, no entanto, consistia em ser o intérprete da vontade dos deuses. Após o dilúvio, foi o portador da palavra divina a Deucalião, para anunciar que Zeus estava pronto a conceder-lhe a satisfação de um desejo. Por intermédio dele, o consumado músico Anfião recebeu a lira, Héracles a espada, Perseu o capacete de Hades. Após insistente súplica de Atená a seu pai Zeus, foi ele o enviado à bela Calipso, com ordens para que permitisse a partida de Ulisses, há sete anos prisioneiro da paixão da ninfa da ilha Ogígia. Foi quem adormeceu e matou Argos, o gigante de cem olhos, colocado pela ciumenta Hera como guardião da vaca Io. Levou ao monte Ida, na Frígia, as três deusas, Hera, Atená e Afrodite, para que o pastor Páris fosse o árbitro na magna querela provocada por Éris, acerca da mais bela das imortais. Por ordem expressa de Zeus, cumpriu a ingrata missão de levar a Prometeu, aguilhoado a uma penedia, o *ultimatum*, para que revelasse o grande segredo que tanto preocupava o pai dos deuses e dos homens. Conduziu o pequeno Dioniso de asilo em asilo, primeiro para a corte de Átamas e depois para o monte Nisa. A ele coube, igualmente, a gratíssima tarefa de conduzir Psiqué para o Olimpo, a fim de que se casasse com Eros.

---

4. *Móli*, em grego μῶλυ (môly), que a etimologia popular aproximou do verbo μωλύειν (molýein), "embotar, relachar, enfraquecer, esgotar", isto é, *móli* é o antídoto que torna ineficazes os venenos. A respeito dessa planta, antigos e modernos já fizeram correr muita tinta, segundo nos mostra, com fartas citações e densa bibliografia, o extraordinário Hugo Rahner S.J., em seu livro famoso *Mythes grecs et mystère chrétien*. Paris: Payot, 1954, p. 196ss.
Na realidade, não se pode fazer de *móli* uma ideia concreta, porque ela não expressa nome algum de planta: trata-se de uma expressão poética e geral para designar um antídoto. Mais precisamente, *móli* faz parte da botânica mítica e poética de Homero...
Mas, como desde a antiguidade, passando pela Idade Média, essa planta de raízes negras e flores brancas, se para os gregos era uma dádiva dos deuses e, portanto, um φάρμακον ἐσθλόν (phármakon esthlón), um "antídoto eficaz", para os Cristãos *móli* se transformou num antídoto contra o demônio.
Na *Antologia Palatina*, XV, 12, um pequeno poema medieval, talvez da autoria de Léon le Sage (886-912), patenteia a cristianização da planta dos deuses:

> *Desaparece, sombria caverna de Circe. Para mim, nascido do céu,*
> *Seria uma vergonha alimentar-me com tuas glandes, como um animal!*
> *Peço a Deus, pelo contrário, que me dê a flor que cura as almas,*
> *Móli, a boa medicina contra os maus pensamentos.*

3

Poder-se-iam multiplicar as missões e as comissões de Hermes, mas o que interessa mais de perto nesse deus tão longevo, que só *faleceu*, se é que faleceu, no século XVII, "são suas relações com o mundo dos homens, um mundo por definição 'aberto', que está em permanente construção, isto é, sendo melhorado e superado. Os seus atributos primordiais – astúcia e inventividade, domínio sobre as trevas, interesse pela atividade dos homens, psicopompia – serão continuamente reinterpretados e acabarão por fazer de Hermes uma figura cada vez mais complexa, ao mesmo tempo que um deus civilizador, patrono da ciência e imagem exemplar das gnoses ocultas"[5]. *Agilis Cyllenius*, o deus rápido de Cilene, como lhe chama Ovídio nas *Metamorfoses*, 2,720, 818, o filho de Maia para os helenos, era o λόγιος (lóguios), o sábio, o judicioso, o tipo inteligente do grego refletido, o próprio *Lógos*. Hermes é o que sabe e, por isso mesmo, aquele que transmite toda ciência secreta. Não sendo apenas um olímpico, mas igualmente ou sobretudo um "companheiro do homem", tem o poder de lutar contra as forças ctônias, porque as conhece, como demonstrou Kerényi em sua obra capital sobre Hermes[6]. Todo aquele que recebeu deste deus o conhecimento das fórmulas mágicas tornou-se invulnerável a toda e qualquer obscuridade. No Papiro de Paris, o deus de Cilene é chamado, por esse motivo, "o guia de todos os magos", πάντων μάγων ἀρχηγέτης (pánton mágon arkheguétes). Através do livro de Lúcio Apuleio sobre a bruxaria (*De Magia*, 31), ficamos sabendo que o feiticeiro o invoca nas cerimônias como aquele que transmite conhecimentos mágicos: *Solebat aduocari ad magorum cerimonias Mercurius carminum uector* – "Mercúrio (nome latino de Hermes) costumava ser invocado nas cerimônias dos magos como transmissor de fórmulas mágicas".

Inventor de práticas mágicas, conhecedor profundo da magia da Tessália, possuidor de um caduceu com que tangia as almas *na luz* e *nas trevas*, foi com esses atributos que Hermes mereceu estes versos lindíssimos do maior

---

5. ELIADE, Mircea. Op. cit., p. 109.

6. KERÉNYI, K. *Hermes der Seelenführer* (Hermes, o condutor das Almas). Zürich: Rhein-Verlag, 1944.

poeta ocidental da antiguidade cristã, Aurélio Clemente Prudêncio (cerca de 348 d.C.)[7]:

> *Nec non Thessalicae doctissimus ille magiae*
> *traditur extinctas sumptae moderamine uirgae*
> *in lucem reuocasse animas* [...]
> *ast alias damnasse neci penitusque latenti*
> *inmersisse Chao. Facit hoc ad utrumque peritus.*
>
> "Mercúrio conhece profundamente a magia da Tessália
> e conta-se que seu caduceu conduzia as almas dos mortos
> para as alturas da luz [...]
> mas que condenava outras à morte e as precipitava
> nas profundezas do abismo entreaberto.
> Ele é perito em executar ambas as operações".

Ad utrumque peritus, "hábil em ambas as funções", isto é, versado em conduzir para a *luz* ou para as *trevas*: eis aí o grande título de Hermes, o vencedor mágico da obscuridade, porque *sabe* tudo e, por esse motivo, *pode* tudo.

Aquele que é iniciado pelo luminoso Hermes é capaz de resistir a todas as atrações das trevas, porque se tornou igualmente um "perito".

Mesmo após a grande crise por que passou a religião grega, com o martelamento dos templos de seus deuses pelo imperador Flávio Teodósio, Hermes continuou vitorioso, através, claro está, de mil vicissitudes.

Assimilado ao deus egípcio Tot, mestre da escritura e, por consequência, da palavra e da inteligência, mago terrível e patrono dos magos, que, já no século V a.C., era identificado a Hermes, como ensina Heródoto (2,152), bem como ao inventivo e solerte Mercúrio romano, o deus de Cilene, com o nome de *Hermes Trismegisto*, isto é, "Hermes três vezes Máximo", sobreviveu através do *hermetismo* e da *alquimia*, até o século XVII.

No mundo greco-latino, sobretudo em Roma, com os gnósticos e neoplatônicos, *Hermes Trismegisto* se converteu num deus muito importante, cujo poder

---

7. *Contra Symmachum*, I, 94-98.

varou séculos. Na realidade, *Hermes Trismegisto* resultou de um sincretismo, como já se assinalou, com o Mercúrio latino e com o deus "ctônio" egípcio Tot, o escrivão da psicostasia no julgamento dos mortos no Paraíso de Osíris e patrono, na Época Helenística, de todas as ciências, sobretudo porque teria criado o mundo por meio do *lógos*, da palavra.

Pois bem, em Roma, a partir dos primeiros séculos da era cristã, surgiram muitos tratados e documentos de caráter religioso e esotérico que se diziam inspirar-se na religião egípcia, no neoplatonismo e neopitagoricismo. Esse vasto conjunto de escritos que se acham reunidos sob a epígrafe de *Corpus Hermeticum*[8], "coleção" relativa a *Hermes Trismegisto*, fusão de filosofia, religião, alquimia, magia e, sobretudo, de astrologia, tem muito pouco de egípcio. Desse *Corpus Hermeticum* muito se aproveitou a *Gnose*, em grego γνῶσις (gnôsis), "conhecimento", que se pode definir como *conhecimento esotérico da divindade, que se transmite particularmente através de ritos de iniciação.*

Os *gnósticos* com seu *gnosticismo*, isto é, sincretismo religioso, um amálgama greco-egípcio-judaico-cristão, surgido também nos primeiros séculos de nossa era, procuraram conciliar todas as tendências religiosas e explicar-lhes os fundamentos por meio da *gnose.*

Como judiciosamente acentua Leonel Franca, essa erupção religiosa se deveu particularmente à fadiga e à decepção carreadas pelo ecletismo e sobretudo pela dúvida, o que fez os espíritos se voltarem para um "comércio mais íntimo com a divindade". Diz Leonel Franca: "Fatigados pelo ecletismo e abatidos pela dúvida, buscam os espíritos em novos processos de conhecimento e num comércio mais íntimo com a divindade as bases de uma nova metafísica e a natural

8. A denominação *Corpus Hermeticum* remonta ao século XV, quando Cosme de Médicis, por volta de 1460, comprou um manuscrito grego e solicitou ao grande humanista e latinista Marsílio Ficino (1433-1499) que o traduzisse para o latim. Trata-se de uma literatura "hermética", erudita: são dezessete tratados, que remontam, na sua quase totalidade, ao século II d.C. Não seria fora de propósito estabelecer a complementaridade e a diferença entre *Hermetismo* e *Corpus Hermeticum* (Coletânea Hermética); *Hermetismo* é o conjunto de crenças, ideias, práticas e ritos transmitidos através da vasta literatura hermética, cujos textos foram redigidos entre os séculos III a.C. e II-III d.C. Dividem-se em dois grandes grupos: tratados concernentes ao hermetismo popular (magia, alquimia, astrologia, ciências ocultas), sendo os mais antigos, possivelmente do século III a.C., e o *Corpus Hermeticum*, do século II d.C., de cunho muito mais erudito.

expansão de sentimentos religiosos a que já não podia satisfazer o Panteón despovoado de Roma. Desta tendência nasceu o neoplatonismo fundado por Amônio Saca (176-243), mas organizado e unificado em corpo de doutrina por Plotino (205-270), seu discípulo"[9].

Plotino era um filósofo "egípcio", de língua grega. Sua obra consta de cinquenta e quatro dissertações, agrupadas por seu discípulo Porfírio em *seis* séries de *nove* e, por isso, intituladas *Ennéades*, Enéadas, cujo sistema místico é o desenvolvimento de um panteísmo de emanação.

Emanação, palavra formada à base do verbo latino *emanāre*, "manar, provir de, originar-se de", como doutrina pode sintetizar-se da seguinte maneira: acima de todos os seres eleva-se o *Uno*, a Grande Mônada, a Unidade Absoluta, ser supremo e incognoscível (sem inteligência, nem vontade, já que estes atributos implicam a dualidade de sujeito e objeto), unidade simplicíssima e suficientíssima, plenamente identificada consigo mesma na contemplação e amor de si mesma.

Do *Uno* não se pode dizer o que ele é, apenas que é *uno* e bom, o que o leva a "emanar-se", a expandir-se para fora de si; desse *Uno*, por emanação, degradação e dissemelhança, provém a *Inteligência*, Λόγος (Lógos), Νοῦς (Nûs), que contém em si todas as coisas, o mundo dos inteligíveis. Da Inteligência, como princípio dinâmico, emana a *Alma do Mundo*, caracterizada pela tendência essencial a realizar as ideias eternas no mundo sensível. Como emanações hierárquicas do *Uno*, *Inteligência* e *Alma do Mundo* constituem com ele a trindade neoplatônica. Da *Alma do Mundo* provêm as almas individuais ou forças plásticas que geram a matéria e a ela se unem, constituindo os seres corpóreos e sensíveis. É, pois, a matéria a última emanação em que se esgota o *Uno*, a essência suprema. A esse processo objetivo de degradação do *Uno* em emanações sucessivas corresponde um processo subjetivo de reintegração dos seres na Grande Mônada, na unidade absoluta. Nessa "reabsorção", a *psiqué* passa por três estágios ou caminhadas: κάθαρσις (kátharsis), catarse, purificação, através da qual se desliga de tudo o que é sensível e se re-une, se re-liga à *Alma do Mundo*; διαλεκτική (dialektiké), dialética (o diálogo),

9. FRANCA, S.J. Leonel. Op. cit., p. 68s.

pela qual se eleva à contemplação das ideias e se "re-une" à Inteligência; ἔκστασις (ékstasis), contemplação, êxtase, pelo qual a *psiqué* se despoja do sentimento da própria personalidade para abismar-se inconscientemente na Unidade Suprema. Toda a finalidade da doutrina é, como se vê, a "re-união" extática, o retorno místico da alma à Grande Mônada: nisto consiste precisamente a felicidade suprema do homem. Na realidade, o que se buscava era uma religião de caráter universalista, uma religião transistórica e primordial.

Hermes Trismegisto permaneceu também através da alquimia.

Alquimia, consoante Corominas[10], procede do artigo árabe *al* + *kîmyâ*, "pedra filosofal" e, quanto à origem da palavra árabe, há duas hipóteses: a base seria o grego χυμεία (khymeía), "mistura de diversos líquidos", derivada de χυμός (khymós), "suco, sumo", ou o copta *chame*, "negro", nome aplicado aos egípcios e às artes que se lhes atribuem.

Uma breve mas claríssima exposição sobre alquimia, como introdução à interpretação de Jung, encontra-se em Monique Augras, num livro precioso, já por nós citado. Vamos procurar seguir Monique, sintetizando aquilo que nos parece mais importante para a finalidade que temos em mira.

"A alquimia é uma ciência, ou melhor, uma filosofia ainda mal conhecida. Baseava-se na teoria segundo a qual *tudo no mundo obedece às mesmas leis, e todos os objetos da natureza contêm a energia vital.* [...] Para o alquimista, toda matéria contém a vida.

Na expressão mais alta, a 'arte régia' tendia a reconstituir o processo pelo qual essa vida adulterada na terra, depois da queda de Adão, perdeu sua pureza, mas pode reencontrá-la. A pureza, para o homem moral, é a redenção ou regeneração, para a natureza é a purificação ou perfeição. Trata-se, portanto, de participar da obra do Demiurgo, do Criador, ajudando a Terra a reencontrar a sua integração em Deus. [...] Mas alquimia é, antes de tudo, mística. Professam os (alquimistas) a crença de que, para realizar a grande obra, a regeneração da maté-

---

10. COROMINAS, J. *Diccionario crítico etimológico de la lengua castellana*. 4 vols. Madrid: Editorial Gredos, 1954, verbete.

ria, devem procurar a regeneração de sua alma. Já que se trata de processos análogos e até do mesmo processo, o alquimista vai realizar a sua redenção espiritual paralelamente à procura da 'pedra filosofal'. [...] A pedra representa a materialização da energia, mas também a purificação da alma. Os alquimistas que procuravam apenas fabricar ouro não eram verdadeiros adeptos, pois, diz Hermes, *O meu ouro não é ouro vulgar*"[11].

Claro está que, sendo para iniciados, toda a terminologia que descreve a *obra*, a busca da "pedra filosofal", é vazada numa linguagem criptográfica, cifrada, esotérica, hermética enfim. A célebre *Tabula Smaragdina*, "Tábula de Esmeralda", cuja tradução para o latim data do século XII e cujo texto teria sido gravado pelo próprio Hermes numa esmeralda, contém a base dessa busca. O fundamento simbólico é a separação dos sexos e a "re-união" dos mesmos, patenteando a oposição e o equilíbrio dos dois grandes princípios do universo. Consoante a *Tabula*, a distribuição simbólica masculino-feminino é a seguinte:

masculino: o sol, ouro, o fogo, o ar, o rei, o espírito de enxofre.

feminino: a luz, a prata, a terra, a água, a rainha, o espírito de mercúrio.

Diga-se logo que o *mercúrio* dos alquimistas, quer dizer, Hermes, é hermafrodito, porque é *feminino*, por ser branco e líquido, e é *masculino*, por ser um metal seco. Esse hermafroditismo provém exatamente do fato de simbolizar a *complexio oppositorum*, a "união dos contrários".

O *occultus lapis*, a pedra oculta, a pedra filosofal, que renascerá das cinzas, será o *homo nouus*, o homem novo, a Fênix, a Rosa. Sendo o universo formado de quatro elementos, *ar*, *fogo*, *água* e *terra*, sob o aspecto de quatro estados, *gasoso*, *sutil*, *líquido* e *sólido*, a "pedra", que representa a unificação dos quatro, através do isolamento da energia represada nos quatro elementos, é, por conseguinte, a *quintessência*, simbolizada pelo número *cinco* ou pela *Rosa* que possui *cinco* pétalas.

---

11. AUGRAS, Monique. *A dimensão simbólica*. Petrópolis: Vozes, 1980, p. 66ss.

A unidade do cosmo é configurada pelo *Uróboro*[12], a serpente que "morde a própria cauda".

Da *complexio oppositorum*, da união dos contrários, sairá a energia vital, a *pedra*. Já que os metais procedem dessa união, com graus diferentes de maturação, é necessário recriar a matéria-prima, a fim de fazê-la amadurecer até se obter o *occultus lapis*, a pedra oculta. A *matéria* irá passar por uma *experiência dramática*, análoga às "paixões" de determinados deuses dos Mistérios Greco-Orientais: *sofrimentos*, *morte* e *ressurreição*. O *opus magnum*, "a grande operação", ou *opus philosophicum*, a "operação filosófica", fará com que a matéria sofra, morra e ressuscite, como se fora o drama místico do deus (paixão, morte e ressurreição), o qual se vê projetado sobre a matéria, a fim de transmutá-la. O alquimista, portanto, tratará a matéria tal qual o deus era tratado nos Mistérios: os minerais padecem, morrem e renascem em uma outra forma, isto é, são transmutados.

Essa transmutação, efetuada pelo *opus magnum*, e que tem por objetivo único, simbolicamente, a Pedra Filosofal, faz a matéria passar por quatro fases (segundo outros por cinco), que são designadas segundo as cores que tomam os ingredientes na operação: nigredo (preto), albedo (branco), citrinitas (amarelo), rubedo (vermelho).

Após alguns ritos preliminares, como a construção do fogão adequado, do atanor (vaso especial) e de todos os ingredientes e instrumentos que irão servir às manipulações, dava-se início à operação: recriar a matéria-prima. Os contrários são encerrados no atanor ou ovo filosófico. Estes contrários são o *princípio enxofre* masculino, cujo símbolo é um rei vestido de vermelho, e o *princípio mercúrio* feminino, configurado por uma rainha vestida de branco. Desse "matrimô-

---

12. *Ouróboros* é palavra formada à base de um composto grego: οὐρά (urá), "cauda dos animais" e βορός (borós), "voraz, glutão", provindo esta última do verbo βιβρώσκειν (bibróskein), "devorar, engolir". A única forma correta em nossa língua é *Uróboro*. É que, por "distração", as pessoas se esquecem de que o ditongo *ou* em grego ou em "francês" soa em português *u*... Do ponto de vista simbólico, *Uróboro* configura a manifestação e a reabsorção cíclica. É a união sexual em si mesma, é a *serpens se ipsum impregnans*, a serpente que se fecunda a si mesma, autofecundadora, permanente, como demonstra a cauda mergulhada em sua própria boca; é a perpétua transmutação da morte em vida e vice-versa, já que suas presas injetara veneno em seu próprio corpo. Para usar da expressão de Bachelard. *Uróboro* é a dialética material da vida e da morte, a morte que brota da vida e a vida que brota da morte.

nio filosófico" nascerá a matéria-prima. Em seguida, procede-se ao cozimento: a matéria-prima é submetida a uma série de operações dentro do *ovo* e passa por várias etapas e transformações, representadas sucessivamente pelas cores preta, branca, amarela e vermelha.

A *nigredo*, o "preto", é a regressão ao estado fluido da matéria: é a putrefação, a morte do alquimista, e como escreve o cabalista Paracelso (1493-1541), "aquele que deseja entrar no Reino de Deus deve entrar primeiramente com seu corpo em sua mãe e ali morrer". A "mãe", no caso, é *a primeira matéria, a massa confusa, o caos, o abismo.*

O acróstico, formado por Basile Valentin, é sugestivo a esse respeito, VITRIOL: Visita Interiora Terrae Rectificando Invenies Occultum Lapidem, quer dizer: "Desce às entranhas da Terra e, purificando-te, encontrarás a pedra secreta".

A *albedo*, o "branco", é o mercúrio, a iluminação, uma vez que a pedra branca transforma todos os metais em prata; a *rubedo*, o "vermelho", é o enxofre, o sangue, a paixão, a sublimação; *citrinitas*, o "amarelo", é o *Ouro*, a *Pedra*, o *Azoth* (primeira e última letras do alfabeto hebraico), o princípio e o fim de todas as coisas. O alfa e o ômega.

Projetando sobre a matéria a função iniciática do sofrimento e graças às operações alquímicas assimiladas aos tormentos e dores, à morte e à ressurreição do iniciado, opera-se a transmutação, pois a "substância" converte-se em *Ouro*. Sendo o *Ouro* o símbolo da eternidade, essa transmutação alquímica é o grau máximo de perfeição da matéria e, para o alquimista, corresponde ao término de sua iniciação.

4

Viu-se logo no início deste capítulo que Hermes, em troca da "flauta de Pã", recebeu de Apolo, além do caduceu, lições de mântica, de poder divinatório. Foi graças a esse dom do deus de Delfos, que o "deus alquímico" fez jus a um templo na Acaia, onde respondia às consultas de seus devotos pelo denominado processo das *vozes*.

Purificado, provavelmente com o mais simples processo da ablução, o consulente dirigia-se para o fundo do templo, onde estava a estátua de Hermes e dizia-lhe baixinho ao ouvido o seu desejo secreto. Em seguida, tapava fortemente as orelhas com as mãos e caminhava até o átrio do templo, onde, num gesto rápido, afastava as mãos: as primeiras palavras ouvidas dos transeuntes eram a resposta do oráculo e a decisão de Hermes. Esse método, direto e econômico, popularizou-se, passando a voz humana "não provocada" a ter poderes mágicos. Afinal, *uox populi, uox Dei*, a voz do povo é a voz de Deus.

Em Portugal, consoante Luís da Câmara Cascudo[13], bem como no Brasil, *ir às vozes* era uma técnica não apenas para saber das coisas, mas sobretudo um método muito usado pelas moças casadoiras, certamente já em estado de *titiite*...

Vamos transcrever apenas três excelentes informações de autores portugueses, arroladas por Luís da Câmara Cascudo.

A primeira é de Teófilo Braga: "A voz humana tem poderes mágicos; um feiticeiro: – Para saber se uma pessoa era morta ou viva, dizia à janela: Corte do céu, ouvi-me! Corte do céu, falai-me! Corte do céu, respondei-me! Das primeiras palavras que ouvia na rua acharia a resposta" (*Sentenças das Inquisições*, ap. Boletim da Soc. de Geografia. *Sic!*).

"Na Foz do Douro, costumam as mulheres *andar às vozes* para inferirem pelas palavras casuais que ouvem do estado das pessoas que estão ausentes." Aliás, não é bem do estado das pessoas ausentes, mas de sua disposição e disponibilidade matrimonial...

"D. Francisco Manuel de Melo, nos 'Apólogos Dialogais' (mais precisamente nos 'Relógios Falantes', p. 24 da ed. brasileira de 1920, *Sic!*), refere esta superstição: e com o próprio engano com que elas traziam a outras cachopas do São João às quartas-feiras, e da Virgem do Monte às sextas, que vão mudas à romaria, *espreitando que diz a gente que passa*; donde afirmam que lhes não falta a resposta dos seus embustes, se hão de casar com fulano ou não; e se fulano vem

---

13. CASCUDO, Luís da Câmara. *Anúbis e outros ensaios*. Rio de Janeiro: O Cruzeiro, 1951, p. 33ss.

da Índia com bons ou maus propósitos; ou se se apalavrou lá em seu lugar com alguma mestiça, filha de Bracmenè."

Zacarias, pai de João Batista, por não ter acreditado nas palavras do Anjo Gabriel, que lhe anunciava a gravidez da esposa Isabel, ficou mudo. Ignorando a discussão acerca do nome que se deveria dar ao recém-nascido, escolheu João, que ainda não fora usado em sua geração (Lc 1,60-63).

Certamente por ter resolvido o problema, sem do mesmo ter conhecimento, passou Zacarias a ser em Portugal "um mentor de vozes", como anotou o notável filólogo José Leite de Vasconcelos.

"J. Leite de Vasconcelos registra semelhantemente no *Tradições populares de Portugal* (Porto, 1882, 258): Quando se quer saber qualquer coisa, chega-se à janela, à hora das trindades (outros dizem que a qualquer hora) e diz-se:

> Meu São Zacarias,
> Meu santo bendito!
> foste cego, surdo e mudo,
> tiveste um filho
> e o nome puseste João.

Declara-me nas vozes do povo... (formula-se o pedido).

Em seguida correm-se as ruas, sem parar, recolhendo-se os ditos que se ouvem, e aplicando-os ao fim, no que eles têm de aplicável. A fórmula diz-se três vezes, e a cerimônia dura três noites seguidas (Minho). No Porto, antes de se correrem as ruas, vai-se rezar à Senhora das Verdades (ao pé da Sé) e, enquanto se anda pelas ruas, não se fala com ninguém. A isto chama-se *ir às vozes*".

5

Hermes teve muitos amores e vários filhos. O mais importante de todos, porém, foi *Hermafrodito*.

HERMAFRODITO, em grego Ἑρμαφρόδιτος (Hermaphróditos), "filho de Hermes e de Afrodite", por onde já se conclui que a grafia *Hermafrodita* é descabida e simplesmente absurda. *Hermafrodito* foi criado pelas Ninfas nas florestas do monte Ida, na Frígia, e era dotado de uma beleza tão grande como a de Narciso. Aos quinze anos pôs-se a percorrer o mundo. Viajando pela Ásia Menor, encontrou-se um dia, na Cária, às margens de um lago, habitado pela Ninfa Sálmacis, que por ele se apaixonou violentamente. Repelida pelo jovem, fingiu conformar-se, mas, quando Hermafrodito se despiu e se lançou às águas do lago, Sálmacis o enlaçou fortemente e pediu aos deuses que, para sempre, lhes unissem os dois corpos em um só. Os imortais ouviram-lhe a súplica e, assim, surgiu um novo ser, de dupla natureza. Por seu lado, Hermafrodito implorou aos deuses, e estes o atenderam, que todo aquele que se banhasse no lago da Ninfa Sálmacis perdesse a virilidade.

O mito de Hermafrodito não passa, na realidade, de mera repetição ou recapitulação do andrógino primordial, ou seja, o *Rebis*[14] (V. *Dicionário mítico-etimológico*, verbete Hermafrodito).

A iconografia de Hermes apresenta-o com um chapéu de formato especial, πέτασος (pétasos), o pétaso; com sandálias providas de asas e segurando um caduceu com duas serpentes entrelaçadas na parte superior.

A simbólica estampada na imagem clássica do deus alquímico não é de difícil interpretação, como o demonstram Jean Chavalier e Alain Gheerbrant e sobretudo Joseph L. Henderson. É o que se há de ver muito resumidamente.

O *chapéu*, em muitas culturas, significou e significa ainda determinadas prerrogativas e sinal de autoridade. Seu simbolismo, como o da coroa, é o poder e a soberania. Embora se julgue que o chapéu, substituindo os *cabelos*, como instrumento receptor de influência celeste, configure o fecho do processo iniciático, uma coisa não invalida a outra e nem, tampouco, interrompe a função

---

14. O autor do acróstico VITRIOL, Basile Valentin, criou, igualmente, e publicou a figura simbólica *Rebis* numa obra hermética, *Traité de l'Azoth*, que data de 1659. *Rebis*, "feito de dois, formado de duas coisas", é o símbolo do *andrógino*. Os alquimistas denominam *Rebis* a primeira decocção do "espírito mineral" misturado a seu próprio corpo, uma vez que é feito de duas coisas, do masculino e do feminino, isto é, do dissolvente e do corpo solúvel, embora se trate, no fundo, da *mesma coisa* e de *matéria idêntica*. Deu-se também o nome de *Rebis* à matéria da "obra transformada em *albedo*, "no branco", porque então aquela é um mercúrio animado de seu enxofre e estes dois elementos, provenientes de uma mesma raiz, constituem um todo homogêneo, assimilando-se destarte ao andrógino.

mediadora do cabelo, uma vez que as pontas ou pequenos cornos que se colocavam sobre os chapéus e as pontas da coroa são concebidos como cabelo, à imagem dos *raios de luz*.

Cobrindo a cabeça, sede da psiqué e da inteligência, o chapéu é um símbolo de *identificação*. Segundo Jung, trocar de chapéu é trocar de ideias, ter uma outra visão do mundo.

As *sandálias*, e as de Hermes eram dotadas de asas, separam a terra do corpo pesado e vivente, daí a importância simbólica das *sandálias depostas*, rito maçônico que evoca a atitude de Moisés no monte Sinai, pisando descalço a *terra santa*. Descalçar a sandália e entregá-la ao parceiro era entre os judeus a garantia de um contrato (Rt 4,7-8).

Para os antigos taoístas as sandálias eram o *substituto do corpo* dos imortais e seu meio de deslocamento no espaço: *homens com solas de vento*, suas sandálias eram aladas. Instrumentos de imortalidade, símbolos até mesmo de elixir da vida, compreende-se que tais acessórios fossem muitas vezes fabricados por imortais-sapateiros.

As sandálias aladas, para Hermes e Perseu, são um símbolo de *elevação mística* e, para o filho de Maia particularmente, configuram o domínio dos três níveis.

O *caduceu*, em grego κηρύκειον (kerýkeion), significa bastão de arauto. Diga-se logo que o latim *caduceus* ou *caduceum* deve ser um "empréstimo antigo, direto ou indireto", talvez com intermediário etrusco, ao grego dórico καρύκειον (karýkeion) . Símbolo dos mais antigos, sua imagem já se acha gravada, desde o ano 2600 a.C., na taça do rei Gudea de Lagash. São várias as formas e múltiplas as interpretações do caduceu; vamos nos restringir às essenciais, com vistas principalmente ao deus alquímico. O caduceu, insígnia principal de Hermes, é um bastão em torno do qual se enrolam, em sentidos inversos, duas serpentes. Nesse enfoque, o caduceu serve de equilíbrio aos dois aspectos do símbolo da serpente, a direita e a esquerda, o diurno e o noturno, uma vez que esse réptil ctônio possui duplo aspecto simbólico: um benéfico, outro maléfico, cujo antagonismo e equilíbrio são representados pelo caduceu. Este equilíbrio e esta polaridade estão bem claros nas *correntes cósmicas*, configuradas pela dupla espiral. O mito do caduceu se reporta não só ao Caos primordial, em que duas serpentes entram em luta, mas ainda à sua polarização, momento em que Hermes as separa. Enrolando-se em torno do caduceu, elas simbolizam o equilíbrio das tendências contrárias em torno do *axis mundi*, do eixo do mundo, o que nos leva a interpretar o bastão do deus de Cilene como um símbolo de paz.

Sendo Hermes o mensageiro dos deuses e o guia dos seres na sua transmutação, estas duas funções estão bem marcadas pelos dois sentidos *ascendente* e *descendente* das correntes representadas pelas duas serpentes.

Uma segunda interpretação é a de Henderson[15], que se volta para um outro lado, para o ângulo da *fecundidade*. O caduceu, com efeito, simbolizando um falo em ereção com duas serpentes acopladas, é uma das mais antigas representações indo-europeias, sendo encontrado na Índia antiga e moderna, associado a numerosos ritos, bem como na Grécia, onde se tornou insígnia de Hermes, e entre os latinos, que o transferiram a Mercúrio. Espiritualizado, esse falo de Hermes psicopompo penetra, na expressão de Henderson, a partir do mundo conhecido no mundo desconhecido, em busca de uma mensagem espiritual de libertação e de cura. Seria oportuno lembrar que o caduceu é, hodiernamente, o emblema universal da ciência médica.

O caduceu, todavia, só adquiriu um sentido pleno à época clássica grega, quando as duas serpentes foram encimadas por asas; desde então, transcendendo suas origens, o símbolo se converteu numa síntese ctônio-urânia, como a representação do deus asteca Quetzalcóatl, que, após seu sacrifício voluntário, renasceu para uma ascensão celeste sob a forma de uma serpente emplumada.

O grande infortúnio dos deuses antigos é que eles eram *biografáveis* e, por isso, morreram. Talvez por ter sido o "companheiro do homem", o Trismegisto morreu tão tarde e, bem antes de suas exéquias, mereceu o quinto hino órfico:

> *Tu, mensageiro do deus, profeta do* lógos *para os mortais...*

O saber divino, diz Rahner, que nos libera de nós mesmos, que vem a nosso encontro ἄνωθεν (ánothen) e θεόθεν (theóthen), do alto e de Deus, é o λόγος

---

15. JUNG, C. Gustav et al. *Man and his Symbols*. London: Aldus Books, 1964, p. 154ss.

προφορικός (lógos prophorikós), "a palavra tornada audível", e Hermes é justamente isto!

Hermes Trismegisto foi um deus tão importante, que, em Listra, a multidão, ao ver um milagre de Paulo, tomou-o por Hermes e gritou entusiasmada, pensando estar diante de deuses, de Paulo e de Barnabé, sob forma humana, e isto porque Paulo parecia ser aquele (Hermes), ὁ ἡγούμενος τοῦ λόγου (ho hegúmenos tû lógu), "aquele que lhes dirigia a palavra" (At 14,11-12). Naquele dia, o grande apóstolo, em companhia de Barnabé, deve ter convertido a muitos, que certamente compreenderam que Paulo não era Hermes, nem tampouco o Lógos, mas um simples instrumento do único e verdadeiro *Lógos*.

Capítulo VIII
Eros e Psiqué

1

EROS é o amor personificado. Em grego ἔρως (éros), do verbo ἔρασθαι (érasthai) "desejar ardentemente", significa com exatidão "o desejo incoercível dos sentidos". Em indo-europeu tem-se o elemento (*e)rem "comprazer-se, deleitar-se" com o qual talvez se possa fazer uma aproximação.

PSIQUÉ é igualmente a alma personificada. Em grego ψυχή (psykhé), do verbo 2-ψύχειν (psýkhein), "soprar, respirar", significa tanto "sopro" quanto "princípio vital". V. *Dicionário mítico-etimológico*, verbete Psiqué.

O mito de *Eros e Psiqué*, embora de origem grega, chegou até nós inserido, como uma verdadeira novela, no romance *Metamorfoses* do escritor latino Lúcio Apuleio[1].

Narraremos primeiramente o mito, em sua essência, como está no autor latino, mas despindo-o de sua indumentária romanesca e de algumas tiradas cáus-

---

1. Lúcio Apuleio, nascido por volta de 125 na cidade africana de Madauro e falecido após 170 d.C., é um dos grandes polígrafos da literatura latina, embora dominasse com tal perfeição a língua de Homero, que se dizia de Apuleio que ele pensava em grego e escrevia em latim. Sua obra mais famosa, e que, entre outras, chegou até nós, é o romance *Metamorfoses*, também impropriamente denominado *O Asno de Ouro*, em onze livros. O assunto principal da obra em pauta é a história de um jovem, chamado Lúcio, que foi metamorfoseado em asno, e que só após muitas e grotescas aventuras recuperou a forma humana. No corpo do romance, no entanto, o autor intercala várias historietas, que nada têm a ver com o enredo principal. Entre elas, a de maior extensão, pois ocupa nada menos que o fim do livro IV e os livros V e VI, é o mito de *Eros e Psiqué*. Em se tratando de mito grego, manteremos os nomes dos deuses na língua de Eurípides, e só os transcreveremos em latim em caso de absoluta necessidade.

ticas de Apuleio. Em seguida, faremos um comentário sobre o mesmo, buscando a interpretação que nos parecer mais adequada.

Em certa cidade havia um rei e uma rainha que tinham três filhas lindíssimas. As duas mais velhas, ainda que fossem também muito belas, podiam perfeitamente ser celebradas por louvores dos homens, mas não havia linguagem humana capaz de descrever ou pintar a formosura extraordinária da caçula. Assim começa o romance de Psiqué, que era tão arrebatadoramente bela, que os mortais, em lugar de pedi-la em casamento, adoravam-na como se fosse a própria Afrodite, cujos templos e culto, por isso mesmo, haviam sido esquecidos e abandonados. Psiqué se tornara a nova deusa do amor. A nova Afrodite! E era sob os traços humanos da jovem princesa que se procurava venerar a poderosa mãe de Eros.

Grande Mãe, origem de todos os elementos, alma do mundo inteiro, como se autodenominava, vendo-se preterida por uma simples menina, irritada com o confronto de beleza, a deusa chamou a seu filho Eros, *menino alado e de maus costumes, corruptor da moral pública e provocador de escândalos*, e deu-lhe uma incumbência urgente. Levou-o à cidade, onde vivia a linda Psiqué, e pediu-lhe que a fizesse *apaixonar-se pelo mais horrendo dos homens. Beijou-o, muitas vezes, com os lábios entreabertos* e retornou a seu *habitat* preferido, o bojo macio do mar.

O rei, casadas as duas filhas mais velhas e temendo, como Liríope, a cólera dos deuses por causa da beleza da mais jovem, mandou consultar o Oráculo de Apolo em Mileto. A resposta do deus mântico foi direta e terrível: a jovem, coberta com uma indumentária fúnebre, deveria ser conduzida ao alto de um rochedo, onde um monstro horrível com ela se uniria. Eros, todavia, que, em lugar de ferir com suas flechas a Psiqué, havia sido ferido por ela, ordenou ao vento Zéfiro que a transportasse para um vale macio e florido, que se estendia ao sopé da montanha. Após descansar de tantas emoções e restaurada por um sonho reparador, a jovem princesa se ergueu e viu logo, cercado por um bosque, à beira de uma fonte, um palácio de sonhos: suas colunas de ouro serviam de suporte ao teto de cedro e marfim; as paredes eram recamadas de baixos-relevos de prata; o pavimento, confeccionado de mosaicos de pedras preciosas; os imensos salões tinham paredes de ouro maciço. Uma obra digna de Dédalo e de Hefesto! Deslumbrada com tanta beleza, Psiqué penetrou no palácio e, a partir de então, foi servida não por escansões e criadas em carne e osso, mas por uma multidão de Vozes, que lhe atendiam até mesmo os desejos não formulados. Naquela mesma noite da chegada da princesa ao vale dos encantos, Eros, sem se deixar ver, fez de Psiqué sua mulher, mas, antes do nascer do sol, desapareceu rápida e misteriosamente.

A cena se repetia todas as noites e a princesa acabou por habituar-se à sua nova existência: as Vozes, atentas e solícitas, consolavam-na da solidão.

A *Fama*[2], porém, divulgou a "desdita" de Psiqué e as irmãs casadas, tristes e cobertas de luto, deixando seus lares, apressaram-se em visitar e confortar os pais.

Eros pressentiu a ameaça que pesava sobre a felicidade do casal e avisou a esposa do perigo iminente: as irmãs, dentro em pouco, viriam até o rochedo para chorá-la. Psiqué deveria fazer ouvidos moucos às suas lamentações e nem sequer "olhar para elas", para não incidir no mesmo erro de Orfeu... A jovem esposa tudo prometeu, mas tão logo o amante se retirou, sem se deixar contemplar, como acontecia todas as madrugadas, Psiqué se viu mais que nunca prisioneira da própria felicidade, impedida de consolar e até mesmo de se encontrar com suas irmãs.

Foi com muitas carícias e súplicas que conseguiu arrancar do esposo permissão não apenas para vê-las, mas ainda o consentimento para que Zéfiro as transportasse até seu palácio paradisíaco. Apaixonado, Eros concordou com tudo, mas pediu-lhe e suplicou que jamais tentasse ver-lhe o semblante, por mais que as irmãs insistissem neste ponto.

O encontro, a princípio, foi um deslumbramento. Às lágrimas de dor sucederam as manifestações de alegria e regozijo. Mas, à medida que a inocente Psiqué ia-lhes abrindo as portas de sua doce ventura, a abundância de suas riquezas, as sementes da inveja começaram a germinar-lhes no coração. Apesar, todavia, das insistentes perguntas de uma das irmãs acerca do marido e de tantas ri-

---

2. *Fama*, em grego Φήμη (Phéme), dórico Φάμα (Pháma), do verbo φάναι (phánai), "dizer, propalar", é uma divindade que simboliza "a voz pública". Filha da Terra, era dotada de uma multiplicidade de olhos e ouvidos, que tudo viam e ouviam, e de outras tantas bocas para o divulgar. Habitava, nos confins do mundo, um palácio de bronze cheio de orifícios por onde penetravam e eram ampliadas todas as palavras que se diziam no mundo, por mais baixas que fossem proferidas.

quezas, Psiqué inventou o que a situação embaraçosa lhe inspirava e, cumuladas as irmãs de ouro e joias, fez que Zéfiro as levasse de volta ao rochedo. Já agora envenenadas pelo fel da inveja, confrontaram sua desdita com o destino da irmã: esta, mais jovem, "rebento de uma fecundidade esgotada", habitando um palácio de ouro, servida por Vozes, dando ordens aos ventos e casada certamente com um deus; elas, mais velhas, unidas a dois estafermos: um, "mais calvo que uma abóbora, mais baixo e anão que um menino", mais avarento que Caronte; a outra desposara um ancião doente e sua função não era a de esposa, mas de enfermeira... Ocultando tudo dos pais, regressaram a seus lares com uma ideia fixa: derrubar a ingênua Psiqué do pedestal de sua bem-aventurança.

Eros, naquela mesma noite, voltou a advertir a esposa: *Não vês o perigo que de longe te ameaça? Se não procederes com a máxima cautela, o destino se abaterá sobre ti. As bruxas traiçoeiras esforçam-se por te armar uma cilada e a pior armadilha é persuadir-te a contemplar meu rosto. Já te adverti muitas vezes de que nunca mais o verás, se o contemplares uma única vez. [...] Dentro em breve teremos um filho. Ainda uma menina, darás à luz uma criança. Se guardares nosso segredo, ela será um deus; se o propalares, será tão somente um ser mortal.*

Psiqué exultou com a ideia de ter um filho divino e regozijou-se com a dignidade do nome de mãe. Os dias se escoaram rápidos e o esposo noturno voltou, dessa feita, mais incisivo em admoestá-la de que chegara o momento decisivo: as bruxas já se aproximavam, prontas para destruir-lhe a paz e a felicidade. As últimas palavras do deus são significativas: *deixa-as uivar do cume do rochedo, como as Sereias, com sua voz fúnebre.*

Novas lágrimas de Psiqué, novas promessas, novas juras de amor e o deus apaixonado novamente se curvou aos caprichos da esposa. As conspiradoras, entretanto, tal era a pressa em executar seu plano sórdido, tão logo chegaram ao alto do rochedo, nem mesmo esperaram por Zéfiro, lançando-se temerariamente no abismo. A contragosto, o Vento as acolheu e depositou no solo. Com fingida alegria congratularam-se com a irmã pela gravidez, conseguindo, desse modo, desfazer qualquer suspeita. Em seguida, vieram as perguntas, sempre as mesmas: queriam saber quem era o marido de Psiqué. Esta, em sua ingenuidade, se contradisse: na primeira visita dissera-lhes que o esposo era um jovem lindíssimo e agora o descreveu como um homem de meia-idade, um riquíssimo comerciante. Era o que lhes bastava: ou a irmã estava mentindo, e o marido era um deus, ou ela simplesmente ignorava seu aspecto.

De qualquer forma, era preciso destruir a prosperidade de Psiqué. Passaram uma noite em claro na casa dos pais e, já pela manhã, estavam novamente no palácio de Eros. Com fingida e cínica preocupação, mostraram à irmã o perigo que a ameaçava. Quem à noite se deitava a seu lado não era um homem, mas uma *serpente enrascada em mil anéis, com as fauces túrgidas de peçonha, a boca larga como um abismo.*

Lembraram-lhe o Oráculo de Apolo que a predestinava a unir-se a um monstro, reforçando seu intento diabólico com a mentira: a medonha serpente, segundo camponeses e caçadores da região, tem sido vista à noitinha, atravessando o rio vizinho em direção ao palácio.

O réptil aguardava apenas o momento oportuno para devorá-la, bem como à criança que ela trazia no ventre. Elas, porém, as irmãs, ali estavam prontas para ajudá-la! Transtornada, Psiqué confessou-lhes a verdade: jamais contemplara o rosto do marido e pediu-lhes súplice que a protegessem e assistissem. Vendo que tudo estava aparelhado para o plano sinistro, há muito arquitetado, uma das bruxas o transmitiu à insegura e desditosa esposa de Eros: deveria ela preparar um punhal bem afiado e um candeeiro de luz bem forte. Quando a "serpente imunda" mergulhasse em sono profundo, seria o instante propício: iluminar-lhe cuidadosamente o rosto e de um só golpe cortar-lhe a cabeça. Embora tivessem prometido que permaneceriam a seu lado, até a "execução do monstro", tão logo perceberam que o veneno fizera seu efeito, apressaram-se em deixá-la. Sozinha, com o espírito transtornado, Psiqué se agita e parece decidida a perpetrar o crime, mas eis que subitamente hesita, depois resolve; vacila outra vez, desconfia das irmãs, se enfurece, lembra-se dos ternos abraços do esposo... Seria ele, realmente, uma serpente imunda? Numa palavra: *Psiqué num mesmo corpo odeia o monstro e ama o marido...*

Eros a seu lado dormia tranquilamente. Como fora de si, a jovem esposa reuniu todas as suas forças: numa das mãos o candeeiro, na outra o punhal. Muito de leve aproximou a luz do rosto do marido. Estava revelado o grande segredo: *viu a mais delicada, a mais bela de todas as feras.* Eros, o deus do amor, ali estava diante de seus olhos. A jovem empalidece, treme, cai de joelhos. Olhando-o, contempla-o embevecida e, "especulando-o", Psiqué, como Narciso, não mais pôde tirar os olhos dele. Quis matar-se, mas o punhal se lhe resvalou da mão. Percebendo ao lado do leito a aljava e as flechas do deus, ao tocá-las, acabou ainda por ferir-se com uma delas. Agora, mais que nunca, sua paixão seria eterna. Inflamada de amor, inclina-se sobre ele e começa a beijá-lo como louca. Esquecida do candeeiro, deixa-o curvar-se em demasia e uma gota de óleo fervente cai no ombro do deus adormecido. Eros desperta num sobressalto e, ao ver desvendado seu segredo, levantou voo no mesmo instante; sem dizer uma só palavra, afastou-se rapidamente da esposa. Esta ainda tentou segui-lo através das nuvens, segurando-lhe a perna direita, mas, exausta, caiu ao solo.

2

Foi então que, descendo das alturas celestiais e pousando num "cipreste", Eros falou à sua amada: *Quantas vezes não te admoestei acerca do perigo iminente, quantas vezes não te repreendi delicadamente. Tuas ilustres conselheiras serão castigadas em breve, por suas pérfidas lições; quanto a ti, teu castigo será minha ausência.*

Estava decretado o início do itinerário doloroso de *outra Psiqué.*

Fora de si, a princesa, desejando morrer, lançou-se às correntezas de um rio próximo, mas as próprias águas, numa corcova, repuseram-na em terra.

Pã, "o velho sábio", que tranquilamente estava sentado numa ribanceira vizinha, aconselhou-a a desistir da morte e a invocar Eros. Dali partiu a jovem esposa e, após longa caminhada, chegou a uma cidade, onde morava uma das irmãs. Narrou-lhe sua desdita e mentiu-lhe, dizendo que Eros a desejava por esposa. A irmã, sem mais delongas, alucinada de paixão e de inveja criminosa, dirigiu-se para o rochedo fatídico e, invocando o deus do amor e a Zéfiro, lançou-se no abismo: seu corpo se despedaçou nas pontas da rocha e suas vísceras se espalharam pela encosta. Com igual ardil procurou a segunda irmã, que teve o mesmo destino da primeira.

Enquanto Psiqué peregrinava, de cidade em cidade, em busca de Eros, este jazia no leito, gemendo de dor pela queimadura sofrida. Foi então que a Gaivota indiscreta buscou Afrodite no fundo do mar, onde a deusa despreocupadamente nadava, e contou-lhe tudo a respeito da doença do filho e da paixão do mesmo por Psiqué. Indignada, a deusa deixou os domínios de Posídon e partiu para seu palácio dourado e, como mãe-bruxa repressiva, descarregou sobre o filho uma saraivada de insultos. Vale a pena transcrever algumas linhas da explosão castradora da deusa do amor e "mãe de Eros": *Porventura desejas impor-me uma rival como nora? Julgas, realmente, devasso, asqueroso, sedutor intolerável, que somente tu podes ter filho e que eu, por causa de minha idade, não mais poderia conceber?*

Pois é bom que saibas: gerarei um filho melhor do que tu, ou até mesmo, para te humilhar, adotarei um de meus escravos e a ele entregarei tuas asas, teu archote, as setas e tudo quanto carregas para outro fim. Nada do que possuis vem de teu pai, tudo é meu!

A mãe, que não quer nora, mas o filho apenas para si, a mãe que o beija "com lábios entreabertos", deixou o palácio ardendo em fúria e em ciúmes. Pediu a Deméter e a Hera, duas outras Grandes Mães, que a ajudassem a encontrar a fugitiva Psiqué, mas, percebendo que ambas, por medo de Eros, o lisonjeavam, abandonou-as no meio do caminho e refugiou-se no mar.

Psiqué, no entanto, continuava seu roteiro de dor. Dois encontros importantes com Deméter e Hera de nada lhe valeram: as Deusas-Mães, se bem que penalizadas com os sofrimentos da jovem esposa, não podiam prestar-lhe qualquer auxílio. Dessa feita, temiam irritar Afrodite... Exausta e vendo malograr todas as suas tentativas de encontrar o único "amor" de sua vida, Psiqué estava prestes a tomar uma resolução extrema: entregar-se à sogra e procurar mitigar-lhe o ódio com humilde submissão. E quem sabe não encontraria no dourado palácio da deusa a quem tanto buscava? A poderosa senhora do amor, nessas alturas, já conseguira com Zeus a preciosa assistência de Hermes, para que anunciasse pelo mundo inteiro que uma de suas escravas havia fugido e que recompensaria a quem desse informação a respeito de seu paradeiro. O anúncio do mensageiro dos deuses e dos homens apressou a deliberação da amante de Eros. Sentindo-se perdida, encaminhou-se resolutamente para o palácio da deusa. Já se aproximava do mesmo, quando foi vista por *Hábito*, uma das escravas do palácio. A serva agarrou-a brutalmente pelos cabelos e arrastou-a para junto de sua Senhora. Quando esta viu Psiqué, um sorriso feroz iluminou-lhe as feições. Após humilhá-la e insultá-la, entregou-a a duas outras escravas, *Inquietação* e *Tristeza*, para que a torturassem. Flagelada e supliciada de todas as maneiras, foi novamente conduzida à presença da deusa. Como se novos insultos grosseiros não bastassem, Afrodite investiu contra a indefesa menina: rasgou-lhe as vestes, arrancou-lhe os cabelos e espancou-a da cabeça aos pés. Em seguida, e foi o pior dos castigos, impôs-lhe as *quatro célebres tarefas*, como se tivesse diante de si um novo Héracles! Manda trazer uma grande quantidade de trigo, cevada, milho, grãos-de-bico, sementes de papoula, lentilhas e fava, mistura tudo, fazendo com eles um só monte e ordena a Psiqué de separá-los por espécie: trabalho para aquela noite! A jovem nem mesmo tentou, pois a empreitada era inexequível.

Uma formiguinha, porém, que por ali passava, pode avaliar a impossibilidade de execução da tarefa e, revoltada com a perversidade da deusa, resolveu convocar um batalhão de formigas e pedir-lhes que todas juntas socorressem Psiqué, pois que todas são as *ágeis criaturinhas da Terra, a mãe de todos*. Trabalhando incansavelmente, ao anoitecer, as filhas da Terra já haviam separado espécie por espécie e grão por grão. Furiosa, atribuindo o êxito de Psiqué a Eros, a deusa insultou-a e atirou-lhe um pedaço de pão. Pela manhã, convocou a "nora" e deu-lhe a segunda tarefa, impraticável e mortal: trazer-lhe, custasse o que custasse, flocos de lã de ouro que cobriam o dorso de ovelhas ferozes que vagueavam ali bem perto, num bosque, à beira de um rio de imensos sorvedouros. Sem dizer palavra, a jovem amante caminhou em direção ao bosque, não para executar o trabalho ordenado, mas para precipitar-se nas águas impetuosas do rio. Um simples e humilde Caniço verde, todavia, salvou-a duas vezes da morte: suplicou-lhe que não lhe poluísse "as águas sagradas" e ensinou-lhe como proceder para cumprir a ordem recebida. O ardil consistia em não se aproximar das ovelhas, enquanto o sol estivesse a pino, porque, com o calor, elas eram tomadas de um furor terrível, atacavam com os chifres, davam testadas e suas mordidelas eram venenosas e mortais. Era aguardar tranquilamente, sob um plátano, que o calor diminuísse e o vento fresco do rio as acalmasse. Passado o "furor", as ovelhas iriam descansar e deixariam flocos de lã presos nas árvores do bosque. Bastaria sacudi-las e colher a quantidade desejada. Seguindo à risca os conselhos do Caniço, Psiqué pode voltar para junto da "sogra" com o regaço cheio de flocos de lã de ouro.

A deusa não se tocou e mais uma vez imputou o bom êxito da tarefa à intervenção de Eros. O terceiro trabalho era o mais perigoso até agora: tratava-se da busca da água perigosa. Entregou-lhe a Grande Mãe um vaso de cristal e ordenou-lhe que escalasse um rochedo íngreme e enchesse a urna numa fonte guardada de ambos os lados por terríveis dragões. Dessa fonte rolavam as águas escuras, que alimentavam dois rios infernais: o Cocito e o Estige.

Ao aproximar-se do rochedo, Psiqué ficou como que petrificada. Nem chorar conseguia. Era até mesmo impossível escalar o rochedo escorregadio. Mais prático seria desistir ou matar-se.

A águia de Zeus, todavia, lembrando-se da inestimável ajuda de Eros, por ocasião do rapto de Ganimedes[3], abriu suas asas imensas e veio em socorro da amante do deus do Amor. Balanceando as asas, a ave predileta de Zeus passou rápida por entre os dentes ferozes dos dragões, encheu o vaso e o entregou a Psiqué.

O bom resultado do empreendimento, dessa vez, não foi atribuído a Eros, mas à magia e à bruxaria. Foi com um sorriso sinistro que Afrodite lhe deu a quarta e fatal empreitada. Passou-lhe às mãos uma caixinha e ordenou-lhe que descesse ao fundo do Hades. Lá deveria se apresentar a Perséfone e solicitar-lhe, em nome da mãe de Eros, que lhe enviasse um "pouquinho de beleza imortal", uma vez que a deusa do Amor havia consumido toda a sua radiante formosura nos cuidados com o filho doente. A tarefa teria que ser executada no mesmo dia.

Foi então que Psiqué compreendeu que, na realidade, seu fim estava próximo. Não havia mais enigmas: enviavam-na, claramente, à própria morte.

---

3. *Ganimedes*, em grego Γανυμήδης (Ganymédes), talvez de γάνος (gános), "líquido brilhante" (vinho) e μήδεσθαι (médesthai), "ocupar-se de", designando, assim, a função exercida pelo mancebo troiano no Olimpo. Ganimedes era um jovem de grande beleza, filho do rei Trós e de Calírroe. Guardava o rebanho paterno nas montanhas que cercam a cidade de Troia, quando foi raptado pela Águia de Zeus, ou pelo próprio deus, com o indispensável auxílio de Eros. Levado para o Olimpo, foi feito copeiro dos deuses, em substituição a Hebe, que se casara com Héracles (V. *Dicionário mítico-etimológico*, verbete).

Subiu, por isso mesmo, a uma Torre muito alta, a fim de precipitar-se lá de cima. Era este, pensou, o atalho mais rápido para chegar ao fundo do Hades.

A Torre, porém, falou com mansidão à esposa de Eros que não recuasse ante a prova derradeira. Infundiu-lhe ânimo e instruiu-a acerca do caminho mais curto para atingir o mundo dos mortos, explicando-lhe, ao mesmo tempo, as precauções que deveria tomar na longa caminhada pelas trevas.

A entrada que conduzia diretamente ao palácio do Orco, disse-lhe a Torre, era pelo cabo Tênaro, no Peloponeso. Além do mais, deveria ela levar na boca dois óbolos e em cada mão um bolo de cevada e mel. Os primeiros eram para pagar a passagem de ida e volta ao barqueiro Caronte e os segundos para apaziguar o cão Cérbero, na entrada e saída do Hades. Três tentações deveriam ser vencidas no longo percurso. Uma vez percorrido um bom trecho do caminho, Psiqué encontraria *um burriqueiro coxo*, conduzindo um asno igualmente coxo, carregado de lenha. O condutor lhe pediria que apanhasse algumas lascas caídas no chão, mas a jovem deveria fazer ouvidos moucos à solicitação e prosseguir viagem. Já na barca de Caronte, em plena travessia dos rios infernais, um *velho ergueria do fundo das águas as mãos pobres* e imploraria que o puxasse para dentro da embarcação, mas a amante de Eros não deveria se deixar vencer pela *piedade ilícita*. Já do outro lado, ao se encaminhar para o palácio de Plutão e Perséfone, encontraria *umas velhas tecedeiras*, que lhe solicitariam ajuda. Sem atendê-las, prosseguiria em seu caminho. A intenção diabólica de Afrodite era que a "nora" largasse um dos bolos e, se assim acontecesse, ela entraria no mundo dos mortos para nunca mais regressar.

Uma vez na mansão de Hades, seria gentilmente atendida por Perséfone, que a convidaria a *sentar-se* e *participar de um lauto jantar*. Psiqué recusaria ambas as gentilezas. Sentar-se-ia no chão e aceitaria apenas um pedaço de pão preto. Exposto o motivo da viagem e recebida a encomenda da deusa do Amor, deveria imediatamente refazer o caminho de volta, mas, em hipótese alguma, poderia abrir a caixinha, que continha a beleza imortal! Ouvidas com toda a atenção as instruções e recomendações da Torre, Psiqué partiu e fez exatamente quanto lhe fora dito. No retorno do mundo das trevas, porém, já em plena luz, uma grande curiosidade lhe assaltou o espírito:

Sou mesmo uma tola, disse de si para si. Trago comigo a beleza divina e até agora não peguei um pouquinho para mim, a fim de conquistar meu lindíssimo amante. Assim dizendo, abriu a caixinha.

Como no mito de Pandora, as mazelas sempre estão guardadas em jarras e caixinhas! E a da esposa de Eros não continha beleza alguma imortal, mas o sono estígio, que, espalhando-se, se apoderou da curiosa Psiqué e *a prostrou no meio do caminho, imóvel como um cadáver.*

Eros, já curado do ferimento produzido pelo óleo fervente, morto de saudades da esposa, adivinhando o que se passava, escapou pela janela do quarto, que lhe servia de cárcere e, num voo rápido e nervoso, aproximou-se de Psiqué. Recolocou cuidadosamente na caixinha o sono letárgico e despertou sua *Bela Adormecida* com o leve toque de uma de suas flechas. Repreendeu-a "pela última vez" com toda a delicadeza e pediu-lhe que cumprisse a missão de que fora encarregada por Afrodite. Ele faria o resto.

Enquanto Psiqué se desempenhava de sua última tarefa, levando a caixinha à mãe de Eros, este, temendo a ira materna, dirigiu-se diretamente a Zeus e pediu-lhe que lhe advogasse a causa. Aceita a incumbência, o senhor do Olimpo ordenou a Hermes que convocasse todos os deuses para uma assembleia. Vale a pena transcrever uma pontinha do discurso de Zeus, porque ele tem muito a ver com a interpretação do mito:

Deuses, cujos nomes estão inscritos no arquivo das Musas, todos vós conheceis muito bem, assim penso, este jovem que eu próprio eduquei. Julgo ser conveniente refrear de uma vez por todas as desregradas paixões de sua juventude. Chega de ouvir falar em seus escândalos diários no mundo inteiro, mercê de seus galanteios e devassidões. Chegou o momento de tirar-lhe qualquer oportunidade de praticar a luxúria. Cumpre aprisionar-lhe o temperamento lascivo da meninice nos laços do himeneu. Ele escolheu uma donzela e roubou-lhe a virgindade. Que ele a possua, que ela o conserve para sempre, que ele goze de seu amor e tenha Psiqué em seus braços por toda a eternidade.

Quanto a Afrodite, nada teria ela com que preocupar-se: este casamento morganático, isto é, entre um deus e uma mortal, em nada afetaria a dignidade e a nobreza da deusa do Amor, porquanto Zeus faria que o mesmo se realizasse dentro dos cânones do melhor direito civil, mas *civil do Olimpo.*

Aprovada por todos os imortais a união de Eros e Psiqué, o pai dos deuses e dos homens ordenou a Hermes que a raptasse da Terra para o Céu. Tão logo a jovem chegou à mansão dos deuses, Zeus foi-lhe ao encontro com uma taça de ambrosia, a bebida da imortalidade: *Bebe, Psiqué*, disse-lhe o deus supremo, *e sê imortal. Eros, com efeito, jamais abandonará teus braços, porquanto o vosso casamento será perpétuo.*

Um esplêndido banquete nupcial foi servido aos imortais. Com muito néctar e ambrosia, com muita música, dança e cantos melodiosos, com muitas rosas e bálsamos, sob as bênçãos de Afrodite, Eros e Psiqué se "re-uniram" para sempre.

Desse enlace nasceu logo depois uma menina, que, na língua dos mortais, se chama *Volúpia*, quer dizer, o *prazer*, a *bem-aventurança.*

3

São tantas as análises, interpretações e conjeturas acerca do mito de Eros e Psiqué, que, se Apuleio as tivesse conhecido, teria escrito várias outras *Metamorfoses*... Aliás, o mito em pauta é a maior das *metamorfoses* e é, sob esse enfoque, que se tentará decodificá-lo.

Na busca de uma interpretação plausível do mito de Eros e Psiqué, recorremos, além dos neoplatônicos, sobretudo à obra erudita de Neumann[4], cuja análise nos pareceu a mais profunda e a mais bem elaborada de quantas tivemos em mãos. Vamos, pois, segui-la, traduzindo-a, não raro, *ipsis litteris.*

A beleza de Psiqué fez que se esquecesse Afrodite. Seus templos foram fechados e abandonados e de todas as partes acudiam forasteiros para ver e reverenciar não mais a mãe do Amor, mas uma mera princesa. Irritada com a compe-

---

4. NEUMANN, Erich. *Apuleius: Amor und Psyche, mit einem Kommentar von Erich Neumann: Ein Beitrag zur seelischen Entwicklung des Weiblichen* (Apuleio: Amor e Psiqué, com um comentário de Erich Neumann: uma contribuição ao desenvolvimento psíquico do feminino). Zürich: Rascher Verlag, 1952.

tição e com o desleixo de seu culto, a deusa pediu a seu filho Eros para vingá-la e destruir a jovem beldade, fazendo-a casar-se com o mais repulsivo dos homens. Apesar de tanta beleza, porém, Psiqué não era amada, pois que todos se aproximavam dela como se fosse uma das imortais e não uma simples mulher.

Temendo pela filha, o rei consultou o oráculo e este a condenou *às núpcias da morte*:

> *Sobre um rochedo escarpado, suntuosamente ataviada,*
> *expõe, ó rei, tua filha, para as núpcias da morte.*
> *Não esperes para genro alguém nascido de estirpe mortal,*
> *mas um monstro cruel e viperino, que voa pelos ares:*
> *feroz e cruel não poupa ninguém e tudo destrói a ferro e fogo.*
> *Faz tremer o próprio Zeus e aterroriza os imortais,*
> *estremece os rios infernais e inspira horror às trevas do Estige.*

Em obediência ao oráculo, os pais abandonam a jovem às núpcias da morte com o monstro, mas surpreendentemente Psiqué é levada pelo vento Zéfiro para um palácio encantado, onde passa a desfrutar uma vida paradisíaca com Eros, seu amante invisível. As irmãs mais velhas, corroídas de ciúme e inveja, resolvem destruir o idílio da caçula. Não obstante as contínuas advertências do marido, ela decide, a conselho das irmãs, surpreender o monstro dormindo e matá-lo.

Executado o plano diabólico, Psiqué vê a seu lado o próprio Eros, por quem se apaixona loucamente. Uma gota de azeite fervente, porém, lhe cai no ombro. O deus desperta e, sem dizer palavra, abandona a amante. Segue-se a busca de Psiqué, sua luta contra a crescente ira de Afrodite e a execução das quatro tarefas que a deusa lhe impõe. Abrindo a caixinha que lhe entregara Perséfone, a esposa do filho de Afrodite mergulha num sono letárgico. Eros a salva, e, imortalizada por Zeus, é festejada no Olimpo como esposa eterna do eterno Amor.

Como se pode observar, o mito se divide em cinco partes: a introdução; as núpcias da morte; a tentação de Psiqué e sua paixão; as quatro provas e o desfecho feliz, com a imortalização da heroína.

É esta a ordem que segue Neumann na análise do mitologema e, tendo-o tomado por guia, vamos perseguir com ele o mesmo roteiro.

Tema central do mito é inquestionavelmente o conflito entre Afrodite e Psiqué. A deusa, "que surgiu das profundezas azuis do mar e nasceu do borrifo das ondas espumantes", dignou-se manifestar sua divindade ao mundo e estaria vivendo entre os povos da terra. E não obstante tanta gentileza e amizade pelos mortais, estes cada vez mais se afastavam de seus templos e dos prazeres que somente ela lhes poderia proporcionar. Tudo por causa de uma simples princesa mortal! Ofensa mais grave para a deusa, todavia, era a crença corrente entre os homens de que "o céu chovera novo e fecundante orvalho e de que a terra germinara, como uma flor, uma segunda Afrodite em todo o viço de sua mocidade". Consoante tal convicção, Psiqué não seria apenas uma encarnação da deusa, mas uma segunda Afrodite, recém-concebida e recém-nascida. Se a mãe de Eros fora concebida no bojo do mar, em virtude do esperma do falo decepado de Úrano, sua antagonista nascera da terra, fecundada por uma gota de orvalho, caído do céu. Com seus templos arruinados, as chamas de seus altares extintas, seus leitos sagrados desrespeitados, seu culto esquecido, e a cada dia crescendo a multidão que atravessava as profundezas do mar para ver a nova Afrodite, a deusa deixou-se dominar por uma cólera violenta. Afinal, ela, "a primeira mãe de todas as coisas criadas, a fonte primordial de todos os elementos", ser posposta a uma simples princesa! Ferida em sua dignidade de Grande Mãe, resolveu usar seu filho Eros para destruir a rival, ou seja, para punir ὕβρις (hýbris), a *híbris*, a "démesure", o descomedimento de uma pobre mortal, "lama imunda da terra", que ousara igualar-se a uma deusa numinosa. Sob este aspecto, o mito se abre dentro dos padrões da tragédia grega.

4

Enquanto se encenava essa tragicomédia entre mãe e filho, Psiqué estava irremediavelmente só, sem marido e sem amor e começou, desse modo, a odiar "em si mesma a beleza que constituía o encantamento de nações inteiras". O pai, recorrendo ao oráculo de Apolo, na expectativa de que a filha lindíssima obtivesse um marido, recebeu a resposta terrível que já se conhece. Inicia-se, então, o lúgubre cortejo para as núpcias da morte, insinuadas no prólogo do drama. As tochas levemente acesas, "obstruídas por escura fuligem e cinza", as árias festivas da flauta nupcial "substituídas pelos plangentes acordes da melopeia lídia" são elementos típicos do ritual matrilinear das núpcias de morte, que precediam as lamentações por Adônis. Trata-se, no caso, do tema primordial da noiva consagrada à morte, que normalmente aparece sob a epígrafe de "a virgem e a morte", o que denota, consoante Neumann, "um fenômeno central da psicologia feminina matrilinear". Para o mundo matrilinear, argumenta o psiquiatra israelense, "todo casamento é um rapto de Core, a flor virginal, consumado por Hades, o violador, ou seja, um simbolismo terreno do macho hostil. Desse modo, todo casamento é como uma exposição no cume de um monte em mortal solidão e uma espera pelo monstro masculino a quem a noiva é entregue. O velar-se[5] da noiva é sempre o velar, o encobrir do mistério, e o matrimônio, como as núpcias da morte, é um arquétipo central dos mistérios femininos. Na mais profunda experiência do feminino os temas das núpcias de morte, da virgem sacrificada a um monstro, feiticeiro, dragão ou espírito do mal, recontados em inúmeros mitos e lendas, são igualmente um *hieròs gámos*. O caráter de rapto, que o evento assume, expressa, relativamente ao feminino, a projeção – típica da fase matrilinear – do elemento hostil sobre o homem. Nessa linha de raciocínio é inadequado interpretar o crime das Danaides, todas as quais, menos uma, mataram seus maridos na noite de núpcias, como a resistência do feminino ao casamento e como a dominação patrilinear do masculino. Indubitavelmente, tal interpretação é correta, mas aplica-se tão somente à última fase de um desenvolvimento, que ocorre muito antes.

"A situação fundamental do feminino [...] prende-se à relação primordial de identidade entre filha e mãe. A aproximação do macho, por isso mesmo, sempre e em qualquer caso, significa separação. O casamento é sempre um mistério, mas é também um mistério de morte. Para o macho – e isto é inerente à oposição essencial entre o masculino e o feminino – o casamento, como a matrilinhagem o concebia, é antes do mais um sequestro, uma aquisição, uma violação, um rapto"[6].

---

5. Observe-se, segundo se acentuou no Vol. I, p. ...., que νύμφη (nýmphe) "noiva", em etimologia popular, é a que se *cobre com um véu*. Em latim, também já se disse, o verbo *casar* se expressa diferentemente para o homem e para a mulher. Em relação àquele, "casar", é *ducere uxorem*, literalmente, "conduzir a mulher (para casa), comandar", um como que "apossar-se da mulher"; para esta "casar" é *nubere*, "cobrir-se com um véu", velar-se, recolher-se, ocultar-se.

6. Ibid., p. 62s.

No casamento greco-latino ao menos, diga-se, de caminho, o "rapto" era substituído simbolicamente não só pela fuga simulada da noiva, indo-lhe o marido ao encalço e reconduzindo-a ao cortejo nupcial, que se realizava ao anoitecer, à luz das tochas, mas ainda, quando a procissão atingia a casa do esposo, pelo gesto deste em tomá-la nos braços e colocá-la dentro de seu novo lar.

No mundo moderno ainda se usa, de certa forma, a segunda modalidade, mas, ao que tudo indica, o atraso intencional da noiva em chegar ao local do casamento se configuraria numa simulação simbólica de fuga.

Na análise desse profundo estrato mítico e psicológico é necessário esquecer o desenvolvimento cultural e as formas que assumiram as relações entre homens e mulheres e retroceder ao fenômeno do primeiro encontro sexual entre eles. Não há de ser difícil intuir que a significação desse encontro foi certamente muito diversa para o masculino e para o feminino. O que para o masculino é agressão, vitória, violação, satisfação dos desejos – basta que se observe o mundo animal e se tenha a coragem de reconhecer este nível como válido também para o ser humano – é, para o feminino, destino, transformação e o mais profundo mistério da vida.

Não é por mero acaso, segundo observou agudamente Erich Neumann, que o símbolo central da virgindade seja a flor e é extremamente significativo que a consumação do matrimônio, a destruição da virgindade, se denomine *defloração*. Para o feminino o ato da defloração representa um verdadeiro e misterioso vínculo entre um fim e um começo, entre um deixar-de-ser e penetrar na vida real. Eis o motivo por que o ato de defloração representou originariamente para o masculino algo numinoso e profundamente misterioso. Em muitas culturas este ato foi, por isso mesmo, abstraído da vida privada e executado como um rito. Acrescente-se, além do mais, que a defloração nem sempre era consumada pelo noivo, mas pelo rei, por um estranho e mais especificamente por uma "divindade", o que explica que a noiva, não raro, passava a primeira noite de núpcias num templo. E, quando a tarefa era desempenhada pelo noivo, rodeava-se o leito nupcial de divindades ajudantes e cooperantes, conforme se mostrou no Vol. I, p. 326-327.

De qualquer forma, torna-se patente quão decisiva deve ter sido, na vida do feminino, a transição da "virgem-flor" para a "mãe-fruto", quando se leva em consideração a rapidez com que se esvai a juventude feminina, sob condições primitivas, e com que pressa é consumida a fecundidade, quando a mulher é submetida a trabalhos pesados e penosos.

O tema das núpcias de morte ocupa, sem dúvida, uma posição central no mitologema de Psiqué, se bem que, de início, o mesmo se nos apresente apenas como uma simples vingança de Afrodite.

Conduzida pela multidão para o local onde se consumaria, segundo todos acreditavam, seu fatídico himeneu, a jovem princesa acompanha em prantos não a alegre e festiva procissão de suas núpcias, mas o cortejo fúnebre de suas exéquias. Aos pais, abalados com o destino da filha e hesitantes em executar o crime nefando, Psiqué os exorta com palavras, que, nascidas de seu inconsciente, estão em perfeita harmonia com o mistério do feminino face a essa situação de morte. Sem discutir, sem protestar, sem desafiar ou resistir, como agiria um ego masculino em situação idêntica, ela aceita seu destino. Suas palavras são claras e firmes: *Se nações e povos me tributam honras divinas; se a uma só voz me consagram como a nova Afrodite, então agora chegou o momento de vocês padecerem, chorarem e me lamentarem como morta.* Assumindo a *hýbris* da humanidade e não a sua própria, a de seu ego, e mais ainda sua punição, declara estar pronta para o sacrifício: *Estou ansiosa para concluir esta união sagrada e contemplar o nobre esposo que me aguarda. Por que não protelo e fujo de sua presença? Não nasceu ele para destruir o mundo inteiro?*

Deixada só no cume do rochedo, a princesa é arrebatada pelo vento Zéfiro e suavemente transportada para um vale macio e perfumado.

Vem, então, a grande surpresa, que, a princípio, dá a impressão de um conto de fadas. Esta é a terceira parte do mito: Psiqué no paraíso de Eros.

5

O casamento, que fora precedido por um autêntico préstito fúnebre das "núpcias da morte", é então consumado num cenário típico das "Mil e Uma Noites": *Agora, quando a noite já ia avançada, uma voz suave lhe chegou aos ouvidos. Ela temia por sua virgindade, vendo-se completamente só. Tremia de horror e recea-*

va o desconhecido muito mais que qualquer outro perigo que já houvesse imaginado. Por fim chegou seu misterioso consorte; subiu ao leito e fez Psiqué sua mulher, mas, antes do amanhecer, desapareceu apressadamente.

Em breve, o que, de início, parecia estranho, por força do hábito tornou-se um deleite e as Vozes alegravam sua solidão e perplexidade. Logo depois, ela dá expansão à sua felicidade: *Antes morrer cem vezes que perder tão doce amor. Onde estiveres, eu te amo e adoro apaixonadamente. Amo-te como amo a própria vida. Comparado a ti, o próprio self de Eros seria nada.*

Mas o êxtase em que murmura *esposo doce como o mel* ou *minha vida e amor* é um êxtase de trevas. É um estado de desconhecimento e cegueira, uma vez que seu grande amor podia ser sentido e ouvido, mas não visto. Psiqué, todavia, parecia feliz e vivia em paradisíaca bem-aventurança. Todo paraíso, no entanto, tem sua serpente e a felicidade "noturna" da jovem esposa não poderia durar para sempre. O intruso, a serpente venenosa desse Éden é representada pelas irmãs, cuja irrupção deflagra a catástrofe, que, também aqui, equivale à expulsão do paraíso.

Apesar da séria advertência de Eros, Psiqué encontrou-se com as irmãs, que, cegas de inveja, planejavam destruir-lhe a felicidade. O método arquitetado pelas "bruxas" foi o universalmente conhecido: não se tratava, no fundo, de matar a Eros, mas de quebrar o tabu e desvendar o mistério, a saber, fazer que a irmã visse o esposo. Examinadas sob um ângulo superficial, a proibição de ver o marido, de saber "quem ele era", bem como a tentação das irmãs, motivadas pelo despeito, poderiam ser enquadradas num conto de fadas, mas, numa análise mais profunda, como o fez Neumann[7], fica patente que o tema em pauta comporta vários níveis extremamente significativos. Qual seria o significado das irmãs no mito de Psiqué? De saída, ambas se casaram, ou melhor, "foram casadas", muito mal. Suas núpcias, símbolo da escravidão patrilinear, são exemplos típicos do que se poderia denominar *a escravidão do feminino na patrilinhagem*. Diz-nos o texto de Apuleio que *elas foram dadas a reis estrangeiros, mas para que*

---

7. Ibid., p. 71.

fossem suas serviçais. Uma delas descreve o marido como *mais velho que seu pai, mais calvo que uma abóbora e mais frágil que uma criança*. Dessa forma, seu papel era o de filha e não de esposa. A outra não era menos infeliz: unira-se a um doente, gotoso, já meio alquebrado, e sua função precípua era a de enfermeira. Embora não se possa minimizar o tema óbvio da inveja das irmãs, este, entretanto, não deve se constituir no ponto central da interpretação da atitude das mesmas. Necessário se torna ressaltar que ambas odiavam intensamente os homens, evidenciando, assim, um ângulo típico da matrilinhagem. O sintoma mais evidente dessa atitude matrilinear de repúdio aos homens é a caracterização que elas fazem do esposo invisível de Psiqué. Quando falam dos *abraços de uma venenosa e asquerosa serpente*, quando afirmam que Psiqué e seu rebento serão devorados pelo monstro, expressam mais que a inveja e o ciúme de mulheres sexualmente insatisfeitas. "Suas mentiras, segundo Neumann – porque elas dizem a verdade num tom difamador, como se fosse um mal-entendido – têm origem no desgosto sexual de uma Psiqué matrilinear violada e insultada"[8]. O êxito por elas alcançado deve-se à evocação que fazem na própria Psiqué desse estrato matrilinear de ódio aos homens. Com isso intensificam o conflito já existente no espírito da irmã, o qual pode ser traduzido numa simples frase: *no mesmo corpo ela odeia o monstro e ama o marido*.

Esta relação transparente com a matrilinhagem e com as assassinas de maridos, as Danaides, é intensificada, quando as irmãs aconselham Psiqué não a fugir do esposo desconhecido, mas a decepar-lhe a cabeça com uma faca, o que estampa um antigo símbolo de castração sublimado e elevado à esfera espiritual.

O macho hostil, a mulher como vítima do esposo-monstro, o assassinato do homem e sua castração, símbolos matrilineares de autodefesa ou dominação, como se explica que Psiqué tenha chegado a esse ponto? Que significado tem tudo isto no mito de Eros e Psiqué? Para Neumann, a atuação das duas irmãs matrilineares da heroína, as quais odeiam homens, contrasta profundamente com o doce enlevo e autoanulação da caçula, que se rendera por completo à escravidão sexual do amante. O aparecimento delas introduz a primeira perturba-

8. Ibid., p. 72.

ção nesse paraíso de prazeres. Desse modo, consoante a interpretação do mesmo psiquiatra, "as figuras das irmãs representam projeções reprimidas ou tendências matrilineares inteiramente inconscientes da própria Psiqué e cuja erupção provoca um conflito no interior da mesma, atuando aquelas como o aspecto-sombra da esposa de Eros. Desde a primeira visita das irmãs, Psiqué adquire uma certa independência em relação ao marido e a si própria. Repentinamente ela percebe que sua existência e convivência com Eros não passam de uma prisão luxuriosa e sente saudades da presença de seres humanos. Até então ela havia flutuado na correnteza de um êxtase inconsciente, mas agora começa a perceber a fantasmagórica irrealidade de seu paraíso sensual e principia, em contato com o amante, a tomar conhecimento de sua feminilidade. Faz *cenas* e envolve aquele que a havia envolvido com murmúrios apaixonados"[9]. Assim, por mais paradoxal que possa parecer, as irmãs-sombras (desde que se deixe de lado a intriga superficial que as envolve) representam um aspecto da consciência feminina que marcará todo o subsequente desenvolvimento de Psiqué. Sem ele, ela não seria o que é, a saber, a Psiqué feminina. Apesar de sua forma negativa, antimasculina e assassina, a incitação das irmãs configura a resistência da natureza feminina à situação e à atitude de Psiqué, bem como o início de uma maior conscientização feminina. Isto não quer dizer que as irmãs representam a consciência, são apenas sua sombra, seu lado negativo, seu precursor. Mas, se Psiqué consegue passar de um estado inteiramente de sombras para um estágio mais desenvolvido é sobretudo porque se sujeitou à orientação negativa das irmãs. Bastou-lhe quebrar o tabu que Eros lhe impusera, ao responder à sedução das irmãs, para entrar em conflito com ele. Pois bem, este conflito é a base de seu desenvolvimento. Na realidade, até o momento, Psiqué, apesar de seu paraíso sensual, viveu na "sombra", num perfeito estado de servidão contra o qual a consciência feminina do *self* – e é exatamente esta a atitude matrilinear do feminino – deve protestar, como fizeram as duas irmãs mais velhas. A existência da amante do filho de Afrodite era uma não existência, um estar-no-escuro, um êxtase de

9. Ibid., p. 73.

sensualidade, algo assim que poderia ser caracterizado como uma situação em que ela está sendo devorada por um monstro.

Eros, enquanto fascinação invisível, é tudo aquilo que o Oráculo, citado pelas irmãs, havia previsto: Psiqué, sem dúvida, é vítima de Eros[10].

Ora, a norma básica do matrimônio é a proibição, como demonstrou Bachofen[11], de a mulher ter relações individuais com o homem: o macho é conhecido apenas como um poder anônimo. Para a heroína esse anonimato acabou, mas a jovem incorreu na mais profunda e imperdoável desgraça: sucumbiu à masculinidade do marido e caiu em seu poder. Do ponto de vista matrilinear, só existe uma saída para esse impasse: matar e castrar o masculino; e é exatamente isto que as irmãs exigem de Psiqué. Mais uma vez é necessário acentuar que as mesmas não configuram somente a regressão, pois que um princípio feminino mais elevado está atuando igualmente: sem dúvida, elas iluminaram o estado inconsciente da irmã. Em seu "conflito" com Eros, apesar das constantes recomendações e pedidos do esposo, Psiqué lhe resiste aos conselhos de romper relações com as irmãs e com elas se encontra, o que parece destoar de sua aparente suavidade. No decorrer desse "litígio", ela, finalmente, deixa escapar palavras reveladoras que são a chave de seu estado interior: *Não mais procurarei ver tua face e nem mesmo a escuridão da noite poderá ser um obstáculo à minha felicidade, pois tenho-te em meus braços, luz de minha vida.* No momento exato em que Psiqué dá mostras de aceitar a escuridão, isto é, a inconsciência de sua situação e, quando no aparente abandono de sua consciência individual, refere-se ao amante desco-

---

10. Erich Neumann observa com muita argúcia que a vida de Psiqué no Éden sombrio de Eros é muito semelhante ao mito do herói engolido pela baleia-dragão-monstro. É bem verdade que a prisão de Psiqué nas trevas é superada, de certa forma, pelo prazer, "mas também esta situação é arquetípica e não excepcional". Como no percurso da viagem marítima noturna o herói solar masculino acende uma luz no bojo do monstro e livra-se das trevas; igualmente Psiqué liberta-se da "noite", por estar equipada com luz e punhal. No mito solar masculino, todavia, a ação do herói é violenta, porque sua função principal é matar o monstro. Mesmo que se trate de aquisição de "conhecimento", o herói coloca em primeiro plano a morte e o desmembramento da baleia-dragão-monstro. Na variante feminina, a necessidade de "saber" permanece vinculada à outra maior, *a necessidade de amar.* Se bem que Psiqué seja compelida a ferir, ela continua a manter um nexo ainda mais forte com seu amante, a quem jamais deixou de conciliar e transformar.

11. BACHOFEN, Johann Jakob. Op. cit., p. 140ss.

nhecido como *luz de minha vida*, nesse instante um sentimento até então desconhecido vem à tona: ela fala negativamente de sua opressiva escuridão e de seu desejo de conhecer o marido. Exorcizando seu próprio medo do que está por acontecer, revela seu conhecimento inconsciente do que está acontecendo. Antes era prisioneira das trevas, mas agora o impulso, que a arrasta ao conhecimento da luz, se torna imperioso. A esposa de Eros, sem dúvida, está muito longe de ser apenas a menina "gentil" e "simples". Ao contrário, a atitude das irmãs, com sua hostilidade e protesto, corresponde exatamente ao que se passa no interior da própria Psiqué. Atuado pelas irmãs, o protesto matrilinear aflora a partir do exterior e a impele à ação. É exatamente esta situação que torna possível o "conflito" em Psiqué: *no mesmo corpo odeia o monstro e ama o marido* e foi essa constatação que permitiu às irmãs seduzi-la. Embora a jovem esposa ignorasse a aparência do marido, de há muito a oposição monstro-amante vivia em seu inconsciente e foram precisamente as irmãs que a conscientizaram do pressuposto aspecto da "fera mortífera". Não lhe sendo mais possível permanecer em seu antigo estado inconsciente, ela é coagida a ver o verdadeiro aspecto do parceiro e, apesar da ambivalência, a oposição entre a Psiqué que odeia o monstro e ama o marido é projetada para o exterior, obrigando-a a entrar em ação.

Armada com um punhal afiado e empunhando um candeeiro, aproximou-se do amante e, na luz, reconheceu Eros. Tentou matar-se, mas fracassou. Depois, enquanto se extasiava com a beleza do marido, feriu-se numa de suas flechas. Inflamada de desejo, inclinou-se para beijá-lo e uma gota de óleo fervente, caindo do candeeiro, queimou e feriu o deus. Acordando sobressaltado e, constatando a desobediência da esposa, abandonou-a imediatamente. E aqui se inicia o drama de Psiqué, a busca da individuação, que sempre dói muito, porque é um parto e um pacto extremamente difíceis.

Que experimenta Psiqué, quando, impulsionada pelas forças matrilineares de ódio aos homens, se aproxima do leito para matar o suposto monstro e descobre Eros? A palavra está com Neumann: "Se reconstruirmos a grandeza mítica desta cena [...], perceberemos um drama de grande profundidade e poder, uma transformação psíquica de significado único. É o despertar de Psiqué como Psiqué, o momento decisivo do destino na vida do feminino, no qual, pela vez primeira, a mulher emerge de seu inconsciente e da clausura de seu aprisionamento matrilinear e, num encontro individual com o masculino, ama, ou seja, reconhece Eros. Este amor da jovem princesa é um amor de tipo muito especial e, só se compreendermos o que é novo nesta situação amorosa, é que podemos intuir o que isto significa para o desenvolvimento do feminino, como é o representado por Psiqué"[12].

A Psiqué que se aproxima do leito, em que dorme Eros, não é mais aquela criatura langorosa e envolvente, seduzida por seus sentidos, que vivia no paraíso trevoso da sexualidade e do desejo. Conscientizada pelas incursões de suas irmãs, ciente do perigo iminente, ao aproximar-se do leito para matar o monstro, a besta macho que a havia raptado do mundo superior em núpcias de morte e arrastado para as trevas, ela assume a cruel e hostil militância da matrilinhagem. Mas, ao brilho da nova e tênue luz com que ilumina a escuridão inconsciente de sua antiga existência, reconhece Eros. *Ela, agora, ama.* Conscientizada, ela experimenta uma transformação radical: descobre que a dicotomia entre monstro e marido não é válida. Atingida pela faísca do amor, tenta apunhalar-se, em outros termos, *fere-se com a flecha de Eros.*

Com isto, abandonando o aspecto inconsciente infantil de sua realidade, renuncia igualmente ao aspecto matrilinear de ódio aos homens. À luz do "novo" amor, Psiqué reconhece Eros como um deus que sintetiza em si o inferior e o superior e que é a sizígia dos dois níveis.

Viu-se que Psiqué se deixou ferir na flecha de Eros e sangrou: *Assim, desapercebidamente, mas através de seu próprio ato, Psiqué se apaixona pelo Amor.* O que a amante de Eros experimenta agora poderia ser chamado de uma segunda defloração, uma defloração que se passa em seu interior. Esse ato de amor, com entrega voluntária a Eros, é ao mesmo tempo um sacrifício e uma perda.

---

12. Ibid., p. 77s.

Psiqué não renuncia ao aspecto matrilinear de sua feminilidade, mas o paradoxal da situação é que, em e através de seu ato de amor, ela o eleva à sua essência autêntica e o exalta, simultaneamente, ao seu nível amazônico[13].

---

13. Por *nível amazônico* entenda-se o que expôs Bachofen em sua obra, já por nós citada, *Das Mutterrecht*, "O Matriarcado". Para que se compreenda bem a análise de Neumann, por vezes apoiada em Bachofen, vamos sintetizar o ângulo da tese bachofiana que nos interessa no momento. Johann Jakob Bachofen (1815-1887), historiador do direito e filólogo suíço de língua alemã, na obra supracitada, estuda a Matrilinhagem como força político-social dentro da ginecocracia, quer dizer, do poder senhorial feminino. A Matrilinhagem, assim concebida, resulta da maternidade tomada como um princípio, cujas consequências, amor, fraternidade, igualdade e liberdade, teriam determinado em tempos antigos (o que parece confirmado, até hoje, em culturas ditas primitivas) a vida de povos ginecocráticos, que se mantiveram, por longo tempo, fiéis a tais postulados. Após longas pesquisas, fundamentadas na história e, não raro, na intuição e no mito, o estudioso suíço concluiu que, em épocas muito remotas, as relações sexuais eram promíscuas e, por isso mesmo, somente era indiscutível o parentesco matrilinear. Sabia-se quem era a mãe, jamais o pai. Desse modo, somente à mulher se poderia atribuir a consanguinidade. Ela, unicamente ela, era a autoridade, a legisladora: governava tanto o grupo familiar como o social. Tratava-se da *ginecocracia*, o poder, o governo da mulher. Tal supremacia era expressa não apenas na esfera da organização social, mas ainda e sobretudo na religião.
A religião olímpica, dos deuses de cima, Zeus, Apolo, Ares, Posídon, Atená, fora precedida por outra, em que deuses, figuras maternas, eram as divindades do Hades, *debaixo*, ctônias: Erínias, Deméter, Perséfone.
Supõe Bachofen que, através de um longo processo "histórico", a constituição ginecocrática teria passado por três fases: *heterismo*, de ἑταιρισμός (hetairismós), "vida ou condição de companheira, de cortesã", aqui, mais em sentido social, isto é, a fase em que, não existindo casamento, a mulher era mulher de todos. Eis por que, nesse estágio, o "pai" é chamado *Udeís*, "Ninguém". E era óbvio que assim acontecesse: afinal, a maternidade é natural e a paternidade mentalmente adquirida. O símbolo do heterismo é a vegetação caótica dos pântanos. O *amazonismo* é a segunda etapa da ginecocracia: é o estágio agressivo da mulher, uma espécie de imperialismo feminino. *Amazonismo* é palavra formada com base no grego ἀμαζών (amadzón), "amazona", que a etimologia popular fazia provir de ἀ (a) *não* e μαζός (madzós) *seio*. Segundo se acreditava, as *Amazonas*, mulheres guerreiras, que habitavam o Ponto Euxino, a Cítia ou a Lídia, mutilavam o seio direito para que pudessem manejar com mais destreza o arco. Só concebiam relações sexuais com adventícios: os filhos homens eram emasculados e empregados, quando não eliminados, em serviços inferiores. Uma projeção do *amazonismo* é o mito das *Danaides* e das *Lemníades*. O símbolo é o nomadismo, a agressividade da natureza. A terceira e última fase é o *demetrismo*, vocábulo derivado de Δημήτηρ (Deméter), a Terra-Mãe, a terra cultivada. É a etapa do sedentarismo, da agricultura organizada, do "casamento", mas, ao que parece, por livre escolha da mulher, uma vez que o prestígio social, a família e a religião continuavam sob sua égide. Dado o poder matrilinear, a dominação matronímica, a designação do país natal era feita pelo vocábulo *mátria*, de *mater*, mãe; *pátria*, de *pater*, pai, seria criação da *androcracia*, quer dizer, da patrilinhagem.
Modernamente, os denominados três estágios ginecocráticos de Bachofen vêm sendo interpretados como estratos e fases psíquicas, particularmente a fase urobórica, caracterizada pela relação de identidade, e não como um fato histórico ou social.

A Psiqué, que conheceu, porque viu Eros na luz, e que quebrou o tabu de sua invisibilidade, não é mais a menina ingênua e infantil em sua atitude contra o masculino. Não se trata mais da cativante e da cativada: sua feminilidade se transformou a tal ponto, que ela perdeu e realmente deveria perder o marido. O amor da amante que explodiu, ao ver o amante, fez com que passasse a existir dentro dela um Eros que não é mais aquele que dormia diante dela, ou seja, fora dela. Seu Eros interior, imagem de seu amor, é, na realidade, uma forma superior e invisível do Eros que dormia placidamente a seu lado. Tal forma superior e invisível pertence à Psiqué consciente e adulta, a uma Psiqué que deixou de ser criança. Pois bem, esse Eros superior e invisível, interno a Psiqué, deverá necessariamente entrar em conflito com sua imagem visível, revelada pela luz do candeeiro e queimada pela gota de óleo fervente. O Eros oculto pelas trevas ainda poderia ser uma encarnação de uma imagem qualquer de Eros, mas este Eros visível é o divino, o filho de Afrodite, o qual, como tal, não deseja também tal Psiqué! A tarefa urgente da amante é a unificação da estrutura dual de Eros, que também se manifesta na figura antitética de Eros e Ânteros, é a transformação do Eros inferior no Eros superior, pois uma coisa é o Eros de Afrodite, outra, o Eros de Psiqué.

Na interpretação lapidar de Neumann, "a perda do amante, neste momento, é uma das mais profundas verdades dentre as verdades deste mito. Este é o momento trágico em que toda Psiqué feminina assume seu próprio destino. Eros foi ferido por Psiqué. A gota de óleo, que o queimou, acordou-o e fê-lo ir embora, o que se constitui, de qualquer forma, numa fonte de sofrimentos. Para ele, o deus masculino, a amante era desejável, enquanto no escuro, e ele a possuía com exclusividade. Afastada do mundo, vivendo apenas para ele, sem participação e interferência em sua existência divina, Psiqué se tornara apenas uma companheira para suas noites. Sua insistência em manter-se no anonimato agrava ainda mais a condição servil da parceira: a cada dia ela era mais devorada por ele"[14]. Tentando matá-lo e ferindo-o, mas vendo-o, Psiqué emergiu da escuridão e assumiu seu destino como mulher apaixonada, pois ela é Psiqué,

---

14. Ibid., p. 81.

quer dizer, sua essência é psíquica e, por essa razão, uma existência nas trevas não pode satisfazê-la[15].

Ao libertar-se de Eros com um punhal e um candeeiro e, desse modo, transcendendo-o e espancando a escuridão que ele lhe impusera, a princesa despoja o amante de seu poder divino sobre ela. Agora, os dois se defrontarão como iguais. Em um novo plano, quer dizer, amando conscientemente, sua grande tarefa há de ser a de unir-se de novo a ele e formar um todo em nova sizígia, uma vez que a necessidade de uma junção a havia impelido ao sacrifício. Assim, a iniciativa "criminosa" de Psiqué é o início de um desenvolvimento que envolve não apenas a si mesma, mas que também atinge a seu amante.

E Eros, como se comporta face a essa transformação?

O filho de Afrodite, segundo se mostrou, foi ferido por sua própria flecha, quer dizer, amou Psiqué desde o início, mas esta, já se falou, só começou a amá-lo, após "seu ato heroico". Aquilo, porém, que Eros denominava "seu amor" e o modo como o desempenhava chocam-se com a amante e sua ação libertadora, "que acabou por expulsar a Eros e a si mesma do paraíso da inconsciência urobórica". Foi através da esposa que ele, pela primeira vez, sofreu as consequências de suas próprias flechas, aqui simbolizadas pela gota de óleo fervente que lhe caiu no ombro. Que significa, porém, o óleo fervente? O texto de Apuleio é elucidativo a esse respeito:

Ó candeeiro temerário e insolente, tu queimaste o próprio senhor do fogo.

O instrumento que provoca dor é uma arma cortante e perfurante como a flecha, mas a substância que alimenta o candeeiro é o princípio da luz e da sabedoria. O óleo, enquanto essência do mundo vegetal, uma essência extraída da terra, usada para ungir o rei, o senhor na terra, é um símbolo muito difundido

15. Psiqué repete, "num plano bem diferente", consoante Neumann, o ato matrilinear das Amazonas, que sacrificavam sua feminilidade, mutilando, como vimos, um dos seios, não apenas para combater como um homem em sua luta com o masculino pela independência, mas também para fortalecer a Grande Deusa da matrilinhagem, Ártemis de Éfeso. Esta se nos apresenta na arte figurada coberta com um manto cheio de seios, símbolos, se não os próprios seios, dos seios a ela sacrificados pelas Amazonas.

em todas as culturas. Assim, é significativo que, sendo a base da luz, para iluminar, deve inflamar e queimar, para purificar.

Se, através de seu ato, Psiqué toma consciência de Eros e do amor que sente pelo mesmo, este está apenas ferido, mas não conscientizado do ato de amor e separação da amante. Em Eros tão somente uma parte do processo se completou: a substância básica foi inflamada e ele arde por causa dela. Trata-se, no entanto, do início de uma transformação, mas involuntária e o deus a experimenta passivamente.

Como se sabe, Eros era um menino, um jovem, o filho-amante de sua Grande Mãe, cujas ordens transgrediu, amando Psiqué, em vez de fazê-la infeliz.

Esse logro, todavia, não o libertou de Afrodite; atesta apenas que ele a traiu, já que seu objetivo era que tudo se passasse em segredo, na escuridão, às ocultas de sua mãe. Seu romance com a mais bela das mortais é mais uma das "fugas" dos deuses gregos, longe da luz da opinião pública, representada tipicamente pelas divindades femininas. Mas o oculto e egoístico paraíso sensual do filho de Afrodite foi iluminado por Psiqué, que rompeu a "participação mística" com seu parceiro e lançou os dois no destino da separação, que é a consciência. O amor, como expressão da totalidade do feminino, não é possível nas trevas, como mero processo inconsciente. Um encontro autêntico com o outro envolve a consciência, apesar da separação e do sofrimento.

"A ação de Psiqué leva à individuação, na qual, como diz Neumann, a personalidade experimenta a si mesma em relação a um parceiro como o outro, quer dizer, não somente como unida a um parceiro. A jovem fere e fere-se e, através desses ferimentos, desfaz-se o vínculo original e inconsciente que os unia, criando, todavia, a possibilidade de um novo encontro, pré-requisito do amor entre dois indivíduos"[16]. No *Banquete* de Platão, 189, 190, 191, a separação operada por Zeus no *andrógino*, no Um, e a carência daí resultante, isto é, o anseio de "re-unir" o que havia sido dividido, é descrita como a origem mítica do amor. Aqui a mesma concepção se repete em termos do individual. Desse modo, a prá-

---

16. Ibid., p. 85s.

xis de Psiqué "encerra a idade mítica no universo arquetípico, na qual a relação entre os sexos dependia tão somente da força superior dos deuses, que mantinham os homens sob seu jugo. Inicia-se, então, a idade do amor humano, em que a Psiqué, conscientemente, assume por si mesma a decisão derradeira".

Este fato, afirma Neumann, nos leva de volta ao âmago do mito, quer dizer, ao grave conflito entre a "nova Afrodite" e Afrodite, a Grande Mãe. A rivalidade se inicia, quando os homens, adorando a beleza de Psiqué, negligenciam o culto e os templos da deusa. A contemplação pura da beleza contraria inteiramente o princípio representado por Afrodite, que também é bela e configura a beleza, mas esta é um meio apenas para se atingir um fim. Se este parece sintetizar-se exclusivamente no desejo e na intoxicação sexual, na realidade esse fim é a fertilidade: Afrodite é também uma Grande Mãe, como Deméter e Hera. E apesar de a deusa do amor representar o eterno ciclo da criação, ela é igualmente um dos aspectos do arquétipo da matrilinear geratriz da vida e da fertilidade das coisas vivas. A beleza, a sedução e o prazer por ela outorgados são instrumentos de um "esporte celestial", armas poderosas de que dispõe e usa para a multiplicação das espécies. Mas a aliança entre a deusa e Eros representa igualmente o atrativo da beleza e o encanto das relações humanas, como se pode depreender das palavras de Hera e Deméter, quando aquela explode em cólera por causa dos amores de Eros por Psiqué:

Quem entre os deuses e os mortais te permitirá semear paixões entre os homens, se proíbes teus próprios familiares de usufruírem os encantos do amor e os excluis de todas as alegrias proporcionadas pela fraqueza da mulher, um prazer que é permitido a todo mundo? O "semear paixões" e a norma acerca da "fraqueza da mulher" são atributos afrodíticos da Grande Mãe e que a deusa do amor, a "velha Afrodite", ainda representa em grau superlativo. Pois bem, este aspecto torna-se evidente no conflito da deusa com Psiqué, que, contrariando todos os preceitos do amor, é adorada em pura contemplação. Assim agindo, a "nova Afrodite" interfere na esfera dos imortais. Com sua práxis, o feminino, como força psíquica, entra em litígio com a Grande Mãe e com seu aspecto terrível, ao qual o feminino, em sua existência matrilinear, estivera subordinado.

Mais que isso, Psiqué não se rebela só contra a Grande Mãe Afrodite, insurge-se ainda contra o amante masculino, Eros. Com seu autossacrifício, a frágil amante abandonou tudo e assumiu a solidão de um amor pelo qual renuncia, inconsciente e conscientemente, à atração de sua beleza, que conduz ao sexo e à fertilidade. Agora, porém, que viu seu amante Eros na luz, Psiqué coloca, lado a lado, o princípio do amor, do encontro e da individuação com o princípio da atração que fascina e com o da fertilidade das espécies. Acima do preceito do amor material de Afrodite, enquanto deusa da atração mútua entre os opostos, ergue-se o princípio do amor de Psiqué, que a essa atração associa conhecimento, crescimento da consciência e desenvolvimento psíquico. Do ponto de vista de Grande Mãe do amor, a união do feminino com o masculino, como fato natural, não é essencialmente diverso no homem e nos animais; a amante de Eros, porém, transcendeu esse estágio, transformando-o numa psicologia do encontro. Pela vez primeira, o amor individual de Psiqué rebela-se contra o preceito coletivo da embriaguez sensual, encarnado em Afrodite. Sua luta, agora, por isso mesmo, será em duas frentes: contra a Grande Mãe Malvada, a sogra-bruxa, e contra Eros, a quem terá que conquistar e desenvolver, transformando-o num amante humano. O filho-amante de Afrodite, a quem ela *beija com os lábios entreabertos*, numa relação incestuosa, filho que ela teme perder para uma nora inimiga, terá que ser resgatado por Psiqué, de uma esfera transpessoal da Grande Mãe, para ser trazido à esfera pessoal da humana e amantíssima-nova-Afrodite.

Mas, por que essa regressão de Afrodite à condição de Mãe Terrível?

Ouçamos Neumann: "Do começo ao fim deste mito, o princípio da personalização secundária é dominante. Com o desenvolvimento da consciência, fenômenos transpessoais e arquetípicos assumem uma forma pessoal e tomam lugar na construção de uma história individual, de uma situação humana de vida. A Psiqué humana é um ego ativo que ousa opor-se, e com sucesso, a forças transpessoais. A consequência desse grandioso posicionamento da personalidade humana, aqui no caso feminina, é de enfraquecer o que antes era algo todo-poderoso. O mitologema da nova Afrodite humana se fecha com sua deificação. Paralelamente a divina Afrodite se humaniza, bem como Eros que, através do sofrimento, prepara o caminho para a união com a Psiqué humana.

Quando se torna claro para Afrodite que seu rebento masculino, que sempre havia sido um escravo obediente, se excedera na função de filho e amado, um instrumento e auxiliar, e se tornou independente como amante, surge um conflito na esfera do feminino e uma nova fase do desenvolvimento de Eros se inicia"[17].

6

Ao deixar de fugir de Afrodite, o que se configura, na realidade, numa busca de Eros, e ao render-se à deusa, Psiqué está preparada para enfrentar a "morte certa". Iria começar a parte mais dolorosa de sua iniciação, que, em contexto religioso, sempre pressupõe a morte do iniciando para o renascimento do *homo nouus*. A amante de Eros vai, nesta quarta parte do mitologema, enfrentar "os trabalhos".

O plano de Afrodite, para destruir a nora, gira em torno de quatro tarefas. Ao realizá-las, Psiqué converte-se num Héracles feminino e sua sogra desempenha papel idêntico ao de Hera, e madrasta do herói do Peloponeso.

Consoante Neumann, "os trabalhos que Afrodite impõe à amante do filho parecem, à primeira vista, não ter sentido nem ordem. Mas, uma interpretação baseada no simbolismo do inconsciente mostra que o contrário é o verdadeiro"[18]. É exatamente essa interpretação que vamos transcrever, não raro, *ipsis uerbis*.

A primeira tarefa, como já se mostrou, consistia em separar de um monte enorme de cereais as sementes e grãos de trigo, cevada, milho, grãos-de-bico, papoula, lentilha e fava... Tudo por espécie, e numa só jornada noturna!

A deusa, ferida e "ameaçada" no mais fundo de seu ser, julga simplesmente que o primeiro trabalho é impossível de se realizar.

Diga-se logo que o mesmo simboliza primeiramente "uma mistura urobórica do masculino", quer dizer, a típica promiscuidade do estágio pantanoso

---

17. Ibid., p. 92.

18. Ibid., p. 93.

de Bachofen, conforme se mostrou páginas atrás. As criaturas que vêm ajudar a heroína não são as aves da deusa, as pombas, que tanto auxiliaram a Cinderela, mas as *formigas*, a raça "mirmidônica"[19], *as ágeis criaturinhas da Terra, a mãe de todos.*

Foi, pois, com a ajuda imprescindível das *formigas* que Psiqué conseguiu "ordenar a promiscuidade masculina". Kerényi faz menção do primitivo caráter humano dos povos-formiga, *nascidos da terra*, e sua conexão com a "autoctonia", a saber, com o caráter da vida, que é oriunda da terra e particularmente com o caráter do homem. "Aqui, como sempre", são palavras textuais de Neumann, "os animais ajudantes são símbolos do mundo dos instintos". Se nos lembrarmos de que as formigas, nos sonhos, são um símbolo relacionado com o sistema nervoso vegetativo, começaremos a entender por que essas forças ctônias, essas criaturas nascidas do solo, são capazes de ordenar as sementes masculinas da terra. Psiqué opõe à promiscuidade de Afrodite um princípio ordenador instintivo. Enquanto a deusa do amor se atem à fertilidade do estado pantanoso, que também é representado por seu filho sob a forma de monstro-serpente fálico, Psiqué possui em si um princípio inconsciente, que lhe permite selecionar, peneirar, correlacionar, avaliar e, assim, encontrar seu próprio caminho em meio à confusão do masculino. Contrariamente à oposição matriarcal da futura sogra, para quem o masculino é fundamentalmente anônimo, como demonstram, por exemplo, os ritos de Ištar, Psiqué, mesmo em seu primeiro trabalho, já alcançou o nível da seletividade. [...] Não se pode, de outro lado, esquecer um encontro importante da jovem esposa com um experimentado "conquistador", depois que o marido a abandonou e depois que o

19. Consoante o mito, Éaco, o mais piedoso dos homens, era filho de Zeus e da ninfa Egina. Como a ilha Enone (mais tarde chamada Egina), onde nascera, era inteiramente despovoada, pediu ao pai divino que transformasse em homens as numerosas formigas ali existentes. Zeus concordou e o povo *nascido da terra*, quer dizer, das formigas, que lhe habitavam as entranhas, recebeu o nome de *Mirmidões*, em grego Μυρμιδόνες (Myrmidónes) e *formiga* se diz μύρμηξ (mýrmeks), que é, por sinal, do "gênero masculino", mas a aproximação etimológica é de cunho popular.

rio lhe frustrara a tentativa de suicídio[20], provando-lhe assim que a regressão era impossível[21].

Pã, o velho filósofo, o sábio, um "simples pastor", apegado à terra, aos animais e à natureza que, possuindo também poder divinatório, percebeu, de imediato, o que se passava com a "nova Afrodite". Seu conselho, aparentemente tão singelo, fez que Psiqué continuasse vivendo e encontrasse o rumo certo:

Dirige-te a Eros, o mais poderoso dos deuses, com preces fervorosas e conquista-o com suave submissão, pois ele é um adolescente suave e meigo.

Aparentemente os desordenados e incríveis trabalhos que Afrodite impõe à nora são apenas perigos mortais, mas o conselho de Pã – procura Eros e conquista-lhe o amor – dá pleno sentido ao que parecia um absurdo. O deus-pastor faz que as tarefas passem a ter um sentido novo e definitivo para o encontro com Eros, porque até mesmo a passagem de um trabalho a outro torna-se um caminho em direção ao amor.

A segunda tarefa ainda mais estranha consistia em trazer para a deusa do amor flocos de lã de ouro que cobriam o dorso de carneiros ferozes que vagueavam num bosque, à beira de um rio caudaloso. Após evitar que a desesperada Psiqué se lançasse nas correntezas, um junco humilde ensinou-lhe como execu-

---

20. Várias vezes Psiqué foi "tentada" pelo suicídio, por sua desvantagem com o mundo arquetípico, no caso, a natureza dos deuses. Somente com uma crescente integração, com o desenvolvimento psíquico do *self*, é que a humana Psiqué poderá resistir a esses ataques. Como se pode observar, no início de cada trabalho é tomada pelo dsespero e vê o suicídio como única saída. Consoante Neumann, esse tema se insere num contexto significativo: "Por uma reviravolta surpreendente, as núpcias de morte, a que Psiqué fora condenada, são substituídas pelo escuro paraíso de Eros. Mas a consumação dessas núpcias de morte que o Oráculo de Apolo havia predito (e o Oráculo não pode falhar) é uma exigência arquetípica de sua relação com Eros". Até agora, a jovem princesa não havia se conscientizado desse fato, que só se manifestara em sua tendência ao suicídio. Mas sua viagem ao mundo ctônio significa que ela deverá, agora, olhar conscientemente a morte de frente. Mas algo há de mudar: no final de seu desenvolvimento, ela enfrentará a situação mortal como alguém transformado. Essa "viagem extrema" tornar-se-á possível para Psiqué somente quando, através das tarefas, ela adquirir o conhecimento que de longe transcenderá seu mero conhecimento intuitivo inicial. Mercê de sua união com as formigas, o junco e a águia, a amante de Eros será capaz de adotar a atitude de conhecimento que é representado pela "Torre que vê longe".

21. Ibid., p. 95ss.

tar a ordem divina. Qual seria o significado no mito desses flocos de lã e da "prudência" do verde caniço?

As ovelhas, ou melhor, os carneiros, cuja lã Psiqué deveria recolher, são descritos pelo junco como detentores de poderes mágicos e destruidores. Semelhante alusão patenteia a relação do carneiro com o sol, como se atesta no Egito ou no mito do Velocino de Ouro. Psiqué é advertida para não transitar entre os "terríveis" carneiros até que o sol se tenha posto, *"pois, enquanto o violento calor do sol os aquece, são possuídos de uma raiva feroz, tanto que, com seus chifres agudos e sua fronte rija como pedra e, às vezes, com mordeduras venenosas, investem furiosamente contra os mortais".*

Os carneiros do sol, consoante Neumann, simbolizam o poder destrutivo masculino e correspondem, em consequência, ao princípio negativo de morte, experimentado pela matrilinhagem. "Essa castração", contida na ordem da deusa, pode ser interpretada como um "tomar posse de", como uma opressão, uma "despotencialização", como o foi o gesto de Dalila, ao cortar os cabelos de Sansão, o herói solar, e o crime das Danaides.

Psiqué estaria destruída pelo opressivo princípio masculino, se enfrentasse os carneiros do sol, símbolos do tirânico poder espiritual masculino, com o qual o feminino não se pode defrontar. Se o fizesse, ela se abrasaria como Sêmele na epifania de Zeus ou enlouqueceria como as Miníades, que se opuseram a Dioniso. A princesa, todavia, é salva pelo humilde junco, o "cabelo da terra", associado às águas profundas, e que é contrário ao carneiro de fogo. Suas palavras caem suavemente na consciência de Psiqué: seja paciente, aguarde o momento propício. Nem sempre é dia alto e o sol é abrasador: nem sempre o masculino é mortal. A tarde virá e com ela a noite, quando o sol se põe, pois *Hélio viaja para as entranhas da sagrada noite escura, para junto de sua mãe, da esposa e de muitos filhos*, e então o princípio masculino se aproxima do feminino. Após o pôr do sol surge a situação de amor, quando é seguro pegar os cabelos dourados dos carneiros do sol que se acalmam e buscam o descanso. "Física e psicologicamente", interpreta Neumann, "estes cabelos-raios são poderes masculinos da fertilização, e o feminino, como Grande Sol no ventre da natureza. [...] O feminino necessita apenas consultar seus instintos para conseguir uma relação fecunda, ou seja, uma relação amorosa com o masculino, ao cair da noite. [...] Nesse momento, quando o espírito solar masculino retorna às profundezas do feminino, este encontra o fio dourado, a fértil semente da luz"[22].

Num comentário-síntese aos dois primeiros trabalhos, Neumann afirma serem ambos de "caráter erótico" e arremata: "É curioso que Afrodite que havia apresentado esses trabalhos não como um 'problema erótico', mas como um separar de sementes e como uma procura do fio de lã dourado, atribua a solução dos mesmos à ajuda de Eros. Este, e ela o sabia perfeitamente, estava doente e preso em seu palácio: *Sei muito bem quem foi o autor secreto deste feito.*

Apesar de tudo, parece existir alguma relação, uma certa empatia oculta entre Afrodite e Psiqué, pois aquela compreendeu o caráter erótico não apenas dos problemas que havia imposto, mas também das soluções encontradas pela nora"[23].

Para realizar a terceira tarefa, Psiqué deveria trazer para Afrodite uma jarra cheia com a água que alimentava dois rios infernais, o Cocito e o Estige.

A esposa de Eros não tinha esperança alguma de poder cumprir o mandado que lhe fora imposto; porque, se de um lado a fonte brotava nos píncaros de uma rocha encravada em íngreme penhasco, de outra, era a mesma guardada por terríveis dragões.

Dessa feita, o *deus ex machina* de Psiqué foi a Águia de Zeus.

A tarefa é uma variante da busca da água da vida, a preciosa substância difícil de se obter. A característica essencial da fonte é que ela une o *superior*, o mais elevado, e o *inferior*, o mais profundo. Trata-se, por conseguinte, de uma fonte circular urobórica que alimenta as entranhas do mundo ctônio e que sobe novamente para emanar da mais elevada rocha que coroa inacessível montanha. A dificuldade consiste em captar numa jarra o líquido dessa fonte, que configura a corrente da energia vital, um Oceano ou um Nilo, em escala mítica reduzida. Afrodite considera o feito impossível, porque, para ela, o fluxo da vida desafia a captura, a contenção. Trata-se de movimento eterno, mudança perpétua, gera-

---

22. Ibid., p. 101s.

23. Ibid., p. 102.

ção, nascimento e morte. A qualidade essencial desse fluxo é que o mesmo não pode ser contido. Psiqué, como jarro feminino, deverá sustá-lo, dar forma e repouso ao que é informe e eternamente fluido. "Sob tal aspecto", comenta Neumann, "torna-se evidente que, além de sua significação de energia incontida do inconsciente, o fluxo da vida é detentor de um simbolismo específico em relação a Psiqué. Como o que enche a urna-mandala, esse fluxo é gerativo-masculino como o poder fecundante arquetípico de inumeráveis deuses-rios, espalhados pelo mundo inteiro. Em relação à amante de Eros, esse fluxo é o poder conquistador numinoso-masculino daquilo que penetra para fecundar, isto é, do uróboro paternal. O problema insolúvel apresentado pela deusa à nora e que esta resolve é o de encerrar, conter essa energia, sem ser por ela despedaçada"[24].

Para uma melhor compreensão, todavia, de todo o contexto e de sua simbologia, é necessário, embora sumariamente, dar uma ideia de alguns elementos que neles figuram. Que sentido possui o *deus ex machina*, representado pela *águia*? E por que logo esta ave, símbolo espiritual masculino, pertencente a Zeus e ao âmbito do ar? E particularmente, por que se trata da mesma águia, que ergueu Ganimedes ao Olimpo?

Existe, de saída, comenta Neumann, um paralelo evidente entre Ganimedes e Psiqué: ambos são seres humanos amados por deuses e arrebatados às mansões celestes como parceiros de seus amantes divinos. A intervenção da águia insinua uma certa admiração de Zeus pela princesa, afeição, aliás, que vai decidir, favoravelmente, o desfecho da sofrida busca de Psiqué. O pai dos deuses e dos homens apoia seu filho Eros, em parte por simpatia masculina, pois também ele sabe o que é estar preso por amor e, em parte, como protesto contra a Grande Mãe que, como Hera, refreia a liberdade de amar de seu esposo e que, como Afrodite, empenha-se em reprimir igualmente seu filho.

"Não é por acaso", diz o mesmo psiquiatra, "que a relação amorosa homossexual de Zeus e Ganimedes interfere positivamente no caso de Eros e Psiqué. É que pares masculinos homoeróticos e homossexuais atuam como 'conflitantes', assumindo a luta para se libertarem do domínio da Grande Mãe. Também Eros, den-

24. Ibid., p. 103s.

tro dessa mesma perspectiva, deverá abandonar sua condição de filho-amante, para que possa iniciar uma relação livre e independente com Psiqué".

Para o que aconteceu antes, é relevante o fato de que o aspecto masculino espiritual, cujo símbolo central é a águia, venha em auxílio da amante de Eros neste terceiro trabalho. "Se a segunda tarefa consistiu em 'amansar' o princípio masculino hostil na ligação erótica do que poderia ter sido destrutivo sob a forma de uróboro paternal, este é uma reconciliação com o masculino, que vai possibilitar a Psiqué estabelecer a comunicação com o mundo espiritual masculino da águia de Ganimedes. [...] O princípio espiritual que dá ajuda, a águia do espírito masculino, que espreita a pilhagem e a executa, possibilita-lhe conter um pouco do fluxo da vida e dar-lhe forma. A águia, segurando a jarra, configura a já masculino-feminina espiritualidade de Psiqué, que, num único ato, 'recebe' como mulher, isto é, 'recolhe' como um jarro, e concebe, mas, ao mesmo tempo, compreende e sabe como um homem. [...] Assim, o princípio masculino da águia permite-lhe receber uma parcela do mesmo, sem que seja por ele destruída"[25].

No primeiro trabalho forças instintivas cooperaram, para que ela pudesse separar e ordenar o masculino; no segundo, um fio de lã é separado da abundância escaldante da luz; no terceiro, uma urna cheia de água é retirada da abundância do fluxo. Desse modo, em planos diferentes, as três tarefas, uma vez executadas, significam que Psiqué pode receber e assimilar o masculino e dar-lhe forma, sem perigo de ser destroçada pelo destrutivo poder do numinoso.

Eis por que, a cada tarefa cumprida, a amante de Eros sobe um degrau da escada que a levará paulatinamente a transformar-se, transformando o amante.

Sob este último aspecto, argumenta o autor já tantas vezes citado, "o desaparecimento de Eros ganha novo e misterioso significado. Superficialmente, o filho de Afrodite desaparece, porque a amante lhe desobedeceu às ordens. Em outro nível mais profundo, ele 'retorna para a mãe', o que é simbolizado pelo cipreste, árvore da Grande Mãe, no qual pousa como pássaro, e também por sua volta à prisão, ao palácio de Afrodite. Em nível ainda mais profundo, é preciso

---

25. Ibid., p. 105s.

compreender que Eros desaparece, porque Psiqué, com seu candeeiro, não pode reconhecer nele o que ele era realmente. Subsequentemente, fica evidenciado que Eros lhe revelou sua verdadeira identidade gradualmente, no curso do próprio desenvolvimento da amante. Sua manifestação depende dela: Eros é transformado por e através de Psiqué. Através de cada uma das tarefas, a amante apreende, sem o saber, uma nova categoria da realidade do amado. Os trabalhos realizados 'para ele' são um crescimento retilíneo, não só da consciência de si mesma, mas também de seu conhecimento do amante. Precisamente porque isto se dá por etapas e porque Psiqué age de forma a não ser arruinada pelo destrutivo poder do numinoso, que também é Eros, ela se torna, a cada trabalho, mais segura de si e mais amoldada ao divino poder e à divina figura de Eros"[26].

Com a independência do amor de Psiqué surge um fato novo e tão sério, que a própria Afrodite julgava impossível pudesse existir no feminino, a não ser que este possuísse "um coração intrépido e uma prudência além da prudência característica da mulher". A grande deusa do amor não acreditava que mulher alguma possuísse tais atributos masculinos. Mas o que salienta e assinala de modo ímpar o desenvolvimento da jovem princesa, é que ela executou as três primeiras tarefas indiretamente e *com a cooperação do masculino*, mas não *como um ser masculino*. "Forçada a construir o lado masculino de sua natureza, permaneceu fiel à sua feminilidade, o que, decerto, está bem patente no quarto trabalho que lhe impôs a deusa"[27].

De outro lado, as três primeiras missões são executadas com a assistência de "ajudantes", quer dizer, por forças internas da inconsciência da heroína. O último deverá ser realizado apenas por ela mesma. Nos três anteriores, seus "auxiliares" pertenciam ao mundo vegetal e animal; no derradeiro será "apoiada" pela Torre, um símbolo da cultura humana. Naqueles, Psiqué lutou com o princípio masculino, neste último entrará em litígio com o princípio feminino central, com Afrodite-Perséfone. Se no terceiro trabalho a água da vida, o fluxo, foi reco-

---

26. Ibid., p. 106s.

27. As tarefas nos mitos são normalmente três, mas para Psiqué existe um quarto trabalho adicional: *quatro* é o símbolo da totalidade.

lhido no mais alto penhasco, agora o objeto da busca se localiza em profundezas insondáveis; está nas mãos da própria Perséfone, a rainha do Hades.

Se não mais existem ajudantes, Psiqué terá o Apolo da Torre-Conselheira, cujo simbolismo é deveras importante. Como recinto-mandala é feminina: cidade, fortaleza e montanha, que possui como equivalente cultural a torre em degraus ou a torre-templo, a pirâmide. De outro lado, a torre é igualmente fálica, enquanto falo da terra: árvore, muralha, pedra. A par dessa significação bissexual, ela é também um edifício erigido por mãos humanas, donde uma configuração do trabalho coletivo e espiritual dos homens. Símbolo do conhecimento humano, é, por isso mesmo, designada como "a Torre que vê longe".

Dominando dois níveis, ela vê para baixo e vê para cima, podendo, por isso mesmo, mostrar a Psiqué, enquanto indivíduo, mulher e ser humano, como poderá derrotar a mortal aliança das deusas, três das quais, Deméter, Afrodite e Hera, governam a esfera divina superior, e a quarta, Perséfone, comanda a esfera divina inferior. Não é por mero acaso, aliás, que três dos trabalhos são realizados no mundo da luz e o quarto nas entranhas das trevas.

Completamente só, armada com as instruções da Torre, Psiqué empreende a grande κατάβασις (katábasis), a perigosa "descida", em defesa de seu único amor, Eros.

Alguns pormenores da viagem, como o itinerário através do cabo Tênaro, as moedas para pagamento da passagem a Caronte e o bolo de mel e cevada para apaziguar o cão Cérbero, não são significativos, uma vez que pertencem a temas tradicionais e não especificamente ao mito de Psiqué. Outros fatos, no entanto, inerentes à catábase, como a proibição de ajudar ao burriqueiro coxo, ao cadáver, às fiandeiras e de não aceitar a cadeira e o lauto jantar, oferecido por Perséfone, merecem um comentário, porque, segundo a Torre, são "armadilhas" de Afrodite. Esta, com tantas ciladas, procura fazer com que a nora fracasse, permanecendo para todo o sempre no Hades, antes mesmo de transmitir à rainha dos mortos a derradeira tarefa que lhe impusera. No quarto e último trabalho, como se salientou, Psiqué, munida de uma caixinha, deveria solicitar a Perséfone, em nome de Afrodite, que enviasse a esta "um pouquinho de beleza imortal".

Zeus. Escultura grega do séc. IV a.C.

Cabeça de **Zeus**. Mármore romano do séc. III d.C.
Museu Arqueológico de Cirene.

Zeus de Dodona. Bronze dos meados do séc. V a.C. Museu do Louvre.

Hera. Estatueta de terracota de Tanagra; séc. V a.C. Museu de Louvre.

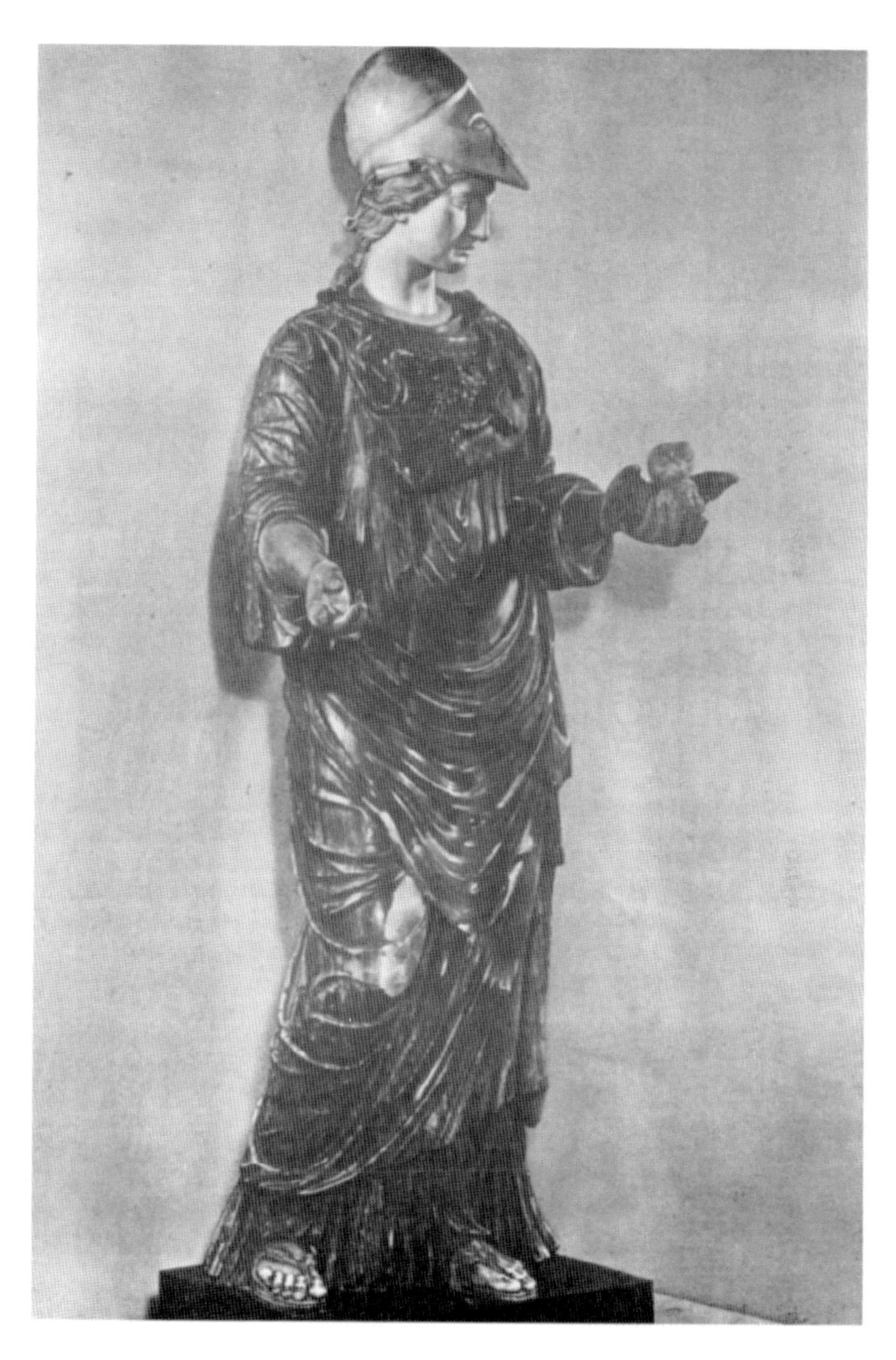

Atená, tendo à mão a Coruja, um dos seus atributos, símbolo da sabedoria.

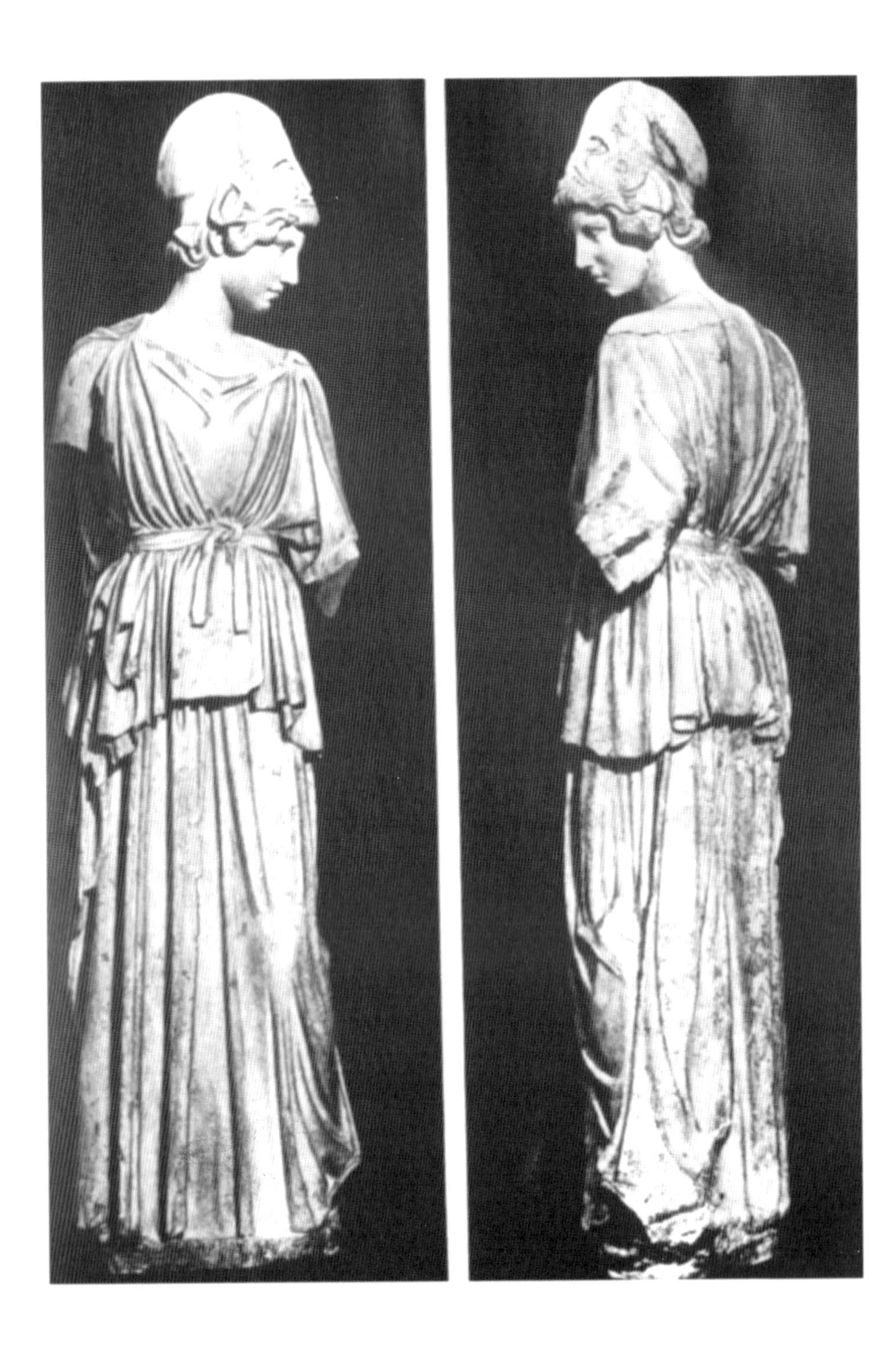

Atená (do grupo de Atená e Mársias). Réplica antiga. Museu de Frankfurt.

Atená. Detalhe da peça da figura precedente.

Atenás Lêmnia, de Fídias. Reconstituição. Instituto de Arte, Paris.

Atená com a coruja. Meados do séc. V a.C. Museu Britânico.

Atená Lêmnia. Réplica antiga. Museu de Bolonha.

Atená Partênia. Réplica antiga, dita do Varvakéion. Museu Nacional, Atenas.

Atená. Réplica helenística da Atená Partênia de Fídias, proveniente de Pérgamo. Museu de Berlim.

Atená Guerreira. Templo de Egina. Época clássica (?). Museu de Munique.

Atená fere ao Gigante Encélado, na Gigantomaquia. Detalhe de vaso grego.

Atená de capacete. Moeda ateniense do séc. V a.C. No reverso, a Coruja, um dos seus atributos.

Hebe, a juventude eterna. Detalhe de vaso antigo.

Ares de Ludovisi. Mármore. Réplica romana do original de Escopas, séc. IV a.C. Museu Nacional, Roma.

Têmis de Ramnes. Museu Nacional, Atenas.

As Horas e o deus Pã. Baixo-relevo. Museu Capitolino, Roma.

Héfesto e **Os Ciclopes** forjando o escudo de Aquiles. À esquerda, Atená; à direita, Hera. Baixo-relevo antigo. Museu de Roma.

Hefesto – retorno ao Olimpo. "Cratera" ática. Museu do Louvre.

Leto, uma das amantes de Zeus, com os filhos gêmeos **Apolo** e **Ártemis**.
Seu rosto estampa o sofrimento da esposa preterida.

Ártemis, deusa da caça e das florestas. Estátua grega de Pompéia.

Ártemis de Éfeso, deusa da fertilidade na Ásia Menor.

Apolo de Cassel (atribuído a Fídias). Réplica antiga do Bargello, Florença.

Apolo. Mármore de Paro, c. 480 a.C., encontrado em Lemnos.

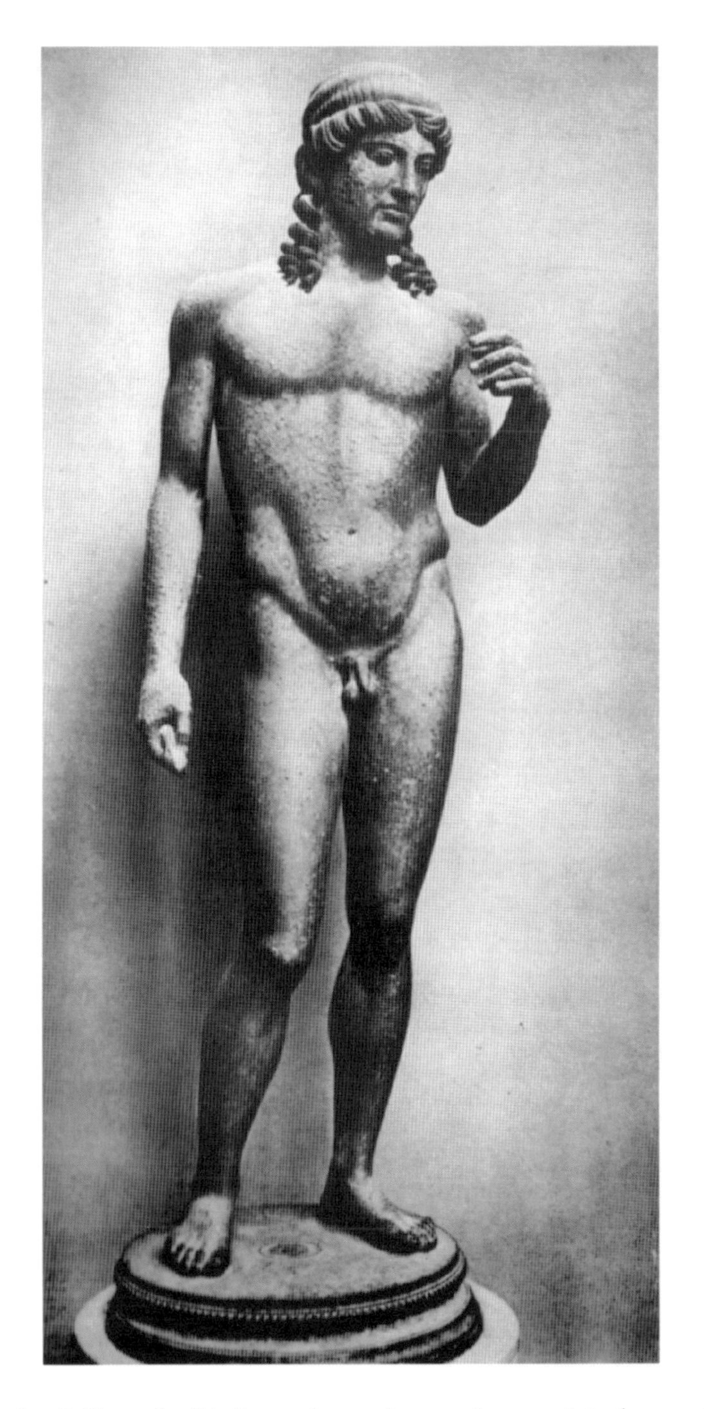

Apolo, O Citaredo. Réplica antiga em bronze de um original grego de 460-450 a.C. Museu de Nápoles.

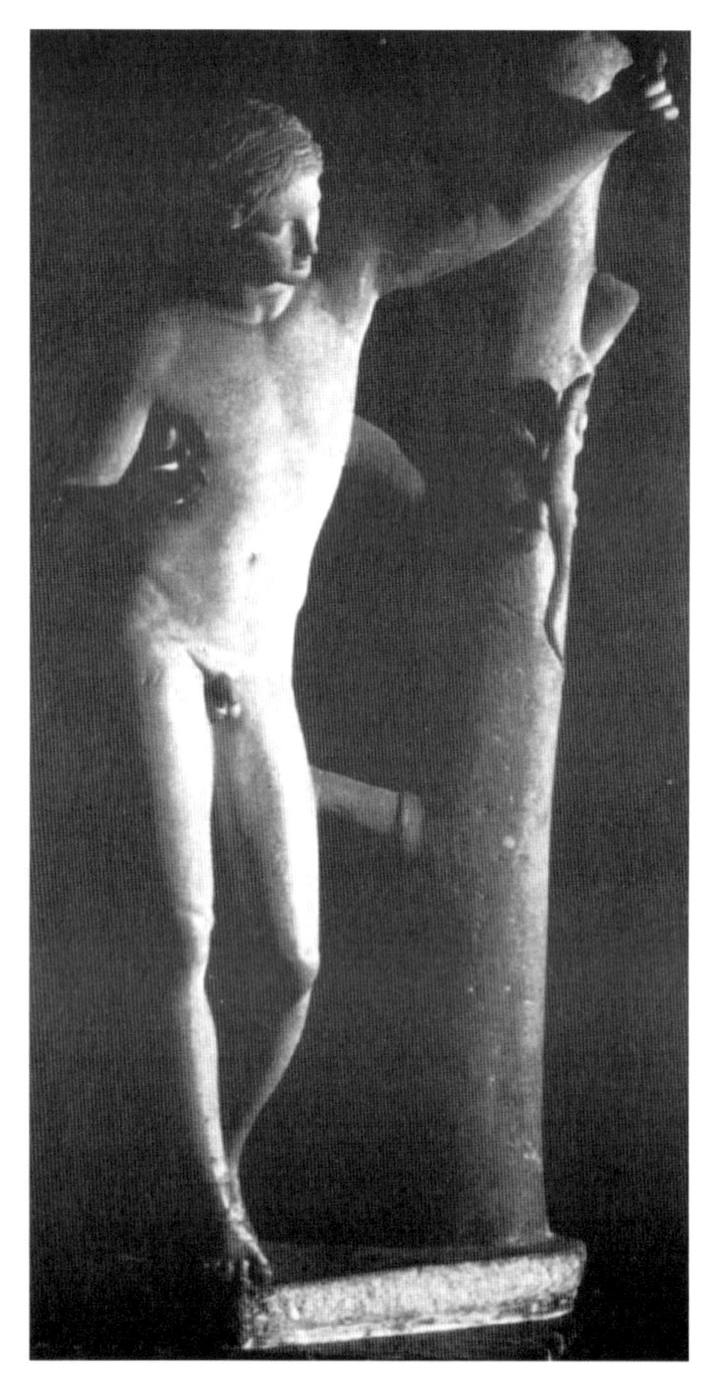

Apolo Sauróctono. Bronze romano, réplica de um original de Praxíteles, c. 350 a.C. Museu de Louvre.

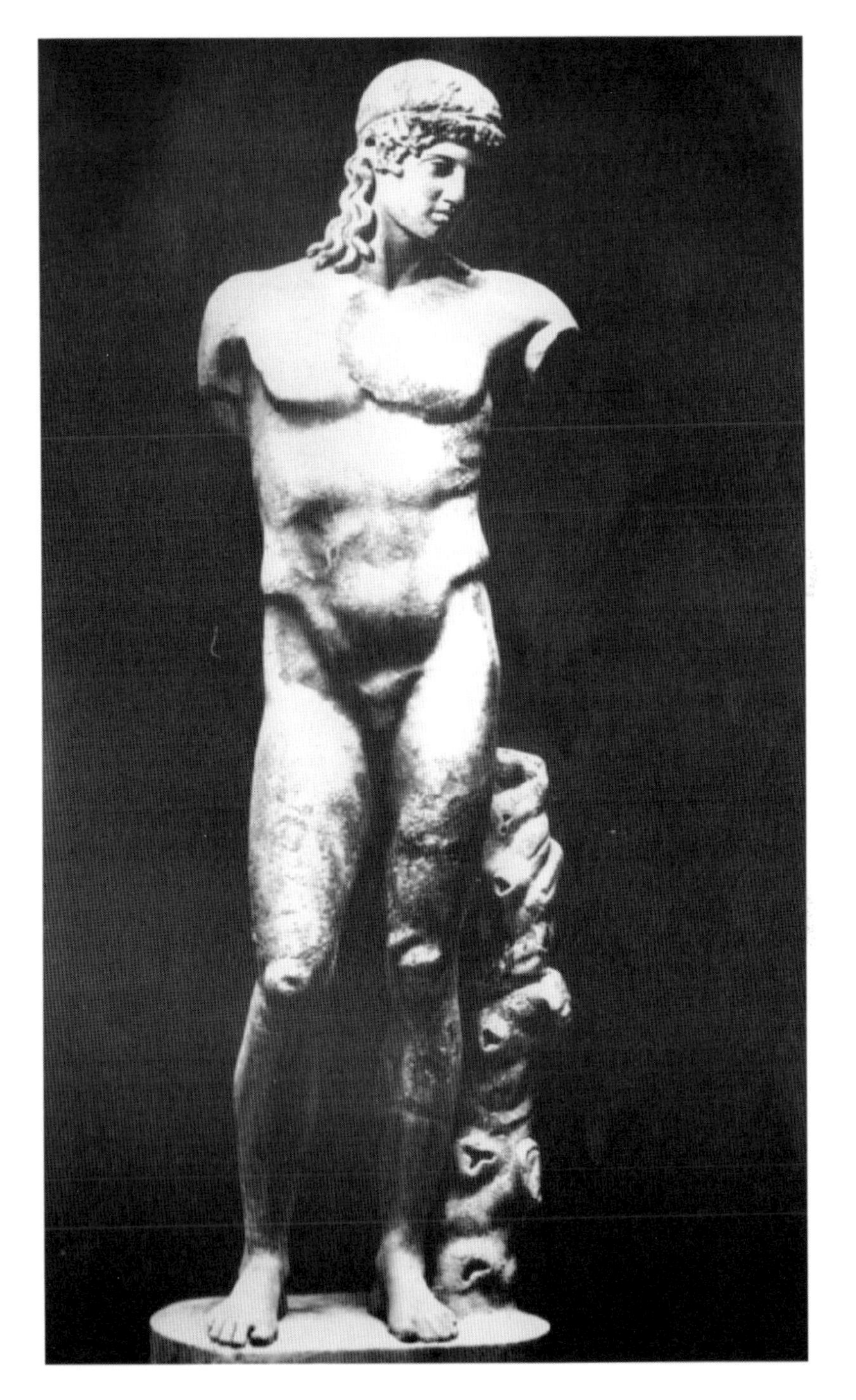

Apolo do Tibre. Réplica antiga de um original grego de 460-450 a.C.
Museu Nacional, Roma.

Apolo de Belvedere. Mármore, réplica romana de um bronze atribuído a Leócares, séc. IV a.C. Museu do Vaticano.

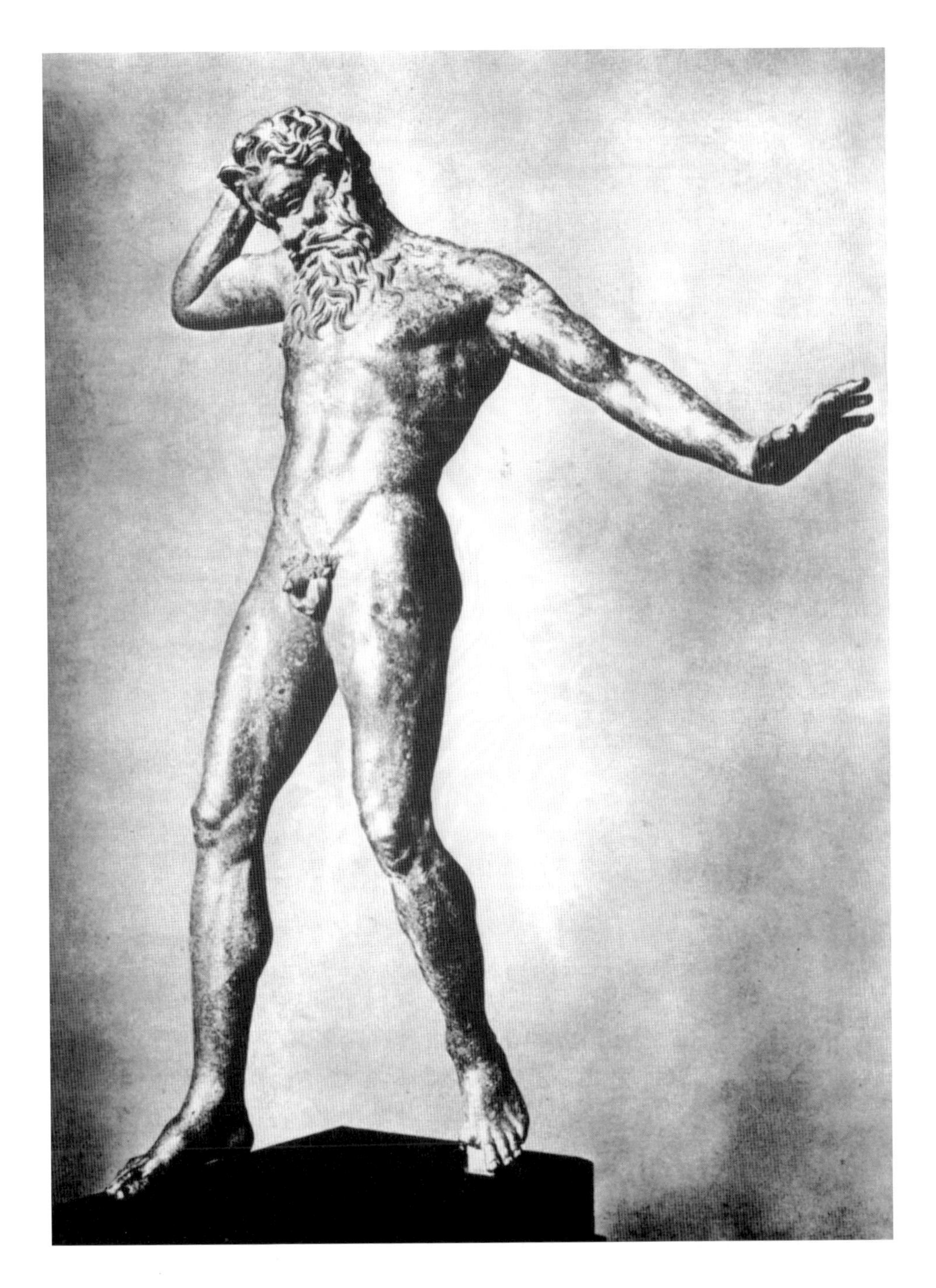

Mársias, e êmulo de Apolo, por quem foi vencido e morto. Estatueta em bronze da época helenística. Museu Britânico.

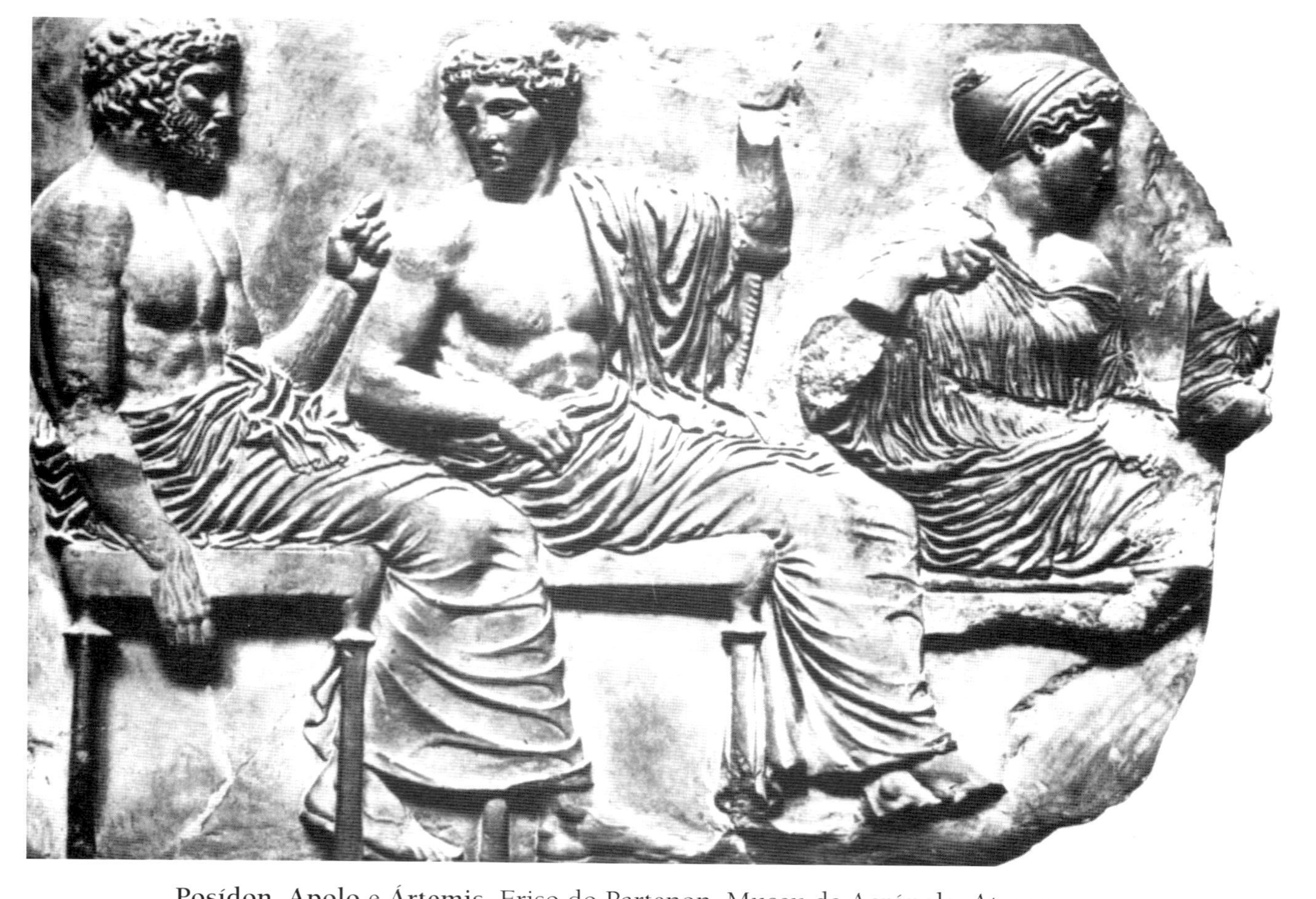

Posídon, **Apolo** e **Ártemis**. Friso do Partenon. Museu da Acrópole, Atenas.

Asclépio, o herói-deus da medicina.

Relevo votivo a **Asclépio**. À esquerda, os fiéis que suplicam a ajuda do deus; à direita, os filhos e a mulher. Museu Nacional, Atenas.

Higiia, filha de Asclépio e deusa da saúde.

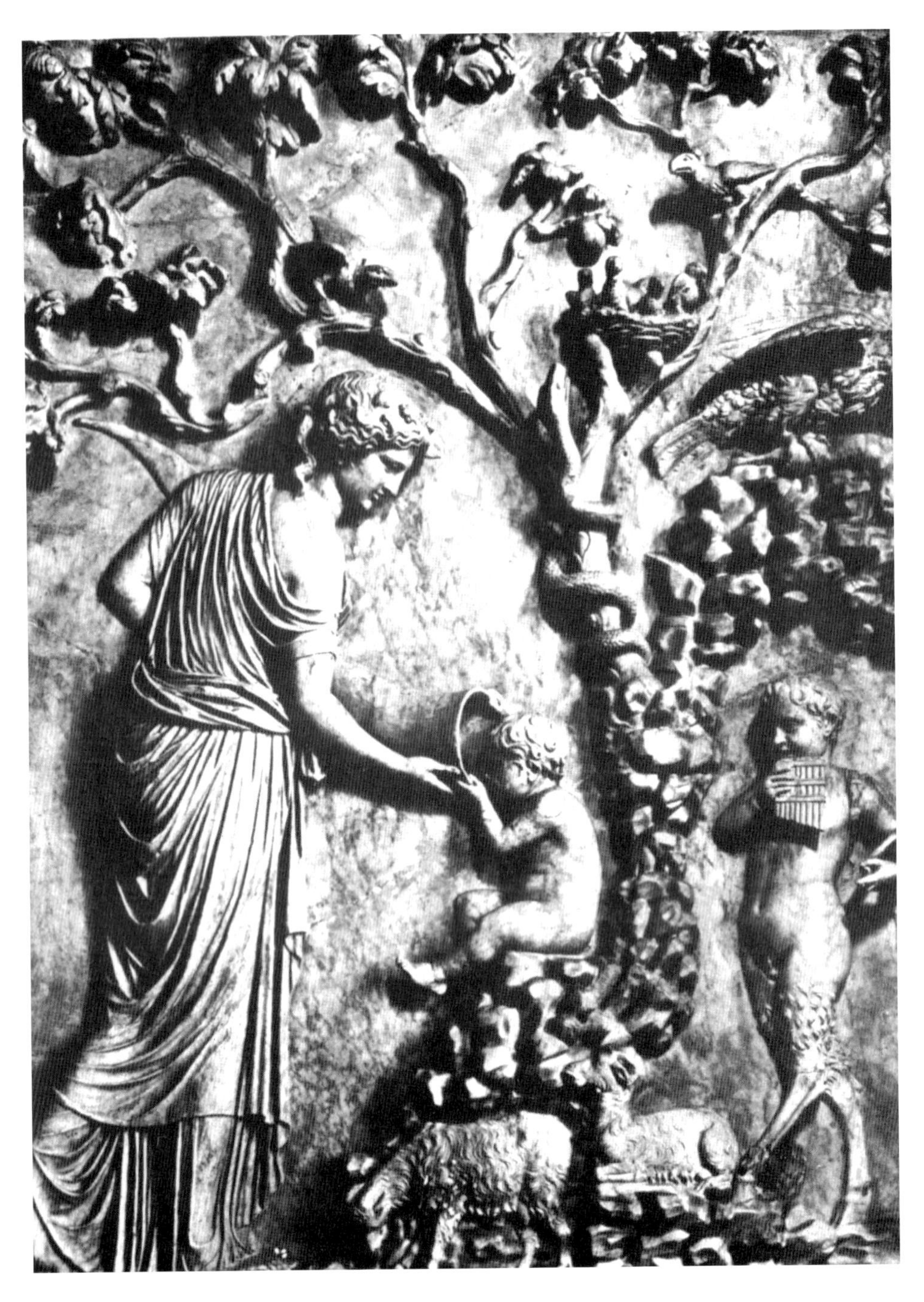

Dioniso bebe às mãos da ninfa Leucoteia. Antigo baixo-relevo.
Museu Laterano, Roma.

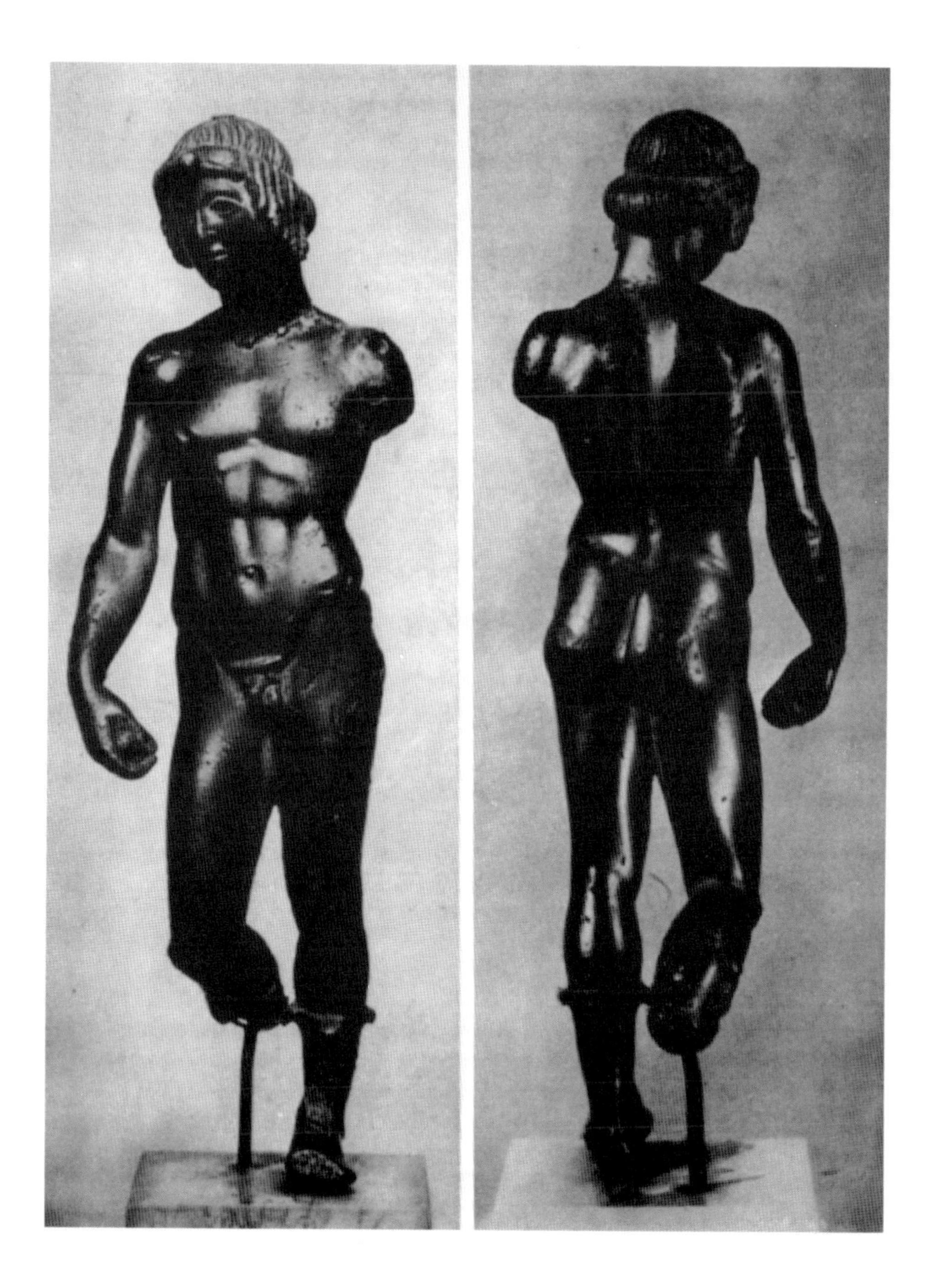

Dioniso. Bronze, c. 460 a.C. Museu do Louvre.

Dioniso, retratado como Efebo, segura com uma das mãos o tirso e, com a outra, um cântaro. Baixo-relevo de Herculano. Museu Nacional, Nápoles.

Dioniso visita Icário, o lendário introdutor da videira na Hélade.
Possivelmente se trata de uma réplica greco-romana de um baixo-relevo grego do séc. III a.C. Mármore. Museu Britânico.

Dioniso, **Pã** e uma **Bacante**. Baixo-revelo antigo. Museu Nacional,

Cabeça de Hermes. Meados do séc. V a.C. Gliptoteca NY-Calsberg, Copenhague.

Hermes descansando. Bronze grego. Museu Nacional, Nápoles.

Hermes com as sandálias e o chapéu "Pétaso". Sua função essencial era a de conduzir as almas para a outra vida, como deus "psicopompo". A seu lado, Afrodite. Terracota. Museu Nacional, Tarento.

Hermes Psicopompo guiando Orfeu e Eurídice. Baixo-relevo ático.
Villa Albani, Roma.

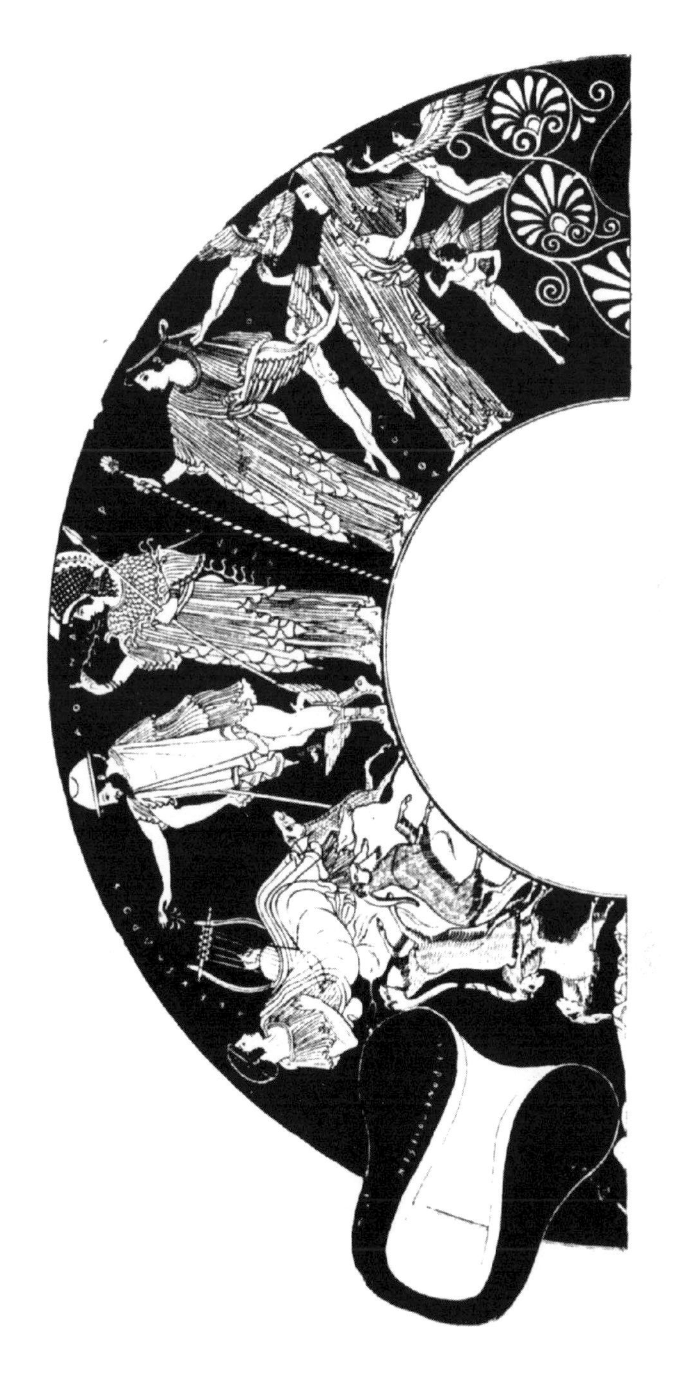

Hermes leva Atená, Hera e Afrodite à presença de Páris. Detalhe de uma taça com figuras vermelhas de Herron.

Deméter com seus atributos: espigas de trigo, papoulas e serpentes. Terracota. Museu das Termas, Roma.

Perséfone, de volta do Hades, na presença de **Deméter**. Baixo-relevo do séc. V a.C. Votivo de Elêusis.

Deméter, **Tripólemo** e **Perséfone**. Baixo-relevo de Elêusis de meados do séc. V a.C. Museu Nacional, Atenas.

Core ou **Perséfone**, a filha de Deméter. Estatueta em bronze; c. 480 a.C. Museu Britânico.

Perséfone e **Plutão**. Comendo o grão de romã, a filha de Deméter é obrigada a permanecer no Hades.

Muralha do santuário de Elêusis, devastado por Alarico em 396 d.C.

Afrodite de Arles. Réplica romana de um original grego do séc. IV a.C.
Mármore. Museu do Louvre.

Afrodite de Cnido. Cópia romana do original de Praxíteles, c. 360 a.C.
Museu do Vaticano

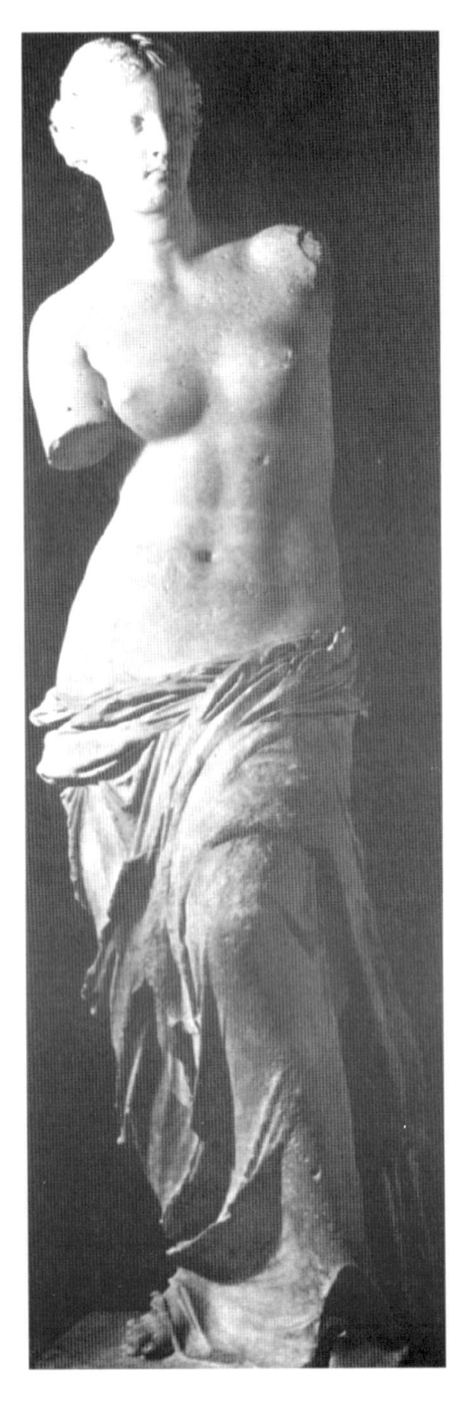

Afrodite de Milo. Arte helenística do séc. II/III a.C. Mármore. Museu do Louvre.

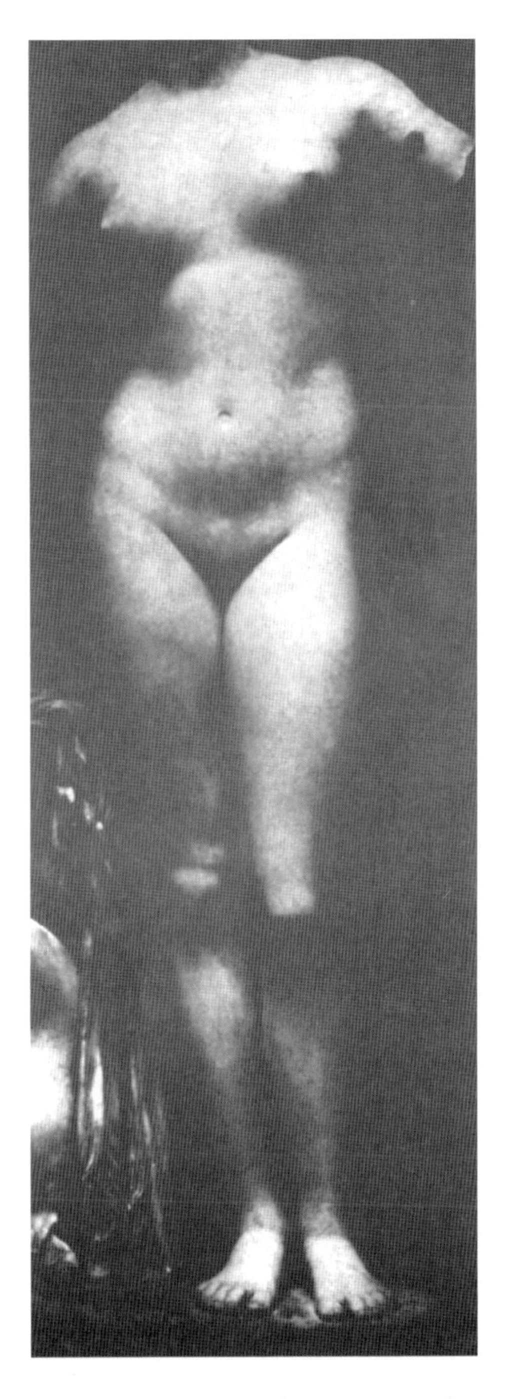

Afrodite de Cirene. Original helenístico ou réplica romana.

Afrodite como deusa do mar e da navegação. Final do séc. I a.C.

Afrodite. Suporte de espelho em bronze. Meados do séc. V a.C.
Museu Nacional, Copenhague.

Eros de Téspias. Mármore romano, réplica de um original de Praxíteles, c. 390 a.C. Museu do Louvre.

Eros e **Psiqué**. Mármore de Óstia.

Ninfas. Fragmento de um relevo votivo; fim do séc. V a.C.
Museu Nacional, Atenas.

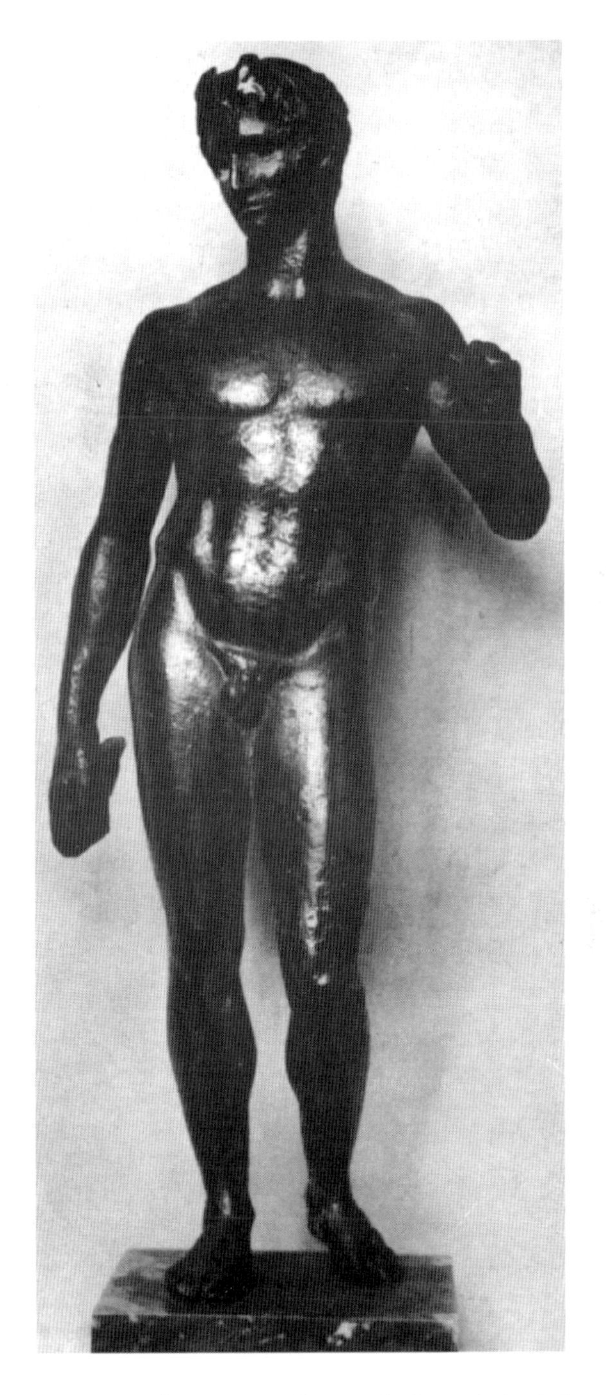

Pã, o amante da natureza. Bronze da época helenística.

Pã ensinando Olimpo a tocar a sírinx. Museu Nacional, Nápoles.

Bóreas raptando Oritia. Detalhe de um vaso ático; c. séc. V a.C.
Museu do Vaticano.

Estatuetas cretenses do palácio de Cnossos. Possivelmente a **Mãe-Terra** e uma deusa da fertilidade; c. 1600 a.C. Museu do Heraclíon, Creta.

Trágico é que cada um dos estratagemas da deusa do amor é fatal por si mesmo. O burriqueiro coxo, o "perigoso" Ocno ou Aucno, de quem, no ensaio de Bachofen[28], se afasta Afrodite, segura uma corda, cuja extremidade é devorada por um asno fálico. Atender-lhe à solicitação, pegando a acha, símbolo fálico, que caíra no chão, seria para sempre prender-se, na outra vida, ao sensualismo animalesco e a uma tarefa inútil. O cadáver que, erguendo a mão podre, pede ajuda para entrar na barca de Caronte, pode ser entendido, consoante Neumann, como uma representação do perigo de ser possuído pelo homem morto, a saber, pelo espírito ancestral. As fiandeiras, símbolos da Grande Mãe (da vida e da morte), são as Queres, as Parcas dos latinos, que trançam os fios da vida e da morte, segundo se mostrou no Vol. I, p. 241-242.

Em suas mãos, no mundo das sombras, Psiqué seria apenas mais uma dos que povoam o reino de Plutão. Por fim, as ofertas de Perséfone, a cadeira e o alimento, não podiam em hipótese alguma ser aceitos. *Sentar-se numa cadeira, comer* (e disto a própria rainha dos mortos tinha experiência) e outras atitudes de intimidade e identidade, que serão comentadas logo a seguir, estabelecem uma permanência, uma *fixação*, como a respeito da cadeira aconteceu com Teseu e

---

28. BACHOFEN, Johann Jakob. *Versuch über die Gräbersymbolik der Alten* (Ensaio sobre o simbolismo dos túmulos na antiguidade). Stuttgart: Kröner Verlag, 1954. Este ensaio (além de outros, inclusive alguns capítulos de *Das Mutterrecht*) do mestre suíço foi traduzido para o inglês por Ralph Manheim com o título de *Myth, Religion and Mother Right – Selected Writings of J.J. Bachofen*. Princeton: Princeton University Press, 1973, p. 51ss. Quanto a *Ocnus*, Ocno ou *Aucnus*, Aucno, como lhe chamou o gramático latino Sérvio Mauro Honorato, é uma personagem do mito grego.
Ὄκνος (Óknos), que provém de ὄκνος (óknos), "preguiça, indolência" é a personificação da *inércia* e do *sensualismo*. No mito em geral, o velho Ocno é representado *trançando* uma *corda* que um *burro* devora. Em *Eros e Psiqué* o ancião arrasta no Hades, num vaivém ininterrupto, o burro que transporta *achas*, que vão caindo, à medida que ele se movimenta. É inútil pegá-las, porque, quando o animal reinicia a caminhada, elas voltam a cair. O castigo de Ocno, portanto, como o das Danaides, que tentam encher um barril sem fundo, é um eterno recomeçar. Em nosso mito, Ocno foi condenado a semelhante suplício por sua indolência e sensualidade, uma vez que tanto o *trançar* como a *corda* e o *burro*, que a devora, são símbolos fálicos, mas inúteis e falhos, no caso em pauta: o burro é *estéril*, a acha *cai* e a corda é *roída*. O paralelo com o mito das Danaides é significativo: estas, que mataram os *maridos*, despejam água, detentora de grande energia sexual, num barril, num "útero" sem fundo. Bachofen, no ensaio supracitado, ao decodificar Ocno, limitou-se a fazê-lo em relação ao ato de *trançar* e a outros pormenores, sem tocar no mito de Eros e Psiqué. O estudioso suíço nos apresenta duas personagens diferentes: a primeira é o penitente do Hades e a segunda, certamente por ter, após a reencarnação, se iniciado nos Mistérios Órficos, o Ocno redimido. Isto explica as duas gravuras principais, estampando Ocno no Columbário da Porta Latina, em Roma.

Pirítoo (o que será exposto no mito dos Heróis, no Vol. III) e sobretudo acerca do *comer*, como aconteceu com a própria Perséfone, conforme se comentou no Vol. I, p. 322-323.

Tomadas em conjunto, as proibições e advertências da Torre têm particular importância no mito que estamos examinando. Psiqué foi advertida de que não ajudasse a Ocno, ao cadáver e às fiandeiras. As palavras da Torre são claras: *não te é lícito sentir piedade*. O comentário é mais uma vez de Erich Neumann: "Se, como iremos demonstrar em seguida, todos os atos de Psiqué representam um rito iniciático, esta proibição implica a insistência na 'estabilidade do ego', característica de qualquer iniciação. Nos homens essa estabilidade se manifesta como resistência à dor, à fome, à sede e assim por diante, mas, na esfera feminina, evidencia a forma de resistência à piedade. A firmeza do ego forte, concentrado em seu objetivo, é expressa em inúmeros outros mitos, com suas imposições de não se voltar, não olhar para trás, não responder, etc. [...]

O feminino é ameaçado na estabilidade do ego pelo perigo da distração, provocada pelo 'relacionamento', causada por Eros. Esta é a difícil tarefa com que se defronta qualquer Psiqué feminina em seu caminho para a individuação: ela deve abandonar o anseio pelo que está próximo em função de um objetivo distante e abstrato. [...] O componente universal do relacionamento é tão essencialmente uma parte da estrutura coletiva da Psiqué feminina, que Briffault a considera o fundamento de toda comunidade e cultura humana, as quais ele julga pertencentes ao grupo feminino com seu vínculo entre mães e filhos. Mas este vínculo não é individual e sim coletivo, pois pertence à Grande Mãe em seu aspecto de preservadora da vida e de deusa da fertilidade, que não está interessada com o individual e com a individuação, mas com o grupo que ela espera 'seja fértil e se multiplique'. Por esse motivo, a proibição de ter piedade traduz a luta de Psiqué contra a natureza feminina. Originariamente, 'ajudar' sempre significou uma 'participação mística', que pressupõe e cria uma identidade e, por isso, é perigosa. Pode, por exemplo, conduzir à possessão por aquele que é ajudado. Nas *Mil e Uma Noites*, o herói alivia a bruxa de sua carga e, como agradecimento, esta monta em suas costas e não se deixa derrubar"[29].

---

29. Ibid., p. 112ss.

Desse modo, a ajuda, o comer em conjunto, o sentar-se, o aceitar presentes ou ser convidado para ir à casa de outrem estabelecem comunhão, identidade e um elo infrangível entre o ajudante e o ajudado.

Eis por que Psiqué não se deve deixar mover pela piedade nem aceitar os convites de Perséfone. Se assim agisse, jamais voltaria do Hades.

7

A catábase de Psiqué ao reino de Plutão é uma viagem heroica e o mais difícil de todos os seus trabalhos, porque requer a luta com a própria morte em seu *habitat*.

A grande importância da catábase da jovem amante de Eros reside no fato de que, através da descida, ela irrompeu da esfera matrilinear e, em seu amor consciente por Eros, alcançou a esfera psíquica, "a experiência feminina do encontro", que é a pressuposição da individuação feminina. As inimigas irmãs-sombra devem ser configuradas como poderes matrilineares, mas a intervenção de Afrodite deslocou o conflito do plano pessoal para o transpessoal. Os três trabalhos iniciais patentearam que a "queda" de Psiqué visava a terminar com a atitude primordial da matrilinhagem. Por trás da impossibilidade de realizá-los encontrava-se a caraterística concepção matrilinear de um princípio masculino, que, conforme esperava a deusa, seria fatal à sua nora. Com o desenrolar das tarefas, esse princípio masculino manifestou-se como promiscuidade masculina (as sementes); o masculino mortal (a lã de ouro) e o masculino incontível (o fluxo da água da vida). Vencida esta etapa, a deusa vai tentar "destruir" a amante do filho no quarto trabalho, que é a busca da beleza divina, que deveria ser encerrada numa caixinha. Abrindo-a, Psiqué cai num "sono semelhante à morte". Que significa essa caixinha que contém a beleza imortal e por que Psiqué, apesar da admoestação da Torre, a abriu? Qual o sentido de seu sono estígio e da intervenção de Eros, que a "liberta do sono da morte"?

O "creme" de beleza imortal representa, possivelmente, a eterna juventude de Perséfone, a juventude eterna de *Thánatos*, a "morte" e, por isso mesmo, Perséfone é κόρη (kóre), a "jovem". Trata-se, portanto, da beleza "do sono semelhante à morte", conhecida nas lendas da "Bela Adormecida" e da "Branca de Neve" a ele condenadas pela Mãe Terrível, a madrasta, ou pela velha bruxa. É a beleza do caixão de cristal, do qual, espera-se, Psiqué se liberte. É a beleza árida e frígida da virgindade estéril, sem amor pelo homem, como determina a matrilinhagem. O objetivo de Afrodite é fazer que a nora "morra", regredindo-a a seu antigo estado de Core-Perséfone, ao estágio em que se encontrava antes de seu encontro com Eros.

Tem-se aí a sedução do narcisismo que tenta derrotá-la. Afrodite deseja que Psiqué regrida, da mulher que amou Eros, que foi "raptada" por seu amor por ele, para a virgem encarcerada no amor narcísico de si mesma, como se estivesse encerrada no caixão de cristal.

Colocar o "creme" da beleza imortal nas mãos de Psiqué é um ardil muito inteligente da deusa, que conhece como ninguém a feminilidade. Que mulher resistiria a essa tentação e como poderia uma Psiqué, em especial, não cair no engodo?

Surda à advertência da Torre, abre a caixinha e cai em sono profundo. Mais uma vez, "fracassa". Caindo no sono estígio, ela retorna a Perséfone, como Eurídice, cujo marido, "ainda nas trevas", olhou para trás. Vencida pelo aspecto mortal da própria Afrodite, torna-se Core-Perséfone e é conduzida novamente ao Hades, não por Plutão, o noivo masculino da morte, mas pela vitoriosa Grande Mãe, enquanto mãe da morte. Mas, assim como as exigências de Deméter junto a Plutão não foram de todo bem-sucedidas, igualmente a tentativa de Afrodite de fazer Psiqué regredir à matrilinhagem foi em vão, uma vez que a jovem está grávida e sua gravidez de Eros é símbolo de seu profundo vínculo individual com ele. A amante de Eros não está preocupada, como Afrodite, com a fertilidade da natureza, mas com a fertilidade do encontro individual. É evidente que a independência de Psiqué começa no período da gravidez. Enquanto esta na esfera matrilinear conduz a uma união entre mãe e filha, aqui o despertar de Psiqué para a independência, que se inicia com a gravidez, leva-a ao encontro do amor e da consciência.

O final feliz, devido a Eros, que desperta a esposa do sono da morte não é uma simples intervenção do *deus ex machina*, tão comum na literatura clássica, mas algo muito mais profundo. Por que Psiqué fracassa, justamente, agora, no final? Seria apenas por irresistível curiosidade feminina somada a uma vaidade narcísica? Psiqué fracassa e precisava fracassar, porque ela é uma *psiqué feminina* e é precisamente esse fracasso que lhe dá, sem que ela o saiba, a vitória. Esta é a maior luta, que se conhece, contra o dragão. Sabe-se que o método feminino de derrotar o monstro é aceitá-lo e aqui essa perspicácia assume a surpreendente, mas não menos eficiente, forma de fracasso da jovem princesa. Após palmilhar toda a trilha de um grande herói, após desenvolver sua consciência e estabilizar seu ego, ela se lança ingenuamente de volta nos braços de Afrodite-Perséfone... Tudo isto teria sido inútil? Seu gesto, aparentemente tolo, visava tão somente a tornar-se atraente para Eros?

Quando Psiqué decide abrir a caixinha e usar o "creme da beleza imortal", devia estar consciente do perigo a que se expunha. A Torre a prevenira o suficiente. Mesmo assim, decidiu não entregar à Grande Mãe o que conseguira a tão duras penas.

Tudo começou com o tema da beleza, que agora reaparece em novo plano. Quando a princesa era chamada a nova Afrodite por causa de sua beleza, que despertara o entusiasmo dos homens e a inveja da deusa, esse dom era considerado por ela uma desgraça. Mas agora, exatamente para aumentar sua beleza e torná-la digna de Eros, está disposta a atrair sobre si mesma a maior das desgraças. Tal mudança ocorreu por causa de Eros e isso exprime uma perspicácia profundamente feminina. Psiqué é uma mortal em conflito com deusas. Isto é mau o bastante, mas, na medida em que seu bem-amado é também um *deus*, como poderá ela olhá-lo, contemplá-lo de frente? Ela procede da esfera terrena, mortal, mas aspira a tornar-se uma igual a seu amante divino. De modo muito feminino, ela intui que seus atos e seu sacrifício final o comoveriam e o forçariam a salvá-la.

É que, no início, Psiqué sacrificou-se ao paraíso escuro de Eros em função de seu desenvolvimento espiritual, mas agora está prestes a sacrificar seu desenvolvimento espiritual à beleza de Afrodite-Perséfone, que a tornará atraente para Eros. Ao agir dessa forma, ela parece regredir realmente, mas esta não é uma regressão a algo do passado, à posição matrilinear. Ao preferir a beleza ao conhecimento, ela se concilia com a beleza de sua natureza. E porque ela o fez por e para Eros, sua "antiga feminilidade" entra em nova fase. Já não é a beleza fechada em si mesma, nem a beleza sedutora de Afrodite, que só se interessa pelo "propósito natural". Trata-se da beleza da mulher que ama, que deseja ser bela para ser amada, que deseja ser bela para Eros e para mais ninguém. Ao tomar tal decisão, ela renova o vínculo com seu centro feminino, com seu *self*. Professa seu amor e agarra-se ao encontro individual com Eros. Esse "toque" feminino, de mulher que tudo sacrifica pelo amor, é, ao que parece, a razão recôndita que leva Afrodite-Perséfone a perdoar a Psiqué e levantar subitamente toda e qualquer oposição à deificação da amante de seu próprio filho.

Esse fracasso paradoxalmente feminino de Psiqué provoca a intervenção de Eros, que, de jovem aventureiro e irresponsável, se torna um homem, transformando o fugitivo queimado em salvador. O salvador de uma Psiqué em outro nível.

Sob esse aspecto, o fracasso da nova Afrodite não é um naufrágio regressivo e passivo, mas uma reversão dialética de seu extraordinário devotamento.

Através do aperfeiçoamento de sua feminilidade e de seu amor, a "bela adormecida" evoca a perfeita masculinidade de Eros. Abandonando-se ao amor, ela recebe, sem o adivinhar, a redenção através do amor.

Com essa redenção através do amor, Psiqué completou suas quatro tarefas e, destarte, perfez o itinerário dos iniciados através dos quatro elementos. Curioso, todavia, é que Psiqué feminina não deve simplesmente peregrinar pelos quatro elementos, como os iniciados masculinos nos Mistérios de Ísis. Ela terá que torná-los *seus* através de sua práxis e de seus sofrimentos, assimilando-os como forças auxiliares de sua natureza: as formigas, que pertencem à *terra*; o caniço, que pertence à *água*; a águia de Zeus, que pertence ao *ar*; e a *ígnea* e celestial figura do próprio Eros redentor, o próprio *fogo*.

Antes de se conscientizar de seus componentes masculinos e de compreendê-los, antes de tornar-se um todo, graças ao desenvolvimento de seu aspecto masculino, Psiqué encontrava-se na posição de confronto com a totalidade da Grande Mãe em seu duplo aspecto de Afrodite-Perséfone. O fim do confronto foi, paradoxalmente, a "derrota vitoriosa" de seu comentado fracasso. Em função de sua derrota vitoriosa, ela recuperou não só um Eros adulto, mas ainda o contato com seu próprio *self* central feminino.

Reconciliados o masculino e o feminino, Psiqué foi recebida no Olimpo como esposa de Eros. Seu guia foi Hermes, que, nessa missão, exerceu sua verdadeira função de *psicopompo*, de guia da "alma feminina".

O arrebatamento de Psiqué, da Terra para o Céu, e sobretudo suas núpcias com Eros, vistas sob o ângulo feminino, significam que a faculdade de amar da alma individual é divina e que a transformação pelo amor é um mistério que deifica. E essa experiência da Psiqué feminina adquire especial importância face ao mundo patrilinear antigo, no qual a existência coletiva das mulheres estava subordinada às leis do princípio da fertilidade.

Se os mortais conquistaram seu lugar no Olimpo, o feito não se deve a um herói masculino divinizado, mas a uma *psiqué* apaixonada. A mulher humana, como indivíduo, escalou o Céu e, a partir daí, na perfeição conquistada pelo mistério do amor, a mulher encontrou-se lado a lado com os arquétipos da humanidade inteira, os deuses imortais.

Do enlace Eros-Psiqué nasceu uma menina, que, "na linguagem dos mortais", se chama *Volúpia*; "volúpia" sem dúvida, mas algo muito superior à sensualidade. Talvez, "na linguagem dos deuses", essa criança divina tenha recebido simplesmente o nome de *mulher*.

Fernando Pessoa, num poema lindíssimo, *Eros e Psiqué*[30], compreendeu, com a sensibilidade e a profundidade que lhe são peculiares, a extensão desse amor-consumação, em que Eros, buscando a Psiqué, acaba descobrindo que ele é a própria Psiqué, transfigurada em *Amor*...

Vale a pena mostrar este contraste:

> Conta a lenda que dormia
> Uma Princesa encantada
> A quem só despertaria
> Um infante, que viria
> De além do muro da estrada.

---

30. PESSOA, Fernando. *Poesias*. 5. ed. Lisboa: Edições Ática, 1958. Este poema me foi lembrado pelo colega e amigo, Prof. Luís Filipe Ribeiro, a quem agradecemos.

Ele tinha que, tentado,
Vencer o mal e o bem,
Antes que, já libertado,
Deixasse o caminho errado
Por o que à Princesa vem.

A Princesa Adormecida,
Se espera, dormindo espera.
Sonha em morte a sua vida,
E orna-lhe a fronte esquecida,
Verde, uma grinalda de hera.

Longe o Infante, esforçado,
Sem saber que intuito tem,
Rompe o caminho fadado.
Ele dela é ignorado.
Ela para ele é ninguém.

Mas cada um cumpre o Destino –
Ela dormindo encantada,
Ele buscando-a sem tino
Pelo processo divino
Que faz existir a estrada.

E, se bem que seja obscuro
Tudo pela estrada fora,
E falso, ele vem seguro,
E, vencendo estrada e muro,
Chega onde em sono ela mora.

E, inda tonto do que houvera,
À cabeça, em maresia,
Ergue a mão, e encontra hera,
E vê que ele mesmo era
A Princesa que dormia.

Apêndice
Deuses olímpicos e arquétipos masculinos

No Vol. III de nossa *Mitologia grega*, o último capítulo foi consagrado a "uma heroína forte", *Clitemnestra*. A poucas páginas do fecho desse mito indubitavelmente trágico e doloroso, resolvemos fazer uma espécie de apêndice, estampando as características básicas de todas as mulheres, pois os arquétipos do sexo feminino projetam "a existência de cada uma das grandes deusas". Para individualizá-los melhor, fizemos uma inversão: primeiro levantamos os arquétipos das deusas e, em seguida, fizemos que os mesmos retornassem às suas legítimas detentoras, as mulheres. De outro lado, a fim de que os dois quadros finais constantes do Volume supracitado, em que sintetizamos *as atribuições das deusas, sua natureza e respectiva junção arquetípica*, ficassem bem claros e inteligíveis, esboçamos, de saída, um pequeno retrato de cada uma das olímpicas.

Todo esse trabalho, que, na realidade, se tornou bem árduo, foi inspirado não apenas no estudo das divindades presentes nos Volumes I e II de *Mitologia grega*, mas sobretudo teve por fonte e ponto de Apolo a obra muito importante de Jean Shinoda Bolen, *Goddesses in Everywoman*. New York: Harper & Row, 1984.

Acontece, todavia, que meus leitores, particularmente "as leitoras", sempre me cobraram os arquétipos masculinos, que projetaram os deuses prepotentes (illo tempore!) da Hélade. Alguns "repressores" perguntavam com um sorriso, por vezes malicioso: "e nós, os homens, não projetamos nada?" Parecia-me estar na Grécia dos fins do séc. VI e inícios do V a.C., quando os espectadores segundo uma versão corrente, sentindo-se burlados com a ausência do deus do teatro na tragédia, já então apolinizada, reclamaram com insistência: οὐδὲν πρὸς τὸν

Διόνυσον (udèn prós tòn Diónyson), "isto", quer dizer, a tragédia contaminada pela doutrina do morigerado deus de Delfos "nada tem a ver com Dioniso". Os poetas responderam aos apelos do público, introduzindo o *Drama Satírico* em que se reviviam as gestas e aventuras grotescas do filho de Zeus e Sêmele, representado pelos eternos companheiros do deus, os Sátiros e o velho beberrão Sileno, como se pode ver no *Ciclope* de Eurípides, por nós traduzido e comentado.

Aguardei pacientemente que as circunstâncias me permitissem rever o Vol. II, como já o fizéramos com o I, e ampliá-lo de uma vez por todas com as tão esperadas projeções masculinas...

Esperávamos igualmente o anunciado livro da supracitada psiquiatra norte-americana, que iria complementar os arquétipos femininos. Afinal, em 1989, foi editado *Gods in Everyman*. San Francisco: Harper & Row, 1989, com as funções arquetípicas de todos os homens...

Curioso é o relato de Shinoda Bolen no Prefácio: "Men who have heard me lecture on the goddesses have repeatedly asked, *What about us?*" Era o "isto nada tem a ver com Dioniso"... "E nós os homens", diziam os leitores de Shinoda Bolen, "não somos retratados?" Pois bem, para agradar a *gregos e troianos*, vamos procurar, com base na obra citada e em nossos três Volumes de *Mitologia grega*, encaixar cada homem em um ou mais deuses da Hélade. Seguiremos, para tanto, método idêntico ao empregado no Volume III: primeiro um breve levantamento dos caracteres dos oito grandes olímpicos e em seguida os quadros em que se resumem suas atribuições, natureza e respectivas funções arquetípicas.

Jean Shinoda Bolen divide os oito grandes imortais em dois grupos: os deuses senhoriais, reis de cada um dos três níveis, Zeus, Posídon, Hades e os cinco rebentos de Zeus: Apolo, Ares, Hermes, Hefesto e Dioniso, obedecendo esta ordem a um critério meu, muito pessoal.

Zeus é o deus indo-europeu "do céu e da luz". Foi salvo pela mãe Reia de ser engolido, como seus irmãos, pelo pai Crono. Tendo-se aquele aconselhado com Métis, a Prudência, esta lhe forneceu uma droga maravilhosa, graças à qual o pai se viu coagido a vomitar os filhos que havia devorado. Apoiando-se em Hades e Posídon, seus irmãos, devolvidos à luz por Crono, Zeus, para se apossar do governo do mundo, iniciou um duro combate contra ele e seus tios, os Titãs.

A luta gigantesca durou dez anos. Por fim, venceu o futuro grande soberano do Olimpo. Crono e os Titãs foram encarcerados no Tártaro. Para obter tão retumbante vitória, o filho de Reia, seguindo as sugestões de Geia, libertou do Tártaro os Ciclopes e os Hecatonquiros, que lá haviam sido lançados por Crono. Agradecidos, os Ciclopes deram a Zeus o raio e o trovão; a Hades ou Plutão, um capacete mágico, que tornava invisível a quem o usasse e a Posídon presentearam-no com o tridente, capaz de abalar a terra e o mar.

Terminada a refrega, os três grandes imortais receberam por sorteio seus respectivos domínios: Zeus obteve o céu; Posídon, o mar; Hades ou Plutão, o mundo subterrâneo, igualmente denominado Hades, ficando, porém, Zeus com a supremacia no universo.

Geia, todavia, irritada com os Olímpicos, por lhe terem aprisionado no Tártaro os Titãs, seus filhos, excitou contra os vencedores primeiro os Gigantes e, em seguida, o monstruoso Tifão. Derrotados os primeiros com o auxílio dos irmãos, Zeus, sozinho, enfrentou corajosamente a Tifão e o sepultou sob o monte Etna. Tendo esmagado o último inimigo, Zeus estava preparado para pôr cobro às violentas sucessões das dinastias divinas e assumir, em definitivo, o governo do universo.

O triunfo do filho caçula de Crono patenteia a vitória da ordem sobre o Caos, das divindades da luz sobre as potências ctônias e primordiais.

Consolidado o poder, o deus da claridade celebrou seu *hieròs gámos*, suas núpcias sagradas, com Hera, a protetora, desde então, do casamento e da família. Além dessa união legítima, todavia, o senhor do Olimpo teve inúmeras ligações com imortais e simples mortais. Para não estender em demasia o catálogo de tantos amores extraconjugais, bastaria citar as uniões com as deusas Métis, Têmis, Eurínome, Deméter, Mnemósina, Leto, Maia e com as heroínas Sêmele, Alcmena, Dânae, Europa, Io, Leda *et aliis*...

É necessário, no entanto, levar em conta que Zeus é um deus da fertilidade: é *ómbrios* e *hyétios*, quer dizer, é chuvoso. Trata-se de uma divindade dos fenômenos atmosféricos, por isso que do deus do céu depende a fecundidade da terra. De outro lado, é mister não esquecer que a significação profunda de tantas ligações e aventuras amorosas obedece antes do mais a um critério religioso (a fertilização da terra por um deus celeste, pois afinal todas as deusas e mulheres são projeções da Terra-Mãe), bem como a um intento político: ligando-se a deusas e heroínas pré-helênicas, o deus consuma a unificação e o sincretismo que hão de fazer da religião grega um calidoscópio de crenças, cujo chefe e guardião é o próprio Zeus.

Observa-se, todavia, em determinadas atitudes do poderoso pai dos deuses e dos homens o que se convencionou chamar de *Complexo de Zeus*. Trata-se de uma tendência a monopolizar a autoridade e a destruir nos outros toda e qualquer manifestação de autonomia, segundo se patenteia na *Ilíada*, VIII, 19-27. O temor de que sua autocracia, sua dignidade e seus direitos não fossem devidamente acatados e respeitados tornaram Zeus extremamente sensível e sujeito a explosões coléricas, não raro calculadas. Descobrem-se nesses complexos as raízes de um manifesto sentimento de inferioridade intelectual e moral, com evidente necessidade de uma compensação social, através de exibições de autoritarismo.

Posídon, antigo deus-cavalo indo-europeu, que significaria, etimologicamente, "o mestre, o senhor, o esposo da terra", reinou primeiro sobre as águas do mundo ctônio, mas, após a vitória de Zeus sobre os Titãs e a divisão do governo do mundo entre os três grandes imortais do Olimpo, passou a ser o senhor do mar. Desde a *Ilíada*, Posídon é apresentado como o rei dos oceanos. Com seu tridente o deus não apenas domina ou encrespa as ondas, provoca borrascas, sacode os rochedos, mas também faz brotar nascentes, o que dá a impressão de que, exceto os rios, ele tem o governo das águas correntes, fontes, nascentes e ribeiros.

Embora tenha lutado valentemente contra os Titãs, o soberano dos mares nem sempre foi muito dócil à superioridade e autoridade de seu irmão Zeus. Tal independência explica o ter participado com Hera e Atená de uma conspiração para destronar o senhor do Olimpo, o que para sempre estabeleceu entre os dois irmãos um certo distanciamento e desconfiança mútua. Deus de grande atividade e intuição, era, no entanto, de grande instabilidade emocional. Facilmente irritável, convertia-se em inimigo implacável e cruel de seus ofensores, como o foi de Ulisses, na *Odisseia*. Litigante e autossuficiente, disputou com os outros imortais a eponímia e a proteção de diversas cidades gregas. Sempre vencido, vingava-se inapelavelmente. Foi senhor de muitos amores, todos fecundos. Mas, enquanto os filhos de Zeus eram heróis benfeitores da humanidade, os de Posídon, em sua maioria, se apresentam como gigantes terríveis, disformes e violentos, como o Ciclope Polifemo, o perverso Crisaor, os Alóadas, Oto e Efialtes, os salteadores Cércion e Cirão, o antropófago Lamo e tantos outros.

Hades, cuja etimologia se desconhece, mas que o povo teimava em aproximar de *awidés*, "invisível, tenebroso", é irmão de Zeus e Posídon, como já se mencionou. Herdeiro do reino dos mortos, localizado "no seio das trevas brumosas", o nome Hades, "o invisível" em etimologia popular, segundo se frisou, raramente se proferia: o deus era tão temido, que não o nomeavam por medo de excitar-lhe a cólera. Normalmente era invocado por meio de eufemismos, sendo o mais comum *Plutão*, em grego *Plúton*, "o rico", que, com um sufixo inédito, procede de *plûtos*, "riqueza, abundância" ou do nome do próprio deus dispensador da "abundância de bens", *Plûtos*, Pluto, confundido depois com Hades.

Plutão é, pois, "o rico" com referência não apenas a seus *hóspedes inumeráveis*, mas também às riquezas inexauríveis das entranhas da terra, constituindo-se estas na fonte profunda de toda produção vegetal e mineral. Isto explica o *Corno da Abundância* com que é frequentemente representado. Pródigo, beneficia a todos, fazendo germinar as sementes que se enterram no seio da terra.

Tranquilo em sua majestade de "deus subterrâneo", permanece confinado no sombrio Hades. Sensível, introvertido, mas violento e inflexível, comanda o mundo dos mortos como um "Zeus subterrâneo".

Não encontrando com quem casar-se, raptou Core-Perséfone, filha de Deméter, a deusa da vegetação. Não teve filhos, porque o mundo das trevas é estéril.

Apolo, sem etimologia definida até o momento, é um deus tipicamente oriental, mas que, com o tempo, soube angariar características helênicas muito acentuadas. Filho de Zeus e de Leto, o futuro detentor do Oráculo de Delfos, o "exegeta nacional", como lhe chamava Platão, é, na realidade, resultante de um vasto sincretismo e de uma bem elaborada depuração mítica. É mister levar em conta uma longa evolução da cultura e do espírito grego e mais particularmente da interpretação dos mitos, para se reconhecer nele, bem mais tarde, um *deus so-*

lar, um deus da luz, de sorte que seu arco e suas flechas pudessem ser comparados ao sol e a seus raios. No primeiro canto da *Ilíada*, apresenta-se como um deus vingador, de flechas mortíferas. Violento e implacável, o Apolo pós-homérico vai progressivamente reunindo elementos diversos de origem nórdica, asiática, egeia e sobretudo helênica e, sob este último aspecto, conseguiu suplantar por completo a Hélio, o "Sol" propriamente dito. Fundindo numa só pessoa e em seu mito influências e funções diversificadas, o senhor de Delfos tornou-se uma figura mítica deveras heterogênea. São tantos seus atributos, que se tem a impressão de que Apolo é um amálgama de várias divindades, sintetizando num só deus um vasto complexo de oposições. Tal fato possivelmente explica como o futuro deus da mântica substituiu, por vezes, de maneira brutal, divindades como Píton, que guardava um antigo Oráculo de Geia no monte Parnaso. O novo deus, todavia, iluminado pelo espírito grego, conseguiu, se não superar, ao menos harmonizar tantas polaridades, canalizando-as para um ideal de cultura e sabedoria. Realizador do equilíbrio e da harmonia dos desejos, não visava a suprimir as pulsões humanas, mas orientá-las no sentido de uma espiritualização progressiva, mercê do desenvolvimento da consciência. Seu lema é *gnôthi s'autón*, "conhece-te a ti mesmo", freio com que "o exegeta nacional" mantinha, das alturas do Parnaso, a unidade religiosa da Hélade.

Alto, bonito, majestoso, altivo como os eupátridas, o deus da música, da poesia e da mântica jamais conseguiu encontrar-se ou encontrar segurança em suas múltiplas relações amorosas, tendo permanecido solteiro, apesar dos inúmeros filhos que deixou.

Ares certamente está relacionado com o grego *aré*, "desgraça, infortúnio", pois, desde o panteão homérico, apresenta-se como deus da guerra e da violência. Filho de Zeus e Hera, Ares era dotado de coragem cega e brutal; é o espírito da batalha que se rejubila com a carnificina e o sangue. O próprio pai o chama de *o mais odioso de todos os imortais que habitam o Olimpo* (*Il.*, V, 830ss.). Enquanto Apolo é a reflexão, a prudência, Ares se notabiliza pelos músculos e pela força física.

Na Guerra de Troia colocou-se ao lado dos troianos, talvez para agradar Afrodite, sua amante, mas tal opção não importa muito, uma vez que o deus não está preocupado com a causa que defende. Seu prazer, seja de que lado combata, é participar da violência e do sangue.

De estatura gigantesca e "de físico perfeito", como lhe chama o aleijado e complexado Hefesto, o deus da guerra não se casou. Preferiu, já que era apenas "físico", amar uma pletora de mortais e deusas imortais. Seus filhos, como *Deîmos*, o Terror, e *Phóbos*, o Medo, Cicno, Diomedes Trácio, Licáon, Tereu, foram cruéis e sanguinários. A mais séria de suas aventuras amorosas foi a que teve com Afrodite, casada, no momento, com Hefesto. Este surpreendeu o casal de amantes em flagrante adultério e o envolveu numa rede invisível. Uma vez libertado, Ares fugiu para a Trácia, país selvagem, de clima rude, percorrido frequentemente por povos sanguinários.

Pública e solenemente desprezado pelos próprios pais, era ridicularizado por seus pares e até pelos poetas, que se regozijavam em chamá-lo, entre outros epítetos deprimentes, de *bebedor de sangue*, *flagelo dos homens*, *deus das lágrimas*.

Ares jamais se adaptou ao espírito grego (exceto talvez em Esparta), convertendo-se num antípoda do equilíbrio apolíneo.

Hermes, em grego *Hermês*, que também significa "herma, cipo, pilastra, estela com uma cabeça de Hermes", não possui etimologia confiável. Filho de Zeus e Maia, a mais jovem das Plêiades, nasceu num dia quatro (número que lhe era consagrado), numa gruta do monte Cilene. Apesar de enfaixado e colocado no vão de um salgueiro, árvore sagrada, símbolo da fecundidade e da imortalidade, o menino revelou-se de uma precocidade extraordinária. No mesmo dia em que veio à luz, desligou-se das faixas, demonstração clara de seu poder de *atar* e *desatar*, viajou até a Tessália, onde furtou uma parte do rebanho de Admeto, guardado por Apolo. De retorno a Cilene, encontrou uma tartaruga à entrada da caverna; matou-a, arrancando-lhe a carapaça e, com as tripas de uma novilha sacrificada, fabricou a primeira lira.

Apolo, o deus mântico por excelência, descobriu o paradeiro do larápio, mas, encantado com os sons que o menino arrancava da lira, trocou o rebanho furtado pelo instrumento de som divino. Logo depois, com seu poder inesgotável de criatividade, Hermes inventou a *syrinks*, "flauta de Pã". Apolo desejou também o novo instrumento e ofereceu em troca o cajado de ouro com que apascentava o rebanho de Admeto. O filho de Maia aceitou a permuta, mas, habilíssimo negociador, pediu ainda lições de mântica, de adivinhação. Apolo concordou e, desse modo, o *caduceu* de ouro passou a figurar entre os atributos principais do astuto Hermes, que, de resto, ainda aperfeiçoou a arte divinatória, auxiliando a leitura do futuro por meio de pequenos seixos.

Deus agrário, de início, protetor dos pastores nômades e dos rebanhos, os gregos aumentaram-lhe grandemente as funções, e Hermes, por ter furtado o rebanho de Apolo, tornou-se o símbolo de tudo quanto implica astúcia, ardil e embuste: é um autêntico *trickster*, um trapaceiro, velhaco, amigo e protetor dos comerciantes.

Ampliando-lhe o mito, os escritores e poetas lhe dignificaram as prerrogativas. Na *Ilíada*, XXIV, 334ss., vendo o alquebrado Príamo ser conduzido pelo filho de Maia através do acampamento aqueu, Zeus exclama:

Hermes, tua mais agradável tarefa é ser
o companheiro do homem; ouves a quem estimas.

Neste sentido, o núncio dos imortais é o dispensador de bens. Se qualquer oportunidade é uma dádiva do deus, é porque ele gosta de misturar-se aos homens, tornando-se, destarte, juntamente com Dioniso, o menos olímpico dos deuses.

Protetor dos viajantes, tornou-se o guardião das estradas. E se não se perdia na noite, era porque, dominando as trevas, conhecia perfeitamente o roteiro. Circulando livremente nos três níveis (olímpico, telúrico e ctônio), era o mensageiro predileto de Zeus e dos soberanos do mundo de baixo, Plutão e Perséfone. Deus, por isso mesmo, *psicopompo*, isto é, um condutor de almas de um nível para outro. Quem possui tão grande privilégio, não opera tão somente com a astúcia e a inteligência, mas antes com a gnose e a magia. Tal fato elucida ser ele o inventor das práticas mágicas, o conhecedor de plantas apotropaicas, o perito consumado em alquimia e o mais eloquente dos imortais. Com o epíteto de *Hermes Trismegisto*, "o três vezes máximo", sobreviveu através do hermetismo e da alquimia, até o séc. XVII.

Hermes não se casou, mas teve muitos amores e vários filhos.

Hefesto, segundo alguns etimólogos, significaria "o fogo nascido nas águas celestes" (V. *Dicionário mítico-etimológico*, verbete).

Filho de Zeus e de Hera, consoante Homero (*Il.*, I, 573ss.), ou vindo ao mundo sem união de amor, conforme Hesíodo (*Teog.*, 927), o deus coxo e senhor das forjas teve um nascimento complicado. Hera, continua Hesíodo, *por cólera e desafio lançado ao esposo* (*Teog.*, 928), gerou sozinha o filho. O ódio da deusa e o desafio ao esposo se deveram ao nascimento de Atená, que saiu da cabeça de Zeus, sem o concurso da esposa.

Para o defeito físico do deus das forjas há igualmente duas versões. Hera discutia violentamente com o marido a propósito de Héracles e Hefesto ousou tomar a defesa da mãe. Zeus, enfurecido, agarrou-o por um dos pés e lançou-o do alto do Olimpo. O deus rolou pelo espaço o dia todo e, à tarde, caiu na ilha de Lemnos. Com a queda ficou aleijado e manquitolava de ambas as pernas, o que lhe trouxe muitos problemas de ordem psíquica. Na segunda versão, Hefesto já teria nascido coxo e deformado. Humilhada com a fealdade e defeito físico do filho, Hera o atirou dos píncaros do Olimpo. O infeliz, após rolar pelo vazio um dia inteiro, caiu no mar. Recolhido por Tétis e Eurínome, passou nove anos numa gruta submarina, o que mostra o longo período iniciático do deus coxo. Nas profundezas do mar, Hefesto fez sua longa aprendizagem: trabalhava o ferro, o bronze e os metais preciosos, tornando-se "o mais engenhoso de todos os filhos do céu". Em sua longa carreira de ferreiro e ourives divino, o artista multiplicou suas criações, forjando e confeccionando os mais preciosos, belos e surpreendentes objetos de arte que já se viram. A obra-prima do coxo genial, porém, foi "a criação" da primeira mulher. Por solicitação de Zeus, modelou em argila uma mulher ideal, fascinante, irresistível, Pandora. Não a moldou apenas, foi além do artista: animou-a com um sopro divino, deu-lhe alma, vida.

Fisicamente *an odd number*, um mutilado, só teve por mulheres a grandes belezas. Já na *Ilíada*, XVIII, 382, está unido a Cáris, a Graça por excelência; Hesíodo, *Teog.*, 945s., lhe atribui Aglaia, a mais jovem das Cárites, mas Zeus, para "compensar tudo", deu-lhe em casamento a própria beleza, a deusa do amor, Afrodite. Essa ânsia de beleza por parte de Hefesto traduziria, segundo alguns intérpretes, menos o sentimento de um doloroso contraste físico do que a ideia profunda que o artista possuía da suprema beleza. Parece que essa visão preenche o ângulo estético do problema, mas, ao que tudo indica, há uma causa mais recôndita e séria. É bem possível que se trate da busca de uma complementaridade: o coxo e deformado tenta completar-se na beleza de Afrodite e esta, apenas encanto físico, procura a genialidade do artista. Cada um está buscando no outro aquilo que lhe falta, o que, em casamento, pode ser um forte índice de fracasso. A sizígia Hefesto-Afrodite foi um desastre. A deusa do amor encantou-se por Ares. Quando o ourives divino surpreendeu os amantes em flagrante adultério, sua reação, após prender os dois numa rede invisível, é dura e amarga, como atesta a *Odisseia*, VIII, 308-310:

> *– Afrodite, filha de Zeus, por ser eu coxo, me desonra*
> *continuamente e prefere o pernicioso Ares, que é belo*
> *e tem membros sãos. Eu, porém, sou aleijado...*

Aí está o magno problema pessoal de Hefesto, que procura suprir sua deficiência física não apenas com sua extrema habilidade artística, mas também com excessiva serventia, procurando sempre agradar a todos. No primeiro canto da *Ilíada* é alvo de chacota por parte de seus irmãos imortais. Em meio às gargalhadas de seus pares, o deus claudica atarefado pelos salões do Olimpo, sempre na ânsia de servir. É o mais prestativo e humilde dos deuses gregos e, certamente por isso mesmo, o truão da corte celeste.

Dioniso, em grego *Diónysos*, talvez seja um composto provindo do trácio com o sentido de "o filho do céu", o que estaria bem de acordo com o nascimento difícil e dramático do deus. A nobre tebana Sêmele, amada por Zeus, ficou grávida de Dioniso. A princesa, por instigação de Hera, que se disfarçara em escrava, pediu ao amante divino que se lhe apresentasse em todo o seu esplendor. O deus relutou, mas como havia jurado pelas águas do rio Estige jamais contrariar-lhe os desejos, manifestou-se-lhe epifanicamente com seus raios e trovões. O palácio de Sêmele se incendiou e esta morreu carbonizada. Zeus recolheu apressadamente do ventre da amante o fruto inacabado de seus amores e colocou-o em sua coxa, até que se completasse a gestação normal. Tal gesto dramático fez de Dioniso um deus, porque se nascesse de Sêmele seria apenas um herói.

A coxa de Zeus serviu-lhe de segundo ventre. De qualquer forma, esse deus nascido duas vezes foi uma divindade muito poderosa, talvez porque compartilhasse do *úmido* e do *ígneo*. Com efeito, participante, por natureza, do elemento úmido, o filho de Zeus manteve íntima convivência com o elemento ígneo, como é invocado por Sófocles no *Édipo Rei*, 209-215. Nascido o deus, começou a peregrinação, para se evitar nova cilada da ciumenta deusa Hera, que jamais deixou em paz as amantes e os filhos adulterinos do esposo. Da corte de Átamas, o pequeno Dioniso, sob a forma de bode, foi levado por Hermes para o monte Nisa, onde os Sátiros e as Ninfas passaram a cuidar do futuro deus do vinho. Pois bem, no monte Nisa, em sombria gruta, cercada de frondosa vegetação e em cujas paredes se entrelaçavam galhos de viçosas vides, donde pendiam maduros cachos de uva, vivia feliz o filho de Sêmele. Este, certa vez, colheu alguns dos cachos, espremeu-lhes as frutinhas em taças de ouro e bebeu o suco em companhia de sua corte. Todos ficaram conhecendo o novo néctar: o vinho acabava de nascer. Bebendo-o repetidas vezes, Sátiros, Ninfas e o próprio Dioniso começaram a dançar vertiginosamente ao som dos címbalos, tendo o deus por *centro*. Embriagados do delírio báquico, todos caíram por terra semidesfalecidos.

Historicamente, por ocasião da vindima, celebrava-se a cada ano, em Atenas e por toda a Ática, a festa do vinho novo, em que os participantes se embriagavam e começavam a dançar freneticamente, à luz dos archotes e ao som dos címbalos, até cair desfalecidos. Esse desfalecimento se devia não só ao novo néctar, mas ao fato de os devotos de Baco (epíteto do deus) se embriagarem de *êxtase* e de *entusiasmo*. *Ékstasis*, "êxtase", é *um sair de si interno*, uma espécie de transformação, uma catarse; *enthusiasmós*, "entusiasmo", é "deus dentro de nós", é a posse, o mergulho de Dioniso naqueles que se prepararam pelo êxtase para recebê-lo. É a comunhão com a imortalidade. Essa transformação, essa *metamórphosis* operada nos adoradores do deus levava-os a romper inexoravelmente com todos os interditos de ordem política, social e "religiosa" da pólis. A *manía*, "mania" a loucura sagrada, a possessão divina e as *órguia*, a "orgia", a posse do divino na celebração dos mistérios, a agitação incontrolável, que colocavam o homem em comunhão com o deus, levavam-no à descoberta de uma libertação total, à conquista de uma liberdade que os demais seres humanos não podiam experimentar. Evidentemente essa superação da condição humana e essa liberdade adquiridas, através do *êxtase* e do *entusiasmo*, constituíam uma libertação de interditos, de tabus, de regulamentos e de convenções de ordem ética, política e social. Daí a antinomia Dioniso-Apolo: num, o desvincular-se de todos os tabus; no outro, o comedimento, a moderação, a ética rigorosa cifradas no "conhece-te a ti mesmo" e no rigoroso "nada em demasia".

Caracteres tão díspares explicam por que Dioniso levou tantos séculos para entrar na pólis de Atenas. Um dia penetrou, deixou seu culto e viajou... Retornaria no ano seguinte por ocasião das *Antestérias*, da festa do vinho novo. O deus do êxtase e do entusiasmo não tem propriamente um lar fixo. Está sempre a peregrinar e chega quando não é esperado, normalmente vindo do mar, do elemento úmido. Retorna para cantar, dançar, liberar, "desreprimir"!

De qualquer forma, o elemento básico da religião dionisíaca é a transformação. O homem liberado, arrebatado pelo deus, transportado para seu reino por meio do êxtase e do entusiasmo, é diferente do que era no mundo quotidiano. A *metamórphosis*, a transformação, foi a escada que permitiu ao homem penetrar no mundo dos deuses. Os mortais, através do êxtase e do entusiasmo, aceitaram de bom grado "alienar-se" na esperança de uma transfiguração.

Dioniso não se casou e nem poderia fazê-lo: havia contraído núpcias indissolúveis com a libertação de todos os mortais. Deixou, no entanto, vários filhos e amou particularmente a Ariadne, a princesa da ilha de Creta, a Afrodite minoica.

Eis aí, em traços muito gerais, um esboço e um retrato dos oito grandes deuses olímpicos, projetados *pelos homens*. Que cada um, agora, procure nos dois quadros que se seguem, elaborados pela Drª Jean Shinoda Bolen (em que introduziremos algumas alterações), *o deus ou os deuses* que projetou e através dele(s) esboce seu autorretrato interno.

Certos homens, bem mais que a mulher, são muito "cautelosos" e temem revelar-se. Arranquem, ao menos uma vez, o *prósopon*, a *persona*, "a máscara", como lhe chamavam respectivamente os gregos e latinos e tenham a coragem de *reflectere*, "de dobrar-se e olhar-se por dentro". Lembremo-nos de que a máscara cobre muito pouco e desnuda o restante...

I – QUADRO GERAL DOS OITO DEUSES OLÍMPICOS

Deuses e suas atribuições	*Natureza*	*Função arquetípica*	*Outras características importantes*	*Alguns representantes típicos*
Zeus: deus do céu (Olimpo). Senhor dos raios e trovões. Domínio da vontade e do arbítrio.	Deus patrilinear	Rei, senhor do Olimpo, pai do céu. Executivo. Conquistador. Hábil em fazer alianças. Galanteador e amante contumaz.	Legítima esposa: Hera. Inúmeras amantes.	Henrique VIII (Inglaterra), Luiz XIV (França), Napoleão Bonaparte, Getúlio Vargas
Posídon: deus do mar, das tempestades e terremotos. Domínio da emoção e do instinto.	Deus patrilinear	Rei, senhor dos mares, pai da terra. Domínio das profundidades, das emoções primordiais. Instintivo, emotivo. Inimigo implacável.	Legítima esposa: Anfitrite. Algumas amantes. Vários filhos, em sua maioria violentos ou monstruosos.	Eugene O'Neill, Beethoven, Rubem Braga
Hades: deus do mundo subterrâneo. Domínio das almas e do inconsciente.	Deus patrilinear	Rei recluso. Domínio das imagens, fantasias e sombras.	Legítima esposa: Perséfone.	P. Vergílio Marão, Dante, C.G. Jung, Machado de Assis
Apolo: deus do sol, da música, da mântica.	Filho protegido de Zeus	Determinador bem-sucedido de metas a alcançar. Legalista, conservador. Excelente irmão.	Solteiro. Fracassos no amor. Vários filhos com amantes.	Ésquilo, Píndaro, Juscelino Kubitschek, George Bush
Ares: deus da guerra.	Filho rejeitado	Impulsivo, violento, apaixonado, agressivo e sujeito a reações físicas. Amante arrebatado.	Solteiro. Amante ardente de Afrodite. Vários filhos, violentos como o pai.	Robert Kennedy, John McEnroe, João Saldanha
Hermes: deus mensageiro dos imortais, psicopompo, companheiro do homem.	Filho protegido e estimado por seus pares	Andarilho, grande capacidade de comunicação. Excelente guia. Trabalhador, diplomata; sumamente esperto e trapaceiro, donde "sociopata".	Solteiro. Alguns filhos com várias amantes.	Marco Polo, Barão do Rio Branco, Von Ribbentrop, Tancredo Neves
Hefesto: deus das forjas. Grande ourives.	Filho rejeitado e ridicularizado por seus pares	Artista consumado. Um gênio criativo. Trabalha na solidão.	Casado com Afrodite e por ela traído. Fracassado no amor.	Michelangelo, James Joyce, Aleijadinho, Carlos Drummond de Andrade
Dioniso: deus do vinho, do êxtase e do entusiasmo.	Filho protegido com desvelo	Dinâmico, libertário, sem repressões, amante entusiasta, místico.	Solteiro. Algumas amantes. Grande amor: Ariadne.	Eurípides, André Gide, Fernando Pessoa, Affonso Romano de Sant'Anna

II – TABELA DOS OITO DEUSES SOB ENFOQUE JUNGUIANO

Deuses	*Visão psicológica junguiana*	*Dificuldades psicológicas*	*Pontos de apoio*
Zeus	Normalmente extrovertido. Definitivamente racional. Intuitivo e sensível.	Autoritário. Cruel, por vezes. Inflação. Imaturidade emocional.	Hábil no uso do poder. Resoluto. Prolífico.
Posídon	Ora introvertido, ora extrovertido. Definitivamente sentimental.	Emotividade destrutiva. Instabilidade emocional. Excessiva autoestima.	Leal. Fácil acesso aos sentimentos.
Hades	Definitivamente introvertido. Definitivamente sensível. Vive alheio ao tempo.	Inadequação social. Distorção da realidade. Depressão, Baixa autoestima.	Mundo de imagens interiores. Rico. Desprendido.
Apolo	Normalmente extrovertido. Intuitivo. Reflexivo. Visão do futuro.	Arrogância. Distanciamento emocional. Age à distância.	Sabe apreciar a claridade e a forma. Hábil em atingir metas.
Ares	Definitivamente extrovertido. Definitivamente sentimento e sensação. Vive o presente.	Reação emocional. Abusivo. Intempestivo. Bode expiatório. Baixa autoestima.	Integração psicossomática. Expressividade emocional.
Hermes	Normalmente extrovertido. Definitivamente intuitivo. Geralmente meditativo.	Impulsivo. Visão do presente, passado e futuro. "Adulescens aeternus".	Capacidade para compreender significantes e significados. Amigo. Comunicador de ideias.
Hefesto	Definitivamente introvertido. Definitivamente sentimento e sensação. Busca do presente.	Inadequação social. Bufão. Baixa autoestima.	Criatividade, engenhosidade. Habilidade manual. Capacidade para ver e criar o belo.
Dioniso	Ora extrovertido, ora introvertido. Definitivamente sensação. Vive o presente imediato.	Distorção na autopercepção. Abuso da essência.	Apreciação da experiência sensorial. Intensidade apaixonada. Amor à natureza.

Complementação bibliográfica do Volume I

ARAÚJO, Rosangela N. de. *Roteiro trágico de um herói*. Rio de Janeiro: Achiamé, 1985.

BAILEY, A. Alice. *Les travaux d'Hercule*. Genève: Éd. Lucis, 1981.

BAUDRILLARD, Jean. *L'échange symbolique de la mort*. Paris: Gallimard, 1976.

BAUM, Julius et al. *The Mysteries*. Bollingen Series. Princeton University Press, 1971.

BAYARD, Jean-Pierre. *Le symbolisme du caducée*. Paris: Guy Trédaniel, 1978.

______. *La symbolique du monde souterrain*. Paris: Payot, 1973.

______. *La symbolique du feu*. Paris: Payot, 1973.

BEAUMONT, Leprince de. *The Fairy Tale Book*. New York: Simon & Schuster, 1958.

BETTELHEIM, Bruno. *The Uses of Enchantment*. New York: A. Knopf, 1976.

BINGHAM, Hiran. *Lost City of the Incas*. New York: Atheneum, 1973.

BONAPARTE, Marie. *Chronos, Eros, Thanatos*. Paris: Dunod, 1948.

BONNEFOY, Yves. *Dictionnaire des mythologies*, 2 vols. Paris: Flammarion, 1981.

BOURKE, John Gregory. *Les rites scatologiques*. Paris: PUF, 1981.

BRADLEY, M. Zimmer. *The Mists of Avalon*. New York: Scott Meredith L. Agency, 1982.

BRIEM, O.E. *Les sociétés secrètes de mystères*. Paris: Payot, 1977.

BRILLANT, M. *Les mystères d'Éleusis*. Paris: La Renaissance du Livre, 1920.

CAMPBELL, Joseph. *The Symbol Without Meaning*. Zürich: Rhein-Verlag, 1958.

______ *The Masks of God*. New York: Viking Press, 1968.

CLOCHE, P. *Le monde grec aux temps classiques*. Paris: Payot, 1973.

DELCOURT, Marie. *Légendes et cultes de héros en Grèce*. Paris: Leroux, 1942.

______ *L'Oracle de Delphes*. Paris: Payot, 1981.

DONTENVILLE, Henri. *La mythologie française*. Paris: Payot, 1948.

ELIADE, Mircea. *Birth and Rebirth*. New York: Harper & Row, 1975.

FARNELL, L.R. *Greek Hero Cults and Ideas of Immortality*. Oxford: Oxford University Press, 1921.

FESTUGIÈRE, A.J. *La religion grecque*. Paris: A. Quillet, 1944.

FONTEROSE, Joseph. *Python – A Study of Delphic Myth and its Origins*. Los Angeles: California University Press, 1959.

GALINSKI, C.K. *The Herakles Theme*. Oxford: Oxford University Press, 1972.

GUTHRIE, W.K.C. *Orphée et la religion grecque*. Paris: Payot, 1971.

HAMILTON, Edith. *Mythology*. Boston: Little, Brown & Company, 1942.

HARRISON, Jane. *Temis: a Study of the Social Origins of Greek Religion*. London: M. Press, 1977.

HARRISON, J.E. *Prolegomena to a study of Greek Religion*. Cambridge: Cambridge University Press, 1922.

HILLMAN, James. *Pan et le cauchemar*. Paris: Imago, 1979.

HOYLE LARCO, Rafael. *Archaelogia Mundi-Peru*. Barcelona: Editorial Juventud, 1966.

JAMES, E.O. *Le culte de la Déesse-Mère dans l'histoire des religions*. Paris: Payot, 1970.

KNOX, Bernard. *Oedipus at Thebes*. Yale: Yale University Press, 1966.

LAPLANCHE, J. & Pontalis, J.B. *Vocabulário da Psicanálise*. São Paulo: Martins Fontes, 1985.

LEDERER, W. *La peur des femmes*. Paris: Payot, 1980.

LINFORTH, I.M. *The Pyre on Mount Oeta in Sophocles Trachiniae*. California: University of California Publications in Classical Philology, 1925.

MOULINIER, L. *Orphée et l'Orphisme a l'époque classique*. Paris: Les Belles Lettres, 1955.

MURARO, Rose Marie. *Sexualidade, libertação e fé*. Petrópolis: Vozes, 1985.

MURRAY, G. *Herakles, The Best of Men*. Oxford: Oxford University Press, 1972.

NILSSON, M.P. *La religion populaire dans la Grèce antique*. Paris: Plon, 1954.

OAKES, Maud. *Where the Two came to their Father – A Navaho War Ceremonial*. New York: Bollingen Series, 1943.

OLIVIER, Christiane. *Les enfants de Jocaste*. Paris: Denöel-Gonthier, 1985.

PARKE, H.W. & WORMELL, D.E.W. *The Delphic Oracle*, 2 vols. London: Oxford, 1956.

PRZYLUSKI, J. *La Grande Déese*. Paris: Payot, 1976.

PUECH, Henri-Charles. *En quête de la Gnose – La Gnose et le Temps et autres essais*. Paris: Gallimard, 1978.

RANK, Otto. *Truth and Reality*. New York: Alfred A. Knopf, 1936.

ROHDE, Erwin. *Psyche*. Leipzig: Tübingen, 1893.

ROHEIM, Géza. *The Eternal Ones of the Dream*. New York: International Universities Press, 1945.

SCHAERER, R. *L'homme antique et la structure du monde intérieur*. Paris: Payot, 1958.

SCHNEIDER, Monique. *Freud et le plaisir*. Paris: Denöel, 1980.

SLATER, Ph. E. *Greek Mythology and the Greek Family*. Boston: UPB, 1968.

TABOUIS, Geneviève. *Sybaris. Les grecs en Italie*. Paris: Payot, 1972.

USENER, H. *Götternamen*. Bonn, 1897.

VERNANT, J.P. & VIDAL, P. *Mythe et tragédie en Grèce ancienne*. Paris: Maspero, 1972.

VON FRANZ, Marie-Louise. *Adivinhação e sincronicidade*. São Paulo: Cultrix, 1985 [Tradução de Álvaro Cabral].

______. *La femme dans les contes de fées*. Paris: La Fontaine de Villemart, 1979.

______. *Alquimia. Introdução ao simbolismo e à psicologia*. São Paulo: Cultrix, 1985 [Tradução de Álvaro Cabral].

ZIEGLER, Jean. *Les vivants et la mort*. Paris: Seuil, 1975.

Índice onomástico

Observações: 1) As palavras ou expressões gregas transliteradas para caracteres latinos aparecem em grifo. O mesmo ocorre com nomes de obras ou palavras de língua estrangeira. 2) Os números em índice referem-se as notas de rodapé.

A
Abinadab 64
Abraão 62
Academia 132
Academo 29
Acaia 211
Acarneus, Os 131
Acorrentado, Prometeu 136
Acrópole 25, 26, 29, 30, 48, 90, 132
Acrópole de Atenas 42
Actéon 69
Actor 22
Açvins 84
Adão 61, 111, 188[5], 208
Admeto 89, 199s
Adônis 42, 128[7], 149, 233
África 83
Afrodite 29, 34, 37, 39, 41-43, 46, 57, 58, 69, 80, 89, 102, 136, 149, 203, 213, 220, 225-230, 231s, 235, 238, 243-250, 252-262, 270, 271, 273, 274
Afrodite, Eros de 243
Agamêmnon 67, 152
Ágano 20
Agave 43s, 124
Agenor 35[5], 43
Agieu 88
Aglaia 46, 57
Aglauro 30, 42
Agni 45, 76
Ágora 132
Agostinho 110
Agriônias 119
Água da Vida 174
Águas 164
Águia de Zeus 227[3], 252
Aguyieús 88
Ahriman 38s
Ahura-Mazda 38
Akésios 88
Alcíone 199[1]
Alcipe 42
Alcítoe 120[3]
Alcmena 40s, 92[2]
Aleto 140
Alexandre Magno 47
Alexandria, Clemente de 109, 191
Alexandria, Fílon de 108
Aliança, Arca da 64
Alóadas 42,44, 69, 202

Alteia 67
Amalteia 68
Amarílis 153
Amarylli 153
Amazonas 43, 69, 242[13], 244[15]
Amiclas 90, 91
Amon 81
Amor 219, 227s, 230s, 241, 263
Anábase 71
Anfião 203
Anfissa 147
Anfitrite 19
Anjo Gabriel 196, 213
Anjos 62
Ânteros 243
Antestérias 141
Antigo Testamento 33, 55, 75, 109, 142
Apatúria, Atená 26
Apatúrias 26, 26[2]
Apocalipse 109s
Apóllon 85
Apolo, 19, 31, 34, 40s, 51, 59,s, 60[1], 61-63, 65-67, 72, 82, 84-93, 96-108, 112-114, 121, 129, 137-139, 147, 157s, 161, 184, 189, 199s, 200[2], 201, 211, 242[13], 256, 265s, 269, 270-272
Apolo Carnio 105
Apolo Délfico 105
Apolo Delfínio 105
Apolo, Febo 86, 87[1]
Apolo, Ilha de 105
Apolo Ismênio 105
Apolo Lício 105
Apolo, Oráculo de 90, 220, 223, 232, 250[20]
Apolo Pítio 105
Apolo Ptóos 105
Apolo, Templo de 90, 98, 100
Apolodoro 184
Apóstolos, Atos dos 196
Apsirto 22
Apuleio 220, 230, 236,244
Apuleio, Lúcio 123, 204, 219, 219[1]
Aqueloo 90
Aqueloo, Rio 152
Aqueronte 33[4]
Aqueu 90
Aqueus 25, 47, 88
Aquiles 20, 25, 32, 46s, 55, 92[2], 123
Arábia 119[2]
Aracne 27
Aracne-Aranha 27
Arafênides, Halas 72
Arca da Aliança 64
Arcádia 71s, 199
Arcônidas 156
Arconte, Rei 140
Árdalo 49
Áreios Págos 42
Areopagita, Pseudo-Dionísio 66
Areópago 27, 42, 98
Ares 19, 25, 40-46, 49, 50, 56-58, 127, 129, 202, 242[13], 266, 270s, 274
Áres 40
Ares, Colina de 31
Argo 28
Argonautas 93, 147s
Argos 105, 203
Ariadne 145
Áries 39
Aristeu 88s, 148
Aristófanes 118, 131s, 136, 143, 174s, 181
Aristófanes, Escoliasta de 184
Aristóteles 65, 74, 133, 133[12], 134, 140, 162, 163[11]
Arqueiro, Senhor 86
Arréforas 28, 28[3]

Arrephóroi 28[3]
Ártemis 19, 51, 59s, 60[1], 63, 65-67, 69-73, 78s, 81s, 84s, 92, 107, 167, 188
Ártemis Cariátis 71[4]
Ártemis de Éfeso 105, 244[15]
Ártemis-Diana 72
Ártemis, Hino a 72
Ártemis, Lua- 73
Ártemis Muníquia 71
Ártemis Órtia 70, 71
Árvore da Vida 174
Ascálafo 33, 33[4]
Asclepíades 93
Asclépio 41, 88s, 92[2], 93s, 96
Asclépio, Sacerdotes de 94
Asclépio, Santuário de 94
Asdiwal 187
Ásia 19, 72, 182
Ásia Menor 104s, 112
Asmodeu 111
Asno de Ouro, O 219[1]
Assunção de Maria 81
Astarté 80
Asteca 33
Astéria 19, 21
Astérion 35
Astérope 199[1]
Astreia 33
Astreu 19, 21, 22
Astros 21
Atalante 68
Átamas 125, 203
Atená 41, 43-45, 47-49, 57, 60s, 91, 124, 126, 129, 163, 203, 242[13], 268, 273
Atená Apatúria 26
Atená, Cidade de 105
Atená Fratria 49
Atená Higiia 29
Atená, Palas 25, 30, 32
Atená Poliás 30, 48
Atená Soberana 26
Atenas 25s, 28-31, 42s, 47s, 69, 72, 105-107, 122, 125, 128s, 131s, 134, 140, 142, 143, 145, 161, 275s
Atenas, Acrópole de 42
Atenas, Ceramico de 28
Atenas, Constituição de 140
Atenas, Ferecides de 175
Ateneu 143
Athenâ 24
Athenáa 24
Athenaíe 24
Athenaíe, Pótnia 26
Ática 26, 30, 48, 70, 72, 128, 131
Atlântida 151
Atlas 19, 199[1]
Atos dos Apóstolos 196
Átropos 33
Aucno 257, 257[28]
Aucnus 257[28]
Augias 22
Augusto 107
Áulis 70
Áulis, Ifigênia em 70
Aurélio Clemente Prudêncio 205
Aurora 87[1]
Autônoe 124
Auxo 34

B

Babilônia 55, 76, 79
Bacante 113
Bacantes 102, 127
Bacantes 102, 120, 129, 142
Bacantes, As 142
Bacchus 117
Baco 117s, 128, 132, 134
Bákkhe 117

Bákkhos 117
Bambara 154
Banquete 95, 245
Banquete, O 150[1]
Bardo Thödol 172
Barnabé 217
Bastos 35
Batista, João 213
Beleza 46
Belo 35[5]
Bem-Aventurados, Ilha dos 149, 171
Beócia 43, 87, 105, 120, 125, 144, 185
Bia 21
Bíblia 27, 109, 111
Bísio 85, 100
Boa Deusa 81
Boa Mãe 80
Bom Pastor 178
Bona Dea 81
Bona Mater 80
Bóreas 22, 91
Brahma(n) 9, 68, 114
Brahmanda 114
Bráuron 71
Bráuron, Santuário de 70, 72
Brilhante 60, 89, 163[2]
Britomártis-Dictina 69
Brômio 118
Brómios 118
Bunico 20
Busca, Os Cães de 135, 200[2]

C

Cabo Tênaro 256
Caçador 119
Caçador, Grande 118s
Caçadora 69
Cadmo 35[5], 43s, 124
Cães de Busca, Os 135, 200[2]
Calcas 90
Calcíope 22
Caldeus 55
Calícrates 30
Cálidon 67s
Cálidon, Eneu de 67
Calímaco de Cirene 72, 104
Calíope 88s, 147, 149, 157
Calipso 203
Calírroe 21, 227[3]
Calisto 69
Campânia 47
Campos Elísios 44, 149, 170
Canaã 80
Canhoto 150
Caniço 227
Canto Secular 107
Caos 29s, 61, 163-165, 216
Cária 214
Cárias 71[4]
Cariátides 71, 71[4]
Cariátis, Ártemis 71[4]
Cáris 46, 57
Cárites 46, 57
Carmen Saeculare 107
Carnio 88
Carnio, Apolo 105
Caro, Tito Lucrécio 56
Caronte 148, 222, 228, 256s
Carpo 34
Cartas de Heroínas 106[6]
Cassandra 90, 184
Cassífone 22
Cassótis 100
Castália 90
Castália, Fonte 100
Castor 23, 84, 93
Catábase de Teseu e Pirítoo 170
Catos 51

Cáucaso 119[2]
Cécrops 30, 42
Cefiso 182, 185
Cefiso, Rio 182, 194
Celene 199[1]
Celeno 19
Centauro Quirão 92
Ceos 19, 59
Ceramico 48
Ceramico de Atenas 28
Cérbero 21, 228, 256
Ceres 133[14]
Ceto 21
Céu 59, 61s, 113, 125, 164, 190, 230, 263
Chao 205
Cibele 37, 80
Cíclicas, Epopeias 25
Ciclope 135
Ciclopes 47s, 66, 89
Cicno 41
Cidade de Atená 105
Cilene 199s, 204s, 216
Cilícia 35
Cílix 35[5]
Ciparisso 90, 91
Circe 22, 87[1], 152, 203, 203[4]
Cirene 89
Cirene, Calímaco de 72, 104
Ciro 101
Cisne, Zeus 23, 113
Citerão, Monte 125, 183
Ciunte 71
Cítia 242[13]
Çiva 36, 68
Claros 90, 104s
Clemente de Alexandria 109, 191
Cleômenes de Esparta 156
Clício 47
Clímene 19, 22
Clístenes 129
Clitemnestra 23, 88, 152
Cloto 33
Cnossos, Labirinto de 145
Cocito 227, 252
Coéforas 152
Colina de Ares 31
Cólofon 27, 90
Colono, Édipo em 152
Cólquida 87[1]
Cônon 189, 191
Constantinopla 196
Constituição de Atenas 140
Copaide 105
Corão 27
Core 19, 26, 190, 233
Core-Perséfone 260
Coribantes 80, 89
Corifeu 152
Corinto 64
Córito 20
Cornélio Tácito 50
Coroa, A Oração da 122
Corônis 41, 67, 89, 92
Corpus Hermeticum 206, 206[8]
Cósmica, Montanha 62
Cosmo 62
Crátilo 163[11], 166
Crato 21
Creonte 64
Creso 101
Crestônis 41
Creta 24, 35, 105
Creta, Ilha de 35, 118, 172
Cretenses, Os 119, 176
Creúsa 64, 90
Crimeia 70
Crio 19, 21

Crióforo 200
Crisaor 21
Criselefantina 30
Cristo 38[6], 50, 56, 61, 82, 111, 178
Crítias 48
Crono 19, 92[2], 163s, 190
Ctônio 43
Cumas 172[18]
Curetes 67s, 80, 121

D

Da Alma 163[11]
Dafne 89
Dáfnis 153
Dalila 251
Danaides 148, 174[22], 233, 237, 242[13], 251, 257[28]
Daphnim 153
Dario 202
Dáulis 42
De Iside et Osiride 123
De Magia 204
Dea, Bona 81
Décimo Júnio Juvenal 96
Dédalo 220
Deîmos 41
Dejanira 67, 182
Délfico, Apolo 105
Delfine 96
Delfínio, Apolo 105
Delfínio, Apolo 107
Delfos 41, 62, 85-87, 90, 96-104, 107, 124, 130, 136, 157, 160, 175, 184, 200, 211, 266, 269s
Delfos, Oráculo de 85s, 96, 101, 103, 107, 130, 184
Delos 60s, 67, 104
Delos, Ilha de 60s, 85, 104
Delos, Oráculo de 104
Deméter 10, 19, 23, 26, 33[4], 118, 123s, 141, 165, 181, 190, 225, 242[13], 246, 256, 260, 267, 269
Deméter, Hino Homérico a 190
Demiurgo 208
Demócrito 171
Demofonte 123
Demóstenes 122
Derveni 159
Derveni, Papiro 159, 164s
Destino 165
Deucalião 19, 203
Deus 19
Deus, Mãe de 82
Deus-Rio Peneu 89
Deusa-Lua 73, 80
Deusas-Mães 225
Diabo 150
Diana 107
Diana, Ártemis 72
Dias, Trabalhos e 13
Dictina 71
Dictina, Britomártis- 69
Dídimo 104s
Diodoro Sículo 35[5]
Diógenes Laércio 65
Diomedes, 25, 41, 44, 90s, 119
Diomedes Trácio 41
Dionisismo 157
Dioniso 10, 26, 36, 46, 65, 69, 92s, 102s, 117-119, 119[2], 120, 120[3], 121-128, 128[7], 129-133, 133[11], 134s, 137-145, 145[20], 146s, 154, 157, 160, 165s, 176, 195, 201, 203, 251
Dioniso do Lénaion 132
Dioniso-Menino 146
Dioniso-Zagreu 166
Diónysos 117
Dioscuros 84, 93

Dipnosofistas 143
Dique 33, 34
Disciplina 34
Discórdia 41, 164
Dóris 19, 21
Dótis 41
Dragão 43
Dragão Píton 96
Drias 119
Dzagreús 118
Dzemelô 124
Dzeús 125

E
Éaco 249[19]
Eagro 147s
Ecbátana 111
Écloga 153
Eco 185-188, 190
Éden 61, 239[10]
Éden, Jardim do 174
Édipo 14, 35[5], 152, 193
Édipo em Colono 152
Édipo Rei 45, 117, 127, 193
Edônios 119
Eetes 22, 38, 87[1]
Efebos 43
Éfeso 72
Éfeso, Ártemis de 105, 244[15]
Éfeso, Heráclito de 98
Efialtes 42, 129
Egeu 31, 107, 145
Egina 249[19]
Egito 35[5], 37, 79-81, 111, 114, 119[2], 147, 155, 251
Eileíthyia 40
El 35
Elafebólion 85
Elafieia 69
Elara 60[1]
Electra 19, 21, 152, 199[1]
Elegias 129
Elêusis 120, 132
Elêusis, Mistérios de 10, 118, 151, 173[21]
Eliano 155
Élida 72
Élis 69
Eliseu 110
Elísion 158, 170
Elísios, Campos 44, 149, 170
Emátion 22
Empédocles 167, 175
Empíreo 62
Encélado 24
Endímion 73[5]
Enéadas 56, 175, 207
Eneu 70
Eneu de Cálidon 67
Eniálio 43
Enio 41, 44
Enlil 35
Ennéades 207
Enone, Ilha 249[19]
Enyálios 41
Eoo 87[1]
Eos 19, 21, 22, 87[1]
Épafo 35, 35[5]
Epidauro 85, 88, 92, 93-95
Epidauro, Museu de 94
Epimeteu 19
Epiro 105
Epistulae, Heroidum 106[6]
Epopeias Cíclicas 25
Équidna 21
Equíon 43, 44
Érebo 170
Erecteu 28, 30, 48, 90
Ergáne 27s

Erictônio 28-30, 32, 48s
Erínia 45
Erínias 30, 98, 181, 242[13]
Éris 41, 164, 203
Erixímaco 95
Eros 163s, 177s, 182s, 189, 191, 203, 219, 219[1], 220-227, 227[3], 228-233, 235-239, 239[10], 240s, 243-248, 249[19], 250, 252-256, 257[28], 258-263
Éros 219
Eros de Afrodite 243
Eros de Psiqué 243
Escamandro 47
Escatologia 169, 169[16]
Escoliasta de Aristofanes 184
Esculápio 92
Esmeralda, Tábula de 209
Esparta 43, 70-72, 85, 103, 105
Esparta, Cleômenes de 156
Espelho 84
Ésquilo 30, 41, 45, 48s, 85, 87[1], 88, 117, 118, 135s, 152, 202
Ésquines 122
Estige 21, 33[4], 227, 231, 252
Estige, Rio 124, 190
Estrabão 118
Estrelas 171
Eta, Monte 150
Etéocles 84
Éter 163s, 171
Etna 47s
Etneu 47
Etólia 67
Etólios 67
Éton 87[1]
Eubuleu 173, 173[21]
Eucles 173, 173[21]
Eufórion 20
Eumênides 152
Eunômia 33
Eupátridas 128-130
Euríbia 19, 21
Eurídice 147-150, 153, 161, 179, 202, 260
Eurilite 30
Eurínome 19, 23, 46
Eurínomo 175
Eurípides 35[5], 70, 102, 107, 119, 122, 135-137, 137[16], 163[11], 176, 185, 201, 219[1], 266
Europa 23s, 35, 35[5], 43
Európe 34
Euxino, Ponto 242[13]
Eva 111
Evadne 90
Eveno 89, 185
Êxodo 110
Extremo Oriente 114

F
Faetonte 22
Faetusa 22
Falero 26
Fama 221, 221[2]
Fanes 163, 163[12], 164
Fáon 103
Febe 19, 59, 72
Febo 72, 86
Febo Apolo 86, 87[1], 112
Fédon 169, 172, 176
Fedra 137[16]
Fênix 35[5], 209
Ferecides de Atenas 175
Ferecides de Leros 175
Ferecides de Siros 175
Feres 89, 91
Festas das Tochas 81
Fídias 29s

Filebo 163[11]
Fílira 19, 90[2]
Filoctetes 47
Filomela 42
Fílon de Alexandria 108
Filóstrato 191
Fix 21
Flaco, Quinto Horácio 107, 157, 191
Flávio 205
Flégias 41, 92
Flégon 87[1]
Flia 132
Fóbos 41
Fócida 42s, 70
Fonte Castália 100
Fonte da Memória, 173s
Fonte de Téspias 188, 190s, 194
Fórcis 21
Fórmio 185
Fratria 88
Fratría, Atená 49
Frátrio Zeus 49
Frígia 92, 203, 214

G
Gabriel, Anjo 196, 213
Gaivota 224
Gala Placídia 178
Gália 68
Galos 80
Gamélion 132
Ganimedes 40, 227, 227[3], 253s
Gansa, Leda 113, 114
Ganymédes 227[3]
Gaocithra 37
Garizim, Monte, 61
Geb 113
Geia 24, 96-99, 164, 173
Geia, Oráculo de 86, 96
Gênesis 151
Genetrix, Venus 39
Gengis-Khan 75
Geórgicas, As 148
Gerião 21
Germania 50
Glauce 64
Glauco 184
Golem 188, 188[5]
Gólgota 61
Gomorra 151
Górgias 172, 175
Górgonas 21
Gortina 35
Graça 46
Graecia, Magna 159, 171[17], 172
Grande Caçador 118s
Grande Mãe 24, 26, 31, 59, 69s, 72, 119, 124, 126, 165, 220, 227, 232, 245-247, 253s 257s, 260-262
Grandes Mães 225
Grande Ursa 109
Grátion 67
Grécia 10, 44, 62, 72s, 81, 86, 87[1], 103-105, 108, 112, 121, 123, 130, 151, 155, 160, 162, 175-178, 183, 185, 216, 265
Greias 21
Guardiães de Henoc 109
Gudea de Lagash 215
Guerra de Troia 25, 41
Guerra Púnica 80

H
Hábito 225
Hades 19, 118, 127, 146-150, 152, 154, 158, 161, 170s, 173, 175, 190, 194, 202s, 227s, 233, 242[13], 256, 259s, 266-269

Hades, Jardim do 33[4]
Halas Arafênides 72
Halirrótio 42
Harmonia 43s, 124
Harpias 21
Hébe 40
Hebe 19, 40, 227[3]
Hebro, Rio 149, 154
Hécate 21s, 66, 72s, 73[6], 78, 82
Hécuba 185
Hefestia 47
Hefesto 19, 28, 29, 38, 40, 45-49, 57s, 145, 220
Hélade 13, 44, 72, 98, 103-105, 113, 119, 121s, 130s, 135, 147, 149, 160, 178, 194, 199
Helena 20, 23, 25
Heleno 184
Helíades, As 22
Helíades, Os 22
Hélio 19, 22, 72, 87, 87[1], 251
Hélios 73[5], 87[1]
Hemingbjör 61
Henoc, Guardiães de 109
Heósforo 21, 22
Héphaistos 45
Hera 10, 19, 23, 34, 40s, 45-47, 57, 59s, 60[1], 63, 65, 86, 91, 121s, 124-126, 161, 165, 183-185, 187, 203, 225, 246, 248, 253, 256, 267s, 270, 273-275
Héracles 23, 32, 40s, 44s, 50s, 67s, 92[2], 93, 150, 175, 182, 203, 226, 227[3], 248, 273
Hera Teleia 125
Heráclito de Éfeso 98, 119, 165
Hermafrodito 213s
Hermaphróditos 213
Hermes 14, 42, 90s, 103, 124s, 141, 199s, 200[2], 201-204, 204[6], 205s, 208s, 225, 229s, 263, 266, 271
Hermês 199
Hermes Trismegisto 205s, 208, 217
Hermeticum, Corpus 206, 206[8]
Hermíona 20
Herodes, o Grande 37[6]
Heródoto 35[5], 101, 117, 185
Heroides 106[6]
Heroides 106, 106[6]
Heroidum Epistulae 106[6]
Heroínas, Cartas de 106[6]
Herse 30
Hesíodo 13, 45s, 59, 117, 160, 162-164, 170s, 177
Hespérides 42, 108
Héstia 19, 69
Hiâmpolis 70
Hidra de Lerna 21
v. tb. antropogonia (órfica)
v. tb. touro (simbolismo do)
Higiia, 26
Higiia, 93
Higiia, Atená 29
Hino a Ártemis 69
Hino Homérico a Deméter 190
Hípaso 120[3]
Hiperbóreas, Virgens 105
Hiperbóreos 60, 66, 86, 100, 102, 112
Hiperenor 43
Hiperíon 19, 22, 73[5], 85[1]
Hípias 65
Hipócrates 74, 93, 145
Hipólito 69, 137[16], 167, 188, 202
Hipólito Porta-Coroa 137[16], 163[11]
Hipona 111
Hirmine 22
História das crenças e das ideias religiosas 102
História Romana 155
Homem-lua 75, 79

Homero 25s, 45, 47, 104s, 117, 142, 160-162, 170s, 176s, 203, 203[4], 219[1], 273
Honorato, Sérvio Mauro 257[28]
Horácio 194
Horácio Flaco 191
Horae 34
Hórai 34
Horas 23, 33, 34, 40
Hyákinthos 90
Hyguíeia 26

I

Iaco 117s, 132
Iaco dos Mistérios 118
Íakkhos 117
Iambos 129
Iâmidas 90
Íamo 90
Íbico 160
Ibn Sina 109
I Ching 114
Ictino 30
Ida, Monte 203, 214
Idas 89s
Idília 22
Ídmon 27
Ifigênia 67, 70
Ifigênia em Áulis 70
Ifigênia em Táuris 70
Ilha de Apolo 105
Ilha de Creta 35, 118, 171
Ilha de Delos 60s, 85, 104
Ilha de Ítaca 25
Ilha de Lesbos 149
Ilha de Minos 35, 176
Ilha de Naxos 145
Ilha de Ogígia 203
Ilha de Ortígia 59
Ilha de Sicília 24
Ilha dos Bem-Aventurados 149, 171
Ilha Enone 249[19]
Ilíada 25, 41, 45, 69, 86, 88, 93, 127, 160, 201
Ílion 67, 91
Ilíria 44
Ilírio 44
Ilítia 19, 40, 51, 60, 63, 65
Índia 36, 45, 61, 80, 175, 216
Indra 36
Inferno 61
Ino 43, 125
Inquietação 226
Io 35, 35[5], 203
Íon 90
Irene 33, 34
Íris 21, 60
Isaac 62
Ísis 79s, 122, 123
Ísis, Mistérios de 262
Ísis-Neit 79
Ismênio 87
Ismênio, Apolo 105
Ísquis 92
Israel 62, 201
Ištar 76-80, 249
Ítaca 25
Ítaca, Ilha de 25
Itália 37, 159, 163
Ítis 42
Ixíon 41

J

Jacinto 90
Jacó 62
Jaguar 187
Jápeto 19
Jardim do Éden 174

Jardim do Hades 33[4]
Jasão 36, 38s, 64, 92[2], 93
Javé 33, 55, 152, 201
Jericó 110
Jerusalém 64
Jerusalém, Templo de 61, 81
Jessé 109
Jesus 82
Jó 55
João 110
João Batista 213
Jônia 149
Jônios 90
Jordão, Rio 110
Josias 80s
Júpiter 50, 62
Justiça 34
Juvenal, Décimo Júnio 96

K
Kárias 71
Karneîos 88
Kathársios 88
Kedreâtis 71
Kêres 140
Kheíron 92[2]
Khrestérios 88
Khrónos 165
Ksóanon 25
Kypárissos 91

L
Lábdaco 42
Labirinto 35
Labirinto de Cnossos 145
Lacônia 43, 71s
Lada 59
Laércio, Diógenes 65
Lagash, Gudea de 215
Lago de Lerna 144
Lago Tritônio 24
Lampécia 22
Laomedonte 91
Lápitas 92
Láquesis 33
Leão de Nemeia 69
Learco 125
Leda 20, 23, 113s
Leda-Gansa 113
Leis 166
Lemníades 242[13]
Lemnos 45, 47
Lénaion 132, 139s
Lénaion, Dioniso do 132
Lénaion, Santuário de 141
Lerna, Hidra de 21
Lerna, Lago de 144
Lerna, Pântano de 121
Leros, Ferecides de 175
Lesbos, Ilha de 149
Lete, Rio 173s
Letó 59
Leto 19, 40, 58-60, 60[1], 63, 65s, 72, 86, 88, 91, 100, 102, 104, 107
Lêucade 105s
Leucádia 105
Leucipe 120[3]
Leucipo 171
Leucoteia 42
Leukás 105
Líbia 35[5], 119[2]
Licáon 41s
Lícia 59s
Lício 88
Lício, Apolo 105
Lico 19
Licógenes 60
Licurgo 119-121

Lídia 27, 91, 101, 242[13]
Lino 89
Lipareu 47
Lípari 47
Liríope 182-186, 188s, 191, 194, 220
Listra 217
Lívio, Tito 155
Livro dos Mortos 63, 172
Livro Maia dos Mortos 172
Ló 151-153, 187
Lócrida 147
Loksías 88
Lóxias 88, 101
Lua 37, 43, 59, 62, 71-76, 77[8], 78[10], 79-82, 86, 87[1], 150, 169, 171
Lua, Homem- 75s, 78s
Lua, Pássaro- 76
Lua-Ártemis 73
Lua Negra 73, 82
Lua-Vesta 81
Lúcio Apuleio 123, 204, 219, 219[1]
Luminosa 60
Lýkeios 88

M

Macáon 93
Macedônia 41
Madauro 219[1]
Mãe, Grande 24, 26, 31, 59, 69, 70, 72, 119, 124, 126, 165, 220, 227, 232, 245-247, 253, 257s, 260-262
Mãe-Terra 39, 98
Mãe, Terra 125, 141, 242[13], 268
Mãe, Vênus 39
Mãe de Deus 78

Mães, Deusas 225
Mães, Grandes, 225
Magna Graecia 159, 171[17], 172
Magno, Alexandre 47
Maia 91, 199, 199[1], 200-202, 204, 215, 267, 271s
Maligno 110
Mana-Quillas 81
Manassés 81
Mâneton 82
Manto 90
Marão, Públio Vergílio 148, 153
Maratona 70
Maria 82, 196
Maria, Assunção de 81
Marpessa 89s
Mársias 91s
Marte 50, 62
Mater, *Bona* 80
Mazda, Ahura- 38
Meca 103
Mecone 168
Medeia 107
Medeia 22, 64, 87[1], 123
Mediterrâneo 104, 145
Medo 41
Medusa 21, 32
Megapentes 20
Megera 140
Melampo 184
Meléagro 67s
Meles, Rio 149
Melicertes 125
Mêmmon 22
Memória, Fonte da 173s
Mênades 102,120, 127, 129, 142s, 145, 148, 150, 154, 161
Menino, Dioniso 146
Menor, Ásia 104s, 112, 118, 214
Mercúrio 62, 204-206, 216
Mercurius 204
Mérope 199[1]

Meru, Monte 61
Mesopotâmia 37, 80 ,174
Messena 90
Metamorfoses 189, 204, 219, 219[1], 230
Métis 19, 23s, 163
Midas 92
Mileto 105, 220
Mileto, Tales de 65
Miníades 120, 120[3] ,251
Mínias 120[3]
Minos 22s, 35, 87[1], 119, 145
Minos, Ilha de 35, 176
Minotauro 35, 105, 145
Mirmidões 249[19]
Mirra 149
Mistérios de Elêusis 10, 118, 151, 173[21]
Mistérios de Ísis 262
Mistérios de Orfeu 171
Mistérios, Iaco dos 118
Mistérios Órficos 257[28]
Mitra 37s, 38[6], 62
Mnemósina 23, 267
Moîra 137s, 165
Moiras 33, 67
Moisés 36, 215
Monás 164
Montanha Cósmica 61s
Monte Citerão 125, 183
Monte Eta 150
Monte Garizim 61
Monte Ida 203, 214
Monte Meru 61
Monte Nisa 119, 119[2], 125, 127, 203, 275
Monte Parnaso 86, 98s, 270
Monte Sinai 215
Monte Tmolo 91
Mopso 90
Mortos, Livro dos 63, 172
Mortos, Livro Maia dos 172
Mosiclo 42
Muníquia 132
Muníquia, Ártemis 71
Musas 40, 88s, 92, 99, 102, 113, 135, 144, 147, 169, 177, 229
Museguétes 89
Museu 163[11], 169
Museu de Epidauro 94
Myrmidónes 249[19]

N

Nacon 64
Nandî 36
Narciso 14, 84, 181-195, 198, 214, 224
Nárkissos 181
Nasão, Públio Ovídio 106
Naxos 119[2], 145
Naxos, Ilha de 145
Neera 22
Negra, Lua 73, 82
Nemeia, Leão de 69
Nêmesis 20, 186, 189
Nereidas 21
Nereu 21
Nicóstrato 20
Níke 25
Nilo 114, 252
Ninfas 125, 127, 213 ,275
Ninguém 242[13]
Níobe 60, 67, 108
Nique 21, 29
Nisa 119, 119[2], 125, 190
Nisa, Monte 127, 203, 275
Nix 164
Noite 164s
Nômio 88
Nómios 88
Noto 22
Novo Testamento 55s, 82, 195

Nut 113
Nyseíon 119[2]

O

Obreira 27, 28
Oceânidas 19
Oceano 19, 87[1], 164s, 252
Ocno 257, 257[28], 258
Ocnus 257[28]
Odin 50
Odisseia 25, 127, 152, 201, 203, 268, 274
Ofioneu 185
Ogígia, Ilha de 203
Óknos 257[28]
Olímpia 69, 71, 90, 99
Olimpo 34, 40s, 44-47, 49, 57, 60, 66, 125, 127, 129, 144s, 149s, 157, 168, 177s, 183, 185, 203, 227[3], 229-231, 253, 263, 267s, 273s
Onomácrito 162
Oração da Coroa, A 122
Oráculo 41, 184
Oráculo de Apolo 90, 220, 223, 232, 250[20]
Oráculo de Delfos 85s, 96, 101, 103, 107, 130, 184, 269
Oráculo de Delos 104
Oráculo de Geia 86, 96, 270
Orco 228
Orcômeno 120, 120[3]
Orestes 20, 30, 88, 97s
Oréstia 88, 152
Orfeu 10, 69, 88s, 147-150, 150[1], 152-154, 156-162, 163[11], 164s, 169-171, 174, 177-179, 221
Orfeu, Mistérios de 171
Órficos 119, 163[11], 172[18]
Órficos, Mistérios 257[28]
Orfismo 130, 147, 149, 156-164, 166-170, 172, 174[22], 175-178
Oriente 160
Oriente, Extremo 114
Oríon 69, 199[1]
Ormadz 39
Orphas 160
Orpheús 147
Órtia, Ártemis 70, 71
Ortígia, Ilha de 59
Ortro 21
Osíris 37, 76, 81, 122s, 128[7], 154, 155
Osíris, Paraíso de 206
Oto 42, 69, 269
Ouro, O Asno de 219[1]
Ouro, Pomos de 42
Ouro, Velocino de 28, 251
Ovídio 184, 189, 192, 194, 204
Oza 64

P

Pã 73[5], 200, 211, 224, 250, 271
Págos, Áreios 42
Paieón 88
Paládio 25, 26
Palante 19
Palas 21, 24, 30
Palas Atená 25, 30, 32
Palatino 107
Palêmon 49
Palestina 36, 61
Panaceia 93
Pandia 73[5]
Pandíon 30, 42
Pandora 19, 46, 57, 229, 273
Pândroso 30
Pântano de Lerna 121
Papiro Derveni 159, 164s
Paracelso 159, 211

Paraíso 66, 174
Paraíso de Osíris 206
Parcas 257
Páris 20, 25, 203
Parnaso 97s, 101s, 122, 270
Parnaso, Monte 86, 98s, 270
Paros 189
Partenón 29, 30
Parthénos 29s
Pasífae 22, 87[1]
Pássaro-Lua 76
Patras 70
Paulo 217
Pausânias 35[5], 120, 175, 185, 190s, 200
Paz 34
Pedro 56, 196
Peéon 88
Peleu 92[2] ,93
Pélias 123
Pélion 92, 92[2]
Peloponeso 43, 71, 71[4], 228, 248
Peloro 43
Penélope 13, 152
Peneu 89
Peneu, Deus-Rio 89
Penteu 44, 120s
Péricles 129
Perifetes 49
Persas, Os 202
Perséfone 10, 19, 33, 33[4], 121, 141, 148s, 172-174, 176, 181, 190, 202, 227s, 231, 242[13],255-262, 272
Perséfone, Core 260, 269
Perseis 22, 87[1]
Perses 19, 21, 22, 87[1]
Perseu 23, 32, 121, 203, 215
Pérsia 101
Petélia 172
Petro 196
Pháma 221[2]
Phánes 163[12]
Phéme 221[2]
Phoebe 107
Phoíbe 72
Phoîbos 72
Phrátrios 88
Pianépsion 106
Píeris 20
Pilos 121, 199
Píndaro 117, 135, 156, 166, 178
Pirene 41
Pireu 71, 132
Pirítoo 170, 258
Pírois 87[1]
Pirra 19
Pisístrato 105, 129, 131
Pitágoras 157-159, 171, 175
Pitagoricismo 158-160, 178
Pítia 90, 97, 99-103
Pítica 136
Pítio 100
Pítio, Apolo 105
Píton 60s, 67, 86, 88, 96-100, 184, 270
Píton, Dragão 96
Pitonisa 97-103
Placídia, Gala 178
Platão 48, 95, 102, 104, 131, 150[1], 159, 163[11], 166, 169, 171s, 174, 174[22], 195s, 245, 269
Plateias 125
Plêiades 199, 199[1]
Plêione 199[1]
Plotino 56, 174, 194s, 207
Plutão 33[4], 92, 118, 122, 141, 148, 173, 179, 190, 228, 257, 259s, 267, 269, 272
Plutarco 43, 71, 73, 75, 79, 102, 119, 123, 125

Pluto 141, 269
Podalírio 93
Poliás 25, 29
Poliás, Atená 30, 48
Policleto, o Jovem 95
Polidoro 43
Polignoto 175
Poliido 184
Polimnestor 185
Polinice 84
Pólux 23, 84, 93, 114
Pomos de Ouro 42
Ponto Euxino 242[13]
Porfírio 207
Porto-Coroa, Hipólito 137[16], 163[11]
Posídon 19, 21, 26, 35[5], 36, 42, 89, 91, 129, 225, 242[13], 266-269
Postúmio 155
Potâmia 71
Pótnia Athenaíe 26
Prátinas 134
Praxítea 30
Príamo 90, 201, 272
Primordial, Terra 96
Procne 42
Profetas 55
Prómakhos 30
Prometeu 10, 19, 28, 48, 50, 57, 58, 92[2], 168, 203
Prometeu Acorrentado 49, 136
Prometeu, Titã 49
Protágoras 48
Prudêncio, Aurélio Clemente 205
Pseudo-Dionísio Areopagita 66
Psiqué 177s, 183 ,191 ,203 ,219, 219[1], 220-239, 239[10], 240-244, 244[15], 245-250, 250[20], 251-255, 255[27], 256s, 257[28], 258-263
Psiqué, Eros de 243
Psykhé 219
Ptóos 87
Ptóos, Apolo 105
Públio Ovídio Nasão 106
Públio Vergílio Marão 148, 153
Púnica, Guerra, 80

Q
Quere 41
Queres, 55, 140s, 257
Queroneia 124, 144
Quetzalcóatl 218
Quillas, Mana- 81
Quimera 21
Quimereu 19
Quinto Horácio Flaco 107, 157
Quirão 19, 92[2]
Quirão, Centauro 92
Quirino 50

R
Ra 63
Rãs, As 118, 136, 143 ,175
Radamanto 23, 35
Raguel 111
Ravena 178
Régio 160
Rei, Arconte 28[3], 140
Rei, Édipo 45, 117, 127, 193, 275
Reia 19, 165, 265, 267
Remo 84
Renascimento 159, 178
República 104, 163[11], 169, 173-175, 196
Reso 201
Rig Veda 35, 154
Rio Aqueloo 90, 182
Rio Cefiso 182, 185, 194
Rio Estige 33[4], 124, 190, 194, 274
Rio Hebro 149, 154

Rio Jordão 110
Rio Lete 173, 174
Rio Meles 149
Rio Tibre 81
Rishi 109
Rode 19, 22
Roma 37, 61, 80s, 107, 117, 151, 172, 205, 206s, 257[28]
Romana, História 155
Rômulo 50, 84
Rudra 35

S
Sabázio 122
Sábios 85
Sacerdotes de Asclépio 94
Saeculare, Carmen 107
Safo 106
Sagitária 67, 70
Salamina 43, 71, 132
Sálmacis 214
Salomão 36, 108, 110
Sansão 251
Santuário de Asclépio 94
Santuário de Bráuron 70, 72
Santuário do Lénaion 141
Sara 111s
Sarpédon 23, 35
Satã 110
Sátiros 125, 127, 133[14], 134s, 140, 145, 200[2]
Saturno 62
Secular, Canto 107
Selene 19, 22, 66, 72-74, 78, 87[1]
Seléne 72s, 73[5], 82
Semeados, Os 42
Sêmele 43, 65, 118, 121, 123s, 126, 129, 131s, 144, 251
Seméle 124
Semelô 124
Senhor Arqueiro 86
Sereias 222
Serpente 21
Sérvio Mauro Honorato 257[28]
Sétimo 85
Sibéria 112
Sicília, Ilha de 24
Siciônios, Tesouro dos 160
Sículo, Diodoro 35[5]
Sídon 34, 35[5]
Sin 37, 79
Sina, Ibn 109
Sinai, Monte 215
Síntios 45
Siros, Ferecides de 175
Sísifo 148, 199[1]
Smaragdina, Tabula 209
Smintheús 87
Soberana, Atená 26
Sócrates 105
Sodoma 151
Sófocles 40, 47, 117, 127, 135, 143, 152, 193, 200[2]
Sol 39, 59, 62, 72, 87, 87[1], 89s, 92, 98, 171
Sólon 26[2], 129
Spartoí 43
Suda 163[11], 184

T
Tabor 61
Tábula de Esmeralda 209
Tabula Smaragdina 209
Tácito, Cornélio 50
Taígeta 199[1]
Taígeto 72
Tales de Mileto 65
Talia 89
Talmude 78[10], 111

Talo 34
Talos 35
Tanagra 120
Tântalo 148
Targélion 106
Tártaro, 41, 170, 177, 267
Táuris 70
Táuris, Ifigênia em 70
Tebas 335, 42-44, 84, 87, 105, 108, 119[2], 127, 135
Teia 19, 22, 73[5], 87[1]
Teiresías 183
Telefassa 34, 35[5], 43
Télefo 91
Telégono 22
Teleia, Hera 125
Têmis 23, 27, 33, 34, 267
Tempe 88, 91, 97
Tempo 163,165
Templo de Apolo 90, 98, 100
Templo de Jerusalém 61, 81
Tênaro 228
Tênaro, Cabo 256
Teodósio 205
Teofrasto 169
Teogonia 13, 165
Tereu 42, 271
Terra 61, 63, 86, 96, 99, 113, 126, 164, 171, 174, 175, 208, 221[2], 226, 230, 263
Terra do Vento Norte 86
Terra Primordial 96
Terra-elemento 39
Terra-Mãe 125, 141, 242[13], 268
Terror, 41,271
Teseu 20, 28, 49, 105, 137[16], 145, 257
Tesouro dos Siciônios 160
Téspias, Fonte de 188, 190, 191, 194
Tessália 89, 199, 204, 205, 271
Tessalonica 159
Testamento, Antigo 33, 55, 64, 75, 109, 152
Testamento, Novo 55, 56, 82, 195
Tétis 19, 46, 87[1], 91, 119, 123, 273
Thessalicae 205
Thödol, Bardo 172
Thyóne 127
Tiaz 85
Tibre, Rio 81
Tifão 21, 202, 267
Tífon 48
Tione 127
Tirésias 90, 102, 152, 183-185, 189
Tireu 67
Tiro 34, 35[5]
Tisâmeno 20
Tisífone 140
Titânes 122
Titã Prometeu 49
Titãs 87[1], 122s, 143, 165s, 266-268
Títio 60, 60[1], 67
Tito Lívio 155
Tito Lucrécio Caro 56
Titono 22
Tityós 60[1]
Tmolo, Monte 91
Tobias 112s
Tochas, Festa das 81
Tórico 132
Torre 228, 250[20], 255-261
Tot 205s
Touro 35, 37, 39
Trabalhos e Dias 13
Trácia 35, 43s, 117, 119, 119[2], 145, 148, 150, 153, 156s, 161, 168, 271
Trácio, Diomedes 41, 271
Trezena 43
Trismegisto 216
Trismegisto, Hermes 199, 205s, 217, 272

Tristeza 226
Tritão 19
Tritoguéneia 24
Tritônio, Lago 24
Tróada 91
Trofônio 184
Troia 25, 47, 58, 91, 227[3]
Troia, Guerra de 25, 41, 270
Troianos 41, 67, 156, 266, 270
Trós 227[3]
Tsimshian 188
Tucídides 139
Túrio 172

U
Udeís 242[13]
Udeu 43
Ulisses 13, 22, 25, 32, 55, 152, 170, 202, 203, 268
Ur 37, 38
Urânia 89
Úrano 19, 24, 36, 50, 164, 173, 232
Ursa, Grande 109

V
Varuna 50, 114
Veda, Rig 35, 154
Velocino de Ouro 28, 251
Vento 222
Vento Norte, Terra do 86
Ventos 21
Vênus 37, 39, 62
Venus Genetrix 39
Vênus Mãe 39
Vergílio 153
Vespas 181
Vesta, Lua- 81
Vestais, Virgens 81
Vida, Água da 174
Vida, Árvore da 174
Vidas e Doutrinas dos Filósofos 65
Virgens Hiperbóreas 105
Virgens Vestais 81
Vishnu 68
Vitrúvio 71[4]
Volúpia 230, 263
Vozes 221s, 236
Vrishabha 36

W
Winnipeck 80

X
Xenodamo 20
Xenofonte 70s
Xuto 90

Y
Yggdrasil 61

Z
Zacarias 110, 213
Zagreu 117-119, 121-124, 160, 165, 176
Zagreu, Dioniso 166
Zéfiro 22, 91, 220-222, 224, 231, 235
Zelo 21
Zeus 20, 35, 35[5], 40, 43, 45s, 48-50, 57, 59s, 60[1], 62, 65, 67s, 73[5], 85s, 88-92, 97, 103, 113s, 119, 121s, 124-129, 136s, 163-165, 168, 183-185, 187, 190, 199, 199[1], 200-203, 225, 227, 229-231, 242[13], 245, 249[19], 251, 253, 262, 266-268
Zeus, Águia de 227, 227[3], 252, 262
Zeus-Cisne 23,113
Zeus Frátrio 49
Zodíaco 35, 39

Índice analítico

Observações: 1) As palavras ou expressões gregas transliteradas para caracteres latinos aparecem em grifo. O mesmo ocorre com nomes de obras ou palavras de língua estrangeira. 2) Os números ligados por hífen indicam que o assunto tratado no verbete continua nas páginas indicadas. 3) Os números em índice referem-se às notas de rodapé.

A

Ábaton
– A. de Epidauro 92
v. tb. santuário (de Epidauro); *thólos*; Asclépio (mito de)

Abstinência
– A. órfica 160
v. tb. Orfismo (antropogonia órfica)

Abundância 82
v. tb. ambivalência (do Orfismo)

Ação
– força em A. 63
v. tb. *enérgueia*; mana

Acha 257, 257[28]
v. tb. falo (símbolos fálicos inúteis); Psiqué (mito de Eros e P. – as quatro provas)

Adivinhação 54, 93, 183
v. tb. magia; *mántis*; serpente

Adoção
– A. paterna 126
v. tb. coxa (gestação na C. divina); Dioniso (mito de)

Adorador
– mergulho de Dioniso em seu A. 137
v. tb. entusiasmo

Ádyton 98-101
v. tb. impenetrável; útero; vagina; cavidade

Afrodite
– governante do signo de touro 37-39
v. tb. touro (signo de)
– "nova" A. 232
v. tb. Psiqué (mito de Eros e P.)

Ágan
– *medèn A.* 98, 130, 137
v. tb. demasia (nada em); moderação; Delfos (Oráculo de)

Agieu 88
v. tb. *Aguyieús*; Apolo (atributos de)

Agni 45, 76
v. tb. fogo (deus do); Hefesto (mito de); menstruação

Agradecimento(s)
– A. antecipados 26
v. tb. *prokharistéria*; fertilidade (dos campos)

Agrário(s)

– ritos A. 128[7]
v. tb. deus (da vegetação); vegetação (espírito da)
Agricultura
– trabalho do homem e da mulher na A. 73
v. tb. Lua (poderes e efeitos da)
Agriônias 119
v. tb. Dioniso (mito de)
Água(s) 38, 47, 115, 209, 262
v. tb. Lua; fecundidade; fogo; Sol; touro (simbolismo do); chama; Hefesto (mito de); união (dos opostos); cisne (simbolismo do); feminino; elemento(s) (formador do Universo / os quatro E.); alquimia; caniço
– A. da vida 252
v. tb. fonte
– A. lustral 36
v. tb. mar (de bronze); touro (simbolismo do)
– A. primordiais 61
v. tb. *tehôm*; centro (simbolismo) do C. do mundo
– detentora de energia sexual 257[28]
– escoamento das A. 182
v. tb. fertilidade
– espírito das A. 193s
v. tb. Narciso (interpretação do mito)
– fluxo da A. da vida 259
v. tb. masculino (incontível); Psiqué (mito de Eros e P. – as quatro provas)
– jarra cheia de A. 252
– purificação pela A. 119
Águia 32, 250[20]
v. tb. Sol; conhecimento (intuitivo)
– A. de Zeus 252, 262
v. tb. Psiqué (mito de Eros e P. – as quatro provas); ar; elementos (os quatro)
– A. do espírito masculino 254
v. tb. pilhagem (do espírito masculino)
– simbologia da A. segurando a jarra 241
v. tb. espiritualidade (masculino-feminina)
Aguyieús 88
v. tb. Agieu; Apolo (mito de – atributos)
Ahriman 38
v. tb. trevas; mal; Sol; bem
Ajuda
– aceitar ou dar A. 259
v. tb. comunhão; identidade
Akésios 86
v. tb. cura (o que); Apolo (mito de – atributos)
Albedo 210, 214[14]
v. tb. branco; matéria (fases da); alquimia;
Alef 37
v. tb. touro (simbolismo do)
Alimentação
– educação e A. da criança 69
v. tb. *paidotróphos*
Alimento(s) 257
v. tb. fixação; permanência
– restrições alimentares 78, 78[10]
v. tb. castração (complexo de); menstruação (tabus da)
Aljava 66
v. tb. seta; flechas; arco; Ártemis (mito de)
Alma(s) 155,197
v. tb. cabeça; crânio; reflexo; *imago*
– A. do mundo 207
v. tb. trindade (neoplatônica); neoplatonismo; hermetismo
– A. personificada 219
v. tb. Psiqué (estágios da); Eros; Amor (personificado)

– condução das A. 202
v. tb. deus (psicopompo); Hermes (atributos e funções)
– conduzir as A. na luz e nas trevas 204s
v. tb. Hermes (atributos e funções)
– dualismo corpo-A. 158
v. tb. orfismo; pitagoricismo
– libertação final da A. 167
– metade da (sua) A. 148
v. tb. *animae*; Orfeu; Eurídice
– purificação da A. 209
v. tb. pedra (filosofal)
– purificador da A. 88
v. tb. *kathársios*; Apolo (atributos de)
– reassunção/transmigração da A. 168[14]
v. tb. metempsicose; ensomatose
– transmigração das A. 160
v. tb. orfismo
Alquimia 199-202, 205s, 208
v. tb. Hermes
– definição de A. 208
Amarelo 210
v. tb. citrinitas; matéria (fases da); alquimia
Amazonas 230(231)[121], 232[123]
Amazônico
– nível A. 241, 242[13]
v. tb. ginecocracia
Âmbar 65
v. tb. mana; energia; eletricidade
Ambivalência
– A. da Lua 82
v. tb. Lua (simbolismo da)
Amor 75
v. tb. *Éros*; Sol/Lua (diferenças)
– A.-consumação 263
– A. personificado 219
v. tb. Eros; alma (personificada)
– auto-A. 192
v. tb. Narciso (interpretação do mito de)
– encontro do A. 260
v. tb. gravidez (de Psiqué); Psiqué (mito de Eros e P. – as quatro provas)
– encontro individual 262
v. tb. Psiqué (mito de Eros e P. – desfecho feliz)
– idade do A. humano 246
v. tb. Psiqué (mito de Eros e P. – tentação e paixão)
– objeto do A. de Narciso e Édipo 191
– pré-requisito do A. 245
v. tb. Psiqué (mito de Eros e P. – tentação e paixão)
– redenção através do A. 262
v. tb. Psiqué (mito de Eros e P. – desfecho feliz)
– situação de A. 251
v. tb. Sol (pôr do S.); masculino (aproximação do M. com o feminino)
Anábase 122
v. tb. catábase; morte (de Dioniso)
Anagnórisis 193
v. tb. conhecimento
Androcracia 241, 242[13]
v. tb. ginecocracia; matrilinhagem; patrilinhagem
Androginia
– A. da Lua 78s
v. tb. Lua (simbolismo da)
– andrógino primordial 214
v. tb. Hermafrodito (mito de); *Rebis*
Anel(éis) 50s
v. tb. Hefesto (poder de atar/desatar)
Anér 137s
v. tb. herói; ator; tragédia (apolinização da)

Anima 150, 150[2]
v. tb. *animus*; feminino; masculino
Animae
– *dimidium A. eius* 148
v. tb. alma (metade da sua); Orfeu; Eurídice
Animal(ais)
– fecundação dos A. 80
v. tb. puta; meretriz
Animismo 53, 53[14]
v. tb. magia
Animus 150[2]
v. tb. *anima*; masculino; feminino
Aniversário 182
v. tb. *anniuersarius*
Anniuersarius 182
v. tb. aniversário
Ano
– A. velho/novo 182
v. tb. narciso (flor)
Ánothen 216
v. tb. saber (divino)
Antestérias 131, 135, 139-144
v. tb. *anthestéria*; Dioniso (culto a)
Anthestéria 139
v. tb. antestérias; flores (festa das)
Ánthropos 137s
v. tb. mortal (simples); tragédia (apolinização da)
Antídoto
– A. eficaz 202, 203, 203[4]
v. tb. *phármakon* (*esthlón*); móli; Hermes (atributos e funções)
Antropogonia
– A. órfica 165-169
v. tb. antropogonia (órfica)
Antropologia
– A. órfica 165-169
v. tb. antropologia (órfica)
Apaixonar-se
– A. por si mesmo 189-191
v. tb. Narciso (mito de); *imago*; *umbra*
Apatúria(s) 48
v. tb. Hefesto (culto a)
– Atená A. 26
v. tb. Atená (epítetos de)
– festa ateniense 26[2]
Apéllai 85
v. tb. *Apóllon*; povo (assembleia do)
Apolinismo
– divergências e convergências entre orfismo e A. 160
Apóllon 85
v. tb. Apolo
Apolo 60, 72, 85-115
v. tb. Licógenes; Febo; *Phoîbos*; *Phoíbe*; Febe; Sol; Hélio
– culto e epítetos de A. 104-107
– "êxtase" e "entusiasmo" píticos 102s
– influência político-social e religiosa do Oráculo de Delfos 103s
– mito de A. 85-99
– – atributos de A. 86s
– – amores de A. 90-92
– – provas de A. 91
– – A. e Corônis: Asclépio 92-95
– – senhor do Oráculo de Delfos 96-100
– sacerdotisa de A. 100-102
– simbolismo do cisne 113s
– simbolismo do número sete 107-111
Ar 209s, 262
v. tb. masculino; elemento(s) (formador do Universo / os quatro); alquimia; águia (de Zeus)
Aracne
– disputa entre Atená e A. 27-28
v. tb. aranha; Atená (mito de)
Aranha 27, 28
v. tb. Aracne (disputa entre Atená e); ilusões
Arauto

– bastão de A. 215
v. tb. caduceu (de Hermes)
Arco 66
v. tb. seta; flechas; aljava; Ártemis (mito de)
– A. de prata 86
v. tb. Apolo (mito de)
– simbolismo do A. 97
v. tb. Delfos (Oráculo de)
Arco-íris 108
v. tb. sete (simbolismo do número)
Áreios
– *A. págos* 42
v. tb. areópago; colina (de Ares)
Areópago 42
v. tb. *áreios* (*págos*); colina (de Ares)
Ares
– mito de A. 40-45
v. tb. *Áres*; guerra (deus da); *Enyálios*; belicoso
Areté 126
v. tb. *timé*
Argirótoxo 86
v. tb. toxóforo; arco (de prata); Apolo (mito de)
Aristerá 151
v. tb. esquerda
Árktos 66
v. tb. urso; Ártemis (mito de)
Arquétipo
– análise do mito como A. 14
v. tb. inconsciente (coletivo)
Arréforas 28, 28[3]
v. tb. *arrephóroi*
Arrephóroi 28[3]
v. tb. arréforas
Ártamos 66
v. tb. sanguinária; Ártemis (mito de)
Arte
– amor pela A. 48
v. tb. *philotekhnía*; *philosophía*
Ártemis 59, 66-84
v. tb. Lua
– A. ocidental/asiática 70
– culto a A. 70-72
– – epítetos de A. 71s
– fenômeno dos gêmeos 82-84
– mito de A. 66-70
– personificação da Lua 72
– simbolismo da Lua 72-83
– – vínculo entre a L. e a mulher 75-77
Árvore 61, 128[7], 256
v. tb. centro (simbolismo do C. do mundo); deus (da vegetação); falo (da terra)
– senhora da A. 71
v. tb. Ártemis (epítetos de) 68
Asa(s)
– sandálias providas de A. 206, 214s
v. tb. sandálias; Hermes (iconografia)
Ascálafo 33-33[4]
v. tb. coruja
Ascensão
– A. ao divino 62
v. tb. escada (simbolismo da); centro (simbolismo do C. do mundo)
Ascese 161
v. tb. orfismo
Ascetismo
– A. órfico 167s
v. tb. orfismo
Asclépio
– mito de A. 92-96
v. tb. Apolo (mito de)
Assembleia(s)
– A. do povo 85, 129
v. tb. *apéllai*; *Apóllon*; *ekklesía*
Astúcia
– A. e inventividade 202
v. tb. Hermes (atributos e funções)
Atanor 210s
v. tb. ovo (filosófico); alquimia

Atar
– segredo de A. e desatar 46, 49-58
v. tb. Hefesto (poder de); nós
Áte 138s
v. tb. razão (cegueira da); tragédia (apolinização da)
Atená
– mito de A. 23-33
– – epítetos de A. 25-27, 28, 29, 30
– – evolução do perfil de A. 31-32
v. tb. Zeus (uniões de)
Atenas
– evolução político-social e religiosa 129s
– paládio de A. 25
v. tb. *ksóanon*
Athanasía 130
v. tb. *gnôsis*; *kátharsis*; religião correntes religiosas)
Athenâ 24
v. tb. Atená (mito de)
Athenaíe 24
v. tb. Mãe (Grande); Atená (mito de)
Ator 137s
v. tb. *anér*; *hypokrités*; herói; tragédia (apolinização da)
Atrás
– voltar A. 192s
v. tb. reflexo; *reflexio*; reflexão; Narciso (interpretação do mito)
Aucno 257
v. tb. Ocno
Augúrio 151
v. tb. direita
Ausência
– desejo da presença de uma A. 148
v. tb. *póthos*
Autoamor 192
v. tb. Narciso (intepretação do mito); vaidade
Autofecundação 210[12]
v. tb. fecundação; serpente; uróboro; alquimia
Auxo 34
v. tb. Horas; Dique; Justiça; crescer, a que faz
Ave(s)
– A. de Atená 30
v. tb. coruja
– A. noturna 32
v. tb. Lua; coruja
Axis
– *A. mundi* 216
v. tb. eixo (do mundo); equilíbrio; caduceu (de Hermes)
Azeitona
– óleo sagrado da A. 26
v. tb. oliveira
Azoth 211
v. tb. citrinitas; matéria (fases da); alquimia

B

Bacante(s) 117, 147
v. tb. *Bákkhe*; Baco; Dioniso (mito de); mênades
Bacchus 117
v. tb. Baco; Dioniso (mito de)
Baco 114, 117s
v. tb. *Bákkhos*; Dioniso (mito) de)
Bákkhe 113, 117
v. tb. Bacante; Baco; Dioniso (mito de)
Bakkheúein 113
v. tb. transe (estar em); delírio (ser tomado de um D. sagrado); Baco; Dioniso (mito de)
Bákkhos 117, 172[18]
v. tb. Baco; Dioniso (mito de); iniciado (órfico)
Banho

– B. ritual 120
v. tb. água (purificação pela); Dioniso (mito de)
Barril
– "útero" sem fundo 257[28]
Basílinna 140-142
v. tb. rainha (esposa de Dioniso); Antestérias
Bastão
– B. de arauto 215
v. tb. caduceu (de Hermes)
Beleza
– B. da mulher 262
v. tb. Psiqué (mito de Eros e P. – desfecho feliz)
– B. extraordinária 183
v. tb. *hýbris*; *métron*
– B. inútil 181
v. tb. narciso (flor)
– creme da B. imortal 259-262
v. tb. juventude (eterna de Perséfone e da Morte); Psiqué (mito de Eros e P. – as quatro provas)
Belicoso 43
v. tb. *Enyálios*; Ares
Bem 39, 162, 166
v. tb. Ormadz; Sol; trevas; mal; homem (dupla natureza do)
– luta do B. contra o mal 37s
v. tb. Mitra
Bem-aventurança 222
v. tb. Volúpia; prazer
Bíblia
– o número sete na B. 109-111
v. tb. sete (simbologia do número)
Biblioteca 95
v. tb. Epidauro (centro cultural)
Biopsíquico
– equilíbrio B. 94s
v. tb. harmonia; ordem; Asclépio (mito de)
Bissexualidade 256
v. tb. torre
Bode(s) 128[7]
v. tb. deus (da vegetação); vegetação (espírito da)
– "B. expiatórios" 105
v. tb. *pharmakoí*; targélias
Boi 139s
v. tb. fertilidade
Braços
– cruzar B./pernas 51
v. tb. parto; Hefesto (poder de atar/desatar)
Branco(a) 209s, 214[14]
v. tb. mercúrio; alquimia; albedo; matéria (fases da)
– cor B. 112
v. tb. luz (solar/lunar, masculina/feminina, diurna/noturna); negra (cor); cisne (simbolismo do)
Brilhante 32, 89
v. tb. coruja; *glaúks*; Apolo (atributos de)
– "o B." 86
v. tb. Febo (Apolo); Febe
Brômio 114
v. tb. Dioniso (mito de); Zagreu; Iaco
Brómios 118
v. tb. Brômio
Brómos 118
v. tb. estremecimento; frêmito; Brômio
Bronze 62
v. tb. Júpiter; degraus (da escada mitraica)
– mar de B. 36
v. tb. água (lustral); touro (simbolismo do)
– pés de B. 38
v. tb. touro (simbolismo do)
Brotar

– a que faz B. 33
v. tb. Horas; Eunômia; Disciplina; Talo
Bulbo
– plantas com B. 202, 203[4]
v. tb. bruxaria
Burro 257[28]
v. tb. falo (símbolos fálicos inúteis); Psiqué (mito de Eros e P. – as quatro provas)
Bruxa 259s
v. tb. madrasta; mãe (terrível)
Bruxaria 194(195)[97]
v. tb. plantas (com bulbo)

C
Cabeça 215
v. tb. Psiqué (sede da); inteligência (sede da)
– C. de javali 67s
v. tb. crânio (de javali); Orfeu (mito de)
– decepamento da C. 237s
v. tb. castração; Psiqué (mito de Eros e P. – tentação e paixão)
– simbolismo da C. 154-156
v. tb. crânio (simbolismo do)
Cabelo(s)
– C. da terra 252
v. tb. junco; masculino (poder destrutivo)
– função mediadora dos C. 214s
v. tb. chapéu (de Hermes); pétaso; coroa; Hermes (iconografia)
Caçador(a) 70
v. tb. Ártemis (mito de)
– grande C. 118s
v. tb. Zagreu
– proteção aos C. e pescadores 71
v. tb. Dictina; Ártemis (epítetos de)
Cadáver(es) 257
v. tb. espírito (ancestral); homem (morto)
– enfaixamento de C. e múmias 50
v. tb. Hefesto (poder de atar/desatar)
Cadeia(s) 49
v. tb. correntes; Hefesto (poder de atar/desatar)
Cadeira 257
v. tb. fixação; permanência
Cadela 82
v. tb. mãe (perversa); Hécate
Caduceu 204
v. tb. Hermes (atributos e funções)
– C. de Hermes 214s
v. tb. *kerýkeion*; serpentes entrelaçadas); Hermes (iconografia)
– C. de ouro 200
v. tb. Hermes (mito de)
Cálidon
– javali de C. 68s
v. tb. Ártemis (mito de)
Calíope
– musa C. 89
v. tb. Apolo (amores de)
Calquias 48
v. tb. *khalkeîa*; Hefesto (culto a)
Caminho
– C. para a realidade absoluta 62
v. tb. escada (simbolismo da); centro (simbolismo do C. do mundo)
Campo(s)
– fertilidade dos C. 26, 131
v. tb. Higiia (Atená); *kômos*; dionísias (rurais)
Canibalismo 63
v. tb. mana; energia (física/anímica)
v. tb. água; elementos (os quatro)
Caniço 262
v. tb. água; elementos (os quatro)
Capacete
– C. de Hades 202
v. tb. Hermes (atributos e funções); invisibilidade

Cárcere
– corpo como C. da alma 166
v. tb. antropogonia (órfica)
Cardeal(ais)
– pontos C. 151
v. tb. direções (tabu das)
Cariátides 71, 71[4]
v. tb. *karyâtis*
Carne
– consumação da C. crua e do sangue da vítima 70, 143
v. tb. omofagia; Ártemis (mito de)
Carneiro 251
v. tb. lã (de ouro); Sol; Psiqué (mito de Eros e P. – as quatro provas)
Carnio 88
v. tb. *karneîos*; Apolo (atributos de)
– Apolo C. 105
v. tb. Apolo (epítetos de)
Carpo 34
v. tb. Horas; Irene; frutificar (a que faz)
Casamento(s)
– C. de Zeus 23-24, 33, 34, 40, 45, 59
v. tb. Zeus (uniões de)
– C. para o homem e para a mulher 233[5]
v. tb. *nubere*
– C. por escolha da mulher 241, 242[13]
v. tb. demetrismo; ginecocracia
– C. sagrado 79, 80, 125, 126, 140, 141, 142
v. tb. *gámos* (*hieròs*); Lua (simbolismo da); Antestérias
– consumação do C. 234
v. tb. defloração; virgindade
– núpcias de morte 233-235
v. tb. Psiqué (mito de Eros e P. – interpretação)
– proteção ao C. 125
v. tb. Hera (Teleia); desregramentos
Cassandra 90
v. tb. *manteía*; profecia; Apolo (amores de)
Casta(s)
– C. hierarquizadas 9, 10
v. tb. hinduísmo
Castália 90
v. tb. Apolo (amores de)
Castração 237s
v. tb. decepamento (da cabeça); Psiqué (mito de Eros e P. – tentação e paixão)
– complexo de C. 77, 78[10]
v. tb. tabus (da menstruação); alimentos (restrições alimentares)
Catábase 122, 170
v. tb. *katábasis*; anábase; morte (de Dioniso)
– C. de Psiqué 256, 259
v. tb. Psiqué (mito de Eros e P. – as quatro provas)
– C. xamânica de Orfeu 149s
v. tb. anábase; Orfeu
Catamênio 74
v. tb. mênstruo; menstruação
Catarse 95, 106, 160, 207
v. tb. *kátharsis*; nooterapia; Asclépio (mito de); purificação; ofismo; Psiqué (mito de Eros e P. – estágios); alma (do mundo)
– C. órfica 167-170
Catrofania 187
v. tb. poder (urânico); caverna; gruta
Caverna 187
v. tb. gruta; catrofania; poder (urânico)
Cavidade 97s
v. tb. *stómion*; vagina; útero; *omphalós*
Cedro
– senhora do C. 71
v. tb. *kedreâtis*; Ártemis (epítetos de)
Cefiso 182
v. tb. *Képhisos*

Cegueira 183-185, 236
v. tb. Tirésias; *manteía*; mântica; *mántis*; visão (de dentro para fora); videntes; êxtase (de trevas)
– C. da razão 138
v. tb. *áte*
Cemitério(s)
– C. órficos 172[18]
Centro 109
v. tb. princípio; sete (simbolismo do número)
– C. do mundo 97
v. tb. *omphalós*; umbigo; útero
– simbolismo do C. do mundo 60-62
v. tb. Leto (mito de)
Cereal(ais)
– separação dos C. por espécie 248
v. tb. masculino (mistura urobórica do); promiscuidade
Céu(s) 65, 108
v. tb. cosmo (níveis cósmicos); três (simbolismo do número); sete (simbolismo do número)
– sete C. 62
v. tb. degraus (da escada mitraica)
Chama(s) 47
v. tb. fogo; água; Hefesto (mito de)
Chame 208
v. tb. negro; alquimia
Chapéu
– C. de Hermes 214
v. tb. pétaso; Hermes (iconografia)
Chefe
– C. tribal 79
v. tb. Homem-Lua; rei; *cuissage*
Cheia
– Lua C. 73
v. tb. Lua (simbolismo da)
Chifre
– simbolismo do C. 35, 36
v. tb. touro (simbolismo do); Europa (mito de)
Chumbo 62
v. tb. Saturno; degraus (da escada mitraica)
Cibele 80
v. tb. *mater* (*bona*); deusa (d. Lua)
Ciclo
– C. lunar 108
– C. completo 108
v. tb. sete (simbolismo do número)
Ciência
– C. secreta 204
v. tb. Hermes (atributos e funções)
– amor pela C. 48
v. tb. *philosophía*; *philotekhnía*
Cinaedi 80
v. tb. homossexualismo; emasculação; Lua (simbolismo da)
Cinco
– número C. 209, 210
v. tb. quintessência; pedra (filosofal); alquimia
Cinza(s) 209
v. tb. alquimia
Ciparisso 91
v. tb. Apolo (amores de)
Cipreste
– árvore da Grande Mãe 254
v. tb. Psiqué (mito de Eros e P. – interpretação)
Circum-ambulação 108
v. tb. sete (simbolismo do número)
Cirene
– ninfa C. 89
v. tb. Apolo (amores de)
Cirurgia 92[2]
v. tb. Quirão (centauro); medicina
Cisne(s) 86
– simbolismo do C. 112-114
v. tb. Apolo (mito de)
Cítara 147
v. tb. Orfeu (mito de)

Citrinitas 210, 211
v. tb. amarelo; matéria (fases da); alquimia
Çiva 36
v. tb. touro (simbolismo do)
Clarividência 82
v. tb. ambivalência (da Lua)
Cocção 123
v. tb. fogo (passagem pelo)
Colina 61
v. tb. centro (simbolismo do C. do mundo)
– C. de Ares 42
v. tb. Areópago
Colunata 199
v. tb. *hérma*
Comédia(s) 131, 132
v. tb. dionísias (rurais); Leneias; Dioniso (culto a)
Comedimento 135
v. tb. moderação
Comer 258
v. tb. fixação; permanência
– C. em conjunto 259
v. tb. comunhão; identidade
Complexio
– C. *oppositorum* 209-211
v. tb. união (dos contrários); hermafroditismo; mercúrio; alquimia
Complexo
– C. de castração 77, 78[10]
v. tb. tabus (da menstruação); alimentos (restrições alimentares)
Comunhão 258
v. tb. identidade
Condução
– C. das almas 202
v. tb. psicopompo (deus); Hermes (atributos e funções)
Conflito
– C. entre Psiqué e Afrodite 231, 232
v. tb. Psiqué (mito de Eros e P. – introdução)
Conhecimento 193, 194, 250[20]
v. tb. *anagnórisis*; torre; Psiqué (mito de Eros e P. – as quatro provas)
– C. esotérico da divindade 206
v. tb. gnose; hermetismo; Hermes (hermetismo)
– C. humano 256
v. tb. torre
– C. intuitivo 32
v. tb. Sol; águia
– C. racional 32
v. tb. Lua, coruja
– C. suprassensível 109, 110
v. tb. *ghaybat*; sete (simbolismo do número)
– “conhece-te a ti mesmo” 98
v. tb. *gnôthi* (*s'autón*); moderação; Delfos (Oráculo de)
– sede do C. contemplativo 130
v. tb. *ghaybat*; sete (simbolismo religiosas)
Consanguinidade 241, 242[13]
v. tb. ginecocracia; matrilinhagem
Consciência
– C. feminina 237-244
v. tb. Psiqué (mito de Eros e P. – tentação e paixão)
– aviltamento da C. 168
v. tb. orgiasmo; *órguia*
– encontro da C. 260
v. tb. gravidez (de Psiqué); Psiqué (mito de Eros e P. – as quatro provas)
Consumação
– C. da carne crua e do sangue da vítima 69
v. tb. omofagia; Ártemis (mito de)

– amor-C. 263
v. tb. Psiqué (mito de Eros e P. – interpretação)
Contemplação 208
v. tb. êxtase; Psiqué (estágios da); Unidade (Suprema)
– sede do conhecimento contemplativo 130
v. tb. *gnôsis*; religião (correntes religiosas)
Contrário(s)
– união dos C. 208-210
v. tb. *complexio* (*oppositorum*); hermafroditismo; mercúrio; alquimia
Contrato
– C. social 152
v. tb. sal (simbologia do)
Corão 9
v. tb. islamismo
Corça(s)
– massacre de C. e veados 69
v. tb. *elaphebólos*; Ártemis (mito de)
Corda(s) 50, 51, 52, 257, 257[28]
v. tb. Hefesto (poder de atar/desatar); falo (símbolos fálicos inúteis); Psiqué (mito de Eros e P. – as quatro provas)
Core
– C. a jovem 259s
v. tb. Psiqué (mito de Eros e P. – interpretação)
– rapto de C. 181-182
v. tb. Perséfone (rapto de); narciso (flor)
Corno(s)
– pequenos C. 215
v. tb. coroa; chapéu (de Hermes); Hermes (iconografia)
– recriação do C. 54
v. tb. magia (ativa)
Coroa
– simbolismo da C. 215
v. tb. poder; soberania; chapéu (de Hermes); pétaso; Hermes (iconografia)
Corônis
– ninfa C. 89
v. tb. Apolo (amores de)
Corpo 166
v. tb. antropogonia (órfica)
– cárcere da alma 166
v. tb. antropogonia (órfica)
– dualismo C.-alma 157s
v. tb. orfismo; pitagoricismo
– sandálias: substituto do C. 215
v. tb. sandálias (simbolismo das)
Corpus
– *C. hermeticum* 206s
– diferenças entre hermetismo e *C.H.* 205, 206[8]
Corrente(s) 49
v. tb. cadeias; Hefesto (poder de atar/desatar)
– C. cósmica 215s
v. tb. caduceu (de Hermes)
Coruja
– ave (atributo) de Atená 30, 31
v. tb. reflexão; *glaúks*; brilhante
– simbologia da C. 32
Cosmo
– montanha cósmica 62
– níveis cósmicos 61
v. tb. centro (simbolismo do C. do mundo)
– roda e ordem cósmica 36
v. tb. *dharma*; *vrishabha*
– unidade do C. 210
v. tb. uróboro; serpente; alquimia
Cosmogonia
– C. órfica 163-165
Couro
– C. de javali 67s
v. tb. pele (de javali); mana

Coxa
– gestação na C. divina 126-128
v. tb. adoção (paterna); Dioniso (mito de)
Cozimento 123
v. tb. fogo (passagem pelo)
Crânio
– C. de javali 67s
v. tb. cabeça (de javali); Orfeu (mito de)
– simbolismo do C. 154-157
v. tb. cabeça
Crença
– C. alquimista 208
Crepundia 123
v. tb. iniciação (símbolos de)
Crescer
– a que faz C. 34
v. tb. Horas; Dique; Justiça; Auxo
Crescente
– C. lunar 82
v. tb. Maria; Cristo; Sol
– quarto C. 73
v. tb. Lua (simbolismo da)
Creúsa 90
v. tb. Apolo (amores de)
Criação
– C. do mundo 108s
v. tb. sete (simbolismo do número)
– princípio da C. 163s
v. tb. cosmogonia (órfica)
Criador 208
v. tb. Demiurgo; alquimia
Criança
– educação e alimentação da C. 71
v. tb. *Paidotróphos*; Ártemis (epítetos de)
Crimes
– expiação das faltas e dos C. 147
v. tb. Orfeu (mito de)
Crióforo
– Hermes C. 200
v. tb. pastor; rebanho
Criselefantina
– *Parthénos* C. 30
v. tb. Atená (epítetos de)
Cristianismo
– orfismo e C. 177
Cristo 82
v. tb. Sol; Maria; crescente (lunar)
Cruzar
– C. braços/pernas 51s, 60, 63
v. tb. parto; Hefesto (poder de atar/desatar); Leto (mito de); Ilítia; mana
Ctônio(a)
– domínio do nível C. 202
v. tb. telúrico/olímpico (domínio do nível); Hermes (atributos e funções)
– mântica C. 99
v. tb. incubação (mântica por)
– viagem de Psiqué ao mundo C. 250[20]
v. tb. morte
Cuissage
– *le droit du C. du seigneur* 79
v. tb. núpcias (primeira noite de); rei; chefe (tribal)
Culto
– C. a Ares 43, 44
v. tb. Ares (mito de)
– C. a Ártemis 70-73
v. tb. Ártemis (mito de)
– C. do crânio 154s
v. tb. cabeça (simbolismo da)
– C. e epítetos de Apolo 104-107
v. tb. Apolo (mito de)
– divulgação do C. de Dioniso 148
v. tb. Orfeu (mito de)
Cura
– C. pela mente 93
v. tb. nooterapia; Asclépio (mito de)

– "aquele que C." 88
v. tb. *Akésios*; Apolo (atributos de)
– força curativa da sombra 196
Curandeirismo 54
v. tb. magia (ativa)

D
Daduco 132
v. tb. tochas (condutor de); Leneias
Dafne
– ninfa D. 89
v. tb. *dáphne*; loureiro; Apolo (amores de)
Daímon 118
v. tb. Iaco; *Íakkhos*
Danaides
– mito das D. 257[28]
– suplício das D. 174[22]
Dança
– D. da guerra 24, 28
v. tb. pírrica; Atená (mito de)
Dáphne 89
v. tb. Dafne (ninfa); loureiro; Apolo (amores de)
Dea
– *D. triformis* 82
v. tb. deusa (triforme); Ártemis; Selene; Hécate
Decepamento
– D. da cabeça 237s
v. tb. castração; Psiqué (mito de Eros e P. – tentação e paixão)
Defloração 234
v. tb. virgindade; flor
Degrau(s)
– D. da escada nos mistérios de Mitra 60
v. tb. escada (simbolismo da)
Deksiá 151
v. tb. direita; augúrio (bom)
Delfine 96
v. tb. *drákaina*; Píton (dragão); Delfos (Oráculo de)
Delfínias 106
v. tb. Apolo (culto de)
Delfínio(s)
– Apolo D. 105
v. tb. Apolo (epítetos de)
Delfos
– *omphalós* (umbigo) de D. 62
v. tb. centro (simbologia do C. do mundo)
– Oráculo de D. 97-100, 130
v. tb. Apolo (mito de); *gnôthi* (*s'autón*)
– influência político-social e religiosa 103s
v. tb. Apolo (mito de)
Delírio 102
v. tb. *maneîsa*; êxtase; entusiasmo
– D. báquico 127
v. tb. vinho (descoberta do); embriaguez; êxtase; entusiasmo
– ser tomado de um D. sagrado 117
v. tb. *bakkheúein*; transe; êxtase; entusiasmo; Dioniso (mito de)
Delphýs 97
v. tb. útero; Delfos (Oráculo de)
Demasia
– nada em D. 98, 130, 137
v. tb. *Ágan* (*medèn*); moderação; Delfos (Oráculo de)
Deméter
– união de Zeus com D. 23
v. tb. Zeus (uniões de)
Demetrismo 241, 242[13]
v. tb. ginecocracia
Demiurgo 208
v. tb. criador; alquimia
Democracia
– primeiros passos 11
Demônio
– D. popular 44
v. tb. Ares (mito de)

– possessão do D. 77, 78[10]
v. tb. menstruação; tabus (da menstruação)
Desatar
– segredo de atar e D. 46, 49-58
v. tb. Hefesto (poder de); nós
Descendência(s)
– D. divinas 19-22
v. tb. famílias (divinas)
Descomedimento 27, 138, 183, 236
v. tb. *hýbris*; híbris
Desconhecimento 236
v. tb. êxtase (de trevas)
Desejo(s)
– D. dos sentidos 219
v. tb. Psiqué (mito de Eros e P. – introdução)
– atendimento dos D. 221
v. tb. Vozes
Desligar 49-58, 199
v. tb. ligar; atar; desatar; Hefesto (poder de atar/desatar); faixas
Desmembramento 128[7]
v. tb. deus (da vegetação); vegetação (espírito da)
– D. de Zagreu 123s
v. tb. Dioniso (mito de – o primeiro D.)
Despedaçamento 143
v. tb. *diasparagmós*; omofagia
– D. da vítima 70
v. tb. Ártemis (mito de)
– D. de Orfeu 148s
– D. no rito iniciático 154
v. tb. iniciação
Desregramento(s) 125
v. tb. Dioniso (mito de); orgias; Hera (Teleia)
Destino
– D. cego 137s
v. tb. *Moîra*; tragédia (apolinização da)
Deus(es)
– D. da vegetação 128, 128[7]
v. tb. Dioniso (aparecimento "oficial" de)
– D. do fogo 45
v. tb. Hefeso (mito de); Agni
– D. Lua 81s
v. tb. Cibele; *mater* (*bona*); Hécate; Lua (simbolismo da)
– D. oracular 88
v. tb. *Khrestérios*; Apolo (atributos de)
– D. psicopompo 202
v. tb. Hermes (atributos e funções)
– D.-rato 87
v. tb. *Smintheús*; Apolo (atributos de)
– D. solar 86
v. tb. Apolo (mito de)
– D. triforme 73
v. tb. Ártemis; Selene; Hécate
– diferenças entre o dionisismo e os D. olímpicos tradicionais 129
v. tb. Dioniso (aparecimento "oficial" de)
– interpretação da vontade dos D. 203
v. tb. Hermes (atributos e funções)
– médico dos D. 8
v. tb. *Peéon*; Apolo (atributos de)
– mensageiro dos D. 201
v. tb. Hermes (atributos e funções)
– rapto das D. e heroínas 35
v. tb. Europa (mito de)
– violência a si e aos D. 138s
v. tb. *hýbris*
Dextera 151
v. tb. direita; esquerda; *sinistra*; direções (tabu das)
Dharma 36
v. tb. ordem (cósmica)
Dialektiké 207
v. tb. dialética; Psiqué (estágios da); inteligência

Dialética 207
v. tb. *dialektiké*; diálogo; Psiqué (estágios da); inteligência
Diálogo 207
v. tb. dialética; Psiqué (estágios da); inteligência
Diamastígosis 70
v. tb. flagelação (prolongada); Ártemis (culto a)
Diasparagmós 70, 143, 154, 157
v. tb. despedaçamento (da vítima); Ártemis (mito de)
Dictina 71
v. tb. Ártemis (epítetos de)
Dionísias
– D. rurais 131s
v. tb. Dioniso (culto a)
– D. urbanas (grandes D.) 132-139
v. tb. Dioniso (culto a)
Dionisismo
– diferença entre o D. e os deuses olímpicos tradicionais 129s
v. tb. Dioniso (aparecimento "oficial" de)
– divergências e convergências entre orfismo e D. 156
– oposição ao D. 128-131
– reação contra a estratificação da religião tradicional 10
v. tb. mistérios (de Elêusis); orfismo
Dioniso 10, 117-146
v. tb. dionisismo
– aparecimento "oficial" de D. 128-131
– culto a D. 131
– divulgação do culto de D. 147s
– deus da *metamórphosis* 144-146
– deus do vinho 26
– mito de D. 117-128
– – epítetos de D. 117-119
– – perseguições a D. 119-121
– – o primeiro D. (Zagreu) 121-124
– – o segundo D. 124-128
Diónysos 117
v. tb. Dioniso (mito de)
Dique 33
v. tb. Horas; Justiça; Auxo; crescer (a que faz)
Direção(ões)
– tabu das D. 150-153
Direita 150s
v. tb. direções (tabu das); masculino; feminino; matrilinhagem; patrilinhagem
Direito 79
v. tb. *cuissage*; núpcias (primeira noite de)
– D. do homem e D. das trevas 30
v. tb. *ius* (*fori/poli*)
Disciplina 34
v. tb. Horas; Eunômia; Talo; brotar (a que faz)
Distração
– ameaça à estabilidade do ego 258
v. tb. ego (estabilidade do)
Ditirambo 132, 133[11]
v. tb. dionísias (urbanas)
Divinação 249s
v. tb. poder (divinatório); Pã
Divindade
– D. da alma 168
v. tb. imortalidade
– ascendência de Dioniso à D. 125s
v. tb. imortalidade (ascendência de Dioniso à)
– conhecimento esotérico da D. 206
v. tb. gnose; hermetismo; Hermes
Divino(a)
– ascensão ao D. 62s
v. tb. escada (simbolismo da); centro (simbolismo do C. do mundo)
– natureza D. e humana de Asclépio 93s
– purificação da vontade para receber o D. 183

v. tb. *kátharsis*; religião (correntes religiosas)
Doença
– D. lunar 82
v. tb. epilepsia; Lua (simbolismo da)
Dokimasía 183
v. tb. iniciação
Dor
– resistência à D. 258
v. tb. iniciação
Dragão
– simbolismo do D. 97
v. tb. Píton (dragão); *drákaina*; Delfos (Oráculo de)
Drákaina 96
v. tb. Píton (dragão); Delfine; Delfos (Oráculo de)
Drama
– D. satírico 133-135
v. tb. sátira; comédias; tragédias; dionísias (urbanas)
Droga
– D. salutar/venenosa 50
v. tb. *phármakon*
Dualismo
– D. corpo-alma 158
v. tb. orfismo; pitagoricismo
Dupla 188
v. tb. sombra; Golem
Dzagreús 118
v. tb. Zagreu

E
Eco 185-188
v. tb. pedra; imobilização; Narciso (mito de)
Economia
– relacionamento da religião com a E. 9, 10
Édipo
– Narciso e E. 193s
v. tb. amor (objeto de A. de Narciso e E.)
Educação
– E. e alimentação da criança 71
v. tb. *paidotróphos*
Efebia 183
v. tb. iniciação
Ego
– estabilidade do E. 258
Eídola 122
v. tb. fantasmas
Eídolon 194, 197
v. tb. sombra; *umbra*; reflexo; *reflexio*
Eileíthyia 40
v. tb. Ilítia; parto
Eixo
– E. do mundo 216
v. tb. *axis* (*mundi*); equilíbrio; caduceu (de Hermes)
Ekklesía 129
v. tb. assembleia (do povo)
Ékstasis 137s, 142, 208
v. tb. êxtase; si (sair de); Psiqué (estágios da); Unidade (Suprema)
El 35
v. tb. touro (simbolismo do)
Elafebólion 69
v. tb. corça(s); *elaphebólos*; Ártemis (mito de)
Elaphebólos 69
v. tb. caçadora; corças (massacre de); Ártemis (mito de)
Élektron 65
v. tb. mana; eletricidade; energia
Elemento(s)
– E. formadores do Universo 210
v. tb. alquimia
– os quatro E. 262
v. tb. água; ar; fogo; terra

Eletricidade 65
v. tb. mana; *élektron*; energia
Elêusis
– mistérios de E. 10, 11
– – reação contra a estratificação da religião tradicional 10
v. tb. dionisismo; orfismo
Elevação
– E. mística 215
v. tb. sandálias (simbolismo das)
Elísios
– Campos E. 170
v. tb. Hades (topografia órfica do)
Emanação 207s
v. tb. neoplatonismo; hermetismo
Emasculação
– E. de homens 80
v. tb. homossexualismo; *cinaedi*; Lua (simbolismo da)
Embriaguez 127s, 142
v. tb. delírio; vinho (descoberta do); Dioniso (deus da *metamórphosis*)
Émmena 74
v. tb. menstruação; Lua (poderes e efeitos)
Energia(s) 63
– E. do couro (pele) de animais 66
v. tb. javali; mana
– E. física e anímica 63
v. tb. *enérgueia*; mana; canibalismo
– E. sexual 182s
– E. universal 51s
v. tb. mana
– E. vital 253
v. tb. fonte (circular urobórica); uróboro; água (da vida)
– libertação das E. 65
v. tb. pernas (descruzar as)
Enérgueia 63
v. tb. mana; poder (oculto); força (em ação)
Enkoímesis 95
v. tb. mântica (por incubação); sonhos; hierofania; equilíbrio (biopsíquico)
Enlil 35
v. tb. touro (simbolismo do)
Ensomatose 168[14]
v. tb. reencarnação; metempsicose
Ensomátosis 168[14]
v. tb. ensomatose
Enthusiasmós 137, 142, 144
v. tb. entusiasmo; adorador (mergulho de Dioniso em seu)
Entorpecimento 181
v. tb. torpor; narciso (flor); *nárke*
Entusiasmo
– êxtase e E. píticos 100s, 103, 121, 128 132s, 137, 142s, 128
v. tb. *enthusiasmós*; êxtase; embriaguez; vinho; Dioniso (mito de – culto a); Apolo (mito de); Pítia; Pitonisa
Enxofre 211, 214[14]
– espírito do E. 209
v. tb. masculino; alquimia; rubedo; matéria (fases da)
Enyálios 41
v. tb. belicoso; Ares
Epidauro
– centro médico, cultural e de lazer 92, 93
v. tb. Asclépio (mito de)
– santuário (templo) de E. 94s
v. tb. *ábaton*; *thólos*; Asclépio (mito de)
Epifania
– manifestação do divino por E. 61
v. tb. centro (simbolismo do C. do mundo); hierofania
Epilepsia 82
v. tb. doença (lunar); Lua (simbologia da)
Equilíbrio 215
v. tb. eixo (do mundo); caduceu (de Hermes)

– E. biopsíquico 95
v. tb. harmonia; ordem; Asclépio (mito de)
Érebo 170
v. tb. Hades (topografia órfica do)
Ereção
– falo em E. 216
v. tb. caduceu (de Hermes)
Ergáne 21, 28
v. tb. Obreira; Atená (epítetos de)
Erictônio
– mito de E. 29, 30
v. tb. terra (filho da); Atená (mito de)
Eros
– mito de E. e Psiqué 219-264
– – introdução 219s
– – núpcias de morte 220s
– – tentação e paixão de Psiqué 221, 224
– – as quatro provas 224, 228
– desfecho feliz 228-230
– – interpretação do mito 230-264
– princípio da criação 163s
v. tb. Fanes
Éros 74, 219
v. tb. amor; Sol/Lua (diferenças)
Erotismo 144
v. tb. Dioniso (deus da *metamórphosis*)
– caráter erótico dos dois primeiros trabalhos de Psiqué 252
v. tb. Psiqué (mito de Eros e P. – as quatro provas)
Erro(s) 93s, 151
v. tb. *harmartíai*; faltas
Escada
– simbolismo da E. 62s
v. tb. centro (simbolismo do C. do mundo)
Escatologia
– E. órfica 169
– esperança escatológica 179
v. tb. orfismo
Escrava(s)
– E. sagradas 79
v. tb. hierodulas; prostitutas (sagradas)
Escravidão
– E. do feminino na patrilinhagem 226
– E. sexual feminina 237s
v. tb. Psiqué (mito de Eros e P. – tentação e paixão)
Escrito(s)
– E. órficos 163[11]
v. tb. textos (sagrados)
Éskhatos 169[16]
v. tb. novíssimos
Esmeralda
– tábula de E. 209
v. tb. *tabula* (*smaragdina*); alquimia
Espaço
– totalidade do E. e do tempo 108
v. tb. sete (simbolismo do número)
Espelho 123
v. tb. iniciação (símbolos de)
– simbolismo do E. 195
v. tb. reflexo; *reflexio*; reflexão; Narciso (interpretação do mito)
Espírito
– E. ancestral 257[28]
v. tb. cadáver; homem (morto)
– E. das águas 194
v. tb. Narciso (interpretação do mito)
– E. de enxofre 200
v. tb. masculino; alquimia
– E. de mercúrio 209
v. tb. feminino; alquimia
Espiritual
– evolução E. obstruída 120[3]
v. tb. Miníades; morcego; Dioniso (mito de)
Espiritualidade
– E. masculino-feminina de Psiqué 254
v. tb. águia (segurando a jarra); Psiqué (mito de Eros e P. – as quatro provas)

Esposo
– E.-monstro 236s
Esquerda 150s
v. tb. direções (tabu das); feminino; masculino; matrilinhagem; patrilinhagem
Essência
– E. suprema 207
v. tb. Uno; neoplatonismo; hermetismo
Estação(ões) 34
v. tb. Horas; *hórai*; *horae*; *hóra*
Estádio 95
v. tb. Epidauro (centro de lazer)
Estado(s)
– E. dos elementos formadores do Universo 210
v. tb. elementos (formadores do Universo); alquimia
Estanho 62
v. tb. Vênus; degraus (da escada mitraica)
Estéril
– virgindade E. 260
v. tb. matrilinhagem (beleza árida da V.E.)
Esterilidade 152, 181
v. tb. sal (simbolismo do); narciso (flor)
Estratificação
– E. da religião tradicional 10
Estremecimento 118
v. tb. *brómos*; frêmito; Brômio
Eternidade
– símbolo da E. 211
v. tb. ouro
Eu
– o E. como única realidade 193
v. tb. solipsismo; Narciso (interpretação do mito)
Euforia 141
v. tb. embriaguez; êxtase; entusiasmo
Eunômia 34
v. tb. Horas; Disciplina; Talo; brotar (a que faz)
Eupátridas 9, 10
Eurídice
– casamento de E. com Orfeu 147
v. tb. Orfeu (mito de)
Eurínome
– união de Z. com E. 23
v. tb. Zeus (uniões de)
Europa
– rapto de E. 23
v. tb. Zeus (uniões de)
– mito de E. 34-35
Europe 34
v. tb. Europa (mito de)
Evadne 90
v. tb. Apolo (amores de)
Evolução
– E. espiritual obstruída 120[3]
v. tb. Miníades; morcego; Dioniso (mito de)
Exílio
– E. de Apolo 90
v. tb. Apolo (provas de)
Expiação
– E. das faltas e dos crimes 147
v. tb. Orfeu
Êxtase 121, 128, 133, 137s, 142s, 208
v. tb. *ékstasis*; entusiasmo; embriaguez; vinho (descoberta do); contemplação; Dioniso (mito de / culto a – segundo D.)
– E. coletivo e individual 157
v. tb. orfismo; dionisismo
– E. de trevas 236
v. tb. Psiqué (mito de Eros e P. – tentação e paixão)
– E. e entusiasmo píticos 100-103
v. tb. Apolo (mito de); Pítia; Pitonisa

F
Faixa(s)
– desligar-se das F. 199
v. tb. Hermes (mito de); ligar; desligar
Falo 31, 131
v. tb. serpente; fertilidade; ave; falofória; *kômos*; dionísias (rurais)
– F. da terra 256
v. tb. torre
– F. em ereção 216
v. tb. fecundidade; caduceu (de Hermes)
– símbolos fálicos inúteis 257, 257[28]
v. tb. acha; burro; corda
Falofória 131
v. tb. falo; *kômos*; dionísias (rurais)
Falta(s) 94
v. tb. *hamartíai*; erros
– F. cometidas 176
v. tb. *hamartías*
– F. original 166
v. tb. bem; mal
– expiação das F. e dos crimes 147
v. tb. Orfeu (mito de)
Fama 221
v. tb. *Phéme*; voz (pública)
Família(s)
– F. divinas 19-22
– – de Úrano a Zeus 19
– – F. de Hélio 22
– – F. de Posídon 21
– – F. de Zeus e Leda 20
Fanes
– princípio da criação 156-164
v. tb. cosmogonia (órfica)
Fantasma(s) 122
v. tb. *eídola*
Fascinum 56
v. tb. sortilégio; atar; desatar
Fé
– único meio para a salvação 9
v. tb. Lutero (divergência teológica com Roma)
Febe 72
v. tb. *Phoíbe*; Febo; Ártemis (epítetos de)
Febo 72
v. tb. *Phoîbos*; Apolo; *Phoíbe*; Febe
– F. Apolo 86
v. tb. Brilhante; Febe
Fecundação 32
v. tb. neve (de ouro)
– F. da tribo, da terra, das plantas, dos animais 80
v. tb. meretriz; puta
– autofecundação 210[12]
v. tb. serpente; uróboro; alquimia
Fecundidade 31, 32, 37, 74, 139, 199, 216s
v. tb. ave; falo; serpente; água; Lua; fogo; Sol; touro; fertilidade; raios (da Lua); Antestérias; salgueiro; caduceu (de Hermes)
– F. humana 70
v. tb. fertilidade (do solo); Ártemis (culto a)
Fedra 137, 137[16]
Feitiçaria 54
v. tb. magia (ativa)
Fêmea
– cisne F. 112
v. tb. cisne (simbolismo do)
Feminilidade
– F. passiva 150
v. tb. matrilinhagem; patrilinhagem
Feminino(a) 110, 112, 150[1], 186, 210, 214[14], 250, 252s
v. tb. masculino; *anima*; *animus*; masculino; Narciso (mito de); sexos (separação e reunião dos); alquimia;

androginia (andrógino primordial); cisne (simbolismo do)
– ameaça à sua estabilidade 258
– aproximação do masculino ao F. 252
v. tb. carneiro; Psiqué (mito de Eros e P. – as quatro provas)
– centro F. 261s
v. tb. *self*
– conflito entre a matrilinhagem e o F. 246-248
v. tb. Psiqué (mito de Eros e P. – tentação e paixão)
– consciência e inconsciência F. 237-244
v. tb. Psiqué (mito de Eros e P. – tentação e paixão)
– consciência F. 238s
v. tb. Psiqué (mito de Eros e P. – tentação e paixão)
– consulta aos seus instintos 251s
– escravidão do F. na patrilinhagem 226
– escravidão sexual do F. 237
v. tb. Psiqué (mito de Eros e P. – tentação e paixão)
– espiritualidade masculino-F. 254
v. tb. águia (segurando a jarra)
– experiência feminina do encontro 259
– imperialismo F. 241, 242[13]
v. tb. heterismo; ginecocracia
– luta do F. contra o masculino 244[15]
v. tb. Amazonas
– oposição essencial entre o masculino e o F. 234
– prazer sexual F. e masculino 184
– princípio mercúrio F. 210s
v. tb. masculino; contrários (união dos); alquimia
– Psiqué: construção do lado masculino de sua natureza 255
– recinto-mandala 256
– reconciliação entre masculino e F. 263
– tentativa de destruição do F. 251

Fera(s)
– senhora das F. 69
v. tb. *pótnia* (*therôn*); Ártemis (mito de)
Ferro 62
v. tb. mercúrio; degraus (da escada mitraica)
Fertilidade 31, 74-77, 132, 139-141, 182, 199
v. tb. falo; serpente; fecundidade; raios (da Lua); Lua (poderes e efeitos); mulher; Leneias; Antestérias; água; salgueiro
– F. do encontro individual 260
v. tb. gravidez (de Psiqué); Psiqué (mito de Eros e P. – as quatro provas)
– F. dos campos 26, 131
v. tb. Higiia (Atená); *kômos*; dionísias (rurais)
– F. do solo 70s
v. tb. fecundidade (humana); Ártemis (culto a)
– F. em estado pantanoso 241, 242[13], 248s
v. tb. promiscuidade; Afrodite
– F. no matrimônio 72
v. tb. *phosphóros*; Ártemis (epítetos de)
– F. universal 144
v. tb. Dioniso (deus da *metamórphosis*)
– força de F. da sombra 195
v. tb. sombra; *umbra*
Festa(s)
– F. das panateneias 28
– F. das *khalkeîa* 28
Fiandeira(s) 244
v. tb. vida (fios da V. e da morte)
Filho
– F. da terra 29
v. tb. Erictônio (mito de)
Fio(s) 55s
v. tb. Hefesto (poder de atar/desatar)

Fita 52
v. tb. Hefesto (poder de atar/desatar)
Fixação 257
v. tb. comer; alimentos; cadeira
Flagelação
– F. prolongada 70, 71
v. tb. *diamastígosis*; Ártemis (culto a)
Flauta
– F. de Pã 200
v. tb. *syrinks*; Hermes
Flautista
– Apolo F. 91
Flecha(s) 66, 92[2]
v. tb. setas; aljava; arco; Ártemis (mito de); *sagitta*; sagitária
– simbolismo da F. 96
v. tb. Delfos (oráculo de)
Flor(es)
– festa das F. 139
v. tb. Antestérias
– símbolo da virgindade 234
v. tb. defloração
Fogo 38, 47s, 114, 209s, 262
v. tb. Sol; água; Lua; touro (simbolismo do); chamas; Hefesto (mito de); opostos (união dos); cisne (simbolismo do); masculino; elemento (formador do Universo); alquimia; ígneo
– carneiro de F. 252
v. tb. carneiro
– deus do F. 45, 76
v. tb. Hefesto (mito de); Agni; menstruação
– domínio do F. 49
v. tb. magia
– nascido do F. 125
v. tb. *pyriguenés*; raio (concebido do); Dioniso (mito do)
– passagem pelo F. 123
v. tb. desmembramento
– renovação do F. 47
v. tb. *lampadedromía*; Hefesto (culto a)
Folclore
– o número sete no F. 111
v. tb. sete (simbolismo do número)
Fome
– resistência à F. 258
v. tb. iniciação
Fonte 252s
v. tb. água (da vida); união (do superior com o inferior)
– F. circular urobórica 253
v. tb. uróboro; energia (vital)
Força 36, 150
v. tb. *nandî*; justiça; direções (tabu das); homem; mulher
– F. do divino 201
v. tb. presença; perpetuidade (do divino); pedra
– F. em ação 63
v. tb. *enérgueia*; mana
Formiga 249, 249[19], 250, 250[20], 262
v. tb. *mýrmeks*; mirmidões; Psiqué (mito de Eros e P. – as quatro provas); terra; elementos (os quatro)
Fracasso
– vitória no F. de Psiqué 260, 262
v. tb. Psiqué (mito de Eros e P. – desfecho feliz)
Fratria 26, 26[2], 88
v. tb. *phratría*; *phrátrios*; Apolo (atributos de)
Frêmito 118
v. tb. *brómos*; estremecimento; Brômio
Frente
– olhar para F. 151
v. tb. trás (olhar para); passado (voltar ao)
Frutificar
– a que faz F. 34
v. tb. Horas; Irene; paz; Carpo

G
Gámos
– *hieròs G.* 79s, 140s, 144s
v. tb. casamento (sagrado); Lua (simbolismo da); Antestérias
Gansa
– Leda-G. 113
v. tb. cisne (simbolismo do)
Gaocithra 37
(simbolismo da); Antestérias do)
Gasoso
– estado G. 209
v. tb. ar; elementos (formadores do Universo)
Gêmeos
– fenômeno dos G. 83s
v. tb. Ártemis/Apolo (mito de)
Geração(ões)
– G. divinas 19-22
v. tb. famílias (divinas)
Gesso
– cobrir o rosto com pó de G. 122
v. tb. morte (ritual); Dioniso (mito de)
Gestação
– G. na coxa divina 126s
v. tb. adoção (paterna); Dioniso (mito de)
Ghaybat 109
v. tb. conhecimento (suprassensível); sete (simbolismo do número)
Ginásio 95
v. tb. Epidauro (centro de lazer)
Ginecocracia 241, 242[13]
v. tb. matrilinhagem
Glaúks 32
v. tb. coruja; brilhante
Golem 188, 188[5]
v. tb. sombra; duplo
Gnose(s) 206
v. tb. *gnôsis*; conhecimento; hermetismo
– G. ocultas 204
v. tb. Hermes (atributos e funções)
Gnôsis 130, 206
v. tb. gnose; *kátharsis*; *athanasía*; religião (correntes religiosas); hermetismo; Hermes
Gnosticismo 206
v. tb. gnose; gnóstico; Hermes
Gnóstico(s) 206
v. tb. gnose; gnosticismo; Hermes
Gnôthi
– *G. s'autón* 98, 137
v. tb. conhecimento ("conhece-te..."); moderação; Delfos (Oráculo de)
Grão
– espírito do G. 128[7]
v. tb. deus (da vegetação); vegetação (espírito da)
Gravidez 76
v. tb. raios (da Lua); Lua (simbolismo da)
– G. de Psiqué 260
v. tb. Psiqué (mito de Eros e P. – as quatro provas)
Grito
– grande G. 118
v. tb. *iakkhé*; Iaco
Gruta 187
v. tb. caverna; catrofania; poder (urânico/ctnônio)
Guerra
– dança da G. 24, 28
v. tb. pírrica; Atená (mito de)
– deus da G. 40
v. tb. Ares

H
Habilidade
– H. de Hermes 205
v. tb. *peritus*; Hermes (atributos e funções)

Hades
– capacete de H. 202s
v. tb. Hermes (atributo e funções); invisibilidade
– itinerário órfico no H. 172-176
v. tb. escatologia (órfica)
– topografia órfica do H. 170s
Hamartía(s) (*ai*) 94, 151, 176, 188
v. tb. faltas (cometidas); erros
– H. de Narciso 189
Harmonia 94
v. tb. ordem; nooterapia; Asclépio (mito de); Orfeu
Harmonía 154
v. tb. harmonia; Orfeu
Hebe 40
v. tb. juventude; Hera (união de Zeus com)
Hébe 40
v. tb. Hebe
Hécate 72s, 73[6], 82
v. tb. *Phosphóros*; Ártemis (epítetos de); Selene; Lua (deusa)
Hefestias 47
v. tb. *hephaísteia*; Hefeso (culto a)
Hefesto 45-58
– culto a H. 47s
– mito de H. 45-47
– poder de "atar" e "desatar" 49s
– sentido simbólico da mutilação de H. 47
Hélio 72, 87, 87[1]
v. tb. *Hélios*; Sol; Apolo (mito de)
– família de H. 20
Hélios 72, 73[5], 87[1]
v. tb. Hélio
Hephaísteia 48
v. tb. Hefestias; Hefesto (culto a)
Héphaistos 45
v. tb. Hefesto (mito de)
Hera
– H. Teleia 125
v. tb. casamento (proteção ao); desregramentos
– união de Zeus com H. 23, 45
– vinganças de H. 121-126
Hérma 199
v. tb. colunata
Hermafrodito
– mito de H. 213s
Hermafroditismo 209
v. tb. mercúrio; alquimia; *complexio* (*oppositorum*)
Hérmaion 201
v. tb. lucro (inesperado); Hermes (atributos e funções)
Hermaphróditos 213
v. tb. Hermafrodito
Hermes 199-217
– H. Trismegisto 205-208
– alquimia 205, 207-211
– atributos e funções de H. 192-197
– hermetismo 205-207
– iconografia de H. 214-217
– mito de H. 199s
– mito de Hermafrodito 213d
– poder divinatório 211s
Hermetismo 205-208
v. tb. Hermes
– diferença entre H. e *Corpus Hermeticum* 206, 206[8]
Herói 137
v. tb. *anér*; ator; tragédia (apolinização da)
Heroína(s)
– rapto das deusas e H. 35
v. tb. Europa (mito de)
Heterismo 241, 242[13]
v. tb. ginecocracia
Hexagrama 108
v. tb. selo (de Salomão); sete (simbolismo do número)

Híbris 232
v. tb. *hýbris*; descomedimento
Hierodulas 79s
v. tb. escravas (sagradas); prostitutas (sagradas)
Hierofania 65, 94
v. tb. mana; poder (oculto), *enkoímesis*; sonhos; mântica (por incubação); equilíbrio (biopsíquico)
– manifestação do divino por H. 61
v. tb. centro (simbolismo do C. do mundo); epifania
Hieroí
– *H. lógoi* 163[11]
v. tb. textos (sagrados)
Hierós
H. gámos 23, 126
v. tb. casamento (sagrado)
Higiia 90
v. tb. Asclépio (mito de)
Higiia
– Atená H. 26, 29
v. tb. *hyguíeia*; Atená (epítetos de)
Hinduísmo 9
Homem 150
v. tb. direções (tabu das)
– H.-Lua 75s, 78
v. tb. Lua (simbolismo da); androginia (da Lua)
– H. morto 257[28]
v. tb. cadáver; espírito (ancestral)
– H. novo 209
v. tb. *homo* (*nouus*); pedra (oculta); alquimia
– características da iniciação no H. 258
v. tb. iniciação
– casamento para o H. e para a mulher 233[5]
– complexo de castração 77, 78[10]
v. tb. menstruação (tabus da); alimentos (restrições alimentares)
– direito do H. e direito das trevas 30
v. tb. *ius* (*fori/poli*)
– dupla natureza do H. 162
v. tb. bem; mal
– estrato matriarcal de ódio aos H. 236s
v. tb. Psiqué (mito de Eros e P. – tentação e paixão)
– interesse pela atividade dos H. 202, 204
v. tb. Hermes (atributos e funções)
– natureza titânica e divina do H. 165s
v. tb. antropogonia (órfica)
– poder sexual do H. e da mulher 184
v. tb. Tirésias
– tornar-se H. 261s
v. tb. Psiqué (mito de Eros e P. – desfecho feliz)
Homero
– H. e Orfeu 161
Homo
H.-humus 46
v. tb. limo (da Terra)
– *H. nouus* 209, 248
v. tb. homem (novo); pedra (oculta); alquimia; morte (do iniciado); iniciação
Homoeroticidade 253s
v. tb. homossexualidade; Mãe (Grande – libertação da)
Homossexualidade 253s
v. tb. homoeroticidade; Mãe (Grande – libertação da)
Homossexualismo 80
v. tb. *cinaedi*; emasculação; Lua (simbolismo da)
Hóra 34
v. tb. Horas; *Hórai*; *Horae*; estação(ões)
Horae 34
v. tb. Horas; *Hórai*; *hóra*; estação(ões)
Hórai 34
v. tb. Horas; *hóra*; *Horae*; estação(ões)

Horas 33-34
v. tb. *Hórai*; *hóra*; *Horae*; estação(ões)
Humano(a)
– natureza divina e H. de Asclépio 91
Humus
– *homo-H.* 46
v. tb. limo (da Terra)
Hýbris 27, 138, 183, 189, 232
v. tb. descomedimento; violência (a si e aos deuses); tragédia (apolinização da); híbris
Hyguíeia 26
v. tb. Higiia (Atená)
Hypokritḗs 137
v. tb. ator

I
Iaco 118
v. tb. Dioniso (mito de); Zagreu; Brômio
Iakkhé 118
v. tb. grito (grande); Iaco
Íakkhos 118
v. tb. laço; *daímon*
Identidade 258
v. tb. identidade
Identificação
– chapéu: símbolo da I. 214
v. tb. chapéu (de Hermes); pétaso; Hermes (iconografia)
Ídolo
– I. de madeira 25
v. tb. *ksóanon*
Ígneo 262
v. tb. fogo; elementos (os quatro)
– elemento Í. 275
v. tb. úmido (elemento); nascer duas vezes; Dioniso (mito de)
Ilítia 40, 60
v. tb. *Eileíthyia*; parto; Hera (união de Zeus com); cruzar (as pernas)
Iluminação 31, 211
v. tb. neve (de ouro); albedo; matéria (fases da); alquimia
Ilusão(ões) 28
v. tb. aranha
Imagem(ns) 188s, 194-196
v. tb. *imago*; sombra; *umbra*; ver-se; apaixonar-se (por si mesmo)
– paixão pela própria I. 191-195
v. tb. Narciso (interpretação do mito de)
Imago 188, 194s, 197s
v. tb. imagem; sombra; *umbra*
Imobilização 187
v. tb. Eco; pedra
Imortalidade 148
v. tb. Orfeu; mistérios (órficos)
– I. da alma 157, 168
v. tb. divindade; orfismo; pitagoricismo
– ascendência de Dioniso à I. 125s
v. tb. divindade (ascendência de Doniso à)
– libertação para uma vida de I. 130
v. tb. *athanasía*; religião (correntes religiosas)
Impenetrável 98
v. tb. *ádyton*
Incesto
– I. intrapsíquico 191s
v. tb. Narciso (interpretação do mito de)
Inconsciência
– I. feminina 237-244
v. tb. Psiqué (mito de Eros e P. – tentação e paixão)
Inconsciente
– I. coletivo 14
v. tb. arquétipo

Incontível
– masculino I. 259
v. tb. água (da vida – fluxo da); Psiqué (mito de Eros e P. – as quatro provas)
Incubação
– *manteía* (mântica) por I. 94, 98s
v. tb. mântica; inspiração (*manteía* por); *enkoímesis*; sonhos; hierofania; equilíbrio (biopsíquico)
Individuação
– experiência da I. feminina 259
v. tb. Psiqué (mito de Eros e P. – as quatro provas)
Indra 36
v. tb. touro (simbolismo do)
Inércia 257[28]
v. tb. sensualismo; Ocno
Inferior
– união do superior com o I. 252
v. tb. fonte; união (do superior com o I.)
Inferno 61
v. tb. cósmicos (níveis)
Iniciação 248
v. tb. morte (do iniciado); *homo* (*nouus*)
– características da I. 258
– provas iniciáticas 182
v. tb. *dokimasía*
– rito de I. 199, 206
v. tb. Hermes; salgueiro; gnose; hermetismo
– – ritos de I. alquímica 209s
– – ritos e símbolos de I. 121-124
v. tb. Dioniso (mito de)
Iniciado(s)
– I. órfico 172[18]
v. tb. *Bákkhos*
– final do itinerário dos I. 262s
v. tb. Psiqué (mito de Eros e P. – desfecho feliz)
Injustiça
– punição pela I. praticada 137-139
v. tb. *némesis*
Inspiração 82
v. tb. ambivalência (da Lua)
– *manteía* (mântica) por I. 97-99
v. tb. mântica; incubação (*manteía*) por I.
Instinto(s)
– símbolo do mundo dos I. 249
v. tb. formigas
Inteligência 207
v. tb. trindade (neoplatônica); neoplatonismo; hermetismo
– sede da I. 214, 215
v. tb. cabeça
Interdito(s)
– libertação dos I. 141s
v. tb. Antestérias
Inventividade
– astúcia e I. 201
v. tb. Hermes (atributos e funções)
Invisibilidade 202
v. tb. Hermes (atributos e funções); capacete (de Hades)
Irene 33
v. tb. Horas; Paz; Carpo; frutificar (a que faz)
Ísis 79
v. tb. androginia (da Lua)
Islamismo 9
Ismênio
– Apolo I. 105
v. tb. Apolo (epítetos de)
Ištar 76, 79
v. tb. menstruação; androginia (da Lua)
Itinerário
– final do I. dos iniciados 262
v. tb. Psiqué (mito de Eros e P. – desfecho feliz)

Iugum 51, 51[10]
v. tb. jugo; nó; anel
Ius
– *I. fori* e *I. poli* 30
v. tb. direito (do homem/das trevas)

J
Jacinto 91
v. tb. Apolo (amores de)
Javali
– simbolismo do J. 67s
v. tb. Ártemis (mito de)
Jovem
– Core a J. 260
v. tb. Perséfone (juventude eterna de); Psiqué (mito de Eros e P – as quatro provas)
Jugo 51, 51[10]
v. tb. *Iugum*; nó; anel
Junco 250[20], 251
v. tb. Psiqué (mito de Eros e P. – as quatro provas)
Júpiter 62
v. tb. bronze; degraus (da escada mitraica)
Justiça 33, 36
v. tb. Horas; Dique; Auxo; crescer (a que faz); *nandî*; força
– J. distributiva 183
– deusa da J. divina 33
v. tb. Têmis (união da Zeus com)
Juventude 40
v. tb. Hebe
– J. eterna de Perséfone e da Morte 259
v. tb. beleza (creme da B. imortal); Psiqué (mito de Eros e P. – as quatro provas

K
Karneîos 88
v. tb. Carnio; Apolo (atributos de)
Karyâtis 71
v. tb. nogueira (senhora da); Ártemis (epítetos de)
Katábasis 170, 256
v. tb. catábase
Kathársios 88
v. tb. purificador (da alma); Apolo (atributos de)
– Apolo K. 97, 103
v. tb. *míasma*; mancha; Apolo epítetos de)
Kátharsis 130, 142, 157, 169, 207
v. tb. *gnôsis*; *athanasía*; religião (correntes religiosas); purificação; orfismo; catarse; psiqué (estágios da); alma (do mundo)
Kedreâtis 71
v. tb. cedro (senhora do); Ártemis (epítetos de)
Képhisos 182
v. tb. Cefiso
Khalkeîa 48
v. tb. Calquias; Hefesto (culto a)
– festa das *K.* 28
Kheíron 92[2]
v. tb. Quirão (centauro); cirurgia; medicina
Khrestérios 88
v. tb. deus (oracular); Apolo (atributos de)
Khymeía 208
v. tb. alquimia
Kîmyâ 208
v. tb. alquimia; pedra (filosofal)
Kômos 131s
v. tb. procissão (alegre e barulhenta); dionísias (rurais)
Kóre 259
v. tb. Core
Ksóanon 25
v. tb. paládio; *ídolo* (de madeira)

L
Lã
– L. de ouro 259
v. tb. masculino (mortal); Psiqué (mito de Eros e P. – as quatro provas)
Laço(s) 49-51
v. tb. Hefesto (poder de atar/desatar)
Lagar 132
v. tb. *Lénaion*; vinho; Leneias
Lampadedromía 47s
v. tb. fogo (renovação do); Hefesto (culto a)
Lapis
– *occultus L.* 209
v. pedra (oculta – filosofal); alquimia
– L.-lazúli 38
v. tb. Lua; água
Leda
– família de Zeus e L. 20
– união de Zeus com L. 23
v. tb. Zeus (uniões de)
Legalismo
– L. de Apolo 10
Lénaion 132
v. tb. Leneias; lagar; vinho; Dioniso (culto a)
Leste 151
v. tb. pontos (cardeais)
Leto
– união de Zeus com L. 59-61
v. tb. Zeus (uniões de)
Letó 59
v. tb. Leto
Liame 50-52
v. tb. Hefesto (poder de atar/desatar)
Liber 117
v. tb. Baco; Dioniso (mito de)
Libertação
– L. para uma vida de imortalidade 130
v. tb. *athanasía*; religião (correntes religiosas)
Lício 88
v. tb. *Lýkeios*; Apolo (atributos de)
– Apolo L. 105
v. tb. Apolo (epítetos de)
Licógenes
– Apolo L. 60
v. tb. Apolo (epítetos de); loba (nascido de)
Liga
– L. de metais 62
v. tb. Marte; degraus (da escada mitraica)
Ligar 49-58
v. tb. desligar; atar; desatar; Hefesto (poder de atar/desatar); faixas; Hermes (mito de)
Limite
– L. permitido 157s, 183
v. tb. *métron*
Limo
– L. da Terra 46
v. tb. *Homo-humus*
Limpo 61
v. tb. puro; *mundus*
Líquido 209
v. tb. mercúrio; alquimia
– estado L. 209
v. tb. água; elementos (formadores do Universo)
Lira 147, 200
v. tb. Orfeu (mito de); tartaruga (carapaça de); novilha (tripas de); Hermes (mito de)
Lobos(s)
– protetor contra os L. 88
v. tb. Lício; Apolo (atributos de)
– "nascido de L." 88
v. tb. Apolo (Licógenes)

Lógos 14, 74, 165, 204, 206, 207
v. tb. *mythos*; razão; Sol/Lua (diferenças); Hermes atributos e funções); inteligência; *nûs*
– L. *prophorikós* 217
v. tb. palavra (tornada audível); saber (divino)
Lóguios 204
v. tb. Hermes (atributos e funções)
Loksías 88
v. tb. Lóxias; Apolo (atributos de)
Loucura 82
v. tb. ambivalência (da Lua)
– L. sagrada 102, 119s, 142
v. tb. *manía*; êxtase; entusiasmo; Dioniso (mito de)
Loureiro 89
v. tb. Dafne; Apolo (amores de)
Lóxias 88
v. tb. *Loksías*; Apolo (atributos de)
Lýkeios 88
v. tb. Lício; Apolo (atributos de)
Lua 32, 37s, 62, 72
v. tb. coruja; conhecimento (racional); *gaocithra*; touro (simbolismo do); água, fecundidade; fogo; Sol; prata; degraus (da escada mitraica); *Seléne*; Ártemis (epítetos de)
– deusa L. 59
v. tb. Ártemis
– diferenças entre o Sol (*lógos*) e a L. (*éros*) 74s
– homem-L. 79
v. tb. androginia (da Lua)
– simbolismo da L. 72-83
– – poderes e efeitos da L. 72-77
v. tb. Ártemis; Selene
– simbolismo das fases da L. 72
v. tb. deusa (triforme)
Lucro
– L. inesperado 201
v. tb. *Hérmaion*; Hermes (atributos e funções)
Lutero
– divergência teológica com Roma 9
Luz 209
v. tb. feminino; alquimia
– L. solar/lunar, masculina/feminina, do dia/da noite 112
v. tb. branca (cor); cisne (simbolismo do)
– conduzir as almas na L. e nas trevas 204s
v. tb. Hermes (atributos e funções)
– princípio da L. 245
v. tb. óleo
– raios de L. 215
v. tb. cabelos (função mediadora dos); chapéu (de Hermes); coroa; Hermes (iconografia)
– transporte da L. 72
v. tb. *Phosphóros*; Ártemis (epítetos de)

M
Macho
– M. hostil 237
Madeira
– ídolo de M. 25
v. tb. *ksóanon*
Madrasta 248
v. tb. mãe (terrível); bruxa
Mãe
– M. perversa 82
v. tb. cadela; Hécate
– M. terrível 260
v. tb. madrasta; bruxa
– boa M. 80
v. tb. *mater* (*bona*); Cibele; deusa (Lua)

– Grande M. 24, 69, 232, 257s
v. tb. Ártemis (mito de/culto a)
– libertação da Grande M. 253s
v. tb. homossexualidade; homoerotismo
– Terra-M. 141s
v. tb. rainha (esposa de Dioniso)
Magia 50, 52, 54, 82
v. tb. atar; desatar; nós; Hefesto (poder de); ambivalência (da Lua)
– M. passiva/ativa 54s
– distinção entre M. e religião 52s
– práticas mágicas 204
v. tb. Hermes (atributos e funções)
Magueía 53
v. tb. magia
Mal 39, 162, 166
v. tb. *Ahriman*; trevas; Sol; bem; homem (dupla natureza do)
– luta do bem contra o M. 38
v. tb. Mitra
Mana 51, 53, 63-66, 68
v. tb. energia (universal); poder (oculto); Leto (mito de)
– M. do corpo 155
v. tb. *cabeça*; crânio
Manancial(ais)
– proteção aos M. 71
v. tb. Potâmia; Ártemis (epítetos de)
Mancha 97
v. tb. *míasma*; *Kathársios* (Apolo)
Mandala
– recinto-M. 256
v. tb. torre; feminino
Maneîsa 102
v. tb. delírio; êxtase; entusiasmo
Manía 102s, 119s, 142-144, 146
v. tb. loucura (sagrada); êxtase; entusiasmo; Dioniso (mito de)
Manifestação
– M. do divino 65
v. tb. hierofania; epifania
Manteía 90s, 183
v. tb. Cassandra; profecia; Tirésias; cegueira
– M. por incubação e por inspiração 98s
v. tb. mântica; Delfos (Oráculo de)
Mântica 54, 102
v. tb. magia (passiva); *manía*
– M. ctônia 184s
v. tb. *mántis*; cegueira; visão (de dentro para fora); videntes
– M. de Hermes 211s
v. tb. Vozes (respostas às consultas pelo processo das)
– M. por incubação 95
v. tb. *enkoímesis*; sonhos; hierofania; equilíbrio (biopsíquico)
– M. por incubação e por inspiração 99
v. tb. *manteía*; Delfos (Oráculo de)
– ação M. da Pítia/Pitonisa 99-102
Mántis 184s
v. tb. mântica; cegueira; visão (de dentro para fora); videntes
Manto 90
v. tb. Apolo (amores de)
Mar
– M. de bronze 36
v. tb. água (lustral); touro (simbolismo do)
– banho ritual no M. 120
v. tb. água (purificação pela); Dioniso (mito de)
Maria 81
v. tb. crescente (lunar); Cristo; Sol
Marido
– M. cosmocrata e onipotente 10
v. tb. Zeus
Marpessa 89
v. tb. Apolo (amores de)

Marte 62
v. tb. liga (de metais); degrau (da escada mitraica)
Masculino 113s, 118, 186s, 209, 214[14], 249-254, 259
v. tb. feminino; cisne (simbolismo do); *animus*; *anima*; Narciso (mito de); sexos (separação e reunião dos); alquimia; andrógino
– M. incontível 259
– M. mortal 259
– águia do espírito M. 254
v. tb. pilhagem
– aproximação do M. ao feminino 251
v. tb. Sol (pôr doS.); amor (situação de)
– espiritualidade M.-feminina 254
v. tb. águia (segurando a jarra)
– luta do feminino contra o M. 244[15]
v. tb. amazonas
– mistura urobórica do M. 248
v. tb. cereais (separação dos C. por espécie)
– oposição essencial entre o M. e o feminino 233
– poder destrutivo M. 251s
v. tb. carneiro; Psiqué (mito de Eros e P. – as quatro provas)
– prazer sexual feminino e M. 184
– promiscuidade masculina 259
– princípio enxofre M. 202
v. tb. contrários (união dos); alquimia
– Psiqué: construção do lado M. de sua natureza 255
– reconciliação entre M. e feminino 249
Mater
– *bona* M. 80
v. tb. mãe (boa); Cibele; deusa (d. Lua)
Matéria 210
– M.-prima 210s
– experiência dramática/fases da M. 210s
v. tb. alquimia
– regeneração da M. 208
v. tb. alquimia
– última emanação do Uno 207
v. tb. neoplatonismo; hermetismo
Matrilinear
– parentesco M. 241, 242[13]
v. tb. ginecocracia;. matrilinhagem
Matrilinhagem 242[13], 249s
v. tb. morte (princípio negativo da); carneiro; Psiqué (mito de Eros e P. – as quatro provas)
– beleza árida da virgindade estéril 260
– concepção matrilinear do casamento 233
– conflito entre M. e feminino 246-248
v. tb. Psiqué (mito de Eros e P. – tentação e paixão)
– dicotomia patrilinhagem-M. 151
– estrato matrilinear de ódio aos homens 236s
v. tb. Psiqué (mito de Eros e P. – tentação e paixão)
– irmãs-sombra de Psiqué (poderes matrilineares) 259
v. tb. Psiqué (mito de Eros e P. – as quatro provas)
– irrompimento de Psiqué da esfera matrilinear 259
v. tb. Psiqué (mito de Eros e P. – as quatro provas)
– regressão à M. 260
v. tb. sono (profundo); Psiqué (mito de Eros e P. – as quatro provas)
Matrimônio
– norma básica do M. 239
– proteção e fertilidade no M. 71s
v. tb. *Phosphóros*; Ártemis (epítetos de)

Máxima(s)
– M. do templo délfico 98
v. tb. Delfos (Oráculo de)
Medicina 92[2], 93
v. tb. Quirão (centauro); Asclépio (mito de); cirurgia
Médico
– M. dos deuses 88
v. tb. Peéon; Apolo (atributos de)
Medida
– M. de cada um 137
v. tb. *métron*; tragédia (apolinização da)
Mênades 142
v. tb. Bacantes
Mensageiro
– M. dos deuses 202
v. tb. Hermes (atributos e funções)
Menstruação 72
– tabus da M. 74, 74(75)[26], 76s, 78[10]
v. tb. *émmena*; Lua (poderes e efeitos da)
Mênstruo 74
v. tb. catamênio; menstruação
Mente
– cura pela M. 94
v. tb. nooterapia; Asclépio (mito de)
Mercúrio 62, 205, 210, 214[14]
v. tb. ferro; degraus (da escada mitraica); Hermes; albedo; matéria (fases da); alquimia
– espírito de M. 209
v. tb. feminino; alquimia
Meretrice 80
v. tb. meretriz; Puta; podadura
Meretriz 80
v. tb. *meretrice*; Puta; podadura; fecundação
Metal(ais)
– M. seco 209
v. tb. mercúrio; alquimia
– liga de M. 62
v. tb. Marte; degraus (da escada mitraica)
Metamórphosis 119, 135
v. tb. transformação; dionísias (urbanas); Dioniso (mito de)
Metánoia 94s
v. tb. nooterapia; cura (pela mente)
Metempsicose 158, 160, 168[14]
v. tb. *metempsýkhosis*; orfismo; pitagoricismo; reencarnação
Metempsýkhosis 168[14]
v. tb. metempsicose *Metamórphosis* 144, 146
v. tb. transformação(ões)
Métis
– união de Zeus com M. 23
v. tb. Zeus (uniões de); Atená (mito de)
Métron 27, 137s, 142, 157, 183, 189
v. tb. medida: limite (permitido); tragédia (apolinização da)
Míasma 97
v. tb. *Kathársios* (Apolo); mancha
Mineral(ais)
– transmutação dos M. 210
v. tb. matéria (experiência dramática da); alquimia
Minguante
– quarto M. 73
v. tb. Lua (simbolismo da)
Miníades 120, 120[3]
v. tb. Dioniso (mito de)
Mirmidões 249[19]
v. tb. *myrmidónes*; *mýrmeks*; formiga; terra (nascido da)
Místico(as)
– correntes religiosas M. gregas 130
v. tb. Dioniso (aparecimento "oficial" de)

Mistério(s)
– M. de Elêusis 10, 11
– – reação contra a estratificação da religião tradicional 10
v. tb. dionisismo; orfismo
– M. órficos 147
v. tb. Orfeu
– posse dos M. 150
v. tb. catábase; Orfeu; saber
Mito
– M. das Danaides 257[28]
– M. de Apolo 85-100
– M. de Ares 39-45
– M. de Ártemis 66-71
– M. de Asclépio 94-96
– M. de Atená 23-33
– M. de Dioniso 117-128
– M. de Erictônio 29-30
– M. de Eros e Psiqué 219-264
– M. de Hefesto 45-48
– M. de Hermafrodito 213s
– M. de Leto 59-61
– M. de Orfeu 147-149
– M. do rapto de Europa 34-35
– análise do M. como arquétipo 14
v. tb. inconsciente (coletivo)
– característica do M. 191
– utilização do M. pelo poder dominante 10
Mitra 37
v. tb. touro (simbolismo do)
– a escada nos mistérios de M. 62
v. tb. escada (simbolismo da)
Mnemósina
– união de Zeus com M. 23
v. tb. Zeus (uniões de)
Moderação 130, 136
v. tb. *sophrosýne*; comedimento
Moîra 137s
v. tb. destino (cego); tragédia (apolinização da)
Móli 203, 203[4], 204
v. tb. *móly*; Hermes (atributos e funções); antídoto
Móly 203[4]
v. tb. móli
Mônada
– Grande M. 207s
v. tb. neoplatonismo; hermetismo
Montanha(s) 61, 62
v. tb. centro (simbolismo do C. do mundo)
– procissão nas M. 120[3]
v. tb. oribásia; Dioniso (mito de)
Moral
– vida M. 108
v. tb. virtudes (teologais e cardeais); sete (simbolismo do número)
Morcego 120[3]
v. tb. Miníades; evolução (espiritual obstruída); Dioniso (mito de)
Mortal
– simples M. 137s
v. tb. *ánthropos*; tragédia (apolinização da)
Morte 82, 123s, 151, 182, 192
v. tb. ambivalência (da Lua); renascimento; fogo (passagem pelo); cardeais (pontos); sono; narciso (flor); pó; *puluis*; sombra; *umbra*
– M. aparente 148-150
v. tb. catábase; Orfeu
– M. da matéria 210
v. tb. matéria (experiência dramática da); alquimia
– M. de Dioniso 122
v. tb. anábase; catábase
– M. do alquimista 211
v. tb. nigredo; matéria (fases da); alquimia
– M. do iniciando 248
v. tb. iniciação; *homo* (*nouus*)

– M. ritual 121s
v. tb. gesso (cobrir o rosto com pó de); Dioniso (mito de)
– dialética material da vida e da M. 210[12]
v. tb. vida; serpente; uróboro; alquimia
– fios da vida e da M. 257s
v. tb. Psiqué (mito de Eros e P. – as quatro provas)
– juventude eterna da M. 259
v. tb. *Thánatos*; Psiqué (mito de Eros e P. – as quatro provas)
– núpcias da M.
– – de Psiqué 220s, 232s, 235s, 250[20]
– – no casamento 233s
v. tb. Psiqué (mito de Eros e P. – as quatro provas); mundo (viagem de Psiqué ao M. ctônio)
– olhar a M. de frente 250[20]
v. tb. mundo (viagem de Psiqué ao M. ctônio); Psiqué (mito de Eros e P. – as quatro provas)
– princípio negativo da M. 250s
v. tb. matrilinhagem; carneiro; Psiqué (mito de Eros e P. – as quatro provas)
– Psiqué luta contra a própria M. 259
v. tb. Psiqué (mito de Eros e P. – as quatro provas)
– termo das tribulações 166s
v. tb. antropogonia (órfica)
Morto(s)
– sepultamento órfico dos M. 172[18]
Mulher 150
v. tb. direções (tabu das)
– M. de todos 241, 242[13]
v. tb. heterismo; ginecocracia
– beleza da M. 261s
v. tb. Psiqué (mito de Etos e P. – desfecho feliz)
– característica da iniciação na M. 258
v. tb. iniciação
– casamento para o homem e para a M. 233[5]
– casamento por escolha da M. 241, 242[13]
v. tb. demetrismo; ginecocracia
– conquista da M. 262s
– libertação da M. 142
v. tb. Antestérias
– poder sexual do homem e da M. 184
– sangue da M. 76s, 78[10]
v. tb. menstruação; Lua (poderes e feitos da)
– servidora da Lua 81s
– vínculo entre a Lua e a M. 75-78
v. tb. Lua (simbolismo da)
Múmia(s)
– enfaixamento de cadáveres e M. 52
v. tb. Hefesto (poder de atar/desatar)
Mundo
– alma do M. 205
v. tb. trindade (neoplatônica); neoplatonismo; hermetismo
– criação do M. 108s
v. tb. sete (simbolismo do número)
– eixo do M. 216
v. tb. *axis* (*mundi*); equilíbrio; caduceu (de Hermes)
– ovo do M. 114
v. tb. cisne (simbolismo do)
– simbolismo do centro do M. 61-63
v. tb. Leto (mito de)
– viagem de Psiqué ao M. ctônio 249-262
v. tb. morte
Mundus 61
v. tb. limpo; puro; centro (simbolismo do C. do mundo)
Muralha 256
v. tb. falo (da Terra)
Musa(s)
– condutor das M. 89
v. tb. *Museguétes*; Apolo (atributos de)

Museguétes 89
v. tb. musas (condutor das)
Mutilação
– sentido simbólico da M. de Hefesto 48
Mýrmeks 249[19]
v. tb. formiga; mirmidões
Myrmidónes 249[19]
v. tb. mirmidões; formiga
Mythos 14
v. tb. *lógos*

N
Nandî 36
v. tb. Çiva; touro (simbolismo do)
Narciso
– mito de N. 181-198
– – flor N. 181s
– – paixões por N. 185-189
– – paixão de N. 189-191
– – interpretação do mito de N. 182-190
– N. e Édipo 193
v. tb. amor (objeto do A. de N. e Édipo)
– N. flor 190s
v. tb. Perséfone/Core (rapto de)
Narcose 181s
v. tb. narciso (flor)
Nárke 181s
v. tb. entorpecimento; torpor; Narciso
Nárkissos 181
v. tb. Narciso
Nascer
– N. duas vezes 126
v. tb. úmido (elemento); ígneo (elemento); Dioniso (mito de)
Nascimento
– N. de Atená 24
v. tb. Atená (mito de)
– N. do primeiro Dioniso 121
v. tb. Dioniso (mito de)
Natalis
– *N. solis/Domini* 38, 38[6]
v. tb. Mitra
Natureza
– divindades da N. e da ordem 33
v. tb. Horas
Negro(a) 208
v. tb. *chame*; alquimia
– cor N. 112
v. tb. luz (solar/lunar; masculina/feminina; do dia/da noite); branca (cor); cisne (simbolismo do)
– Lua N. 73, 82
v. tb. nova (Lua); Lua (simbolismo da)
Némesis 138s, 183
v. tb. punição (pela injustiça praticada); tragédia (apolinização da); justiça
Neoplatonismo 207
v. tb. hermetismo
Neve
– N. de ouro 31
v. tb. pureza; fecundação; iluminação
Nigredo 210s
v. tb. preto; morte (do alquimista); matéria (fases da); alquimia
Níke 25, 29
v. tb. Nique; Vitoriosa; Atená (epítetos de)
Ninguém 241, 242[13]
v. tb. *Udeís*; pai; heterismo; ginecocracia
Nique 29
v. tb. *Níke*; Vitoriosa; Atená (epítetos de)
Nó(s) 46, 49s, 52, 56
v. tb. atar/desatar (segredo de); Hefesto (poder de atar/desatar)
Nogueira
– senhora da N. 71
v. tb. *Karyâtis*; Ártemis (epítetos de)

Noite 252
v. tb. Sol (pôr do S.); amor; masculino (aproximação do M. ao feminino)
Noiva 233, 233[5]
v. tb. *nýmphe*; *nubere*; véu
Nômio 88
v. tb. *Nómios*; Apolo (atributos de)
Nómios 88
v. tb. Nômio
Nooterapia 94
v. tb. cura (pela mente); Asclépio (mito de)
Nóstos 25
v. tb. retorno (de Ulisses)
Nova
– Lua N. 73, 76, 82
v. tb. negra (Lua); Lua (simbolismo da)
Novilha
– tripas de N. 199
v. tb. lira; tartaruga (carapaça de)
Novíssimos 169[16]
v. tb. *éskhatos*
Nubere 233[5]
v. tb. noiva; véu
Numero
– N. quatro 199, 255[27]
v. tb. Hermes; totalidade
– N. sete 85s
v. tb. Apolo
Núpcias
– N. da morte 250[2]
v. tb. mundo (ctônio); Psiqué (mito de Eros e P. – as quatro provas)
– – de Psiqué 220, 221, 232, 233, 235, 236
– – no casamento 232-235
v. tb. Psiqué (mito de Eros e P. – as quatro provas)
– primeira noite de N. 79
v. tb. *cuissage*; rei; chefe (tribal)
Nûs 207
v. tb. inteligência; *lógos*
Nýmphe 233[5]
v. tb. noiva; *nubere*; véu

O

Obreira 27, 28
v. tb. *Ergáne*; Atená (epítetos de)
Obscuro 147
v. tb. *orphnós*; Orfeu; *Orpheús*
Ocno 257, 257[28]
v. tb. sensualismo; inércia; Psiqué (mito de Eros e P. – as quatro provas)
Odéon 95
v. tb. Epidauro (centro cultural)
Ódio
– estrato matrilinear de O. aos homens 237s
v. tb. Psiqué (mito de Eros e P. – tentação e paixão
Oeste 151
v. tb. cardeais (pontos)
Ofioneu 185
v. tb. serpente; *óphis*
Óleo 243
– simbolismo do Ó. 244
v. tb. luz (princípio da); sabedoria (princípio da)
Olhar
– não O. para trás 258
v. tb. ego (estabilidade do)
Olho(s)
– deusa dos O. garços 25, 30
v. tb. Atená (epítetos de)
Olímpio
- domínio do nível O. 202
v. tb. telúrico/ctônio (domínio do nível); Hermes (atributos e funções)
Oliveira 26
v. tb. Atená (epítetos de); azeitona (óleo sagrado da)

– árvore de Atená 30
Omofagia 128[7], 143, 157
v. tb. deus (da vegetação); vegetação (espírito da); despedaçamento
Omophaguía 70
v. tb. omofagia; consumação (da carne e do sangue da vítima)
Omphalós 61, 62, 97, 99, 100
v. tb. centro (simbolismo do C. do mundo); umbigo; útero
– *O.* de Delfos 60
Operação
– grande O./O. filosófica 210
v. tb. *opus* (*magnum/philosophicum*); matéria (experiência dramática da); alquimia
Óphis 185
v. tb. serpente; Ofioneu
Oposto(s)
– união dos O. 114
v. tb. fogo; água; cisne (simbolismo do)
– vivência de seu O. 186
v. tb. Narciso (mito de)
Opressão 150
v. tb. direções (tabu); homem; mulher
Opus
– O. *magnum*/O. *philosophicum* 210
v. tb. operação (grande/filosófica); matéria (experiência dramática da); alquimia
Oráculo
– O. de Delfos 96-103
– – influência político-social e religiosa 103-104
v. tb. Apolo (mito de); Pitonisa; Pítia; mântica (ação M. da Pítia/Pitonisa)
Ordem 94
v. tb. harmonia; nooterapia; Asclépio (mito de)
– O. cósmica 36
v. tb. Dharma
– divindades da natureza e da O. 34
v. tb. Horas
Oreibásia 120[3]
v. tb. oribásia; Dioniso (mito de)
Orfeu 10
v. tb. orfismo
– O. e Homero 161
– mito de O. 147-149
Orfismo 156-179
– contribuição religiosa órfica 163-179
– – cosmogonia órfica 163-165
– – antropogonia órfica 165-169
– – escatologia órfica 169-179
– divergências e convergências entre O. e apolinismo 157-158
– divergências e convergências entre O. e dionisismo 157
– divergências e convergências entre O. e pitagoricismo 158-160
– reação contra a estratificação da religião tradicional 10
v. tb. Elêusis (mistérios de); dionisismo
– significação religiosa do O. 162
– surgimento do O. 160-162
Orgia(s) 125, 141, 142, 146, 168
v. tb. *órguia*; Dioniso (mito de); desregramentos; Hera (Teleia)
Órguia 141
v. tb. orgia
Oribásia 120[3]
v. tb. *oreibásia*; Dioniso (mito de)
Ormadz 39
v. tb. Sol; bem; trevas; mal
Orpheús 147
v. tb. Orfeu; *Orphnós*; obscuro
Orphnós 147
v. tb. obscuro; Orfeu; *Orpheús*

Oskhophória 26
v. tb. Dioniso (deus do vinho)
Osso(s) 118
v. tb. iniciação (símbolos de)
Ouro 38, 62, 208, 211
v. tb. Sol; fogo; degraus (da escada mitraica); masculino; alquimia
– lã de O. 250, 259
v. tb. carneiro; Sol; masculino (mortal); Psiqué (mito de Eros e Psiqué – as quatro provas)
– neve de O. 31
v. tb. riqueza; fecundação; iluminação
– sandálias de O. 201
v. tb. Hermes (atributos e funções); velocidade
– símbolo de eternidade 211
v. tb. citrinitas; matéria (fases da); alquimia
Ouróboros 210[12]
v. tb. uróboro
Ovo
– O. do mundo 114
v. tb. cisne (simbolismo do)
– O. filosófico (etapas e transformações) 210
v. tb. atanor; alquimia
– O. primordial 163
v. tb. cosmogonia

P
Pã
– flauta de P. 200
v. tb. *syrinks*; Hermes
Pai 241, (242)[13]
v. tb. *Udeís*; ninguém, heterismo; ginecocracia
– "sem P." 26[2]
v. tb. apatúria
Paidotróphos 71
v. tb. Ártemis (epítetos de)
Paixão(ões) 210
v. tb. rubedo; matéria (fases da); alquimia
– P. de Narciso 189-190
– P. pela própria imagem 191-195
v. tb. Narciso (interpretação do mito de)
– P. por Narciso 185-186, 187-189
Paládio 25
v. tb. Palas (Atená); *ksóanon*
Palas
– P. Atená 25, 30, 32
v. tb. Atená (epítetos de)
Palavra
– P. tornada audível 217
v. tb. *lógos* (*prophorikós*); saber (divino)
Panaceia 93
v. tb. Asclépio (mito de)
Panateneias
– festa das P. 28, 30
v. tb. *panathénaia*
Panathénaia 28
Panegírias 104-105
v. tb. Apolo (culto de)
Panteísmo
– P. de emanação 207
v. tb. neoplatonismo; hermetismo
Parcas 257
v. tb. vida (fios da V. e da morte)
Parentesco
– P. matrilinear 230, 243[13]
v. tb. matrilinhagem; ginecocracia
Parte(s)
– junção das P. 154
v. tb. Orfeu; harmonia
Parthénos 29
– *P.* Criselefantina 30
v. tb. virgem; Atená (epítetos de)
Parto 40, 51, 60, 63, 65
v. tb. Ilítia; *Eileíthyia*; Hefesto (poder de atar/desatar); Leto (mito de); pernas (cruzar as); mana

Passado
– Voltar ao P. 152
Pastor(es)
– Apolo P. 91
– proteção aos P. e rebanhos 87, 200
v. tb. Nômio; Apolo (atributos de); Crisóforo (Hermes)
Patrilinhagem
– dicotomia P.-matrilinhagem 150
– escravidão do feminino à P. 236
v. tb. Psiqué (mito de Eros e P. – tentação e paixão)
Paz 34
v. tb. Horas; Irene; Carpo; frutificar (a que faz)
– símbolo da P. 216
v. tb. caduceu (de Hermes)
Pedra 61, 187, 256
v. tb. centro (simbolísmo do C. do mundo); Eco; imobilização; falo (da terra)
– P. filosofal/oculta 208, 209, 210
v. tb. alquimia; *kîmyâ*; *lapis* (*occultus*); alma (purificação da); redenção (espiritual)
– simbolismo da P. 201
v. tb. força; presença; perpetuidade (do divino); *hérmaion*
Peéon 88
v. tb. médico (dos deuses); Apolo (atributos de)
Pele
– P. de javali 67
v. tb. couro (de javali); mana
Peplo
– P. sagrado 28
v. tb. Arréforas
Perfume
– P. de narciso 190
v. tb. narciso (flor)
Peritus
– *ad utrumque P.* 205
v. tb. habilidade; Hermes (atributos e funções)
Perna(s)
– cruzar as P. 60
v. tb. Leto (mito de); Ilítia; parto
– cruzar braços/P. 51
v. tb. parto; Hefesto (poder de atar/desatar)
– cruzar/descruzar as P. 63, 65
v. tb. parto; Ilítia; mana
Perpetuidade
– P. do divino 201
v. tb. força; presença (do divino); pedra
Perséfone
– juventude eterna de P. 259
v. tb. Core; Psiqué (mito de Eros e P. – as quatro provas)
– rapto de P. 190
v. tb. Core (rapto de); narciso (flor)
– união de Zeus com P. 121
Pescador(es)
– proteção aos caçadores e P. 71
v. tb. Ártemis (epítetos de)
Pétaso 214
v. tb. *pétasos*; chapéu (de Hermes); Hermes (iconografia)
Pétasos 214
v. tb. pétaso; chapéu (de Hermes); Hermes (iconografia)
Pharmakoí 106
v. tb. "bodes" (expiatórios); targélias
Phármakon
– *P. esthlón* 203[4]
v. tb. antídoto (eficaz)
– droga salutar/venenosa 50
v. tb. droga
Phéme 221[2]
v. tb. Fama; voz (pública)

Philosophía 48
v. tb. ciência (amor pela); *philotekhnía*
Philotekhnía 48
v. tb. arte (amor pela); *philosophía*
Phoíbe 72
v. tb. Febe; Febo; Ártemis (epítetos de)
Phoîbos 72
v. tb. Febo; Apolo; *Phoíbe*; Febe
Phosphóros 72
v. tb. Hécate; Ártemis (epítetos de)
Phratría 26[2]
v. tb. fratria
Phrátrios 88
v. tb. fratria; Apolo (atributos de)
Pianépsias 106
v. tb. Apolo (culto de)
Pião 122
v. tb. iniciação (símbolos de)
Piedade
– resistência à P. 258
v. tb. iniciação
Pilar 61
v. tb. centro (simbolismo do C. do mundo)
Pilhagem
– P. do espírito masculino 254
v. tb. águia
Pirâmide 256
v. tb. torre
Pírrica 29
v. tb. guerra (dança da); Atená (mito de)
Pitagoricismo
– divergências e convergências entre orfismo e P. 158-160
Pítia
– sacerdotisa de Apolo 99-102
v. tb. Pitonisa; êxtase; entusiasmo
Pítio
– Apolo P. 105
v. tb. Apolo (epítetos de)
Píton
– dragão P. 96, 97, 98, 99
v. tb. *drákaina*; Delfine; Delfos (Oráculo de)
Pitonisa
– sacerdotisa de Apolo 99-102
v. tb. Pítia; êxtase; entusiasmo
Planta(s)
– P. com bulbo 203[4]
v. tb. bruxaria
– fecundação das P. 79
v. tb. puta; meretriz
Plêiades 199[1]
v. tb. Hermes
Pó 158, 194
v. tb. *puluis*; morte
Podadura 79
v. tb. puta; *putare*; meretriz
Poder(es) 205, 214
v. tb. Hermes (atributos e funções/iconografia); chapéu (de Hermes); pétaso; coroa
– P. de ligar e desligar 199
v. tb. Hermes; faixas
– P. de predição 182s
v. tb. *uaticinium*; *uatis*
– P. destrutivo masculino 251
v. tb. carneiros; Psiqué (mito de Eros e P. – as quatro provas)
– P. divinatório 249s
v. tb. Pã
– P. matrilineares 259
v. tb. Psiqué (mito de Eros e P. – as quatro provas)
– P. oculto 63-67
v. tb. mana; Leto (mito de)
– P. senhorial feminino 241, 242[13]
v. tb. ginecocracia; matrilinhagem
– P. sexual do homem e da mulher 184
– P. urânio (ctônio) 187
v. tb. catrofania; caverna; gruta

Polias
– Atená P. 25, 29, 30
v. tb. protetora; Atená (epítetos de)
Poligamia 10
v. tb. islamismo
Pompé 29
v. tb. procissão (gigantesca)
Ponta(s)
– P. da coroa 215
v. tb. coroa; chapéu (de Hermes) ; Hermes (iconografia)
Posídon
– família de P. 21
Potâmia 71
v. tb. Ártemis (epítetos de)
Póthos 148
v. tb. ausência (desejo da presença de uma A.)
Pótnia
– *P. therôn* 69
v. tb. senhora (das feras); Ártemis (mito de); Mãe (Grande)
Povo
– assembleia(s) do P. 85, 129
v. tb. *apéllai*; *Apóllon*; *ekklesía*
Prata 62, 209
v. tb. Lua; degraus (da escada mitraica); feminino; alquimia
– arco de P. 86
v. tb. Apolo (mito de)
Prazer 230
v. tb. Volúpia; bem-aventurança
– P. sexual feminino e masculino 184
v. tb. Tirésias
Predição
– poder de P. 183
v. tb. *uaticinium*; *uatis*; Tirésias
Presença
– P. do divino 201s
v. tb. força; perpetuidade (do divino); pedra
Presente(s)
– aceitar P. 259
v. tb. comunhão; vínculo
Preto 210s
v. tb. nigredo; matéria (fases da); alquimia
Primícia(s) 133, 133[14]
v. tb. Antestérias
Princípio 109
v. tb. centro; sete (simbolismo do número)
– P. vital 219
v. tb. Psiqué; sopro (vital)
Procissão
– P. nas montanhas 120[3]
v. tb. oribásia; Dioniso (mito de)
– alegre e barulhenta P. 126
v. tb. *kômos*; dionísias (rurais)
– gigantesca P. 29
v. tb. *pompé*
Profecia 89s
v. tb. *manteía*; Cassandra
Prokharistéria 26
v. tb. agradecimentos (antecipados); fertilidade (dos campos)
Prómakhos
– Atená *P.* 30
v. tb. Atená (epítetos de)
Prometeu
– mito do sacrifício de P. 168
Promiscuidade 242[13], 248
v. tb. sexo; parentesco (matrilinear); ginecocracia; matrilinhagem; cereais (separação dos C. por espécie); masculino (mistura urobórica do)
– P. masculina 259
v. tb. semente; Psiqué (mito de Eros e P. – as quatro provas)
Prosperidade 82
v. tb. ambivalência (da Lua)

Prostituta(s)
– P. sagradas 81
v. tb. hierodulas; escravas (sagradas)
Protetor(a) 25
v. tb. Poliás; Atená (epítetos de)
Psicopompia 202-205
v. tb. psicopompo (deus); Hermes (atributos e funções)
Psicopompo
– deus P. 202
v. tb. Hermes (atributos e funções)
Psiqué
– cabeça: sede da P. 215
– estágios (caminhos) da P. 207
v. tb. alma; neoplatonismo; hermetismo
– mito de Eros e P. 219-264
– – introdução 219s
– – núpcias da morte 220s
– – tentação e paixão de P. 221-225
– – as quatro provas 224-229
– – desfecho feliz 231
– – interpretação do mito 230-264
– nova Afrodite 220
Psykhé 219
v. tb. Psiqué
– "amarrada" ao *sôma* 55
v. tb. ligar; desligar
Ptóos
– Apolo P. 105
v. tb. Apolo (epítetos de)
Puluis 157, 194
v. tb. pó
Punição
– P. pela injustiça praticada 137s
v. tb. *némesis*
Pureza 31
v. tb. neve
Purificação 105, 142, 152, 157, 207
v. tb. catarse; *kátharsis*; sal (simbolismo do); orfismo; Psiqué (estágios da); alma (do mundo)
– P. da vontade para receber o divino 130
v. tb. catarse; religião (correntes religiosas)
– P. pela água 119
v. tb. banho (ritual); Dioniso (mito de)
Purificador
– P. da alma 88
v. tb. *Kathársios*; Apolo (atributos de)
Puro 61
v. tb. limpo; *mundus*
Puta 79
v. tb. *putare*; podadura; meretriz; fecundação
Putare 79
v. tb. puta; podadura; meretriz
Pyriguenés 125
v. tb. fogo (nascido do); raio (concebido do); Dioniso (mito de)

Q

Quatro
– número Q. 108, 199, 255[27]
v. tb. Terra; sete (simbolismo do número); Hermes; totalidade
Queres 257
v. tb. vida (fios da V. e da morte)
Quintessência 209
v. tb. cinco (número); pedra (filosofal); alquimia
Quirão
– centauro Q. 92, 92[2]
v. tb. *Kheíron*; cirurgia; medicina

R

Rainha 209, 210
v. tb. feminino; alquimia

– esposa de Dioniso 140
v. tb. *basílinna*; Mãe (Terra-M.); Antestérias
Raio(s)
– R. da Lua 73-76
v. tb. fertilidade; fecundidade; gravidez; Lua (poderes e efeitos)
– concebido do R. 125
v. tb. *Pyriguenés*; fogo (nascido do); Dioniso (mito de)
Rato
– deus-R. 87
v. tb. *Smintheús*; Apolo (atributos de)
Razão 72
v. tb. *lógos*; Sol/Lua (diferenças)
– cegueira da R. 138s
v. tb. *Áte*
Realidade
– R. múltipla 164
v. tb. substância (única); cosmogonia (órfica)
Reassunção
– R. pela alma de um novo corpo 168[14]
v. tb. metempsicose; ensomatose
Rebanho(s)
– proteção aos pastores e R. 88, 200
v. tb. Carnio; Apolo (atributos de); Crióforo (Hermes)
Rebis 214, 214[14]
v. tb. andrógino (primordial); Hermafrodito (mito de)
Recinto
– R.-mandala 256
v. tb. torre; feminino
Rede(s) 49-53
v. tb. Hefesto (poder de atar/desatar)
Redenção
– R. através do amor 262
v. tb. Psiqué (mito de Eros e P. – desfecho feliz)
– R. espiritual 209
v. tb. pedra (filosofal)
Reencarnação 168, 168[14]
v. tb. metempsicose
– ciclo reencarnatório 175
Reflexão 192s
v. tb. reflexo; *reflexio*; Narciso (interpretação do mito de); espelho
– R. que domina as trevas 30
v. tb. coruja
Reflexio 192
v. tb. reflexo; reflexão; Narciso (interpretação do mito de); espelho
Reflexo 192-194, 197
v. tb. *reflexio*; reflexão; Narciso (interpretação do mito de); espelho
Regressão
– R. à matrilinhagem 260
v. tb. sono (profundo); Psiqué (mito de Eros e P. – as quatro provas)
– impossibilidade de R. 250
v. tb. suicídio; Psiqué (mito de Eros e P. – as quatro provas)
Regulamento(s)
– libertação dos R. 142s
v. tb. Antestérias
Rei 79s, 209
v. tb. homem-Lua; chefe (tribal); *cuissage*; masculino; alquimia
Rejuvenescimento 123
v. tb. fogo (passagem pelo) 200
Religare 56
v. tb. religião
Religião(ões) 56
v. tb. *religare*
– choque da R. popular com a R. aristocrática 130
v. tb. Dioniso (aparecimento "oficial" de)
– correntes religiosas místicas 130
v. tb. Dioniso (aparecimento "oficial" de)

– distinção entre magia e R. 52-55
– sistema estratificador das R. 10
Religiosidade
– contribuição órfica 163-179
– – cosmogonia órfica 163-165
– – antropogonia órfica 165-170
– – escatologia órfica 170-179
Renascimento 124, 152, 182
v. tb. morte; fogo (passagem pelo); narciso (flor); despedaçamento
Renovação
– R. positiva 108
v. tb. sete (simbolismo do número)
Réptil
– R. ctônio 215
v. tb. serpente
Responder
– não R. 258
v. tb. ego (estabilidade do)
Ressurreição
– R. da matéria 210
v. tb. matéria (experiência dramática da); alquimia
Retorno
– R. de Ulisses 25
v. tb. *nóstos*
Rio
– banho ritual no R. 120
v. tb. água (purificação pela); Dioniso (mito de)
Riqueza 31
v. tb. ouro
Rito(s)
– R. agrários 128[7]
v. tb. deus (da vegetação); vegetação (espírito da)
– R. de iniciação 206
v. tb. gnose; hermetismo; Hermes
– R. e símbolos de iniciação 121-124
v. tb. Dioniso (mito de)
– R. iniciático 154, 199
v. tb. Hermes; salgueiro
Rochedo 6
v. tb. tartaruga; touro (simbolismo do)
Roda
– R. cósmica 36
v. tb. Vrishabha; touro (simbolismo do)
Rosa 209
v. tb. cinco (número); pedra (filosofal); alquimia
Rosto
– cobrir o R. com pó de gesso 122
v. tb. morte (ritual); Dioniso (mito de)
Rubedo 210
v. tb. vermelho; matéria (fases da); alquimia
Rudra 35
v. tb. touro (simbolismo do)

S
Sábado
– tabus do S. 76s, 77[8], 109
v. tb. *šabbat*; Lua (simbolismo da); sete (simbolismo do número)
Šabbat 77, 77[8]
v. tb. sábado (tabus do); Lua (simbolismo da)
Sabedoria 31, 32
v. tb. ave (símbolo de fecundidade)
– princípio da S. 244
v. tb. óleo
Saber 205
v. tb. Hermes (atributos e funções)
– S. divino 216
v. tb. *ánothen*; *theóthen*; *lógos* (*prophorikós*)
– posse do S. 151
v. tb. catábase; Orfeu; mistérios
Sacerdote(s) 79
v. tb. rei; homem-Lua

Sacralidade 107
v. tb. sete (simbolismo do número)
Sacrifício
– S. de Psiqué 262
v. tb. Psiqué (mito de Eros e P. – desfecho feliz)
– S. do touro 37
v. tb. tauróbolo; touro (simbolismo do)
Sagitária 67
v. tb. Ártemis (mito de)
Sagitário 92[2]
v. tb. *sagitta*; flecha
Sagitta 92[2]
v. tb. flecha; Sagitário
Sal
– simbolismo do S. 152
v. tb. contrato (social); esterilidade; purificação
Salgueiro 199
v. tb. Hermes; fecundidade; fertilidade
Salomão
– selo de S. 108
v. tb. hexagrama; sete (simbolismo do número)
Salvação
– S. pela fé 9
v. tb. Lutero (divergência teológica com Roma)
Sandália(s)
– S. de Hermes 215s
v. tb. asas (sandálias providas de); Hermes (iconografia)
– S. de ouro 201
v. tb. Hermes (atributos e funções); velocidade
– simbolismo das S. 215s
Sangue 211
v. tb. rubedo; matéria (fases da); alquimia
– S. da mulher 74(75)[26], 76s, 78[10]
v. tb. menstruação; Lua (poderes e efeitos)
– consumação da carne crua e do S. da vítima 70, 143
v. tb. omofagia; Ártemis (mito de)
Sanguinária 66
v. tb. *ártamos*; Ártemis (mito de)
Santuário
– S. de Epidauro 94s
v. tb. templo (de Epidauro); *ábaton*; *thólos*; Asclépio (mito de)
Sátira 133, 133[14]
v. tb. drama (satírico); comédias; tragédias; dionísias (urbanas)
Saturno 62
v. tb. chumbo; degraus (da escada mitraica)
Saúde 26, 93
v. tb. Higiia (Atená); Higiia; Asclépio (mito de)
Sede
– resistência à S. 258
v. tb. iniciação
Selasphóros 72
v. tb. Ártemis (epítetos de)
Selene
– personificação antiga da Lua 72, 73[5]
v. tb. *Seléne*; Ártemis (simbolismo da Lua); Hécate
Seléne 73, 73[5]
v. tb. Selene; Ártemis (epítetos de)
Self 262s
v. tb. feminino (centro)
Selo
– S. de Salomão 108
v. tb. hexagrama; sete (simbolismo do número)
Semana 108
v. tb. *septimana*; sete (simbolismo do número)

Sêmele 124s
v. tb. *Seméle*; terra
– imortalidade de S. 127
v. tb. Tione
Seméle 124
v. tb. Sêmele
Semente(s) 259
v. tb. masculino (promiscuidade masculina); Psiqué (mito de Eros e P. – as quatro provas)
Senhora
– S. da árvore (do cedro / da nogueira) 71
v. tb. Ártemis (epítetos de)
– S. das feras 69
v. tb. *pótnia* (*therôn*); Ártemis (mito de)
Sensualismo 257[28]
v. tb. inércia; Ocno
Sentido(s)
– desejo dos S. 216
v. tb. Eros
Sentimento(s)
– transformação de S. 94
v. tb. *metánoia*; nooterapia
Septimana 108
v. tb. semana; sete (simbolismo do número)
Sepultamento
– S. órfico dos mortos 172[18]
v. tb. orfismo
v. tb. adivinhação; Asclépio (mito de); uróboro; cosmo (unidade do); alquimia; Terra (filho da); Erictônio (mito de)
Serpente(s) 31s, 93, 210
– S. entrelaçadas 214s
v. tb. caduceu (de Hermes); Hermes (iconografia)
– – simbolismo das S. entrelaçadas 214s
– atributo de Atená 30
– réptil ctônio 184s
v. tb. *mántis*; adivinhação
– símbolo da fecundidade e da fertilidade 31
v. tb. falo; ave
Seta(s)
v. tb. flechas; aljava; arco; Ártemis (mito de)
Sete
– S. céus 62
v. tb. degraus (da escada mitraica)
– número S. 85s
v. tb. Apolo
– simbolismo do número S. 107
v. tb. Apolo
Sexo(s)
– água: detentora de energia sexual 257[28]
– desejo sexual 114
v. tb. cisne (simbolismo do)
– energia sexual 182s
– experiência dos dois S. 183
v. tb. Tirésias
– prazer sexual feminino e masculino 184
– relações sexuais promíscuas 242[13]
v. tb. promiscuidade; parentesco (matrilinear); ginecocracia; matrilinhagem
– separação e reunião dos S. 209
v. tb. alquimia
Si
– sair de S. 137, 142
v. tb. êxtase; entusiasmo
– violência a S. e aos deuses 137s
v. tb. *hýbris*
Signo
– S. de touro 39
v. tb. zodíaco (signo do); touro (simbolismo do)
Símbolo(s)
– ritos e S. de iniciação 122s

Sin 75
v. tb. androginia (da Lua)
Sincretismo
– S. religioso 206
v. tb. gnose; gnosticismo
Sinistra 151
v. tb. esquerda; direita; *dextera*; direções (tabu das)
Smintheús 87
v. tb. rato (deus-R.); Apolo (atributos de)
Soberana
– Atená S. 26
v. tb. Atená (epítetos de)
Soberania 214
v. tb. chapéu (de Hermes); pétaso; coroa; Hermes (iconografia)
Sofrimento
– S. da matéria 210
v. tb. matéria (experiência dramática da); alquimia
Sol 32, 38s, 59, 62, 73, 73[5], 82, 87, 87[1], 89, 209, 251
v. tb. águia (de Zeus); conhecimento (intuitivo); Mitra; *natalis* (*solis/Domini*); fogo; água; Lua; touro (simbolismo do); Apolo (mito de/atributos de); ouro; degraus (da escada mitraica); Hélio; Cristo; Maria; crescente (lunar); masculino; alquimia; carneiro; ouro (lã de); Psiqué (mito de Eros e P. – as quatro provas)
– diferença entre o S. (*lógos*) e a Lua (*éros*) 74s
v. tb. Lua (simbolismo da)
– pôr do S. 251
v. tb. amor (situações de); noite; masculino (aproximação do M. ao feminino)
Soleira(s)
– protetor das S. 88
v. tb. Agieu; Apolo (atributos de)
Sólido
– estado S. 209
v. tb. Terra; elementos (formadores do Universo)
Solipsismo 193
v. tb. eu; Narciso (interpretação do mito)
Sôma 167
v. tb. corpo
– *psikhé* "amarrada" ao S. 55
v. tb. ligar; desligar
Sombra 158, 188, 194-198
v. tb. *umbra*; duplo; Golem
– força curativa da S. 196s
– força de fertilidade da S. 196
– perigos da sombra no Brasil 197
Sonho(s) 95
v. tb. *enkoímesis*; mântica (por incubação); hierofania; equilíbrio (biopsíquico)
Sono 181
v. tb. morte; narciso (flor)
– S. profundo 260
v. tb. matrilinhagem (regressão à); Psiqué (mito de Eros e P. – as quatro provas)
Sophrosýne 130
v. tb. moderação
Sopro
– S. vital 219
v. tb. Psiqué; princípio (vital)
Sortilégio 56s
v. tb. *fascinum*; atar; desatar; Hefesto (poder de ligar/desligar)
Soteriologia
– S. órfica 157
Stómion 97
v. tb. cavidade; vagina; útero; *omphalós*
Sublimação 211
v. tb. rubedo; matéria (fases da); alquimia

Substância
– S. única 164
v. tb. realidade (múltipla); cosmogonia (órfica)
Suicídio
– tentativas de S. de Psiqué 250, 250[20]
v. tb. regressão; Psiqué (mito de Eros e P. – as quatro provas)
Sul 151
v. tb. cardeais (pontos)
Superior
– união do S. com o inferior 252
v. tb. fonte; união (do S. com o inferior)
Suplício
– S. das Danaides 174[22]
Sutil
– estado S. 209
v. tb. fogo; elementos (formadores do Universo)
Syrinks 271
v. tb. Pã (flauta de); Hermes

T
Tabu(s)
– T. da menstruação 77, 78[10]
v. tb. Lua (poderes e efeitos da)
– T. das direções 150-153
v. tb. direções
– T. do sábado 76s, 77[8]
v. tb. *šabbat*; Lua (simbolismo da)
– T. dos reflexos no Brasil 188
v. tb. reflexo; *reflexio*
– libertação dos T. 142s
v. tb. Antestérias
Tabula
– *T. Smaragdina* 209
v. tb. Esmeralda (Tábula de); alquimia
Talia
– musa T. 89
v. tb. Apolo (amores de)
Talo 34
v. tb. Horas; Eunômia; Disciplina; brotar (a que faz brotar)
Targélias 106
v. tb. Apolo (culto de)
Tarô 54
v. tb. adivinhação; magia
Tártaro 170
v. tb. Hades (topografia órfica do)
Tartaruga 36
v. tb. rochedo; touro (simbolismo do)
– carapaça de T. 271
v. tb. lira; novilha (tripas de)
Taurobolo 37
v. tb. sacrifício (do touro); touro (simbolismo do)
Teatro 95
v. tb. Epidauro (centro cultural)
Tehôm 61
v. tb. águas (primordiais); centro (simbolismo do C. do mundo)
Teia
– T. de Aracne 27
v. tb. Aracne (disputa entre Atená e A.)
Teiresías 183
v. tb. Tirésias; *uates*
Teleté 123
v. tb. iniciação
Telúrico
– domínio do nível T. 202
v. tb. olímpico/ctônio (domínio do nível); Hermes (atributos e funções)
Têmis
– união de Zeus com T. 23, 34
Templo
– T. de Epidauro 93s
v. tb. santuário (de Epidauro); *ábaton*; *thólos*; Asclépio (mito de)
Tempo
– totalidade do espaço e do T. 108
v. tb. sete (simbolismo do número)

Terra 61, 108, 125, 208s, 263
v. tb. cósmicos (níveis); quatro (número); sete (simbolismo do número); *Seméle*; feminino; alquimia; elemento(s) (formadores do Universo/os quatro); formiga
– T.-elemento
– T.-Mãe 139-141
v. tb. rainha (esposa de Dioniso)
– falo da T. 256
v. tb. torre
– fecundação da T. 80
v. tb. puta; meretriz
– filho da T. 29
v. tb. Erictônio (mito de)
– limo da T. 46
v. tb. *homo-humus*
– T. mãe de todos 249
– nascidos da T. 249s
v. tb. mirmidões
Texto(s)
– T. sagrados 163[11]
v. tb. orfismo (cosmogonia órfica)
Thánatos
– juventude eterna de T. 259
v. tb. morte; Psiqué (mito de Eros e P. – as quatro provas)
Theóthen 216
v. tb. saber (divino)
Thólos
– *T.* de Epidauro 93
v. tb. Asclépio (mito de); *ábaton*
Thyóne 127
v. tb. Tione; Sêmele (imortalidade de)
Timé 126
v. tb. *areté*
Tione 127
v. tb. *Thyóne*; Sêmele (imortalidade de)
Tirésias 183s
v. tb. *Teiresías*; *uates*; predição (poder de)
– cegueira e *manteía* 183
– experiência dos dois sexos 183s
Títio
– gigante T. 60, 60[1]
v. tb. Leto (mito de); *Tityós*
Tityós 60[1]
v tb. Títio (gigante)
Tocha(s)
– condutor de T. 132
v. tb. daduco; Leneias
Torpor 181
v. tb. entorpecimento; Narciso; *nárke*
Torre 250[20], 256
v. tb. conhecimento; pirâmide; Psiqué (mito de Eros e P. – as quatro provas); bissexualidade
– proibições e advertências da T. a Psiqué 257s
Totalidade 108, 255[27]
v. tb. sete (simbolismo do número); quatro (número)
– T. do espaço e do tempo 108
v. tb. sete (simbolismo do número)
Touro 128[7]
v. tb. deus (da vegetação); vegetação (espírito da)
– sacrifício de um T. 143
v. tb. *diasparagmós*; omofagia
– simbolismo do T. 35-40
– – signo de T. 39s
v. tb. chifre (simbolismo do); Europa (mito de)
Toxóforo 86
v. tb. Apolo (mito de); argirótoxo
Tragédia(s) 131, 133[13], 135
v. tb. dionísias (rurais); Leneias; Dioniso (culto a)
– apolinização da T. 135-139
Trançar 257[28]
v. tb. falo (símbolos fálicos inúteis); Psiqué (mito de Eros e P. – as quatro provas)

Transe
– estar em T. 117
v. tb. *bakkheúein*; delírio; êxtase; entusiasmo; Dioniso (mito de)
Transformação 119, 135, 144
v. tb. *metamórphosis*; dionísias (urbanas); Dioniso (mito de)
– T. de sentimentos 94
v. tb. *metánoia*; nooterapia
Transmigração
– T. da alma para um outro corpo 168[14]
v. tb. metempsicose; ensomatose
Transmutação
– T. dos minerais 210
v. tb. matéria (experiência dramática da); alquimia
Trás
– não olhar para T. 258
v. tb. ego (estabilidade do)
– olhar para T. 148, 151-153
v. tb. frente (olhar para); passado (voltar ao)
Três
– simbolismo do número T. 108
v. tb. céu; sete (simbolismo do número)
Treva(s) 39
v. tb. Ahriman; mal; Sol; Lua
– conduzir as almas na luz e nas T. 196-197
v. tb. Hermes (atributos e funções)
– direito do homem e direito das T. 30
v. tb. *ius (fori/poli)*
– domínio sobre as T. 202-204
– êxtase de T. 236
v. tb. Psiqué (mito de Eros e P. – tentação e paixão)
– reflexão que domina as T. 30
v. tb. coruja
Tribo
– fecundação da T. 80
v. tb. puta; meretriz
Trindade
– T. neoplatônica 207
v. tb. alma (do mundo); inteligência; uno; neoplatonismo; hermetismo
Trismegisto
– Hermes T. 205-208
Troia
– paládio de T. 25
v. tb. *ksóanon*
Trono(s) 49
v. tb. Hefesto (poder de atar/desatar)

U
Uates 183
v. tb. Tirésias; predição (poder de)
Uaticinium 183
v. tb. predição (poder de)
Ubiquidade
– dom da U. 50s
v. tb. magia
Udeís 241, 242[13]
v. tb. ninguém; pai; heterismo; ginecocracia
Umbigo 61s, 97
v. tb. *omphalós*; centro (simbologia do C. do mundo); útero
Umbra 157, 188, 194-198
v. tb. sombra; imagem; *imago*; ver-se; apaixonar-se (por si mesmo)
– força curativa da *U.* 196s
Úmido
– elemento U. 127
v. tb. ígneo (elemento); nascer (duas vezes); Dioniso (mito de)
União
– U. do superior com o inferior 252
v. tb. fonte

– U. dos contrários 209s
v. tb. *complexio* (*oppositorum*); hermafroditismo; mercúrio; alquimia
– U. dos opostos 114
v. tb. fogo; água; cisne (simbolismo do)
Unidade
– U. absoluta (suprema) 207
v. tb. Uno; Mônada (Grande); neoplatonismo; hermetismo
– U. do cosmo 210
v. tb. uróboro; serpente; alquimia
Uno 207s
v. tb. unidade (absoluta); Mônada (Grande); trindade (neoplatônica); neoplatonismo; hermetismo
Universo 108
v. tb. sete (simbolismo do número)
– elementos formadores do U. 210
v. tb. alquimia
Urânia
– musa U. 89
v. tb. Apolo (amores de)
Uróboro 210, 210[12]
v. tb. *ouróboros*; cosmo (unidade do); serpente; alquimia
– U. paternal 253s
– Fonte circular urobórica 253
v. tb. união (do superior com o inferior)
Urso 66
v. tb. *árktos*; Ártemis (mito de)
Útero 97, 99, 257[28]
v. tb. *delphýs*; umbigo; Delfos (Oráculo de); barril
Uva 127
v. tb. vinho (descoberta do); vindima

V

Vagina 97
v. tb. cavidade; útero; *omphalós*
Vaidade 192
v. tb. Narciso (interpretação do mito); autoamor
Veado(s)
– massacre de corças e V. 69
v. tb. *elaphebólos*; Ártemis (mito de)
Vegetação
– deus da V. 127, 128, 128[7]
– espírito da V. 128[7]
v. tb. *Dioniso* (aparecimento "oficial" de)
Vegetarianismo
– V. órfico 167
Velocidade 201
v. tb. Hermes (atributos e funções); sandálias (de ouro)
Vênus 62
v. tb. estanho; degraus (da escada mitraíca)
Venus
– *V. genetrix* 39
v. tb. touro (signo de)
Vermelho 210
v. tb. rubedo; matéria (fases da); alquimia
Ver-se 189s
v. tb. imagem; *imago*; sombra; *umbra*; apaixonar-se (por si mesmo)
Véu
– cobrir-se com V. 233[5]
v. tb. noiva; *nubere*
Vida
– V. eterna 108
v. tb. sete (simbolismo do número)
– V. moral 108
v. tb. virtudes (teologais e cardeais); sete (simbolismo do número)
– água da V. 252
v. tb. fonte
– dialética material da V. e da morte 210[12]

v. tb. morte; serpente; uróboro; alquimia
– fios da V. e da morte 257
v. tb. Psiqué (mito de Eros e P. – as quatro provas)
– fluxo da água da V. 259
v. tb. masculino (incontível); Psiqué (mito de Eros e P. – as quatro provas)
– libertação para uma V. de imortalidade 130
v. tb. *athanasía*; religião (correntes religiosas)
Vidente(s) 184s
v. tb. mântica; *mántis*; visão (de dentro para fora); cegueira
Vindima 128
v. tb. vinho (descoberta do); uva
Vingança(s)
– V. de Ártemis 66s
v. tb. Ártemis (mito de)
– V. de Hera 120-121, 122-126
Vinho 127
v. tb. *Lénaion*; lagar; Leneias
– descoberta do V. 132
v. tb. uva; vindima; êxtase; entusiasmo
– deus do V. 26
v. tb. Dioniso (o segundo D.)
Violência
– V. a si e aos deuses 138s
v. tb. *hýbris*
Virgem(ns)
– V. vestais 81
v. tb. mulher (servidora da Lua)
– deusa V. 29
v. tb. *Parthénos*; Atená (epítetos de)
Virgindade 234
v. tb. flor; defloração
– V. estéril 260s
v. tb. matrilinhagem (beleza árida da V. estéril)
Virilidade 214
v. tb. Hermafrodito (mito de)
– manutenção da V. 66
v. tb. âmbar
Virtude(s)
– V. teologais e cardeais 108
v. tb. vida (moral); três (número); quatro (número); sete (simbolismo do número)
Visão
– V. de dentro para fora 184s
v. tb. mântica; *mántis*; cegueira; videntes
– capacidade de V. 184
v. tb. *mántis*
Vítima
– despedaçamento da V. 69
v. tb. *diasparagmós*; Ártemis (mito de)
– consumação da carne crua e do sangue da V. 70
v. tb. *omophaguía*; Ártemis (mito de)
Vitória
– V. no fracasso de Psiqué 261s
v. tb. Psiqué (mito de Eros e P. – desfecho feliz)
Vitoriosa 25, 32
v. tb. *Níke*; Atená (epítetos de)
VITRIOL 211, 214[14]
v. tb. alquimia
Voltar
– não se V. 258
v. tb. ego (estabilidade do)
Volúpia 230
v. tb. prazer; bem-aventurança
Vontade
– purificação da V. para receber o divino 130
v. tb. *kátharsis*; religião (correntes religiosas)
Voz(es)
– V. pública 221[2]
v. tb. Fama

– atendimento dos desejos 221s
v. tb. Psiqué (mito de Eros e P. – tentação e paixão)
– poder divinatório da V. humana 211s
– respostas às consultas pelo processo das V. 211s
v. tb. mântica (de Hermes)
Vrishabha 36
v. tb. roda (cósmica); touro (simbolismo do)

Z

Zagreu 118s, 121-125
v. tb. Dioniso (mito de); Brômio; Iaco
Zeus
– uniões de Z. 23s, 33s, 40, 45, 59, 121
v. tb. casamentos (de Zeus)
Zodíaco
– signo do Z. 39
v. tb. signo (de touro); touro (simbolismo do)

EDITORA VOZES LTDA.
Rua Frei Luís, 100 – Centro – Cep 25689-900 – Petrópolis, RJ
Tel.: (24) 2233-9000 – E-mail: vendas@vozes.com.br